El mundo según Garp

John Irving

El mundo según Garp

Traducción de Iris Menéndez

Título original: *The world according to Garp*

© John Irving, 1976, 1977 y 1978
© por la traducción, Iris Menéndez
    Traducción cedida por Argos Vergara, S.A.
© Tusquets Editores, S.A., 2002
    Cesare Cantù, 8. 08023 Barcelona

Diseño de la cubierta: Opal
Primera edición: junio de 2002

Depósito legal: B. 22.537-2002
ISBN: 84-95971-83-6
Impreso en: Litografía Rosés, S. A.
Encuadernado por: Litografía Rosés, S. A.
Printed in Spain - Impreso en España

El derecho a utilizar la marca Quinteto corresponde a las editoriales ANAGRAMA,
EDHASA, GRUP 62, SALAMANDRA y TUSQUETS.

Biografía

John Irving nació en Exeter (New Hampshire) en 1942. Tusquets Editores ha publicado de él las novelas *El mundo según Garp*, *El Hotel New Hampshire*, *Príncipes de Maine, reyes de Nueva Inglaterra*, *La epopeya del bebedor de agua*, *Oración por Owen*, *Libertad para los osos*, *Un hijo del circo*, *Una mujer difícil* y *La cuarta mano*, así como el libro de narraciones *La novia imaginaria*, el jugoso relato de sus experiencias cinematográficas, *Mis líos con el cine*, y *Las normas de la casa de la sidra*, guión escrito por el propio Irving para la película basada en la novela *Príncipes de Maine, reyes de Nueva Inglaterra*, por el que ganó un Oscar en el año 2000.

Desde *El mundo según Garp*, publicada en 1978, las obras de John Irving han cautivado a miles de lectores en el mundo entero.

Índice

Hace veinte años
Introducción a *El mundo según Garp*

Mi hijo mayor, Colin, que tiene ahora treinta y tres años, era un niño de doce la primera vez que leyó *El mundo según Garp*, en manuscrito, mientras yo aguardaba con ansiedad su reacción. (Sigo pensando que hay en el libro escenas inadecuadas para lectores de doce años.) Aunque había escrito tres novelas con anterioridad, *Garp* era la primera que Colin podía leer, y recuerdo que me sentía orgulloso y, al mismo tiempo, nervioso ante la perspectiva de que uno de mis hijos me juzgara. Había dedicado el libro a Colin y a su hermano menor, Brendan, y eso hacía que la situación fuese aún más tensa y emocionante.

Sin duda todo el mundo conoce los dos interrogantes que se le plantean con más frecuencia a cualquier novelista: ¿de qué trata su libro?, ¿es autobiográfico? Estas preguntas y sus respuestas nunca han tenido para mí excesivo interés (si la novela es buena, tanto las preguntas como las respuestas son irrelevantes), pero mientras mi hijo de doce años leía *El mundo según Garp*, yo preveía que ésas eran precisamente las preguntas que iba a hacerme, y reflexioné sobre lo que podría decirle.

Ahora, al cabo de veinte años y tras haber escrito nueve novelas, creo que nunca he reflexionado tanto sobre mis respuestas a esas preguntas irrelevantes como cuando Colin leía *Garp*. Lo que quiero decir, por supuesto, es que resulta del todo comprensible y es sin lugar a dudas lícito que un muchacho de doce años pregunte tales cosas, mientras que, a mi modo de ver, un adulto no tiene por qué formularlas. En mi opinión, el adulto que lee una novela debe *saber* de qué trata el libro, como también ha de saber que el hecho de que una novela sea o no autobiográfica carece de importancia, a menos que el presunto adulto sea ingenuo en exceso o desconozca por completo los caminos de la ficción narrativa.

Sea como fuere, mientras Colin estaba en su habitación, leyendo el manuscrito de *Garp*, yo me preguntaba angustiado de qué trataba la novela. Para mi horror, y lleno de aborrecimiento hacia mí mismo, me apresuré a concluir que el tema del libro era el de las tentaciones de la lujuria, la cual conduce a todo el mundo a un fin desdichado. Por si eso no bastara, incluso hay un capítulo titulado «Más lujuria». Estaba verdaderamente avergonzado de la cantidad de lujuria que contiene el libro, por no hablar de lo punitiva que consideraba la obra. Efectivamente, cada personaje de la novela que se abandona a su lujuria recibe un severo castigo. Y, entre los culpables y las víctimas, abundan las mutilaciones físicas: los personajes pierden ojos, brazos, lenguas..., ¡alguno incluso el pene!

En un momento determinado, cuando empezaba a escribir el libro, me pareció que la polarización de los sexos era un tema dominante. El relato trataba de unos hombres y mujeres cada vez más desunidos. No hay más que examinar el argumento: una mujer notable aunque sin pelos en la lengua (Jenny Fields, la madre de Garp) muere a manos de un varón lunático que odia a las mujeres, y al mismo Garp le asesina una mujer lunática que odia a los hombres. «En este mundo de mente sucia», piensa Jenny, «o bien eres la mujer o bien la puta de alguien... o vas rápidamente camino de convertirte en una u otra cosa. Si no encajas en ninguna de las dos categorías, entonces todo el mundo intenta hacerte creer que hay en ti algo raro.» Pero en la madre de Garp no hay nada raro. Jenny escribe en su autobiografía: «Quería tener empleo y vivir sola, y eso me convirtió en una sospechosa sexual. Entonces quise tener un hijo, pero sin que para ello tuviera que compartir mi cuerpo o mi vida, y eso también me convirtió en una sospechosa sexual». Y ser lo que ella llama «una sospechosa sexual» también hace de Jenny un blanco del odio antifeminista: al igual que Garp, su hijo, llega a ser un blanco de las feministas radicales.

Pero el principal aspecto de la madre de Garp se manifiesta en el primer capítulo: «Jenny Fields descubrió que, si escandalizas a los demás, te respetan más que si procuras vivir tu vida con un poco de intimidad». Hoy, veinte años después, el descubrimiento de Jenny parece más cierto, por no decir más defendible, de lo que me parecía en 1978. Y no siempre estoy de acuerdo con Jenny. «Los hombres y las mujeres sólo comparten por igual la muerte», dice en cierto momento. Más adelante, en el último capítulo, muestro mi desacuerdo con ella de la siguiente manera: «Los hombres y las mujeres ni siquiera comparten la muerte por igual. Los hombres también tienen más oportunidades de morir».

Hubo un momento en que Jenny amenazaba con llegar a dominar la novela, cuando no estaba en absoluto seguro de si el protagonista era Garp o su madre. He conservado parte de esa indecisión. Cierta vez quise iniciar el libro por el capítulo 11 (el de la «señora Ralph»), pero eso habría requerido un *flashback* de 279 páginas. A continuación intenté iniciar la novela por el capítulo 9, el titulado «El eterno marido». La primera frase decía: «En las páginas amarillas del listín telefónico de Garp, "matrimonio" figuraba cerca de "madera"». Creía entonces que la novela trataba del matrimonio, en concreto de los peligros del matrimonio y, de una manera todavía más concreta, de la amenaza que la lujuria constituye para el matrimonio. Escribí: «Garp nunca se había percatado de que había más asesores matrimoniales que depósitos de madera». (¿Es de extrañar mi inquietud porque un muchacho de doce años leyera aquel libro?)

Y en otra ocasión *El mundo según Garp* empezaba por el tercer capítulo («Lo que quería ser cuando fuera mayor»), pues ¿no trata también de eso la novela? Garp quiere ser escritor, la novela trata de un novelista, aunque casi ninguno de sus lectores recuerda que sea así. No obstante, los orígenes de Garp como escritor son esenciales en el relato: «El comienzo del éxtasis largamente buscado de un escritor, en el que un solo tono de voz expresa la totalidad del mundo». Y desde el principio había un epílogo. Sabía todo lo que iba a suceder antes de que ocurriera, como siempre me sucede. Garp escribe: «Un epílogo es más que un recuerdo de los asistentes. Bajo la apariencia que envuelve el pasado, un epílogo es realmente una manera de advertirnos sobre el futuro».

Pero comenzar la novela como lo intenté cierta vez, por el tercer capítulo, era demasiado histórico y distante desde el punto de vista emocional. «En 1781 la viuda y los hijos de Everett Steering fundaron la Academia Steering, como se llamó al principio, porque Everett Steering, mientras trinchaba su última oca navideña, había dicho a la familia que la única decepción que le había causado su ciudad era no haber proporcionado a sus chicos una academia capaz de prepararlos para una educación superior. No mencionó a las chicas.» Una vez más el tema de la polarización sexual... ¡ya en 1781!

Entretanto, en la intimidad de su habitación, Colin leía sin cesar. *El mundo según Garp* nunca habría satisfecho a un niño de doce años si *sólo* hubiera sido una novela sobre un novelista, aunque gran parte de lo que me importaba del libro era exactamente eso. Siempre veré a Garp merodeando de noche por su barrio y mirando con malos ojos los televisores de los vecinos. «Se oye el gorjeo tenue, atrapado, de algunos televisores que sintonizan *The Late Show,* y el resplandor gris azulado de las pantallas titila en varias casas. A Garp ese resplandor le parece como el cáncer, insidioso y entumecedor, algo que adormece al mundo. Piensa que tal vez la televisión causa realmente cáncer, pero su auténtica irritación es la de un escritor, pues sabe que, ahí donde brilla la pantalla de un televisor, hay alguien sentado que no está leyendo.»

¿Y qué decir del Sapo Sumergido? Colin conocía su origen. Fue su hermano Brendan quien le malentendió un verano, en la playa de Long Island. «Ten cuidado con la resaca *[undertow]*, Brendan», le advirtió Colin, entonces con sólo diez años de edad (y Brendan seis). El pequeño nunca había oído la palabra resaca y creyó que Colin le había dicho «el sapo de abajo» *[under toad]*. En algún lugar, bajo el agua, acechaba un sapo peligroso.

—¿Qué puede hacerte? —le preguntó Brendan a su hermano.

—Puede tirar de ti hacia abajo y llevarte mar adentro —respondió Colin.

Eso acabó con la playa para Brendan, que ya no quería acercarse al mar. Al cabo de unas semanas le vi a cierta distancia de la orilla, contemplando las olas.

—¿Qué estás haciendo? —le pregunté.

—Estoy buscando al sapo sumergido —dijo Brendan—. ¿Es muy grande? ¿De qué color? ¿Nada muy rápido?

El mundo según Garp no existiría sin el Sapo Sumergido.

Me llevé una sorpresa cuando Colin no me preguntó de qué iba el libro, sino que me lo dijo él.

—Creo que trata del temor a la muerte —empezó a decirme—. Quizá más exactamente el temor a la muerte de los niños, o de alguien a quien quieres.

Entonces recordé que, entre mis otros intentos de escribir la novela, tiempo atrás había comenzado con la que sería la última frase («... en el mundo, según Garp, todos somos casos terminales»), y recordé que esa frase había avanzado a lo largo del libro, que yo no había dejado de arrastrarla. En cierta ocasión fue la primera frase del segundo capítulo, más adelante fue la última frase del décimo, y así sucesivamente, hasta que se convirtió en el final de la novela, el único final posible. No es de extrañar que Garp describa al novelista como «un médico que sólo ve casos terminales».

No obstante, Colin, mi hijo de doce años, me sorprendió al decirme de qué trataba mi libro. El capítulo de «la señora Ralph», mi primer comienzo falso, que es ahora el capítulo 11, empieza así: «Si a Garp le hubieran concedido un deseo simple e inmenso habría escogido el de poder convertir el mundo en un lugar *seguro*. Tanto para los niños como para los adultos. El mundo impresionaba a Garp como innecesariamente peligroso para ambos. Colin, a sus doce años, se había identificado con eso. Garp vive en «un barrio seguro de una ciudad pequeña y segura», pero ni él ni sus hijos están a salvo. Al final el sapo de abajo se apoderará de él, como se apodera de su madre y de su hijo pequeño. «Ten cuidado», les dice siempre Garp a sus hijos, como yo todavía se lo digo a los míos.

IV.

La novela trata del cuidado que uno tiene, y de que eso no basta.

El verdadero comienzo del libro, el que por fin elegí, describe la costumbre que tiene Jenny de llevar un bisturí en el bolso. Jenny es enfermera, está soltera y no quiere tener tratos con los hombres. Lleva el bisturí para su defensa personal. Y así *El mundo según Garp* empieza con un acto de violencia: Jenny hiere a un soldado, un desconocido que le mete la mano bajo el vestido (su uniforme de enfermera). «Jenny Fields, la madre de Garp, fue arrestada en Boston en 1942, por herir a un hombre en un cine.» Finalmente fue así de sencillo, y empecé por el comienzo del relato principal, antes de que Jenny esté embarazada, con Garp en su vientre, el momento en que decide que quiere ser madre sin tener marido.

Es interesante que Colin nunca me preguntara si la novela era autobiográfica, pero un año después de que se publicara *El mundo según Garp* visité la escuela Northfield Mount Hermon, una escuela secundaria privada de Massachusetts. Me habían invitado a una lectura de mis textos ante los alumnos, y acepté la invitación porque recientemente habían admitido a Colin en el centro, donde estudiaría el próximo curso escolar, y pensé que así mi hijo tendría oportunidad de ver el lugar y conocer a algunos de los chicos y chicas que pronto serían sus compañeros de clase. Así pues, Colin acudió conmigo a la lectura, tras la cual el público planteó algunas preguntas. (Se les había anunciado que Colin asistiría a la escuela Northfield Mount Hermon en otoño, y ya había sido presentado a todo el mundo.) Inesperadamente, una joven muy bonita formuló una pregunta... no a mí, sino a Colin.

—¿Garp es tu padre? —quiso saber.

¡Pobre Colin! Debía de sentirse azorado pero, a juzgar por su semblante imperturbable, nadie lo habría dicho. Era algo más joven que los alumnos reunidos, pero de improviso me pareció mucho mayor y más circunspecto que la mayoría de ellos. Además, era un experto en *El mundo según Garp*.

—No, mi padre no es Garp —respondió—, pero los temores de mi padre son los de Garp..., son los temores de cualquier padre.

(Por entonces Colin no había cumplido todavía los quince años.)

De modo que de eso trata *El mundo según Garp*, de los temores de un padre, y en ese aspecto la novela es y no es autobiográfica. Basta con preguntárselo a Colin o a Brendan o, dentro de unos años, cuando sea lo bastante mayor para leer, al más pequeño de mis hijos, Everett, que ahora tiene seis años.

Escribí esta novela hace veinte años, pero casi a diario vuelvo a los temores que refleja. Casi el más nimio detalle de *El mundo según Garp* es una expresión de temor. Incluso el curioso hoyuelo en el rostro de la prostituta vienesa es también expresión del temor más terrible. «La depresión plateada de su frente era casi tan grande como la boca. El hoyuelo le parecía a Garp una tumba pequeña y abierta.» La tumba de un niño...

Cuando se publicó *Garp*, me escribieron personas que, según afirmaban en sus cartas, habían perdido hijos. Les confesé que ése no había sido mi caso, que sólo era un padre con una buena imaginación. En mi imaginación, pierdo a mis hijos todos los días.

John Irving, mayo de 1998

VI

Para Colin y Brendan

El Boston Mercy

Jenny Fields, la madre de Garp, fue arrestada en Boston en 1942, por herir a un hombre en un cine. El hecho ocurrió poco después del bombardeo japonés a Pearl Harbor. Entonces la gente se mostraba tolerante con los soldados, porque, de pronto, todos *eran* soldados, pero Jenny Fields seguía firme en su intolerancia respecto al comportamiento de los hombres en general y de los soldados en particular. En el cine tuvo que cambiar tres veces de asiento, pero en todas las ocasiones el soldado volvió a acercarse a ella, hasta que quedó sentada contra la mohosa pared, detrás de una columna tonta que apenas le permitía ver el noticiario, y decidió que no volvería a levantarse y cambiar de sitio. El soldado apareció a su lado una vez más.

Jenny tenía veintidós años. Había abandonado la facultad casi en los comienzos, pero había concluido su plan de estudios de enfermera como primera de su clase. Le gustaba ser enfermera. Era una joven de aspecto deportivo, con las mejillas siempre sonrosadas; tenía el pelo liso y oscuro, y lo que su madre llamaba una forma de caminar masculina (balanceaba los brazos); su trasero y sus caderas eran tan esbeltos y firmes que, de espaldas, parecía un muchacho. Jenny opinaba que sus pechos eran demasiado generosos; pensaba que la ostentación de su busto la hacía parecer «barata y fácil».

No era nada de eso. De hecho, había dejado la facultad cuando sospechó que el propósito fundamental de sus padres al enviarla a Wellesley había consistido en que saliera con un hombre de buena cuna y finalmente se uniera a él. La recomendación de Wellesley provenía de sus hermanos mayores, que habían asegurado a sus padres que a las mujeres de Wellesley no se las consideraba disolutas sino muy aptas para el matrimonio. Jenny sentía que su educación era sólo una forma correcta de esperar el momento propicio, como si en realidad fuera una vaca a la que sólo preparaban para introducirle el artilugio de la inseminación artificial.

Eligió como asignatura principal la literatura inglesa, pero cuando comprendió que sus condiscípulas estaban principalmente interesadas en adquirir el refinamiento y aplomo necesarios para tratar con los hombres, no tuvo reparo en sustituir la literatura por la enfermería. Consideraba que la enfermería era algo que podía practicarse de inmediato y su estudio no contenía motivaciones ocultas (posteriormente escribió, en su famosa autobiografía, que demasiadas enfermeras se exhiben delante de demasiados médicos, pero entonces sus tiempos de enfermera habían quedado atrás).

Le gustaba el uniforme sencillo y sin adornos suplerfluos; la blusa disimulaba sus grandes pechos; los zapatos eran cómodos y adecuados para su rápido andar. Cuando ocupaba el escritorio nocturno, podía leer. No añoraba a los jóvenes universitarios, que se mostraban malhumorados y decepcionados si no cedías, y superiores y fríos si cedías. En el hospital conoció a más soldados y trabajadores que a universitarios, y resultaron ser más francos y menos pretenciosos en sus expectativas; si cedías un poco, parecían al menos lo bastante agradecidos para querer verte otra vez. Luego, repentinamente, todos fueron soldados —que se daban la misma importancia que los universitarios—, y Jenny Fields dejó de tener algo que ver con los hombres.

«Mi madre», escribió Garp, «era una loba solitaria.»

La fortuna de la familia Fields se asentaba en el calzado, aunque la señora Fields —de soltera Weeks, de Boston— había aportado algo de dinero propio al matrimonio. A la familia Fields le había ido lo bastante bien con el calzado como para apartarse, años atrás, de las fábricas. Vivían en una amplia casona con tejado de tablones junto a la playa de Nueva Hampshire, en Dog's Head Harbor. Jenny iba a su casa los días y las noches libres, principalmente para complacer a su madre y para convencer a la gran dama de que, aunque «su vida de enfermera la estaba desplazando a los suburbios», como decía su madre, no había adoptado hábitos barriobajeros en su lenguaje ni en su comportamiento.

Con frecuencia Jenny se encontraba con sus hermanos en la North Station y viajaba con ellos en el tren. Como correspondía a todos los miembros de la familia Fields, se sentaban del lado derecho del tren Boston-Maine cuando éste salía de Boston, y del lado izquierdo en el viaje de retorno. Esto satisfacía los deseos del señor Fields, que reconocía que, de ese lado, el paisaje era desagradable, pero consideraba que todos los Fields tenían la obligación de afrontar la mugrienta fuente de su independencia y de su alto nivel de vida. A la derecha del tren viniendo de Boston, y a la izquierda al volver, se veía la salida principal de la Fábrica Fields de Haverhill, y el inmenso cartel con un enorme zapato que con paso firme parecía aplastar a quien lo contemplaba. El cartel dominaba el espacio que rodeaba la vía del ferrocarril y se reflejaba en incontables miniaturas en las ventanas de la fábrica. Debajo del amenazador pie que avanzaba figuraban las siguientes palabras:

¡FIELDS PARA SUS PIES
EN LAS FABRICAS
O EN LOS CAMPOS*!

Había una línea Fields de calzados para enfermeras y el señor Fields le regalaba un par a su hija cada vez que ésta iba a su casa; Jenny debía tener guardados, como mínimo, una docena. La señora Fields, que insistía en equiparar la salida de su hija de Wellesley con un futuro sórdido, también le hacía un regalo a Jenny siempre que ésta iba a su casa. La señora Fields regalaba a su hija una bolsa de agua caliente, o eso decía... y eso suponía Jenny: jamás abrió los paquetes. Su madre decía:

—¿Todavía tienes aquella bolsa de agua caliente que te regalé, querida?

Jenny reflexionaba un minuto, pensaba que la había olvidado en el tren o arrojado a la basura y respondía:

—*Quizá* la haya perdido, mamá, pero estoy segura de que no necesito otra.

La señora Fields sacaba un paquete de su escondite y lo ponía entre las manos de su hija, todavía envuelto en el papel de la farmacia y le aconsejaba:

—*Por favor*, Jennifer, tienes que cuidarte. Y *úsala*, por favor.

Dada su condición de enfermera, Jenny concedía muy poca utilidad a la bolsa de agua caliente; suponía que era un conmovedor y extraño artefacto de anticuado bienestar, principalmente psicológico. Pero algunos de los paquetes lograban llegar a su cuartito, cercano al hospital Boston Mercy. Los guardaba en un armario, que estaba casi lleno de cajas de zapatos para enfermeras... también sin abrir.

Se sentía distanciada de su familia y pensaba que era extraño que le hubieran prodigado tantas atenciones de pequeña y luego, en algún momento determinado y previsto, pareciera interrumpirse el flujo de afecto e iniciarse las expectativas. Era como si se esperara que durante una breve etapa absorbieras amor (el suficiente) y después, durante una etapa mucho más prolongada y seria, se esperara que cumplieras ciertas obligaciones. Cuando Jenny rompió la cadena, abandonando Wellesley para ser algo tan

---

* *Fields* significa, literalmente, campos. (N. de la T.)

13

vulgar como una enfermera, había abandonado a su familia, y ellos, como si no pudieran evitarlo, la estaban abandonando a ella. En la familia Fields habría sido más apropiado, por ejemplo, que Jenny se hubiera convertido en una médica, o que se hubiera quedado en la universidad hasta *casarse* con un médico. Cada vez que veía a sus hermanos, a su madre y a su padre, era mayor la incomodidad recíproca. Estaban envueltos en ese violento proceso de llegar a desconocerse entre sí.

Así deben de ser las familias, pensaba Jenny Fields. Sentía que, si alguna vez tenía hijos, los amaría igual a los veinte que a los dos años; de hecho, pueden necesitarte más a los veinte, pensaba. ¿Qué necesita realmente un crío de dos años? En el hospital, los pacientes más fáciles eran los bebés. Cuanto más crecían, más necesitaban y menos los deseaban y los amaban.

Jenny sentía que había crecido en una enorme embarcación sin haber visto —y mucho menos comprendido— la sala de máquinas. Le gustaba la forma en que para el hospital sólo importaba lo que uno comía, si servía para algo haberlo comido, y dónde iba a parar. De niña, jamás había visto los platos sucios; a decir verdad, cuando las criadas limpiaban la mesa, Jenny estaba segura de que tiraban los platos a la basura (transcurrió mucho tiempo hasta que se le permitió entrar en la cocina). Y cuando todas las mañanas el camión del lechero llevaba las botellas, Jenny creyó, durante un tiempo, que también llevaba los platos del día, ya que el ruido de las botellas chocando entre sí era semejante al que producían las criadas en la cocina a puertas cerradas, hicieran lo que hiciesen con los platos.

Jenny Fields cumplió los cinco años antes de conocer el cuarto de baño de su padre. Lo rastreó una mañana siguiendo el aroma de la colonia que aquél usaba. Encontró una caseta empañada para la ducha —bastante moderna para 1925—, un inodoro personal y una hilera de frascos tan distintos de los de su madre que Jenny creyó haber descubierto la guarida de un hombre secreto que durante años hubiera vivido en su casa sin ser visto. Y, de hecho, así era.

En el hospital, Jenny sabía a dónde iba a parar todo y estaba aprendiendo las respuestas no mágicas a la pregunta de dónde venía casi todo. En Dog's Head Harbor, cuando Jenny era niña, todos los miembros de la familia tenían su propio baño, su propio dormitorio, su propia puerta con su propio espejo en la parte de atrás. En el hospital, la intimidad no era sagrada, nada era secreto; si querías un espejo, tenías que pedírselo a la enfermera.

Lo más misterioso que se le había permitido investigar por su cuenta, de niña, había sido el sótano y la gran vasija de cerámica que todos los lunes se llenaba con almejas. Por la noche la madre de Jenny las espolvoreaba con harina de maíz y por la mañana se bañaba a las almejas con agua de mar purificada que salía de una larga tubería, que llegaba al sótano directamente desde el mar. Al final de la semana, las almejas estaban gordas y limpias de arena, demasiado crecidas para sus conchas, con sus grandes y obscenos cuellos recostados indolentemente en el agua salada. Los viernes, Jenny ayudaba a la cocinera a separar las malas de las buenas: las muertas no encogían el cuello cuando se las tocaba.

Jenny pidió un libro sobre las almejas. Lo leyó todo al respecto; cómo comían, cómo se alimentaban, cómo crecían. Fue la primera cosa viva que comprendió plenamente: su vida, su sexo, su muerte. En Dog's Head Harbor los seres humanos no eran tan accesibles. En el hospital, Jenny Fields sentía que recuperaba el tiempo perdido: estaba descubriendo que la gente no era mucho más misteriosa ni mucho más atractiva que las almejas.

«Mi madre», escribió Garp, «no hacía distinciones sutiles.»

Una sorprendente diferencia que podía haber encontrado entre las almejas y la gente era que la mayoría de las personas tenía cierto sentido del humor, pero Jenny no sentía ninguna inclinación por el humor. En aquella época, entre las enfermeras de Boston, corría un chiste muy popular que a Jenny no le parecía nada divertido. El chiste se refería a otro de los hospitales de Boston. Jenny trabajaba en el Hospital Boston Mercy, conocido como el Boston Mercy; también estaba el Hospital Massachusetts General, conocido como el Mass General. Otro hospital era el Peter Bent Brigham, conocido como el Peter Bent*.

Un día —y va el chiste—, un hombre que se tambaleaba en el bordillo de la acera, a punto de caer de rodillas en la calle, llamó a un taxi. El hombre tenía el rostro rojo de dolor; se estaba ahogando o contenía el aliento, de modo que hablar le resultaba evidentemente difícil; el taxista abrió la puerta y le ayudó a subir; el hombre se tendió a lo largo del asiento trasero, boca abajo, y apretó las rodillas contra su pecho.

—¡Al hospital! ¡Al hospital! —gritó.

—¿El Peter Bent? —preguntó el taxista, ya que era el hospital más cercano.

—Está peor que doblado —gimió el pasajero—. ¡Creo que Molly me lo arrancó de un mordisco!

Muy pocos chistes eran graciosos para Jenny Fields y sin duda éste tampoco lo era; nada de chistes con pitos para Jenny, que se mantenía apartada de la cuestión. Había visto los problemas que los pitos pueden producir, y un bebé no era el peor. Naturalmen-

---

* Textualmente y en lenguaje vulgar, *peter bent* significa pito doblado. (N. de la T.)

15

te, veía a mujeres que no querían tener hijos y estaban tristes a causa de su embarazo; no deberían *tenerlos*, pensaba Jenny, aunque principalmente sentía pena por los bebés que nacían. También veía gente que quería tener a sus hijos, y a ella le hizo desear tener uno. Algún día, pensaba Jenny Fields, me gustaría tener un bebé, sólo uno. Pero el problema era que quería tener que ver lo menos posible con un pito y nada que ver con un hombre.

La mayoría de los tratamientos de pito que Jenny veía se aplicaban a soldados. El Ejército de los Estados Unidos no empezó a beneficiarse del descubrimiento de la penicilina hasta 1943, y muchos soldados no la conocieron hasta 1945. En el Boston Mercy, en los primeros meses de 1942, por lo general, los pitos se trataban con sulfamidas y arsénico. Para la gonorrea se usaba sulfatiazol, diluido en enormes cantidades de agua. Para la sífilis, en los tiempos anteriores a la penicilina, aplicaban neoarsfenamina; Jenny Fields consideraba que ése era el fin al que podía conducir el sexo: introducir *arsénico* en la química humana con la intención de purificar la química.

El otro tratamiento de pito era local y también requería mucho líquido. A menudo, Jenny ayudaba en este método de desinfección, pues en ese momento el paciente requería gran atención; de hecho, a veces era necesario sujetarle. Era un procedimiento sencillo —que podía hacer correr casi cien centímetros cúbicos de líquido pene arriba, líquido que llegaba hasta la sorprendida uretra antes de volver a descender—, pero hacía que los que se sometían a él se sintieran desollados vivos. El inventor de un aparato para este tratamiento se llamaba Valentine, y el artilugio recibió el nombre de Irrigador de Valentine. Mucho después de que el irrigador del doctor Valentine fuera perfeccionado o reemplazado por otro tipo de irrigador, las enfermeras del Boston Mercy seguían refiriéndose al procedimiento como «tratamiento de Valentine»: un castigo apropiado para un amante, pensaba Jenny Fields.

«Mi madre», escribió Garp, «no tenía inclinaciones románticas.»

Cuando el soldado del cine cambió de asiento por primera vez —cuando hizo su primer movimiento en dirección a ella—, Jenny Fields pensó que lo que le vendría bien a él sería el tratamiento de Valentine. Pero no tenía un irrigador a mano, porque no cabía en su bolso. Además, el método requería considerable colaboración por parte del paciente. Pero Jenny sí tenía un escalpelo, que siempre llevaba consigo. No lo había robado de la sala de cirugía:

lo había encontrado en la basura, con una profunda muesca en la punta (probablemente había caído al suelo o en un fregadero) y no servía para trabajos delicados, pero Jenny no lo necesitaba para trabajos delicados.

Al principio había desgarrado los pequeños bolsillos de seda de su bolso. Más tarde encontró una parte de un viejo estuche de termómetro, con el que cubrió la punta del escalpelo, encapuchándolo como si fuera una pluma estilográfica. Quitó el capuchón cuando el soldado volvió a sentarse a su lado y extendió el brazo a lo largo del apoyo que, absurdamente, tenían que compartir. La larga mano del soldado quedó colgando del extremo del brazo y de pronto se sacudió como las ijadas de un caballo que espanta las moscas. Jenny mantuvo su propia mano en el escalpelo en el interior del bolso; con la otra mano, apretó el bolso contra su blanco regazo. Imaginaba que su uniforme de enfermera brillaba como un escudo sagrado y que por alguna perversa razón el insecto sentado a su lado se había sentido atraído por su luz.

«Mi madre», escribió Garp, «fue por la vida a la caza de arrebatadores de bolsos y de arrebatos arrebatadores.»

El soldado del cine no buscaba su bolso. Le tocó la rodilla. Jenny le habló en voz alta y clara:

—Quítame de encima tus asquerosas manos.

Varias personas volvieron la cabeza.

—Oh, vamos... —gimió el soldado.

La mano del soldado avanzó rápidamente por debajo del uniforme de Jenny; encontró unos muslos fuertemente apretados, y todo su brazo, desde el hombro hasta la muñeca, repentinamente rebanado como si fuera un delicado melón. Jenny le había atravesado limpiamente las insignias y la camisa, limpiamente a través de la piel y los músculos, dejando al descubierto los huesos de la articulación del codo. («Si hubiera querido matarle», dijo más tarde a la policía, «le habría cortado la muñeca. Soy enfermera. Sé cómo desangrar a la gente.»)

El soldado aulló. De pie y mientras caía de espaldas, lanzó un puñetazo a la cabeza de Jenny con el brazo sano y la golpeó con tal fuerza en la oreja que su cabeza zumbó. Jenny le lanzó un nuevo zarpazo con el escalpelo, arrancándole un fragmento del labio superior, del tamaño y la delgadez de la uña de un pulgar. («No intentaba cortarle la garganta», dijo más tarde a la policía. «Intentaba arrancarle la nariz, pero fallé.»)

Llorando y a gatas, el soldado tanteó su camino hasta el pasillo y se encaminó hacia la protección de las luces del vestíbulo. Alguien en el interior de la sala lloriqueaba aterrorizado.

Jenny limpió el escalpelo en la butaca, lo devolvió a su bolso y cubrió la hoja con el capuchón del termómetro. A continuación fue al vestíbulo, donde se oían enérgicos lamentos, y el administrador gritaba a través de las puertas, en dirección al público a oscuras:

—¿Hay algún médico en la sala? ¡Por favor! ¿Alguien del público es médico?

Pero *había* una enfermera y se acercó para prestar ayuda. Cuando el soldado la vio se desmayó, y no a causa de la pérdida de sangre. Jenny sabía cuánto sangraban las heridas faciales: eran engañosas. Naturalmente, el tajo más profundo del brazo necesitaba atención inmediata, pero el soldado no se desangraría hasta morir. Nadie, salvo Jenny, parecía comprenderlo, debido a la cantidad de sangre que manaba, la mayor parte de la cual estaba en su uniforme blanco de enfermera. Pronto se dieron cuenta de que ella era la agresora. Los acomodadores del cine no le permitieron tocar al soldado desmayado y alguien le arrebató el bolso. ¡La enfermera loca! ¡La chiflada del puñal! Jenny Fields estaba serena. Pensaba que sólo era cuestión de aguardar a que las auténticas autoridades comprendieran la situación. Pero la policía tampoco fue muy amable con ella.

—¿Hace mucho tiempo que sales con este tipo? —le preguntó el primero, camino del cuartelillo del distrito.

Poco después, otro inquirió:

—¿Cómo sabías que pensaba *atacarte*? Él dice que sólo intentaba presentarse.

—Esa pequeña arma es realmente peligrosa, nena —opinó un tercero—. No tendrías que llevar encima algo así. Eso es buscarte problemas.

De modo que Jenny decidió esperar a que sus hermanos aclararan la cuestión. Estaban en la Facultad de Derecho en Cambridge, al otro lado del río. Uno estudiaba leyes y el otro daba clases de leyes en la Facultad.

«Ambos», escribió Garp, «compartían la opinión de que la *práctica* del derecho era vulgar, pero su *estudio*, sublime.»

Tampoco ellos fueron muy alentadores cuando llegaron.

—Le has destrozado el corazón a tu madre —dijo uno.

—Si hubieras seguido en Wellesley... —apuntó el otro.

—Una chica sola tiene que protegerse —argumentó Jenny—. ¿Qué sería más correcto?

Pero uno de los hermanos le preguntó si podía probar que previamente no había tenido relaciones con el soldado.

—En confianza —susurró el otro—, ¿hacía mucho tiempo que salías con este tipo?

Por último, todo se aclaró cuando la policía descubrió que el soldado era de Nueva York, donde tenía esposa e hijo. Estaba en Boston de permiso y lo que más temía era que la historia llegara a oídos de su mujer. Todos coincidieron en que *eso* sería horrible... para todos... y en consecuencia soltaron a Jenny, libre de cargos. Cuando ésta armó un escándalo porque la policía no le devolvió el escalpelo, uno de sus hermanos sugirió:

—En nombre de Dios, Jennifer, puedes robar otro, ¿no?

—No lo *robé* —protestó Jenny.

—Tendrías que tener amigos —insinuó uno de los hermanos.

—De Wellesley —repitieron a coro.

—Os agradezco que hayáis acudido a mi llamada —dijo Jenny.

—Para eso está la familia —dijo uno de los hermanos.

—La sangre llama —agregó el otro, que en seguida palideció, al captar el doble significado de su expresión: el uniforme de Jenny estaba totalmente manchado de sangre.

—Soy una buena chica —les aseguró Jenny.

—Jennifer —dijo el hermano mayor y primer modelo de vida que tuvo Jenny para la sensatez, para todo lo que estaba bien. Era bastante solemne y declaró—: Es mejor no mezclarse con hombres casados.

—No se lo diremos a mamá —dijo el menor de los varones con intención tranquilizadora.

—¡Y menos a papá!

En un raro intento por mostrar alguna afectuosidad natural, el mayor le guiñó un ojo, gesto que contorsionó su rostro y por un momento convenció a Jenny de que su primer modelo de vida había adquirido un tic facial.

Junto a los hermanos había un buzón con un cartel del Tío Sam. Un soldado menudo, vestido de marrón, se descolgaba de las manazas de Tío Sam. El soldado estaba a punto de aterrizar en un mapa de Europa. Al pie del cartel se leía: ¡APOYAD A NUESTROS MUCHACHOS! El hermano mayor de Jenny miró a Jenny que miraba el cartel.

—Y no te mezcles con soldados —añadió.

No obstante, pocos meses después también él sería soldado. Sería uno de los que no volverían de la guerra. Destrozaría el corazón de su madre, acto al que se había referido con disgusto.

El hermano menor moriría a causa de un accidente en un velero, mucho después de concluida la guerra. Pereció ahogado a varias millas de la playa de la finca de la familia Fields, en Dog's Head Harbor. Al referirse a su doliente esposa, la madre de Jenny dijo: «Aún es joven y atractiva y sus niños no son repelentes. Todavía no, al menos. Después de un tiempo decente, estoy segura de que podrá encontrar a otro». Pero, finalmente, la viuda del hermano de Jenny habló con ésta, menos de un año después del accidente. Le preguntó a Jenny si consideraba que había pasado un «tiempo decente» y si podía comenzar a hacer lo que fuera necesario para «encontrar a otro». Temía ofender a la madre de Jenny. Quería saber si Jenny consideraba correcto que se quitara el luto.

—Si no *sientes* el luto, ¿para qué lo llevas? —le preguntó Jenny.

En su autobiografía, Jenny escribió: «Esa pobre mujer necesitaba que le dijeran qué debía *sentir*».

«Mi madre decía que era la mujer más estúpida que había conocido», escribió Garp. «Y era ex alumna de Wellesley.»

Pero Jenny Fields, cuando se despidió de sus hermanos en su cuartito de alquiler, cercano al Boston Mercy, estaba demasiado confundida para sentirse lo bastante ultrajada. Además, estaba dolorida: le dolía la oreja donde el soldado le había propinado el puñetazo; para colmo tenía un profundo calambre muscular entre las aletas de los hombros que le impidió dormir. Pensó que se había torcido algo cuando los lacayos del cine la habían cogido en el vestíbulo y sujetado los brazos a la espalda. Recordó que se suponía que las bolsas de agua caliente eran buenas para los dolores musculares, se levantó de la cama, fue al armario y abrió uno de los paquetes regalo de su madre.

No era una bolsa de agua caliente. Ese había sido el eufemismo empleado por su madre para nombrar algo que no podía mencionar. En el paquete había una ducha vaginal. La madre de Jenny sabía para qué servía, lo mismo que su hija. Jenny había ayudado a muchas pacientes del hospital a utilizarlas, aunque allí no se empleaban para evitar embarazos después de hacer el amor, sino para la higiene femenina en general y en casos de enfermedades venéreas. Para Jenny Fields, una ducha era una versión más suave y espaciosa del Irrigador de Valentine.

Jenny abrió todos los paquetes que le había regalado su madre. En cada uno de ellos había una ducha vaginal.

—¡Por favor, *úsala,* querida! —le había rogado su madre.

Jenny sabía que su madre, aunque tenía buenas intenciones, suponía que sus relaciones sexuales eran numerosas e irresponsables. Sin duda, como diría su madre, «desde que abandonaste Wellesley». Desde Wellesley, la madre de Jenny pensaba que ésta fornicaba (también como ella lo diría) «a más no poder».

Jenny Fields volvió a la cama con la ducha vaginal llena de agua caliente, acomodada entre las aletas de los hombros; abrigaba la esperanza de que las grapas que impedían que el agua bajara por la manguera no ocasionaran una filtración, pero, para asegurarse, sostuvo la manguera en las manos, como si fuera un rosario de goma, y dejó caer la boquilla con los diminutos agujeros en un vaso vacío. Durante toda la noche, Jenny estuvo atenta a una filtración de la ducha vaginal.

En este mundo de cochina mentalidad, pensó, eres la esposa de alguien o la puta de alguien; o vas camino de convertirte en una de las dos cosas. Si no encajas en ninguna de ambas categorías, todo el mundo trata de hacerte creer que algo te pasa. Pero, pensó, a mí no me pasa nada.

Naturalmente, ése fue el principio del libro que muchos años después haría famosa a Jenny Fields. Aunque poco refinada, se dijo que su autobiografía salvaba la consabida distancia entre el mérito literario y la popularidad, pero Garp afirmaba que la obra de su madre tenía «el mismo mérito literario que el catálogo de Sears Roebuck».

Pero, ¿qué hacía vulgar a Jenny Fields? No sus leguleyos hermanos, ni el hombre del cine que había manchado su uniforme. Tampoco las duchas vaginales de su madre, aunque fueron las posibles responsables del desahucio de Jenny. La patrona de la pensión (mujer irritable que, por oscuras razones personales, sospechaba que todas las mujeres estaban al borde de un ataque de lascivia) descubrió que había nueve duchas vaginales en la minúscula habitación con baño de su inquilina. Una sospecha por asociación: en el cerebro de la angustiada patrona, eso indicaba un miedo al contagio que rebasaba sus propios temores. O, peor aún, la profusión de duchas vaginales representaba una pavorosa *necesidad* real, cuyas posibles razones concebibles invadieron los peores sueños de la patrona.

Ni siquiera pudo imaginar qué significaban los doce pares de zapatos sin estrenar. Jenny consideró tan absurda toda la cuestión —y descubrió que sus propios sentimientos hacia los regalos de sus padres eran tan ambiguos— que apenas protestó. Se mudó.

Pero esto tampoco la hacía vulgar. Puesto que sus hermanos, sus padres y la patrona de la pensión suponían que ella hacía una vida de impudicia —al margen de su propio ejemplo—, Jenny decidió que toda protesta de inocencia era inútil y parecería defensiva. Alquiló un pequeño apartamento que experimentó una nueva invasión de duchas vaginales empaquetadas, por parte de su madre, y de pilas de zapatos para enfermera, por parte de su padre. Comprendió lo que pensaban: si ha de ser puta, al menos que sea limpia y vaya bien calzada.

En parte, la guerra impidió a Jenny reflexionar en lo mal que la interpretaba su familia... y también le impidió toda amargura y compasión de sí misma. Jenny no era «reflexiva». Era una buena enfermera y cada vez estaba más ocupada. Muchas enfermeras se alistaban, pero Jenny no tenía ganas de cambiar de uniforme ni de viajar; era una chica solitaria y no quería verse obligada a conocer a gente nueva. Además, consideraba que el sistema de *jerarquías* era bastante irritante en el Boston Mercy y suponía que, en un hospital de campaña del ejército, sólo podía ser peor.

En primer lugar, habría echado de menos a los bebés. Esa era la verdadera razón por la que se quedó cuando tantas otras se iban. Sentía que su mejor misión como enfermera estaba al lado de las madres y sus bebés —y repentinamente había muchos bebés cuyos padres estaban lejos, habían muerto o desaparecido. Jenny quería, sobre todo, alentar a esas madres. De hecho, las envidiaba. Para ella era la situación ideal: una madre sola con un bebé recién nacido, el marido reventado por los cielos de Francia. Una joven madre con su hijo, con toda una vida por delante para los dos, sólo ellos dos. Un bebé sin ataduras, pensaba Jenny Fields. Casi una concepción inmaculada. Al menos no sería necesario ningún *futuro* tratamiento de pito.

Naturalmente, esas mujeres no siempre estaban tan contentas con su destino como Jenny creía. Muchas se sentían afligidas, y otras (muchas) abandonadas; algunas guardaban rencor a sus hijos; algunas (muchas más) querían un marido y un padre para sus bebés. Pero Jenny Fields era su estímulo: hablaba a favor de la soledad, les decía cuán afortunadas eran.

—¿No crees que eres una buena mujer? —les preguntaba.

La mayoría creía que sí.

—¿Y no es hermoso tu bebé?

La mayoría pensaba que su bebé era hermoso.

—¿Y el padre? ¿Cómo era?

Un vago, pensaban muchas. Un cerdo, un gamberro, un mentiroso, ¡un malvado follador!

—¡Pero está *muerto*! —decían acongojadas, unas pocas.

—Entonces, así estás mejor, ¿no? —insinuaba Jenny.

Algunas de ellas llegaron a considerarlo desde su mismo punto de vista, pero la reputación de Jenny en el hospital se resintió a causa de su cruzada. En general, el proceder del hospital hacia las madres solteras no era tan estimulante.

—La Virgen María Jenny —decían las otras enfermeras—. No quiere tener un bebé de la forma más fácil. ¿Por qué no se lo pides a Dios?

En su autobiografía, Jenny escribió: «Quería trabajar y vivir sola. Eso me convirtió en sexualmente sospechosa. Después deseé un hijo, pero no quería tener que compartir mi cuerpo ni mi vida para tenerlo. También eso me convirtió en sexualmente sospechosa».

Y también eso la hizo vulgar. (Y en eso se inspiró su famoso título: *Sexualmente sospechosa*, autobiografía de Jenny Fields.)

Jenny Fields descubrió que suscita más respeto escandalizar a la gente que tratar de vivir la propia vida con un poco de intimidad. Jenny *informó* a las otras enfermeras que algún día encontraría a un hombre que la embarazaría, sólo eso y nada más. No consideraba la posibilidad de que el hombre necesitara intentarlo más de una vez, les dijo. Aquéllas, naturalmente, apenas tuvieron tiempo para contarle a medio mundo lo que sabían. La respuesta no se hizo esperar: pronto Jenny recibió varias propuestas. Tuvo que tomar una rápida decisión: o retroceder, avergonzada de que su secreto hubiera trascendido, o mostrarse cínica.

Un joven estudiante de medicina le dijo que se ofrecía como voluntario, con la condición de tener como mínimo seis oportunidades en un fin de semana de tres días. Jenny le respondió que, obviamente, era un hombre que carecía de confianza en sí mismo, y ella quería tener un hijo seguro de sí.

Un anestesista le ofreció pagar la educación del chico hasta la universidad, pero Jenny le informó que tenía los ojos demasiado juntos y que sus dientes estaban mal formados: no quería cargar con un hijo con tantas desventajas.

El novio de otra enfermera la trató más cruelmente; la abordó en la cafetería del hospital y le puso delante un vaso casi lleno de una sustancia lechosa, turbia y viscosa.

—Esperma —dijo y señaló el vaso—. Todo eso de *un* solo disparo... yo no me entretengo con fruslerías. Si una oportunidad es todo lo que ofreces, soy tu hombre —Jenny levantó el repulsivo vaso y lo inspeccionó fríamente. Sabe Dios qué contenía. El novio de su colega agregó—: Eso sólo es un indicativo del material disponible. Montones de semillas —sonrió.

—Jenny volcó el contenido del vaso en una maceta.

—Quiero un hijo, no una granja de esperma —replicó.

Jenny sabía que sería difícil. Se acostumbró a que le tomaran el pelo y aprendió a pagar con la misma moneda.

En el hospital decidieron que Jenny Fields era grosera, que iba demasiado lejos. Una broma es una broma, pero Jenny parecía hablar en serio. O se mantenía firme por testarudez o, peor aún, era sincera. Sus colegas del hospital no lograron hacerla reír ni llevarla a la cama. Como escribió Garp respecto al dilema de su madre: «Sus colegas detectaron que se sentía superior a ellos. Nunca se lo perdonaron».

En consecuencia, iniciaron una política dura con Jenny Fields. Fue una decisión del personal, «por su propio bien», por supuesto. Acordaron separar a Jenny de los bebés y de las madres. Tenía los bebés metidos en la cabeza, dijeron. Basta de obstetricia para Jenny Fields. Alejémosla de las incubadoras; tiene un corazón —o una cabeza— demasiado blando.

Así, separaron a Jenny Fields de las madres y de sus bebés. Es una buena enfermera, decían todos: que pruebe suerte en cuidados intensivos. Sabían por experiencia que toda enfermera de cuidados intensivos del Boston Mercy pronto dejaba de interesarse por sus problemas personales. Naturalmente, Jenny sabía por qué la habían alejado de los bebés y sólo le dolió que tuvieran en poca estima el dominio que tenía de sí misma. En virtud de que lo que ella quería era extraño para ellos, suponían que su autocontrol era insuficiente. La gente carece de lógica, pensó Jenny. Sabía que contaba con mucho tiempo para quedar embarazada. No tenía prisa. La maternidad formaba parte de un plan posterior.

Eran tiempos de guerra. En cuidados intensivos, vio algo más de ella. Los hospitales del frente enviaban a sus pacientes especiales, y también estaban allí los casos extremos. Los habituales ancianos cuyas vidas pendían del habitual hilo: los habituales accidentes industriales y automovilísticos, los terribles accidentes infantiles. Pero, principalmente, había soldados. Lo que les ocurría a ellos no era ningún accidente.

Jenny hacía sus propias divisiones entre los no accidentes que les ocurrían a los soldados; llegó a establecer sus propias categorías con respecto a ellos.

1. Había los hombres que se habían quemado; en su mayor parte les había ocurrido a bordo de una embarcación (los casos más complicados provenían del Hospital Chelsea Naval, pero también se quemaban en aviones y en tierra. Jenny les llamaba Epidérmicos.

2. Había los hombres que habían sido heridos en zonas importantes, tenían problemas internos y Jenny los denominaba Organos Vitales.

3. Había los hombres cuyas heridas le parecían casi místicas a Jenny; eran los que no estaban más «allí», los hombres cuyas cabezas o columnas vertebrales estaban lesionadas. A veces estaban paralizados y otras simplemente idos. Jenny les daba el nombre de Ausentes. En algunas ocasiones, uno de los Ausentes también tenía lesiones Epidérmicas o de Organos Vitales; todo el hospital tenía un nombre para estos últimos:

4. Sentenciados.

«Mi padre», escribió Garp, «era un Sentenciado. Desde la perspectiva de mi madre eso debió de volverlo muy atractivo. Sin ataduras».

El padre de Garp era un artillero de torreta oval que tuvo un no accidente en los cielos de Francia.

«El artillero de torreta oval», escribió Garp, «era un tripulante de la dotación de bombarderos que se encontraba entre las más vulnerables al fuego antiaéreo de tierra. Este se denominaba barrera antiaérea y a menudo aparecía ante el artillero a la manera de tinta que asciende y se expande en el espacio como si éste fuera papel secante. El pequeñajo (porque a fin de que cupiera en la torreta oval, era preferible que el soldado fuera pequeño) acurrucado con sus ametralladoras en su estrecho nido, como un capullo, se asemejaba a un insecto capturado en un frasco de vidrio. La torreta oval era una esfera metálica con una portilla de cristal; estaba inserta en el fuselaje de un B-17 como un ombligo dilatado, como un pezón en la panza del bombardero. En esa diminuta bóveda había dos ametralladoras del calibre cincuenta y un hombre bajo y pequeño cuya tarea consistía en rastrear con sus miras la trayectoria de un caza que atacara su bombardero. Cuando la torreta se movía, el artillero giraba con ella. Había palancas de madera con botones en los extremos para disparar los cañones; al coger esas palancas de disparo, el artillero de la torreta parecía un peligroso feto decidido a proteger a su madre, suspendido del saco amniótico absurdamente expuesto del avión. Esas palancas también guiaban la torreta hasta determinado punto de expansión, con el propósito de que el artillero de la torreta no disparara hacia adelante.

«Con el cielo *debajo* de él, el artillero debía sufrir especialmente el frío, adherido al avión como si fuera una idea adicional. Al aterrizar, la torreta oval se retiraba, generalmente. Al aterrizar, una torreta oval *no retirada* levantaría chispas —largas y violentas como automóviles— del asfalto.»

El T.S. Garp*, el difunto artillero cuya familiaridad con la muerte violenta no es posible exagerar, prestaba servicios en la Octava Fuerza Aérea que bombardeó el continente desde Inglaterra. El sargento Garp adquirió experiencia como artillero de proa en el B-17C y como artillero de combés en el B-17E antes de que le nombraran artillero de torreta oval.

A Garp no le gustaban las instalaciones de los cañones de combés del B-17E. Allí había dos artilleros de combés metidos en la cuaderna del avión con sus torretas enfrentadas, y Garp siempre se golpeaba las orejas cuando su compañero movía su cañón al mismo tiempo que él. En modelos posteriores, precisamente a causa de esta interferencia entre los artilleros de combés, se escalonaron las posiciones de las torretas. Pero la innovación llegó demasiado tarde para el sargento Garp.

Su primera misión de combate fue una salida, a pleno día, de una escuadrilla de B-17E contra Rouen, Francia, el 17 de agosto de 1942, misión que se cumplió sin víctimas. El T.S. Garp, desde su puesto de artillero de combés, recibió un golpe en la oreja izquierda y dos en la derecha por parte de su compañero artillero.

---

* Las iniciales T.S. corresponden a *Technical Sergeant*, su designación en la hoja de servicios del ejército. (N. de la T.)

Parte del problema consistía en que el otro artillero, comparado con Garp, era demasiado voluminoso: sus codos llegaban al nivel de las orejas de Garp.

Aquel primer día que volaron sobre Rouen, ocupaba la torreta oval un hombre llamado Fowler, que era aún más pequeño que Garp. Antes de la guerra, Fowler había sido jockey. Era un tirador más experto que Garp y ocupaba el lugar donde a Garp le hubiese gustado estar. Era huérfano, pero le debía gustar estar solo, por lo que se buscó una manera de evitar los codazos de su compañero artillero. Naturalmente, como tantos artilleros, Garp soñaba con su misión número cincuenta, después de la cual abrigaba la esperanza de ser trasladado a la Segunda Fuerza Aérea —el comando de entrenamiento de bombarderos—, donde podría retirarse a un lugar seguro como instructor de artillería. Pero hasta la muerte de Fowler, Garp envidió su cueva privada, su sentido del aislamiento propio de un jockey.

—Llega a ser un lugar fétido si eres muy pedorrero —afirmaba Fowler.

Fowler era un hombre cínico, con un cosquilleo de tos seca e irritante, y tenía pésima reputación entre las enfermeras del hospital de campaña.

Fowler murió en un accidentado aterrizaje en un camino sin pavimentar. Los tirantes del tren de aterrizaje se destrozaron en un bache, se derrumbó todo el mecanismo y el bombardero aterrizó deslizándose sobre su barriga, lo cual reventó la torreta oval con la desproporcionada fuerza de un árbol que cae sobre una uva. Fowler, que siempre había sostenido que tenía más fe en las máquinas que en los caballos o en los seres humanos, estaba acurrucado en la torreta oval no retirada cuando el avión aterrizó encima de él. Los artilleros de combés, incluido el sargento Garp, vieron saltar los restos desde debajo de la panza de la máquina. El segundo de la escuadrilla, que era el observador de tierra más cercano, vomitó en un jeep. El comandante de la escuadrilla no aguardó a que la muerte de Fowler fuera oficial para reemplazarlo por el hombre de menor talla que quedaba en la escuadrilla. El pequeñajo T. S. Garp siempre había ambicionado ser artillero de torreta oval. En septiembre de 1942, lo logró.

«Mi madre era muy rigurosa para los detalles», escribió Garp. Cuando ingresaban a una nueva víctima en el hospital, Jenny Fields era la primera en preguntar al médico cómo había ocurrido. Entonces, Jenny los clasificaba en su fuero interior: los Epidérmicos, los Organos Vitales, los Ausentes y los Sentenciados. Después inventaba pareados jocosos para recordar sus nombres y sus correspondientes catástrofes. Así: el soldado Jones, huesos rotos a montones; el subteniente Potter chocó con un bulldozer; el cabo Estes perdió los testes; la piel del capitán Flynn toca a su fin; el mayor Longfellow ya no rima.

El sargento Garp era un misterio. En su trigésimo quinto vuelo sobre Francia, el pequeño artillero de torreta oval dejó de disparar. El piloto notó la falta del fuego de la ametralladora desde la torreta oval y pensó que habían herido a Garp. Si así era, el piloto no lo había sentido en la panza de su avión. Abrigó la esperanza de que tampoco Garp lo hubiera sentido demasiado. Cuando el aparato aterrizó, el piloto se apresuró a trasladar a Garp al sidecar de la motocicleta de un médico: todas las ambulancias estaban ocupadas. Una vez sentado en el sidecar, el diminuto sargento empezó a masturbarse. Había un toldo de lona con el que se cubría el sidecar en caso de lluvia o mal tiempo; el piloto se apresuró a colocarlo en su sitio. El toldo tenía una ventanilla a través de la cual el médico, el piloto y el resto de la tropa podían observar al sargento Garp. Para ser un hombre tan menudo, parecía tener una erección muy voluminosa, aunque se tocaba con muy poca más habilidad que un niño, y ni remotamente tan bien como un mono del zoológico. Sin embargo, a semejanza del mono, Garp se asomaba a la ventanilla y miraba con franqueza los rostros de los seres humanos que le observaban.

—¿Garp? —le llamó el piloto.

La frente de Garp estaba manchada de sangre, principalmente seca, pero tenía la gorra de vuelo pegada a la coronilla y con gotas de sangre fresca; no parecía tener más heridas.

—¡Garp! —gritó el piloto.

Había una hendedura en la esfera de metal donde estaban aposentadas las ametralladoras del calibre cincuenta; al parecer, el fuego antiaéreo había alcanzado los cilindros de los cañones, resquebrajado su alojamiento y soltado las palancas disparadoras, aunque las manos de Garp no tenían nada malo, salvo la torpeza para masturbarse.

—¡Garp! —volvió a gritar el piloto.

—¿Garp? —dijo Garp; remedó al piloto, a la manera de un loro o un grajo—. Garp —repitió Garp, como si acabara de aprender la palabra. El piloto movió la cabeza afirmativamente para estimularle a recordar su nombre; Garp sonrió—. Garp —insistió: parecía creer que así se saludaba a la gente. No hola, hola, sino Garp, Garp.

—¡Jesús, Garp! —exclamó el piloto.

Se advertían algunos agujeros y cristales astillados en la portilla de la torreta oval. Ahora el médico abrió la cremallera de la portilla del toldo del sidecar y examinó los ojos de Garp. Algo fallaba, porque los ojos del pequeñajo giraban con independencia el uno del otro; el médico pensó que probablemente para Garp el mundo aparecía y desaparecía, para volver a aparecer, si es que Garp podía ver. Lo que en aquel momento el piloto y el médico no podían saber era que unas agudas y finas astillas de la ráfaga antiaérea habían dañado uno de los nervios óculomotores del cerebro de Garp, y también otras partes de su cerebro. El nervio óculomotor está compuesto principalmente por fibras motoras que estimulan la mayoría de los músculos del globo ocular. En cuanto al resto del cerebro de Garp, había recibido algunos cortes y seccionamientos muy similares a los de una lobotomía prefrontal, aunque realizada con una cirugía en extremo descuidada.

El médico sintió gran temor al pensar *hasta qué punto* le habían practicado una lobotomía descuidada al sargento Garp y por esa razón se manifestó contrario a quitarle la gorra empapada en sangre y tirante donde tocaba un bulto tenso y lustroso que parecía crecer en su frente.

Todos buscaron con la vista al motociclista, que estaba vomitando en algún lugar, y el médico pensó que debería encontrar a alguien que se sentara con Garp en el sidecar mientras él conducía la moto.

—¿Garp? —le dijo Garp al médico, articulando la nueva palabra.

—Garp —confirmó el médico.

Garp parecía contento. Mantenía sus pequeñas manos sobre la impresionante erección cuando eyaculó con violencia.

—¡Garp! —ladró.

Había placer en su voz, pero también sorpresa. Paseó la mirada ante su público, rogando que el mundo apareciera y se estuviera quieto. No estaba muy seguro de lo que había hecho.

—¿Garp? —inquirió dubitativamente.

El piloto le palmeó el brazo y miró significativamente a los demás miembros de la dotación de vuelo y aterrizaje, como diciendo: Hombres, prestemos un poco de apoyo al sargento. Por favor, hagamos que se sienta cómodo. Y los hombres, respetuosamente mudos ante la eyaculación de Garp, dijeron al unísono:

—¡Garp! ¡Garp! ¡Garp! —un tranquilizador coro de focas empeñado en poner cómodo a Garp.

Garp movió la cabeza, dichoso, pero el médico le apretó el brazo y susurró, angustiado:

—¡No! No muevas la cabeza, ¿quieres? ¿Garp? Por favor, no muevas la cabeza.

Los ojos de Garp se clavaron más allá del piloto y el médico, que aguardaron a que volvieran a centrar la mirada.

—Siéntate quieto, Garp —murmuró el piloto—. Muy quieto, ¿quieres?

El semblante de Garp irradiaba pura paz. Con ambas manos sobre su agonizante erección, la mirada del pequeño sargento indicaba que acababa de hacer lo que la situación exigía.

No pudieron hacer nada por el sargento Garp en Inglaterra. Tuvo la suerte de ser trasladado a Boston mucho antes del final de la guerra. El verdadero responsable de su traslado fue un senador. El editorial de un diario de Boston había acusado a la Marina de los Estados Unidos de transportar a la patria a los soldados heridos en servicio únicamente si provenían de importantes y opulentas familias norteamericanas. En un esfuerzo por sofocar tan vil rumor, un senador de los Estados Unidos afirmó que *cualquiera* de los heridos graves podía tener la suerte de volver a los Estados Unidos, «incluso un *huérfano*». Pasaron apuros para dar con un huérfano herido con el propósito de demostrar la veracidad de las palabras del senador, pero finalmente encontraron a la persona perfecta.

El T. S. Garp no sólo era huérfano: era un idiota con un vocabulario de una sola palabra, de modo que no se quejaría a la prensa. Y en todas las fotografías que le tomaron, el artillero Garp sonreía.

Cuando el babeante sargento ingresó en el Boston Mercy, a Jenny Fields le costó clasificarle. Evidentemente se trataba de un Ausente, más dócil que un niño, pero Jenny ignoraba qué otras cosas no le funcionaban.

—Hola. ¿Cómo estás? —le preguntó cuando le introdujeron en la sala, en la camilla de ruedas, sonriente de oreja a oreja.

—¡Garp! —ladró Garp.

Le habían restablecido parcialmente el nervio óculomotor y ahora sus ojos saltaban, en lugar de rodar, pero tenía las manos envueltas en mitones de gasa, como resultado de sus juegos en un incendio accidental que estalló en el recinto hospitalario del barco que lo trasladó a Estados Unidos. Garp había visto las llamas y estirado las manos hacia ellas, extendiendo parte del fuego a su rostro, chamuscándose las cejas. A Jenny le pareció un mochuelo afeitado.

Sumando las quemaduras, Garp era simultáneamente un Epidérmico y un Ausente. Además, con las manos tan profundamente vendadas, había perdido la capacidad de masturbarse, actividad que, según su historia clínica, ejercitaba a menudo y con éxito, y sin la más mínima timidez. Los que le observaron de cerca desde su accidente en el incendio del buque, temían que el diminuto artillero sufriera depresión mental, ya que se le había quitado su único placer adulto, al menos hasta que sus manos curaran.

Por supuesto, también era posible que el sargento Garp tuviera lesiones de Órganos Vitales. En su cabeza habían penetrado muchos casquillos, la mayoría de los cuales estaban localizados en lugares demasiado delicados para poder extraérselos. Era posible que la lesión cerebral del sargento Garp no terminara en su burda lobotomía y que la destrucción interna progresara.

«Nuestro deterioro general ya es lo suficientemente complicado», escribió Garp, «sin la introducción de fuego antiaéreo en nuestro sistema.»

Antes del sargento Garp había un paciente al cual también le habían perforado la cabeza de manera similar. Había estado muy bien durante meses, salvo que hablaba solo y en algunas ocasiones se orinaba en la cama. Luego empezó a perder el pelo y a no poder completar las frases. Inmediatamente antes de morir, empezaron a desarrollársele los pechos.

Dadas las pruebas, las sombras y las agujas blancas que aparecían en las radiografías, el artillero Garp era, probablemente, un Sentenciado. Pero a Jenny Fields le caía bien. Un hombre pequeño y pulcro, el ex artillero de torreta oval era tan inocente y directo en sus demandas como un crío de dos años. Gritaba «¡Garp!» cuando tenía hambre, y «¡Garp!» cuando estaba contento; preguntaba «¿Garp?» cuando algo le desconcertaba o cuando se dirigía a extraños, y decía «Garp», sin signo de interrogación, cuando reconocía a alguien. Por lo general hacía lo que se le decía, pero no se podía confiar en él: lo olvidaba todo fácilmente y, si en algunos momentos era tan obediente como un niño de seis años, en otros era tan estúpidamente curioso como si tuviera un año y medio.

Sus depresiones —todas bien documentadas en sus papeles de traslado— parecían producirse simultáneamente con sus erecciones. En esos momentos, con sus manos envueltas en gasas tapaba su pobre pito erecto y sollozaba. Lloraba porque la gasa no era tan buena al tacto como el recuerdo que tenía de sus manos y también porque éstas le dolían si tocaba algo. En esos momentos, Jenny Fields se sentaba a su lado. Le frotaba la espalda entre los omoplatos hasta que él extendía la cabeza hacia atrás como un gato. Le hablaba constantemente, con voz amistosa y llena de excitantes cambios de tono. La mayoría de las enfermeras hablaba a sus pacientes con tono monótono —voz uniforme e inmutable con el propósito de estimular el sueño—, pero Jenny sabía que no era sueño lo que Garp necesitaba. Sabía que sólo era un bebé y estaba aburrido: necesitaba alguna distracción. En consecuencia, Jenny le entretenía. Encendía la radio para él, pero algunos de los programas le perturbaban. Nadie sabía por qué. Otros programas le proporcionaban fantásticas erecciones que a su vez le hundían en depresiones, y así sucesivamente. Un programa, sólo uno, provocó en Garp una polución nocturna que le produjo tanta sorpresa y placer que a partir de entonces siempre estaba ansioso por *ver* la radio. Pero Jenny no pudo sintonizar otra vez el programa y no logró repetir tan feliz actuación. Sabía que, si lograba conectar a Garp con el programa de la polución nocturna, el trabajo de ella y vida de él serían mucho más dichosos. Pero no era fácil.

Jenny renunció a tratar de enseñarle otra palabra. Cuando le alimentaba y veía que le gustaba lo que comía, Jenny decía:

—¡Bueno! Eso es *bueno*.

—¡Garp! —asentía él.

Cuando escupía la comida en su babero y ponía expresión de desagrado, Jenny decía:

—¡Malo! Esa comida es *mala*, ¿no?

—¡Garp! —balbucía él.

La primera señal que tuvo Jenny de que empeoraba fue cuando él pareció perder la G. Una mañana la saludó diciendo:

—Arp.

—*Garp* —Jenny pronunció severamente—. Garp.

—Arp —respondió él.

Jenny supo que lo estaba perdiendo.

Garp parecía cada vez más joven. Cuando dormía, sobaba el aire con sus puños, fruncía los labios, movía las mejillas como si mamara y le temblaban los párpados. Jenny había pasado mucho tiempo con bebés: sabía que el artillero de torreta oval tomaba el pecho en sueños. Durante un tiempo se le ocurrió robar un chupete en Maternidad, pero ahora estaba demasiado alejada de ese sitio y sabía que, si entraba allí, la irritarían con sus chistes. («Ha llegado la Virgen María Jenny a pedir un chupete para su bebé. ¿Quién es el feliz padre, Jenny?».) Observaba al sargento Garp mamar en sueños y trataba de creer que su última regresión sería pacífica, que volvería a la etapa fetal y ya no respiraría a través de los pulmones, que su personalidad se separaría con felicidad, la mitad de él, sueños de un óvulo, la otra, sueños de un espermatozoide. Finalmente, dejaría de *ser*.

Fue casi así. La etapa de lactancia de Garp se intensificó tanto que parecía despertar como un niño que come cada cuatro horas; incluso lloraba como un bebé, con el rostro color escarlata, los ojos llenos de lágrimas en un instante, para calmarse unos segundos después... por la radio, por la voz de Jenny. En cierta ocasión, cuando Jenny le frotaba la espalda, eructó. Jenny se deshizo

31

en lágrimas. Se sentó en el borde de la cama y le deseó un rápido e indoloro viaje al útero y al más allá.

¡Si sus manos curaran!, pensaba ella. Entonces, él podría chuparse el pulgar. Cuando despertaba de sus sueños de mamadas, hambriento de pecho, Jenny le llevaba su propio pulgar a la boca y dejaba que los labios de Garp tirasen de él. Aunque poseía auténticos dientes de adulto, *mentalmente* estaba desdentado y jamás mordió. Fue esta observación la que una noche condujo a Jenny a ofrecerle su pecho, del que él mamó inagotablemente, sin parecer importarle que no produjera nada. Jenny pensó que, si Garp seguía succionando, ella *llegaría* a tener leche, tan fuerte era el tirón que sentía en el vientre, tirón al mismo tiempo maternal y sexual. Sus sentimientos eran tan vívidos que, por un instante, ella creyó que le sería posible *concebir* un hijo amamantando simplemente al bebé artillero de torreta oval.

Fue casi así. Pero el artillero Garp no era *totalmente* un bebé. Una noche, mientras le amamantaba, Jenny notó que Garp tenía una erección que levantaba las sábanas; con sus torpes manos vendadas él se abanicó gimiendo de frustración mientras succionaba vorazmente. Y esa noche Jenny le ayudó; con sus manos frías y empolvadas se ocupó de Garp. El dejó de mamar y le acarició el pecho con la nariz.

—Ar —gimió: había perdido la p.

Antes Garp, luego Arp, ahora sólo Ar: Jenny supo que se estaba muriendo. Sólo le quedaba una vocal y una consonante.

Cuando Garp eyaculó, Jenny sintió su disparo húmedo y caliente en la mano. Bajó las sábanas, olía a invernadero en verano, absurdamente fértil, como una producción desenfrenada. Allí podría plantarse *cualquier* cosa con la certeza de que germinaría. Así sintió Jenny Fields el esperma de Garp: si se derramaba un poco en un invernáculo, brotarían *bebés* en la tierra.

Jenny meditó la cuestión durante veinticuatro horas.

—¿Garp? —susurró Jenny.

Se desabrochó la parte superior del vestido y sacó los pechos, que siempre había considerado demasiado generosos.

—¿Garp? —susurró junto a su oído.

Garp parpadeó y estiró los labios. Alrededor de la cama había un biombo blanco, un velo sobre ruedas que los aislaba del resto de la sala. A un lado de Garp había un Epidérmico, víctima de un lanzallamas, cubierto de bálsamo y envuelto en gasas. No tenía párpados, de modo que siempre parecía mirar, aunque estuviera ciego. Jenny se quitó sus resistentes zapatos de enfermera, aflojó sus medias blancas y se quitó el vestido. Tocó los labios de Garp con los dedos.

Al otro lado de la cama de Garp había un Organos Vitales a punto de convertirse en Ausente. Había perdido la mayor parte del intestino bajo y recto; ahora, un riñón no le funcionaba bien y el hígado le atormentaba. Tenía terribles pesadillas que le obligaban a orinar y defecar, aunque para él esas funciones eran historia antigua. En realidad, ni se enteraba cuándo hacía esas cosas a través de tubos que culminaban en bolsas de goma. Gruñía con frecuencia y, a diferencia de Garp, lo hacía con palabras enteras.

—Mierda —gruñó.

—¿Garp? —volvió a susurrar Jenny.

Se quitó las bragas y las medias. Se soltó el sostén y levantó la sábana.

—¡Cristo! —farfulló suavemente el Epidérmico: tenía los labios plagados de ampollas.

—¡Maldita mierda! —gritó Organos Vitales.

—Garp —dijo Jenny Fields, observó su erección y montó a horcajadas sobre él.

—Aaa —dijo Garp: hasta la r había desaparecido. Estaba reducido al sonido de una vocal para expresar su alegría o su tristeza—. Aaa —repitió mientras Jenny le metía en su interior y se sentaba encima de él con todo su peso.

—¿Garp? —preguntó ella—. ¿Te gusta? ¿Es bueno esto, Garp?

—*Bueno* —asintió él claramente.

Pero sólo era una palabra de su estropeada memoria que surgió en el preciso momento en que le penetró. Fue la primera y última palabra que Jenny Fields le oyó pronunciar: bueno. Cuando se encogió y su material vital rezumaba en el interior de Jenny, volvió a reducirse a Aaa; cerró los ojos y se durmió. Cuando Jenny le ofreció el pecho, no tenía hambre.

—¡Dios! —gritó el Epidérmico, con una *d* muy suave: también tenía quemada la lengua.

—¡Pis! —espetó Organos Vitales.

Jenny Fields lavó a Garp y a sí misma con agua tibia y jabón en una palangana blanca esmaltada del hospital. Naturalmente, no pensaba usar la ducha vaginal y no tenía dudas de que se había operado el milagro. Se sentía más receptiva que un terreno abonado —suelo nutricio— y percibió el disparo de Garp tan abundante como una manguera en verano (como si él tuviera la capacidad de regar todo un jardín).

Nunca volvió a hacerlo con él: no existía razón alguna. Para ella no había representado placer alguno. De vez en cuando le ayudaba con la mano y, cuando él lloraba, le ofrecía el pecho, pero, al cabo de pocas semanas, él dejó de tener erecciones. Cuando le quitaron el vendaje de las manos, observaron que hasta el proceso de cicatrización parecía operar regresivamente; volvieron a vendárselas. Perdió todo interés en mamar. Ahora sus sueños le parecían a Jenny semejantes a los que podía tener un pez. Jenny sabía que había vuelto al útero; él adoptó la posición fetal, acurrucado en el centro de la cama. No producía sonido alguno. Una mañana, Jenny le vio patalear con sus pequeños y débiles pies; imaginó que ella sentía una patada *interior*. Aunque era demasiado pronto para lo real, sabía que lo real estaba en camino.

Poco tiempo después, Garp dejó de patear. Todavía obtenía el oxígeno respirando por los pulmones, pero Jenny sabía que sólo era un ejemplo de la adaptabilidad humana. No quería comer y tuvieron que alimentarle por vía intravenosa, de modo que volvió a verse unido a una especie de cordón umbilical. Jenny anticipaba la última etapa con cierta ansiedad. ¿Habría lucha al final, como la frenética lucha de su esperma? ¿Se levantaría el escudo espermático y el huevo desnudo aguardaría, expectante, la muerte? En el viaje de retorno del pequeño Garp, ¿cómo se dividiría su *alma*? Pero esa etapa pasó en ausencia de Jenny. Un día, cuando ella estaba de permiso, el T.S. Garp murió.

«¿En qué otro momento podría haber muerto?», escribió Garp. «La única forma que tenía de escapar era hacerlo un día en que mi madre no estuviera de servicio.»

«Claro que *sentí* algo cuando murió», escribió Jenny Fields en su famosa autobiografía. «Pero lo mejor de él estaba en mi interior. Eso era lo mejor para los dos, la única forma en que él podía seguir viviendo, la única forma en que yo quería tener un hijo. El hecho de que el resto del mundo lo considere inmoral me demuestra que el resto del mundo no respeta los derechos individuales.»

Corría el año 1943. Cuando el embarazo de Jenny fue evidente, perdió el trabajo. Por supuesto, era lo que sus padres y sus hermanos esperaban: no se sorprendieron. Hacía tiempo que Jenny había dejado de tratar de convencerles de su pureza. Recorría los enormes pasillos de la finca paterna en Dog's Head Harbor como un fantasma satisfecho. Su serenidad alarmó a su familia y la dejaron en paz. Secretamente, Jenny era plenamente feliz, pero a pesar de todo lo que meditó sobre ese hijo deseado, es extraño que jamás dedicara un solo pensamiento a su futuro nombre.

Porque, cuando Jenny Fields dio a luz a un varón de cuatro kilos y medio, no tenía pensado ningún nombre. Su padre le preguntó cómo quería llamarlo, pero Jenny acababa de pasar por el parto y le habían administrado un sedante; no cooperaba.

—Garp —dijo.

Su padre, el rey del calzado, creyó que había eructado, pero su madre dijo quedamente:

—Se llamará Garp.

—¿Garp? —se extrañó su padre.

Sabían que de ese modo podían descubrir quién era el padre de la criatura. Naturalmente, Jenny no reconoció nada.

—Entérate de si ése es el nombre de pila o el apellido del hijo de puta —susurró el padre de Jenny a su mujer.

—¿Es nombre de pila o apellido, querida? —preguntó a Jenny su madre.

Jenny estaba muy soñolienta:

—Es Garp. Sólo Garp. Eso es todo.

—Me parece que es un apellido —dijo la madre de Jenny a su marido.

—¿Y cuál es el *nombre*? —preguntó, de mal humor, el padre de Jenny.

—Nunca lo supe —musitó Jenny, y era verdad.

—¡No conoce su nombre de pila! —vociferó su padre.

—Por favor, querida —insistió la madre—. Ha de tener un nombre.

—El T. S. Garp —declaró Jenny Fields.

—¡Un asqueroso soldado! ¡Lo sabía! —afirmó su padre.

—¿T.S.? —preguntó la madre de Jenny.

—T. S. —dijo Jenny Fields—. T. S. Garp. Ese es el nombre de mi bebé —y se quedó dormida.

El padre de Jenny estaba furioso.

—T. S. Garp —aulló—. ¿Qué clase de nombre es *ése* para un bebé?

—Es todo suyo —Jenny le dijo más tarde—. Es su *propio* apellido, todo suyo.

«Fue muy divertido ir a la escuela con semejante nombre», escribió Garp. «Los profesores me preguntaban qué significaban las iniciales. Al principio yo solía responder que *sólo* eran iniciales, pero no me creían. De modo que me veía obligado a decir: "Llame a mi madre. Ella se lo explicará." La llamaban. Entonces, Jenny les cantaba cuatro frescas.»

Así ocupó su lugar en el mundo T. S. Garp: nacido de una buena enfermera con voluntad propia y la simiente de un artillero de torreta oval: su último disparo.

Sangre y azul

T.S. Garp siempre sospechó que moriría joven. «Como mi padre», escribió Garp, «creo que tengo inclinación por lo breve. Soy un hombre de un solo disparo.»

Poco faltó para que Garp se criara en una escuela para niñas, donde a su madre le ofrecieron el puesto de enfermera escolar. Pero Jenny Fields intuyó el futuro posiblemente horrendo que supondría semejante decisión: su pequeño Garp rodeado de mujeres (a Jenny y a Garp les ofrecieron un departamento en uno de los dormitorios). Jenny imaginó la primera aventura sexual de su hijo: una fantasía inspirada por la visión y el tacto de la lavandería de la escuela de niñas, donde, como un juego, éstas enterrarían al chico en las mullidas montañas de su ropa interior de jovencitas. A Jenny le habría gustado aceptar el trabajo, pero por el bien de Garp rechazó la oferta. Por último, la contrató la famosa Steering School, donde sería sencillamente una enfermera escolar entre otras muchas y donde el apartamento que les ofrecían, a ella y a Garp, se encontraba en la fría ala de ventanas, de aspecto carcelario, de la enfermería anexa a la escuela.

—No te preocupes —le dijo su padre.

Estaba irritado porque ella quería trabajar a toda costa, tenían dinero suficiente y él habría estado más contento si ella se hubiese ocultado en la finca familiar de Dog's Head Harbor hasta que su bastardo creciera y se mudaran.

—Si el chico tiene alguna inteligencia innata —añadió el padre—, finalmente *asistiría* a la Steering, pero supongo que entretanto no hay mejor ambiente para la crianza de un niño.

«Inteligencia innata» era una de las formas que el padre de Jenny utilizaba para referirse a los dudosos antecedentes genéticos de Garp. La Steering School —donde se habían educado el padre y los hermanos de Jenny— era en aquellos tiempos una escuela de varones. Jenny creía que, si era capaz de soportar aquel confinamiento —hasta los años de la escuela preparatoria—, era lo mejor que podía hacer para su hijo. «Para compensarle el haberle negado su padre», sentenciaba su padre.

«Es extraño», escribió Garp, «que mi madre, que se conocía lo suficiente para saber que no quería tener nada que ver con vivir con un hombre, terminara viviendo con ochocientos muchachos.»

Por tanto, el joven Garp creció con su madre en el pabellón de la enfermería anexo a la Steering School. No le trataban exactamente como a un «mocoso de la facultad», término aplicado por los estudiantes a todos los niños menores de edad del cuerpo de profesores o del personal. Una enfermera escolar no entraba en la misma clase ni categoría que un miembro del profesorado. Más aún, Jenny no hizo ningún intento por crear una leyenda respecto al padre de Garp, por inventarse una historia matrimonial, por legitimar a su hijo. Ella era una Fields, insistía. Su hijo era un Garp. No dejaba de repetir cuál era el nombre del niño. «Es su propio nombre», decía.

Todos lo comprendían. La sociedad de la Steering School no sólo toleraba ciertos tipos de arrogancia, sino que incluso estimulaba algunos, pero la arrogancia aceptable era una cuestión de gusto y estilo. ¿Arrogante en *qué*? En algo que pareciera valioso —de propósitos superiores—; se suponía que la manera en que eras arrogante tenía que ser encantadora. Jenny Fields no tenía el don innato de la gracia. Garp escribió que su madre «nunca eligió ser arrogante, sino que lo era sólo cuando se enfrentaba a la violencia». La comunidad de la Steering School aplaudía el orgullo, pero Jenny Fields parecía orgullosa de un hijo ilegítimo. Quizá no era como para ahorcarla, pero podía mostrar *un poco* de humildad.

Pero Jenny no sólo estaba orgullosa de Garp, sino especialmente complacida por la forma en que lo había conseguido. El mundo todavía no conocía esa forma, ya que Jenny no había publicado su autobiografía; de hecho, ni siquiera había empezado a escribirla. Aguardaba a que Garp tuviera edad suficiente para apreciar la historia.

La historia que Garp conocía era la misma que Jenny le contaba a todos los que fueran lo bastante osados como para preguntar, la historia de Jenny se reducía a tres sobrias oraciones:

1. El padre de Garp era un soldado;
2. La guerra lo había matado;
3. ¿Quién perdía tiempo en bodas en época de guerra?

Tanto la precisión como el misterio del relato podrían haberse interpretado románticamente. A fin de cuentas, ateniéndonos a los hechos más escuetos, el padre podría haber sido un héroe de guerra. Era posible imaginar una historia de amor de faltal desenlace. La enfermera Fields podía haber sido una enfermera de campaña. Podía haberse enamorado «en el frente». Y el padre de

Garp podía haber sentido que debía cumplir una última misión «por la humanidad». Pero Jenny Fields no fomentaba imaginar semejante melodrama. Por un lado, parecía demasiado contenta con su soledad y no se mostraba apenada acerca del pasado. Jamás se dispersaba: se entregaba por entero al pequeño Garp, y a ser una buena enfermera.

Naturalmente, el apellido Fields era de sobra conocido en la Steering School. El famoso rey del calzado de Nueva Inglaterra era un ex alumno generoso y, se sospechara o ni siquiera se presumiera en aquella época, llegaría a ser comisionado de la escuela. Su dinero no era el más viejo, pero tampoco el más nuevo de Nueva Inglaterra, y su esposa, la madre de Jenny —una Weeks, de Boston— quizá era aún más conocida en Steering. Entre los miembros más antiguos del profesorado todavía había quienes recordaban años y años ininterrumpidos en que siempre se graduaba un Weeks. Sin embargo, para la Steering School, Jenny Fields no parecía haber heredado todos aquellos atributos. Era bien parecida, lo reconocían, pero sin atractivo; llevaba permanentemente su uniforme de enfermera cuando podía haberse vestido de manera más elegante. En realidad, toda la cuestión relativa a ser enfermera —de la que también parecía excesivamente orgullosa— era curiosa, si se tenían en cuenta sus orígenes familiares. Ser enfermera no era una profesión digna de una Fields ni de una Weeks.

En sus relaciones sociales, Jenny tenía ese tipo de seriedad sin gracia que pone incómoda a la gente más frívola. Leía mucho y era la visitante más asidua de la biblioteca de la Steering; siempre ocurría que el libro que alguien deseaba estaba en manos de la enfermera Fields. Contestaba amablemente a las llamadas telefónicas y con frecuencia Jenny se ofrecía a entregar el libro directamente al interesado en cuanto terminara de leerlo. Leía esos libros de prisa, pero no hacía ningún comentario sobre ellos. Y, en una comunidad escolar, que alguien lea un libro con algún propósito reservado —excepto el de comentarlo— resulta extraño. ¿Para qué leía?

El hecho de que asistiera a clases en sus horas libres era aún más llamativo. El reglamento de la Steering School autorizaba a los profesores y al personal y a sus cónyuges a asistir gratuitamente a cualquier curso que se diera en la escuela con la simple conformidad del profesor encargado del mismo. ¿Quién podía rechazar a una enfermera? Los isabelinos, la novela victoriana, la historia de Rusia hasta 1917, la introducción a la genética, civilización occidental I y II. En el transcurso de los años, Jenny Fields pasó de César a Eisenhower —incluidos Lutero y Lenin, Erasmo y la mitosis, la ósmosis y Freud, Rembrandt, los cromosomas y Van Gogh—, de la laguna Estigia al Támesis, de Homero a Virginia Woolf. Desde Atenas hasta Auschwitz, jamás dijo una sola palabra. Era la única mujer que asistía a los cursos. Con su uniforme blanco, prestaba atención tan silenciosamente que los muchachos, y finalmente los profesores, la olvidaban y se distendían; proseguían con su proceso de aprendizaje, mientras ella escuchaba, entre ellos, intensamente nívea, testigo de todo, tal vez sin resolver nada, posiblemente juzgándolo todo.

Jenny Fields estaba adquiriendo la educación que quería, ahora que el momento parecía apropiado. Pero sus motivos no eran del todo egoístas: estaba analizando la Steering School para su hijo. Cuando Garp tuviera edad suficiente para asistir a ella, podría darle consejos: conocería los defectos de todos los departamentos, los cursos sin propósitos definidos y los valiosos.

Sus libros desbordaban el minúsculo departamento contiguo a la enfermería. Pasó diez años en la Steering School hasta que descubrió que la librería hacía un diez por ciento de descuento al profesorado y al personal (descuento que jamás el librero le ofreció a ella). Jenny se puso furiosa. Era generosa con sus libros y finalmente los dejaba en los pelados estantes de todas las habitaciones del gabinete contiguo. Pero sus libros rebosaron las estanterías de aquél y pasaron a la enfermería principal, a la sala de espera, al gabinete de rayos X, cubriendo primero, y luego reemplazando, los periódicos y las revistas. Paulatinamente, los enfermos de la Steering School se enteraron de que aquel lugar era un sitio serio, no el hospital corriente abarrotado de lectura barata y de los saldos de los medios de comunicación de masas. Mientras aguardabas a que el médico te atendiera, podías hojear *La decadencia de la Edad Media*; en espera de los resultados del laboratorio, podías pedir a la enfermera que te acercara el *Manual de la mosca del vinagre*, esa inapreciable investigación genética. Si estabas gravemente enfermo o debías acudir a la enfermería durante largo tiempo, sin duda te dedicarías al ejemplar de *La montaña mágica*. Para el chico que se había roto la pierna y para todos los deportistas lesionados, estaban allí los héroes y sus jugosas aventuras: Conrad y Melville en lugar de «Deportes Ilustrados»; a cambio de «Time» y «Newsweek», Dickens, Hemingway y Twain. ¡Qué éxtasis para los amantes de la literatura estar internados en la enfermería de la Steering! Por fin un hospital con algo bueno para leer.

Después de doce años de permanencia de Jenny Fields en la Steering, era costumbre entre los bibliotecarios de la escuela, al comprobar que no tenían un libro que alguien buscaba, decir: «Es probable que lo encuentres en la enfermería».

Y la librería, cuando no tenía algo en existencia o estaba agotado, recomendaba que «buscaras a la enfermera Fields, que podría tenerlo».

En esos casos, cuando le pedían alguno a Jenny, ésta solía responder, por ejemplo:

—Creo que está en la veintiséis del gabinete, pero lo está leyendo McCarthy. Tiene la gripe. Estoy segura de que, cuando lo termine, te lo pasará.

También era posible que su respuesta fuera.

—La última vez que lo vi estaba en el vestuario de la piscina. Las primeras páginas deben de estar húmedas.

Es imposible evaluar la influencia de Jenny en la calidad de la educación de la Steering, pero jamás superó su ira porque le hubieran timado el diez por ciento de descuento durante diez años.

«Mi madre mantuvo esa librería», escribió Garp. «En comparación con ella, en Steering nunca nadie leyó nada.»

Cuando Garp tenía dos años, la Steering School ofreció a Jenny un contrato por tres años; todos coincidían en que era una buena enfermera y el leve disgusto que sentían hacia ella no había aumentado durante esos dos primeros años. Su bebé, a fin de cuentas, era como *cualquier* otro; quizás un poco más oscuro que la mayoría de ellos en verano y algo más cetrino en invierno, y un poco gordo. Había algo redondo en él, como un esquimal arropado, incluso cuando no estaba arropado. Y los profesores más jóvenes que acababan de volver de la última guerra, observaban que la forma del niño era tan obtusa como la de una bomba. Pero los hijos ilegítimos, al fin y al cabo, también son hijos. La irritación ante la singularidad de Jenny era bastante indulgente.

Aceptó el contrato por tres años. Estaba aprendiendo y perfeccionándose, pero también preparando el camino de Steering para su Garp. «Una educación superior» era lo que la Steering podía ofrecer, había dicho el padre de Jenny. Esta consideraba que era mejor que se asegurara personalmente.

Cuando Garp tenía cinco años, nombraron a Jenny Fields enfermera jefe. Era difícil encontrar enfermeras jóvenes y activas que pudieran soportar el vigor y el comportamiento salvaje de los muchachos; era difícil encontrar una enfermera dispuesta a vivir aislada, y Jenny parecía dichosa en su anexo del pabellón de la enfermería. En ese sentido, se convirtió en madre de muchos: se levantaba por la noche cuando uno de los chicos vomitaba, o la llamaba, o rompía un vaso de agua. O cuando los muchachos que sufrían enfermedades leves corrían por los oscuros pasillos, arrastraban sus camas de hospital, libraban combates de gladiadores en sillas de ruedas, conversaban con las chicas de la ciudad a través de las ventanas de hierro forjado e intentaban subir o bajar por los densos mantos de hiedra que cubrían los antiguos edificios de ladrillos de la enfermería y su pabellón.

La enfermería estaba unida al anexo por medio de un túnel subterráneo, lo suficientemente ancho como para que pasara una camilla de ruedas con una enfermera delgada a cada lado. A veces los pacientes jugaban a los bolos en el túnel y el sonido llegaba a Jenny y a Garp en su lejana ala, como si las ratas y conejos de experimentación del laboratorio del sótano se hubieran agigantado e hicieran rodar los barriles de basura con sus poderosos morros.

Pero cuando Garp tenía cinco años —cuando nombraron a su madre jefe de enfermeras—, la comunidad de Steering School percibió algo extraño en él. No está claro qué podía ser exactamente diferente en un crío de cinco años, pero había algo lustroso, oscuro y húmedo en su cabeza (semejante a la de una foca), y la exagerada solidez de su cuerpo volvió a poner sobre el tapete las especulaciones sobre sus genes. El chico tenía un temperamento semejante al de su madre: resuelto, posiblemente insípido, reservado pero eternamente vigilante. Aunque pequeño para su edad, parecía extrañamente maduro en otros aspectos; poseía una calma inquietante. A ras del suelo como un animal bien equilibrado, se le veía insólitamente ágil. Algunas madres notaron, a veces con alarma, que el chico era capaz de *trepar* a cualquier parte. Si observabas la maraña de aparatos de gimnasia, los columpios, los toboganes, los árboles más peligrosos, siempre encontrarías a Garp en lo alto.

Una noche, después de cenar, Jenny no supo encontrarlo. Garp tenía libertad para moverse por la enfermería y el anexo y para hablar con los chicos: normalmente Jenny le llamaba por el intercomunicador cuando quería que regresara al apartamento, «GARP, VUELVE», decía ella. Garp tenía instrucciones precisas: qué habitaciones no debía visitar, cuáles eran los casos contagiosos, qué muchachos se sentían realmente mal y preferían estar solos. Garp prefería a los deportistas lesionados; le encantaba mirar escayolas, cabestrillos y grandes vendajes, y se deleitaba oyendo repetidamente las causas de la lesión. Al igual que su madre —enfermera de corazón—, era feliz haciendo recados para los pacientes, entregando mensajes, pasando comida a hurtadillas. Pero una noche, cuando tenía cinco años, Garp no respondió a la llamada de «GARP, VUELVE». El intercomunicador estaba conectado con todas las habitaciones de la enfermería y el pabellón, incluso con aquéllas en que Garp tenía órdenes estrictas de no entrar: el laboratorio, cirugía y rayos X. Si Garp no había oído la llamada, Jenny sabía que algo le ocurría o no se encontraba en el edificio. Jenny organizó rápidamente una partida de búsqueda con los pacientes más sanos y menos torpes.

Era una noche brumosa de principios de primavera; algunos muchachos salieron y le llamaban entre las húmedas forsitias y en dirección al aparcamiento. Otros se asomaron a los oscuros y vacíos rincones y a las prohibidas salas de maquinaria. Jenny empezó por ahuyentar sus primeros temores. Revisó la rampa de caída de la lavandería, resbaladizo cilindro que salvaba cuatro pisos hasta el sótano (a Garp ni siquiera se le permitía poner ropa sucia en la rampa). Pero en el lugar donde la rampa atravesaba el techo y vaciaba su contenido en el sótano, sólo había ropa sucia sobre el frío cemento. Investigó la sala de calderas y el enorme horno hirviente para agua caliente, pero Garp no se había asado allí. Controló los huecos de las escaleras, donde Garp no tenía permiso para jugar, y no le encontró destrozado en ninguno de los huecos de los cuatro pisos. Luego dio rienda suelta a su inexpresado temor de que el pequeño Garp hubiera sido víctima de un oculto violador sexual mezclado entre los alumnos de la Steering School. Pero a principios de la primavera había demasiados muchachos en la enfermería para que Jenny pudiera conocerlos bien a todos, y mucho menos para saber sus inclinaciones sexuales. Allí se encontraban los tontos que habían nadado aquel primer día de sol, aun antes de que la nieve se derritiera. Estaban las últimas víctimas de los que arrastraban constipados invernales, agotada su resistencia al contagio. Estaban los últimos lesionados de los deportes de invierno y los primeros de las prácticas primaverales.

Uno de ellos era Hathaway, que en ese momento llamaba a Jenny con el timbre de su habitación del cuarto piso del anexo. Hathaway era un jugador de *crosse* o vilorta que se había lesionado los ligamentos de la rodilla; dos días después de escayolarle y permitirle andar con muletas, Hathaway había salido a la lluvia y los extremos de sus muletas resbalaron en lo alto de las escaleras de mármol de Hyle Hall. En la caída se había quebrado la otra pierna. Ahora, con ambas piernas escayoladas, permanecía extendido en su cama del cuarto piso del anexo de la enfermería, con un palo de vilorta amorosamente sostenido por sus manos de grandes nudillos. Le habían alejado de los demás y estaba casi solo en el cuarto piso del pabellón a causa de su irritante costumbre de lanzar la pelota de vilorta hacia el otro lado de la habitación para hacer carambola en la pared. Después metía la dura pelota de enérgico rebote en el cesto del extremo del palo de vilorta y la hacía chasquear contra la pared. Jenny podría haber puesto fin al juego, pero tenía un hijo y reconocía la necesidad que tienen los chicos de dedicarse estúpidamente a un acto físico repetitivo. Jenny había observado que eso parecía calmarlos tanto si tenían cinco años, como Garp, o diecisiete, como Hathaway.

¡Pero ahora se puso furiosa por la torpeza de Hathaway con el palo de vilorta, que le hacía perder constantemente la pelota! Se había tomado la molestia de ponerle en un sitio apartado de los demás pacientes para que éstos no se quejaran por los ruidos, pero cada vez que Hathaway perdía la pelota tocaba el timbre para que alguien la recogiera; aunque había un ascensor, el cuarto piso del anexo era un lugar distante de los lugares frecuentados. Cuando Jenny vio que el ascensor estaba ocupado, subió raudamente los cuatro pisos y estaba sin aliento, además de furiosa, cuando llegó a la habitación de Hathaway.

—*Sé* cuánto significa tu juego para ti, Hathaway, pero Garp se ha perdido y francamente no tengo tiempo para buscar tu pelota.

Hathaway era un chico complaciente y de lenta comprensión, con expresión perezosa en su rostro lampiño y un mechón de pelo rubio rojizo siempre caído sobre la frente, que ocultaba parcialmente uno de sus claros ojos. Tenía la costumbre de echar la cabeza hacia atrás, quizá para poder ver desde debajo del mechón, y por tal razón —y el hecho de que era alto— todos los que le miraban veían las ventanas de su nariz.

—Señorita Fields... —Jenny notó que no tenía el palo de vilorta.

—¿Qué ocurre, Hathaway? —preguntó Jenny—. Lamento tener prisa, pero no encuentro a Garp. Estoy buscándole.

—Oh —Hathaway paseó la mirada por la habitación, quizás en busca de Garp, como si alguien acabara de pedirle un cenicero—. Lo siento. Ojalá pudiera ayudarla a buscarle —y señaló, impotente, sus escayolas.

Jenny golpeó rápidamente una de sus rodillas escayoladas, como si llamara a una puerta detrás de la cual alguien pudiera estar durmiendo.

—No te preocupes —le dijo; esperó a que él le dijera para qué la había llamado, pero éste parecía haber olvidado el motivo—. ¿Hathaway? —volvió a llamar a su pierna como si quisiera asegurarse de que no había nadie en casa—. ¿Para qué me llamaste? ¿Perdiste la pelota?

—No. Perdí el *palo* —mecánicamente, ambos se tomaron unos segundos para buscar con la mirada el palo perdido—. Estaba dormido —explicó— y cuando me desperté había desaparecido.

Jenny pensó en Meckler, la amenaza del segundo piso del pabellón. Meckler era un muchacho brillante y embrollón que pasaba en la enfermería cuatro días al mes, como mínimo. A los dieciséis años fumaba un cigarrillo tras otro, dirigía la mayoría de las publicaciones estudiantiles de la escuela y había ganado dos veces la Copa de Clásicas anual. Meckler despreciaba la comida de la escuela y vivía de café y emparedados de huevo frito del bar de Buster, donde escribía la mayor parte de sus largos y atrasados, aunque brillantes, ejercicios trimestrales. Todos los meses aparecía en la enfermería para recuperarse de su autodegradación física y de su brillantez, y su mente elaboraba horribles travesuras de las que Jenny jamás podía demostrar que él era el autor. Una vez encontraron renacuajos hervidos en la tetera destinada a los técnicos del laboratorio, que se quejaron del sabor a pescado del té; en otra ocasión, Meckler había llenado un preservativo —Jenny estaba segura de que había sido él— con clara de huevo y lo había colgado del pomo de la puerta del apartamento de ella. Jenny supo que eran claras de huevo sólo porque después encontró las cáscaras... en su bolso. Y había sido Meckler —a Jenny no le cabía ninguna duda— quién había organizado, en el tercer piso de la enfermería durante la epidemia de varicela, unos años atrás, la siguiente ocurrencia: los chicos vomitaban por turnos y corrían con el vómito caliente en la mano hasta los microscopios del laboratorio, con el propósito de comprobar si eran estériles.

Pero el estilo de Meckler, pensó Jenny, habría consistido en hacerle un agujero a la red del palo de vilorta... y haber dejado el palo inútil en las manos del dormido Hathaway.

—Apuesto a que lo tiene Garp —le dijo Jenny a Hathaway—. Cuando le encontremos a él, encontraremos tu palo.

Jenny se resistió, por enésima vez, al impulso de apartar el mechón de pelo que prácticamente ocultaba uno de los ojos de Hathaway; se decidió por estrujar levemente los dedos de sus pies que asomaban entre las escayolas.

Si Garp estaba jugando a la vilorta, pensó Jenny, ¿adónde habría ido? Afuera no, porque estaba oscuro y perdería la pelota. El único lugar donde podía no haber oído la llamada del intercomunicador era en el túnel subterráneo que unía el anexo con la enfermería: un lugar perfecto para lanzar esa pelota, sabía Jenny. Ya los chicos lo habían hecho con anterioridad; una vez Jenny había interrumpido una algarada de medianoche. Tomó el ascensor directamente hasta el sótano. Hathaway era un buen muchacho, pensaba: Garp podía hacer algo peor que imitarlo. Pero también podía hacer algo mejor.

Aunque lentamente, Hathaway pensaba. Deseaba que el pequeño Garp estuviera bien y, sinceramente, le habría gustado levantarse para ayudar a buscarle. Garp era un asiduo visitante de su habitación: un deportista mutilado, con dos escayolas, era mejor que el término medio de los internados en la enfermería. Hathaway le había permitido a Garp dibujar en sus piernas escayoladas, y por encima y a través de las firmas de sus amigos se destacaban las onduladas caras coloreadas y los monstruos de la imaginación de Garp. Hathaway contempló los dibujos del crío en sus escayolas y se inquietó por él. Por eso descubrió la pelota de vilorta entre sus muslos: no la había notado a través de la capa de yeso. Estaba ahí, como si hubiera puesto un huevo y estuviera empollándolo. ¿Cómo era posible que Garp jugara a la vilorta sin pelota?

Cuando oyó las palomas, Hathaway tuvo la certeza de que Garp no estaba jugando a la vilorta. ¡Las palomas! Recordó que se había quejado de ellas a Garp. Las palomas, con sus malditos arrullos, su chocante alharaca bajo los aleros y en el canalón para la lluvia, debajo del empinado tejado de pizarra, mantenían despierto a Hathaway durante toda la noche. Era un problema poder dormir en el cuarto y último piso; pero ése también era un problema de todos los moradores de los últimos pisos de la Steering School: *las palomas* parecían dominar el campus. El personal de mantenimiento había cerrado la mayoría de los aleros con tela metálica de gallinero, pero las palomas anidaban en los canalones para la lluvia cuando el tiempo era seco, y encontraban nichos bajo los tejados y perchas en la nudosa hiedra. No había forma de expulsarlas de los edificios. ¡Y cómo arrullaban! Hathaway las odiaba. Le había confesado a Garp que con sólo tener sana *una* pierna, las cazaría.

—¿Cómo? —había inquirido Garp.

—No les gusta volar de noche —en Bio. II, Hathaway había estudiado las costumbres de las palomas (Jenny Fields había asistido al mismo curso)—. Me subiría al tejado una noche que no lloviera y las atraparía en el canalón. Eso es lo único que saben hacer, permanecer en el canalón, arrullando y cagando toda la noche.

—¿Pero, *cómo* las atraparías? —había insistido Garp.

Hathaway había hecho girar rápidamente su palo de vilorta, meciendo la pelota en su interior. Retuvo la pelota entre sus piernas y dejó caer la red del palo sobre la pequeña cabeza de Garp.

—Así. Con esto, las cogería fácilmente. Con mi palo de vilorta. Una por una, hasta que no quedara ninguna.

Hathaway recordó que Garp le había sonreído, como a un héroe escayolado. Hathaway miró por la ventana, vio que reinaba la oscuridad y no llovía. Apretó el timbre.

—¡Garp! —gritó—. Oh, Santo Dios —mantuvo el pulgar sobre el timbre y no lo soltó.

Cuando Jenny Fields comprobó que parpadeaba la luz del cuarto piso, sólo se le ocurrió pensar que Garp le había devuelto a Hathaway su equipo de vilorta. Buen muchacho, pensó, y volvió a subir al cuarto piso, esta vez por el ascensor. Hizo rechinar sus zapatos de enfermera por el pasillo hasta la habitación de Hathaway. Vio la pelota en las manos del adolescente. Su único ojo, que se veía claramente, parecía aterrorizado.

—Está en el tejado —le informó Hathaway.

—¿En el tejado? —exclamó Jenny.

—Está tratando de atrapar palomas con mi palo de vilorta —le explicó Hathaway.

Un hombre adulto, de pie en el rellano del cuarto piso de la escalera de incendios, podía alcanzar el borde del canalón con las manos. Cuando se limpiaban los canalones de la Steering School, después de que todas las hojas habían caído y antes de las copiosas lluvias primaverales, sólo lo hacían los hombres *más altos*, porque los bajos se quejaban de que tocaban cosas que no podían ver: palomas muertas, ardillas podridas y materias imposibles de identificar. Sólo los hombres altos podían permanecer en pie en el rellano de la escalera de incendios y asomarse a los canalones antes de llegar a ellos. Estos eran tan anchos y casi tan profundos como abrevaderos para cerdos, pero no tan fuertes y, además, viejos. En aquellos tiempos, *todo* lo que había en la Steering School era viejo.

Cuando Jenny Fields salió por la puerta de incendios del cuarto piso y se detuvo en la escalera, apenas alcanzó el canalón con la yema de los dedos; no llegaba a ver nada por encima del canalón hasta el tejado de pizarra, y con la oscuridad y la niebla ni siquiera divisaba la superficie inferior del canalón hacia cualquiera de ambos extremos del edificio. Ni señales de Garp.

—¿Garp? —susurró; cuatro pisos más abajo, entre los matorrales y el ocasional destello de la capota o el techo de un coche aparcado, oía que también los muchachos le llamaban—. ¡Garp! —insistió, en voz más alta.

—¿Mamá? —llamó Garp, sobresaltándola, aunque su susurro fue más suave que el de ella.

La voz de Garp provenía de algún lugar cercano, casi a su alcance, dedujo Jenny, pero no le veía. Luego divisó la cesta de red del palo de vilorta en contraste con la brumosa luz de la luna, como si fuera la extraña garra entretejida de un desconocido animal nocturno; asomaba del canalón, casi directamente encima de su cabeza. Cuando se alzó, se asustó al sentir la pierna de Garp, herida por el corroído canalón que había desgarrado sus pantalones y le había lastimado, atrapándole allí, con una pierna atravesando el canalón hasta su cadera y la otra extendida detrás, junto al borde del inclinado tejado de pizarra. Garp estaba tendido boca abajo en el inestable canalón para la lluvia.

Al atravesar el canalón, había tenido demasiado miedo para gritar, pues había comprendido que la endeble estructura estaba podrida y a punto de derrumbarse. Su *voz*, pensó, podía hacer caer el techo. Apoyó una mejilla en el canalón y, a través de un minúsculo agujero oxidado, observó a los adolescentes que en el aparcamiento y entre los arbustos, cuatro pisos más abajo, le buscaban. El palo de vilorta, que había atrapado una sorprendida paloma, se había balanceado por encima del borde del canalón, liberándola.

La paloma, a pesar de haber sido capturada y liberada, no se había movido. Permanecía en el canalón, produciendo sus estúpidos sonidos. Jenny comprendió que Garp no podía haber llegado al canalón desde la salida de incendios y se estremeció al imaginarlo trepando por la hiedra hasta el tejado, con el palo de vilorta en una mano. Apretó su pierna con firmeza; su pantorrilla tibia y desnuda estaba levemente pegajosa de sangre, pero la herida de Garp no era grave. Una inyección antitetánica, pensó; la sangre estaba casi seca y Jenny no creía que fueran necesarias suturas, aunque en la oscuridad era imposible distinguir claramente la herida. Estaba tratando de encontrar la forma de bajarlo. A sus pies los arbustos de forsitias brillaban bajo la luz de las ventanas de la planta baja; dada la distancia, las flores amarillas le parecieron llamitas de gas.

—¿Mamá? —volvió a preguntar Garp.

—Sí —susurró Jenny—. Te tengo.

—No me sueltes.

—Por supuesto —como disparado por la voz de Jenny, cedió otro fragmento del canalón.

—¡Mamá! —exclamó Garp.

—No es nada —afirmó Jenny.

Se preguntó si lo mejor sería tirar de Garp con firmeza, abrigando la esperanza de hacerlo pasar a través del canalón. Pero, en ese caso, probablemente se desprendería todo el canalón del tejado y... *entonces* ¿qué? Imaginó a ambos rozando la escalera de incendios y cayendo. Pero también sabía que nadie podía subir al canalón y arrancar al niño del agujero, para después bajarlo por encima del borde. El canalón apenas soportaba a un chico de cinco años y, sin duda alguna, no aguantaría a un adulto. Sin contar con que Jenny sabía que no soltaría la pierna de Garp con el tiempo suficiente como para que alguien lo intentara.

Fue la señorita Creen —la nueva enfermera— la que los vio desde abajo y corrió al interior del edificio para llamar al decano Bodger. La enfermera Creen pensó en el reflector orientable del coche del decano Bodger (que todas las nochess cruzaba el campus con el propósito de buscar a los chicos que se quedaban fuera después del toque de queda). Pese a las quejas de la plantilla de jardineros, Bodger avanzaba por los senderos y las extensiones de césped, iluminando con su reflector los arbustos que rodeaban los edificios, transformando el campus en un lugar poco seguro para los que se escondían... o para los amantes, que no tenían adónde ir en el interior de los edificios.

La enfermera Creen también llamó al doctor Pell, porque su mente, en una crisis, siempre se dirigía a las personas que se suponía eran capaces de tomar las riendas. No pensó en el departamento de bomberos, idea que en ese momento se le ocurrió a Jenny, aunque ésta temió que tardarían demasiado y que el canalón se derrumbaría antes de su llegada; peor aún, supuso que insistirían en que dejara que ellos dirigieran toda la cuestión y le obligarían a soltar la pierna de Garp.

Sorprendida, Jenny observó la pequeña zapatilla empapada de Garp, que brilló bajo el repentino y fantasmal resplandor del reflector del decano Bodger. La luz perturbó y confundió a las palomas, cuya percepción de la aurora no era probablemente la más precisa y que se mostraron casi plenamente dispuestas a tomar una decisión en el canalón: sus arrullos y los sonidos que producían al escarbar con sus garras se volvieron más frenéticos.

Abajo, mientras rodeaban el coche del decano Bodger, con sus blancas batas de hospital, los muchachos parecían totalmente confundidos con el acontecimiento o más bien por las tajantes órdenes del decano Bodger en el sentido de que corrieran hacia aquí o hacia allá, de que buscaran esto o lo otro. Bodger llamaba «hombres» a todos los chicos. Por ejemplo: «Hagamos una pila de colchones debajo de la escalera de incendios, hombres. ¡A paso vivo!», bramó. Bodger había sido profesor de alemán en la Steering durante veinte años, antes de llegar al decanato; sus órdenes sonaban como los veloces disparos de fuego de la conjugación de los verbos alemanes.

Los «hombres» apilaron colchones y lanzaron voces a través de la esquelética escalera de incendios ante el maravilloso uniforme blanco de Jenny bajo el reflector. Uno de los hombres se quedó al pie del edificio, exactamente debajo de la escalera, y la visión de la falda y las piernas de Jenny debió deslumbrarle, porque pareció olvidar la crisis y se limitó a *estar* ahí.

—¡Schwarz! —le gritó el decano Bodger, pero como se llamaba Warner no respondió. El decano Bodger tuvo que enfocarle directamente para que bajara la mirada—. ¡Más colchones, Schmidt! —chilló.

Un fragmento del canalón o una partícula de una hoja se introdujo en un ojo de Jenny y ésta tuvo que separar las piernas para mantener el equilibrio. Cuando el canalón cedió, la paloma que Garp había atrapado se vio lanzada fuera del extremo roto del canal y obligada a un breve y frenético vuelo. Jenny sintió náuseas ante su primer pensamiento: la paloma que pasaba borrosa ante sus ojos tenía agarrada la pierna de Garp. Primero se sintió empujada hacia abajo y luego arrojada sobre una cadera contra el rellano de la escalera de incendios, por el peso de un considerable trozo del canalón que aún sostenía a Garp. Sólo cuando comprendió que ambos estaban a salvo en el rellano y sentados, Jenny soltó la pierna de Garp. Un extenso cardenal, con la forma casi perfecta de sus impresiones digitales, permaneció en la pantorrilla de Garp durante una semana.

Desde tierra, la escena era confusa. El decano Bodger vio un súbito movimiento de cuerpos encima de él, oyó el ruido del canalón que se desgajaba y vio caer a la enfermera Fields. También observó un fragmento, de un metro de canalón, que bajaba en la oscuridad, pero no vio al niño. Notó algo que parecía una paloma atravesando el haz de luz de su reflector, pero no siguió la trayectoria del ave... Cegada por la luz y luego perdida en la oscuridad, la paloma chocó contra el borde de hierro de la escalera de incendio y se rompió el cuello. Recogió sus alas alrededor de su cuerpo y descendió en espiral, como una pelota de fútbol liviana, y cayó fuera de la línea de colchones que Bodger había ordenado preparar. Bodger vio que el ave caía y confundió su pequeño cuerpo en movimiento con el de Garp.

El decano Bodger era un hombre, por naturaleza, valiente y tenaz, padre de cuatro hijos criados severamente. Su amor al control policial del campus no procedía tanto de su deseo de impedir que la gente se divirtiera, como de su convencimiento de que casi todos los accidentes eran superfluos y podían, con ingenio y práctica, evitarse. Así, Bodger creyó que podía coger al niño que caía, porque en su angustiado corazón estaba preparado para la situación de parar un cuerpo que cae a plomo desde el oscuro cielo. El decano llevaba el pelo tan corto y era tan musculoso y curiosamente proporcionado como un dogo, y compartía con esa raza la pequeñez de los ojos, que siempre estaban inflamados, bordeados de rojo y exhibían el mismo estrabismo que el de los cerdos. También a semejanza de un dogo, Bodger sabía tomar impulso y lanzarse hacia adelante, que es lo que hizo, con los brazos extendidos hacia la paloma en descenso.

—¡Te tengo, hijo! —gritó, lo que aterrorizó a los muchachos de bata blanca: no estaban preparados para algo semejante.

En su carrera, el decano Bodger se abalanzó hacia la paloma, que chocó contra su pecho con un impacto que Bodger no había previsto, el cual le obligó a tambalearse y caer de espaldas, en el suelo, donde sintió que le faltaba el aliento y se tendió, jadeante.

El maltrecho pájaro estaba acurrucado entre sus brazos y picoteó su crecida barba. Uno de los chicos bajó con la manivela el reflector que iluminaba el cuarto piso y enfocó directamente al decano. Cuando Bodger se dio cuenta de que abrazaba a una paloma, la arrojó por encima de la cabeza de los estudiantes, en dirección al aparcamiento.

Había mucha confusión en la sala de entrada de la enfermería. Había llegado el doctor Pell y se había ocupado de la pierna de Garp: estaba desgarrada pero la herida era superficial, por lo que sólo necesitó mucha limpieza, pero ninguna sutura. La enfermera Creen aplicó una inyección antitetánica a Garp mientras el doctor Pell extraía una minúscula partícula herrumbrosa del ojo de Jenny; ésta había obligado a su espalda a realizar un esfuerzo excesivo soportando el peso de Garp y del canalón, pero por lo demás estaba perfectamente bien. El ambiente de la sala de entrada era alegre y jocoso hasta que Jenny miró a su hijo a los ojos; en público, Garp aparecía como una especie de heroico sobreviviente, pero a buen seguro estaba preocupado por la forma en que Jenny le trataría cuando estuvieran en su apartamento.

El decano Bodger llegó a ser una de las pocas personas de la Steering School que se granjeó la simpatía de Jenny. La llevó a un aparte y le aseguró que, si lo consideraba útil, no tenía ningún inconveniente en reprender al muchacho, si Jenny consideraba que, proviniendo de él, produciría más duradera impresión que la reprimenda que ella pudiera darle. Jenny se lo agradeció y quedaron de acuerdo en que Bodger esgrimiría una amenaza que impresionaría a Garp. Entonces Bodger se quitó las plumas del pecho y se acomodó la camisa que escapaba, como un relleno de crema, de su ceñido chaleco. Anunció repentinamente a la charlatana sala de entrada que agradecería le dejaran un momento a solas con el joven Garp. Se produjo una desbandada. Garp intentó marcharse con Jenny, pero ésta le dijo:

—No. El *decano* quiere hablar contigo —y los dejó a solas.

Garp no sabía lo que era un decano.

—Tu madre conduce un barco muy pesado aquí, ¿verdad, hijo? —preguntó Bodger. Garp no lo comprendió, pero movió la cabeza afirmativamente—. Si quieres conocer mi opinión, sabe llevar muy bien las cosas. Tendría que tener un hijo en quien pudiera *confiar*. ¿Sabes lo que significa *confiar*, muchacho?

—No —reconoció Garp.

—Significa que puede creer que estarás donde *dices* que vas a estar, y que nunca harás lo que se supone no debes hacer. *Eso* es confianza, muchacho —concluyó Bodger—. ¿Crees que tu madre puede confiar en ti?

—Sí —declaró Garp.

—¿Te gusta vivir aquí?

Bodger sabía perfectamente que a Garp le encantaba vivir en la Steering School; Jenny era quien le había sugerido que tocara este punto.

—Sí —respondió Garp.

—¿Sabes cómo me llaman el resto de los muchachos? —inquirió el decano.

—¿Perro loco? —preguntó Garp.

Garp había oído que los chicos de la enfermería llamaban perro loco *a alguien*, y el decano Bodger le parecía un perro loco. Pero el decano se sorprendió: tenía muchos apodos, pero jamás había oído ése.

—Quiero decir que los estudiantes me llaman señor —Bodger agradeció que Garp fuera un niño sensible e interpretara el tono herido de su voz.

—Sí, señor —respondió Garp.

—Y, ¿te gusta vivir aquí? —repitió el decano.

—Sí, señor —confirmó Garp.

—Bien, si alguna vez te asomas a esa escalera de incendios o a las cercanías del tejado, se te *prohibirá* que sigas viviendo aquí. ¿Comprendes?

—Sí, señor —contestó Garp.

—Entonces, sé un buen chico con tu madre o tendrás que mudarte a un lugar extraño y lejano.

Garp sintió que le rodeaba una oscuridad semejante a la oscuridad y sensación de lejanía que había sentido mientras estaba tendido en el canalón para la lluvia, cuatro pisos por encima de donde el mundo era seguro. Empezó a llorar, pero Bodger le cogió la barbilla entre sus achaparrados y jerárquicos pulgar e índice y le sacudió suavemente la cabeza:

—*Nunca* decepciones a tu madre, muchacho. Si lo haces, toda tu vida te encontrarás tan mal como ahora.

«El pobre Bodger tenía razón», escribió Garp. «Me he encontrado mal casi toda mi vida y decepcioné a mi madre. Pero el sentido de Bodger de lo que ocurre *realmente* en el mundo es tan poco seguro como el de cualquier mortal.»

Garp se refería a la ilusión que el pobre Bodger alimentó en los últimos años de su vida: que había parado al pequeño Garp cuando caía del tejado del pabellón y no a una paloma. Sin duda, en su vejez, el momento de abrazar al ave había significado para el bondadoso Bodger tanto como si hubiera salvado a Garp.

La idea que de la realidad tenía el decano Bodger estaba a menudo deformada. Al abandonar la enfermería, descubrió que alguien había quitado el reflector de su coche. Recorrió airado las habitaciones de todos los pacientes, incluso las de los casos contagiosos.

—¡Esa luz brillará algún día sobre el que la cogió! —declamó Bodger, pero nadie se dio por aludido.

Jenny estaba segura de que había sido Meckler, pero no podía probarlo. El decano Bodger volvió a su casa sin el reflector. Dos días más tarde amaneció con síntomas de gripe y fue tratado como paciente externo en la enfermería. Jenny se mostró especialmente simpática.

Transcurrieron otros cuatro días hasta que Bodger tuvo necesidad de abrir la guantera de su coche. El constipado decano estaba recorriendo el campus por la noche, con un nuevo reflector en su coche, cuando le detuvo un guardián recién reclutado por el servicio de seguridad del campus.

—¡Por Dios, soy el decano! —gritó Bodger al tembloroso joven.

—No lo sé con certeza, señor —respondió el patrullero—, y me han ordenado que no permita a nadie circular en coche por los senderos.

—¡Tendrían que haberte dicho que no te metieras con el decano Bodger!

—Me lo dijeron, señor, pero yo *ignoro* que usted es el decano Bodger —explicó el agente de seguridad.

—Bien —concluyó Bodger, que secretamente se sentía muy complacido con la devoción poco humorística del guardián al cumplimiento de su deber—, indudablemente puedo demostrar que *lo soy*.

Entonces el decano Bodger recordó que su permiso de conducir había caducado y decidió mostrarle la matrícula del coche. Cuando Bodger abrió la guantera, descubrió la paloma muerta.

Meckler había atacado de nuevo y esta vez tampoco había pruebas. La paloma no estaba totalmente putrefacta ni en ella serpenteaban gusanos (todavía), pero la guantera del coche del decano Bodger estaba plagada de piojos. La paloma estaba tan absolutamente muerta que los piojos buscaban un nuevo hogar. El decano encontró la matrícula con la mayor celeridad, pero el joven guardián no podía apartar su mirada de la paloma.

—Me dijeron que aquí constituyen un verdadero problema —comentó el guardián—. Me dijeron que se meten en todas partes.

—Los *estudiantes* se meten en todas partes —gimió Bodger—. Las palomas son relativamente inofensivas, pero los muchachos están siempre al acecho.

Durante lo que a Garp le pareció un período prolongado e injusto, Jenny se mantuvo a la expectativa con respecto a *él*. En realidad, siempre le había vigilado de cerca, pero también había aprendido a confiar en él. Ahora trataba de demostrarle que podía volver a tenerle confianza.

En una comunidad tan pequeña como la Steering, las noticias se propagan con más facilidad que la tiña. La historia de la forma en que el pequeño Garp había trepado al tejado del anexo de la enfermería y el hecho de que su madre no supiera que se encontraba allí, volvieron a levantar sospechas sobre ambos, sobre Garp como un niño que podía ser una mala influencia para los demás y sobre Jenny como una madre que no cuidaba a su hijo. Naturalmente, Garp no percibió discriminación alguna durante algún tiempo, pero Jenny, que era rápida para reconocerla (y también para anticiparla), sintió una vez más que la gente hacía suposiciones injustas. Su hijo de cinco años había andado suelto por el tejado y, en consecuencia, ella nunca le vigilaba correctamente. Y, por lo tanto, él también era, evidentemente, un niño *extraño*.

Un niño sin padre, decían algunos, tiene dañada su mente para siempre.

«Es curioso», escribió Garp, «que la familia que *me* convenció de mi singularidad nunca hubiera estado muy próxima al corazón de mi madre. Mamá era una mujer práctica que creía en las pruebas y en los resultados. Creía en Bodger, por ejemplo, porque lo que hacía un decano al menos estaba claro. Creía en trabajos específicos: profesores de historia, entrenadores de lucha libre, y enfermeras, por supuesto. Pero la familia que me convenció de mi singularidad nunca fue una familia que mi madre respetara. Mamá estaba convencida de que la familia Percy *no hacía* nada.»

Pero no sólo Jenny Fields pensaba de este modo sobre ella. Stewart Percy, aunque tenía un título, no tenía un trabajo de verdad. Ostentaba el cargo de Secretario de la Steering School, pero jamás le vio nadie escribir a máquina. De hecho, él mismo tenía una secretaria y nadie estaba muy seguro de *qué* podía ella escribir a máquina. Durante un tiempo, Stewart Percy pareció tener cierta relación con la Asociación de Graduados de Steering, hermandad de ex alumnos de Steering, tan poderosos, ricos y sentimentales hasta la nostalgia que la administración de la escuela los tenía en alta estima. Pero el director del Departamento de Graduados sostenía que Stewart Percy era demasiado impopular entre los jóvenes ex alumnos para ser de utilidad, ya que éstos le recordaban de la época en que habían sido alumnos.

Stewart Percy no era popular entre los estudiantes, que también sospechaban que no hacía nada.

Era un hombre grande y elegante, con el tipo de pecho falso, en forma de tonel, que en cualquier momento puede revelarse como una mera barriga, ese tipo de pecho airosamente sostenido que puede caer repentinamente y hacer estallar los botones de la chaqueta de mezclilla que lo contenía, levantando enérgicamente la corbata a rayas del uniforme con los colores de la Steering School. «Sangre y azul», los llamaba Garp.

Stewart Percy, a quien su mujer llamaba Stewie —aunque toda una generación de alumnos de la Steering le llamaba Paunch*—, tenía una cabeza chata, con una mata de pelo del color de la Medalla de Plata a la Distinción. Los muchachos decían que la cabeza chata de Stewart estaba destinada a recordar un portaaviones, porque Stewart había estado en la Marina durante la Segunda Guerra Mundial. Su contribución a la historia de Steering era el único curso que dio durante quince años, el tiempo que le llevó al Departamento de Historia reunir el coraje y la falta de respeto para prohibirle que lo siguiera impartiendo. Durante quince años, había sido un fastidio para todos. Sólo los novatos más ingenuos de Steering caían en sus redes. El curso se titulaba «Mi participación en el Pacífico» y sólo se refería a las batallas navales de la Segunda Guerra Mundial en que Stewart Percy había participado personalmente. Eran dos. No había libros de texto para el curso, que sólo se guiaba por las clases de Stewart y su colección particular de diapositivas. Estas habían sido confeccionadas a partir de viejas fotografías en blanco y negro... con un resultado considerablemente borroso. Como mínimo, una semana de memorables clases con diapositivas estaba dedicada a un permiso que le concedieron a Stewart en Hawai, donde conoció a Midge**, con quien se casó.

—Os digo, muchachos, que no era una *nativa* —repetía textualmente en sus clases (aunque en la borrosa diapositiva era difícil deducir *qué* era Midge)—. Sólo estaba de *visita*, no era de aquel lugar —insistía Stewart.

Después de estas palabras, mostraba indefectiblemente un número infinito de diapositivas del pelo rubio ceniza de Midge.

Todos los hijos de Percy eran igualmente rubios y cabía sospechar que algún día se convertirían en Medallas de Plata, como Stewie, a quien los alumnos de la época de Garp apodarían con el nombre de un plato que les servían en el comedor de la escuela una vez a la semana como mínimo: Fat Stew***. El Fat Stew se cocinaba a partir de otro de los platos semanales de la Steering: Mystery Meat****. Pero Jenny Fields solía afirmar que Stewart Percy estaba exclusivamente hecho de pelo de Medalla de Plata.

---

* *Paunch* significa, literalmente, Tripa. (N. de la T.)
** *Midge* significa, literalmente, Mosca o Mosquita. (N. de la T.)
*** *Fat Stew* significa, literalmente, Guiso graso. (N. de la T.)
**** *Mystery Meat* significa, literalmente, Carne misteriosa. (N. de la T.)

Era de suponerse que los que le aplicaban el mote de Paunch o de Fat Stew y seguían el curso «Mi participación en el Pacífico», ya sabían que Midge no era hawaiana, aunque a algunos era necesario informarles de ello. Lo que sí sabían los chicos más listos —y lo que todos los miembros de la comunidad de Steering llegaban a saber para luego guardar un desdeñoso silencio al respecto— era que Stewart Percy se había casado con Midge *Steering*. Midge era la última de los Steering, la princesa no reclamada de la Steering School: hasta ese momento ningún director se había cruzado en su camino. Percy se casó con tanto dinero que no tenía que *poseer* habilidad para hacer nada, excepto permanecer casado.

Cuando el padre de Jenny Fields, el rey del calzado, pensaba en el dinero de Midge Steering —y lo hacía a menudo— le entraba un sudor frío.

«Midge era tan cabeza de chorlito», escribió Jenny Fields en su autobiografía, «que se fue de *vacaciones* a Hawai durante la Segunda Guerra Mundial. Y era tan *absolutamente* cabeza de chorlito que se enamoró de Stewart Percy y empezó a tener a sus huecos niños Medalla de Plata casi de inmediato, incluso antes de que concluyera la guerra. Y cuando terminó la guerra, volvió con él y su creciente familia a la Steering School. Y ordenó a la escuela que le diera un puesto a su Stewie.»

«Cuando yo era un crío», escribió Garp, «había ya tres o cuatro pequeños Percy más, aparentemente siempre más, en camino.»

En relación con los numerosos embarazos de Midge Percy, Jenny Fields compuso unos versos ripiosos:

> ¿Qué hay en la tripa de Midge Percy
> tan redondo y rubio como la nata?
> En realidad sólo es
> otra bola de pelo Medalla de Plata.

«Mi madre era una mala escritora», escribió Garp con respecto a la autobiografía de Jenny. «Pero aún era peor poeta.»

Cuando Garp tenía cinco años, sin embargo, era demasiado joven para que se le leyeran esos poemas. ¿Y qué volvió a Jenny Fields tan despiadada con Stewart y Midge?

Jenny sabía que Fat Stew la miraba con desprecio. Pero no decía nada, se limitaba a considerar la situación con recelo. Garp era compañero de juegos de los niños Percy, a los que no se permitía visitarlo en el anexo de la enfermería.

—En realidad, nuestra casa es mejor para los niños —le dijo Midge a Jenny, en cierta ocasión, por teléfono—. Quiero decir —rió— que no pueden contagiarse nada.

Salvo un poco de estupidez, pensó Jenny, aunque todo lo que dijo fue:

—Yo sé quiénes son contagiosos y quiénes no. Además, nadie juega en el tejado.

Seamos justos: Jenny sabía que la casa de Percy —que había sido la casa de la familia Steering— era muy confortable para los niños. Estaba alfombrada, era espaciosa y llena de generaciones de juguetes de buen gusto. Era rica. Como estaba atendida por criados, también poseía un aire negligente. A Jenny le ofendía la indiferencia que podía permitirse la familia Percy. Jenny consideraba que ni Midge ni Stewie eran lo bastante inteligentes como para preocuparse por sus hijos tanto como debían: tenían *demasiados*. Quizá cuando se tienen *muchos hijos*, reflexionaba Jenny, no se está tan ansiosa por cada uno de ellos.

En realidad, Jenny se preocupaba por su Garp cuando éste jugaba con los hijos de Percy. Ella también se había criado en un hogar de la clase alta y sabía muy bien que los hijos de las clases altas no están mágicamente protegidos del peligro porque han nacido con más seguridades, metabolismos más resistentes y genes mágicos. No obstante, en la Steering School había muchas personas que parecían creerlo, porque aparentemente *parecía* verdad. *Había* algo especial en los aristocráticos hijos de esas familias: su pelo parecía permanecer en su sitio y la piel no se les llenaba de granos. Tal vez no sufrieran tensión alguna, ya que nada deseaban, pensaba Jenny. Pero más tarde se preguntó cómo había hecho ella para escapar a ese destino.

Su inquietud por Garp se basaba realmente en observaciones concretas de los Percy. Esos niños corrían libremente, como si su propia madre creyera que estaban encantados. Casi albinos, de piel casi translúcida, los niños Percy parecían realmente más mágicos, si no más sanos que los demás. Y a pesar de lo que la mayoría de las familias pensaba con respecto a Fat Stew, sentían que los hijos de Percy —e incluso Midge— tenían «clase». Actuaban con ellos genes fuertes y protectores.

«Mi madre», escribió Garp, «estaba *en guerra* con la gente que se tomaba en serio los genes.»

Un día, Jenny observó a su pequeño y oscuro Garp correr a través del jardín de la enfermería, en dirección a las casas más elegantes —blancas y de contraventanas verdes— de los miembros del claustro de profesores, donde la de los Percy se erguía como la iglesia más antigua de una ciudad llena de iglesias. Jenny contempló a la tropa de críos que atravesaba los seguros y bien trazados senderos de la escuela: Garp era el más veloz. Una sarta de torpes Percy le seguían, detrás de los demás chicos que corrían en tropel.

Estaba Clarence DuGard, cuyo padre enseñaba literatura francesa y olía como si nunca se bañara, además de que no abría las ventanas en todo el invierno. Allí estaba Talbot Mayer-Jones, cuyo padre sabía más de toda la historia norteamericana que Stewart Percy de su pequeña participación en el Pacífico. Se encontraba con ellos Emily Hamilton, que tenía ocho hermanos y se graduaría en una escuela para niñas, de inferior categoría, precisamente un año antes de que la Steering votara a favor de la admisión de mujeres; su madre se suicidó, no precisamente como resultado de la votación, aunque simultáneamente, con su anuncio (lo que hizo que Stewart Percy observara que *eso* era lo que ocurriría con la admisión de jovencitas en la Steering; más suicidios). Y estaban los hermanos Grove, Ira y Buddy, «de la ciudad»: su padre trabajaba en el Departamento de Mantenimiento de la escuela y el caso era delicado: no estaba claro si correspondía estimular a los varones a asistir a la Steering y qué cabía esperar de su asistencia.

Por los cuadrados de brillante hierba verde y nuevas sendas de alquitrán, rodeados de edificios de ladrillos tan gastados y pulidos que parecían de mármol rosa, Jenny observaba correr a los críos. Notó que con ellos corría, lamentablemente, el perro de la familia Percy, para Jenny un animal estúpido y patán que durante años desafió los reglamentos que obligaban a no dejar animales sueltos, manera en que los Percy mostraban su negligencia. El perro, un gigantesco Terranova, había pasado de ser un cachorro que volcaba cubos de basura y un tonto ladrón de pelotas de baseball a ser *maligno*.

Un día, mientras los chicos jugaban, el perro había destrozado una pelota de baloncesto, que por lo general no es un acto perverso, sino una mera travesura. Pero cuando el propietario de la desinflada pelota trató de arrebatarla de sus enormes fauces, el perro le mordió a dentelladas en el antebrazo, no con el tipo de mordisco —una enfermera lo sabía— que sólo era un accidente, un caso de «Bonkers se excitó porque le encanta jugar con los chicos». Aunque eso fue lo que dijo Midge Percy, que había puesto este nombre, Bonkers, al perro. Le contó a Jenny que se había quedado con el perro inmediatamente después del nacimiento de su cuarto hijo. La palabra *bonkers* significa «un poco chiflado», le dijo Midge a Jenny, y así era cómo ella todavía se sentía con respecto a Stewie después de sus primeros cuatro hijos.

—Yo estaba *bonkers por él* —explicó a Jenny—, de modo que llamé así al pobre Bonkers para expresar mis sentimientos por Stew.

«Midge Percy estaba un poco *bonkers*, es verdad», escribió Jenny Fields. «Aquel perro era un asesino, protegido por una de las tantas insensatas pizcas de lógica por las cuales son famosas las clases altas norteamericanas: concretamente, que los hijos y los animales domésticos de la aristocracia nunca tienen *demasiada* libertad ni pueden herir a nadie. Que *los demás* no deben superpoblar el mundo ni soltar a *sus* perros, pero los perros y los hijos de los ricos tienen derecho a moverse libremente.»

«Los perros de la clase alta», los denominaba Garp, tanto a los perros como a los niños.

Garp llegaría a coincidir con su madre en que el perro de los Percy, Bonkers, el perdiguero de Terranova, era peligroso. Un perro de Terranova es un engendro cubierto de grasa, semejante a un San Bernardo negro con patas de palmípedo; por lo general, son gandules y amistosos. Pero en el jardín de los Percy, Bonkers interrumpió un partido de balonmano abalanzándose con sus ochenta y cinco kilos sobre la espalda de Garp y arrancándole el lóbulo de la oreja izquierda, y parte del resto del mismo apéndice. Es probable que Bonkers hubiera deseado llevarse *toda* la oreja, pero era un perro famoso por su falta de concentración. Los demás niños huyeron en todas direcciones.

—Bonkie mordió a alguien —gritó uno de los Percy más jóvenes, mientras apartaba a Midge del teléfono.

Una de las costumbres de la familia Percy consistía en agregar *y* o *ie* a los nombres de casi todos los miembros de la misma. Por lo tanto los niños —Stewart hijo, Randolph, William, Cushman (una niña) y Bainbridge (otra niña)— se llamaban, dentro de la familia: Stewie Two, Dopey, Shrill Willy, Cushie y Pooh*. La pobre Bainbridge, a cuyo nombre no era fácil agregar *y* o *ie*, fue también la última de la familia en usar pañales; así, en un agudo intento por ser a la vez descriptivos y literarios, la llamaban *Pooh*.

La que tiraba del brazo de Midge y le decía que «Bonkie mordió a alguien» era Cushie.

—¿A quién atrapó esta vez? —quiso saber Fat Stew.

Stewart Percy cogió una raqueta de frontón, como si pensara salir a hacerse cargo del asunto, pero estaba completamente desnudo; fue Midge quien se recogió la falda y se preparó para ser la primera persona adulta en salir y comprobar los daños.

En su casa, Stewart Percy solía ir desnudo. Nadie sabía por qué. Quizá fuera para librarse del esfuerzo que le suponía ir tan vestido cuando cruzaba el campus de la Steering sin nada que hacer, con su Medalla de Plata ondeando al viento, o tal vez por

---

* Stewie Two: Stewie Dos; Dopey: Lelo; Shrill Willy: Willie el Chillón; Cushie: Comodona (deriva de *cushion*: cojín); Pooh: ¡Bah! (N. de la T.)

necesidad: con tanta procreación de la que era responsable, *tenía* que andar con frecuencia desnudo por su casa.

—Bonkie mordió a Garp —insistió la pequeña Cushie Percy.

Ni Stewart ni Midge notaron que Garp estaba en el vano de la puerta, con un costado de la cabeza sangrante y mordisqueado.

—Señora Percy... —susurró Garp, aunque demasiado bajo para ser oído.

—Entonces, ¿era Garp? —se aseguró Fat Stew. Se inclinó para guardar la raqueta de frontón en el armario y se tiró un pedo. Midge le miró—. De modo que Bonkie mordió a Garp —musitó—. Bien, al menos el perro tiene buen gusto, ¿no?

—Oh, Stewie —le regañó Midge, pero una carcajada ligera como un escupitajo escapó de sus labios—. Garp todavía es muy pequeñín.

Y allí estaba Garp, de hecho a punto de desmayarse, goteando sangre sobre la costosa alfombra del vestíbulo que, en realidad, se extendía —sin un pliegue ni una arruga— a lo largo y a lo ancho de cuatro de las gigantescas estancias de la planta baja.

Cushie Percy —cuya joven vida se apagaría en un parto, mientras intentaba dar a luz al que sería su primer hijo— vio a Garp sangrando encima de la reliquia familiar de los Steering, la famosa alfombra.

—¡Bruto! —gritó y se apartó de la puerta.

—Tendré que llamar a tu madre —dijo Midge a Garp, que estaba mareado porque todavía tenía prendidos los gruñidos y la baba del perrazo en lo que quedaba de oreja.

Durante años, Garp interpretó erróneamente el grito de «bruto» que había proferido Cushie Percy. *No* creyó que se refería a su mordisqueada y sangrante oreja, sino a la gran desnudez gris de su padre, que llenaba todo el vestíbulo. *Eso* era bruto para Garp: el marino plateado, con barriga de tonel, que se le acercaba desnudo desde el hueco de la elevada escalera de caracol.

Stewart se arrodilló ante Garp y observó de cerca su cara manchada de sangre; Fat Stew no pareció dirigir su atención a la oreja herida, y Garp se preguntó si debía informar a aquel hombrote desnudo sobre la situación de su herida. Pero Stewart Percy no buscaba el lugar donde Garp estaba herido. Miraba sus brillantes ojos pardos, analizaba su color y su forma, y pareció convencerse de algo, porque movió la cabeza afirmativamente y dijo a la rubia y tonta de Midge:

—Jap.

Transcurrirían años hasta que Garp comprendiera plenamente esa expresión. Pero Stewart Percy le dijo a Midge:

—Pasé el suficiente tiempo en el Pacífico para reconocer los ojos de un japonés cuando los veo. *Te dije* que era un jap.

El *un* a que se refería Stewart Percy era quien él había decidido que era el padre de Garp. En la comunidad de la Steering se desarrollaba con frecuencia un juego deductivo: adivinar quién era el padre de Garp. Y Stewart Percy, basándose en su experiencia en el Pacífico, había decidido que el padre de Garp era japonés.

«En aquel momento», escribió Garp, «creía que "jap" era un término que significaba que mi oreja había desaparecido.»

—No tiene sentido llamar aquí a su madre —le dijo Stewie a Midge—. Llevémoslo a la enfermería. Ella es enfermera, ¿no? Sabrá lo que hay que hacer.

Jenny lo sabía.

—¿Por qué no traes al perro? —le preguntó a Midge mientras lavaba con todo cuidado los alrededores de lo que quedaba de la oreja de Garp.

—¿A Bonkers? —se asombró Midge.

—Tráelo para que le ponga una inyección.

—¿Una inyección? —preguntó Midge y rió—. ¿Quieres decir que de verdad existe una inyección para que no vuelva a morder a nadie?

—No, te lo digo para que ahorres, en lugar de llevarlo a un veterinario. Me refiero a que existe una inyección para *matarlo*. Hablo de ese tipo de inyección. Así no volverá a morder a nadie.

«De ese modo», escribió Garp, «comenzó la guerra contra los Percy. Creo que para mi madre fue una guerra de clases, ya que más tarde le oí decir que todas las guerras eran de clases. En cuanto a mí, supe que en adelante tendría que evitar a Bonkers... y al resto de los Percy.»

Stewart Percy envió a Jenny Fields una nota, escrita en el papel con membrete de la secretaría de la Steering School: «No puedo creer que realmente quieras que quitemos de en medio a Bonkers».

—Puedes apostar tu gordo culo a que eso es lo que quiero —le respondió Jenny por teléfono—. O atadlo para siempre, por lo menos.

—No tiene sentido tener un perro si no puede andar libremente —opinó Stewart.

—Entonces, mátalo —insistió Jenny.

—A Bonkers ya le han aplicado todas las inyecciones correspondientes, pero de todos modos te agradezco la oferta —concluyó Stewart—. En realidad, es un perro muy noble. Sólo cuando lo provocan...

«Sin duda», escribió Garp, «Fat Stew sentía que mi *japonismo* había provocado a Bonkers.»

—¿Qué significa «buen gusto»? —preguntó el pequeño Garp a Jenny.

El doctor Pell le suturaba la oreja en la enfermería; Jenny recordó al médico que recientemente habían aplicado una inyección antitetánica a Garp.

—¿Buen gusto? —repitió Jenny.

La amputación confirió un extraño aspecto a la oreja de Garp y le obligó a llevar siempre el pelo largo, estilo del que a menudo se quejaba.

—Fat Stew dijo que Bonkers había tenido «buen gusto» —explicó Garp.

—¿Al morderte? —inquirió Jenny.

—Supongo que sí. ¿Qué quiere decir?

Jenny lo sabía, pero se limitó a decir:

—Significa que Bonkers debía saber que tú eras el niño de mejor sabor de esa montaña de críos.

—¿Y es verdad? —insistió Garp.

—Claro —respondió su madre.

—¿Cómo lo sabía Bonkers?

—*Yo* no puedo saberlo —eludió Jenny.

—¿Qué quiere decir «jap»?

—¿Dijo eso de ti Fat Stew? —quiso saber Jenny.

—No, me parece que se lo dijo a mi oreja.

—Ah, claro, a tu oreja —desvió Jenny—. Significa que tienes orejas *especiales*.

Pero Jenny se preguntaba si debía contarle *ahora mismo* lo que pensaba de los Percy, o si Garp era lo suficientemente parecido a ella como para, más adelante, en un momento más importante, sacar provecho de la ira. Quizá, pensó, podría reservarle este bocado para el momento en que esté en condiciones de *aprovecharlo*. En su mente, Jenny siempre preveía nuevas y más importantes contiendas.

«Parecía que mi madre necesitaba un enemigo», escribió Garp. «Real o imaginario, su enemigo la ayudaba a comprender la forma en que *ella* debía comportarse y educarme. La maternidad no era algo innato en ella; de hecho, creo que mi madre dudaba de que cualquier cosa fuera innata. Se bastó a sí misma y fue decidida hasta el fin.»

Fue el mundo, según Fat Stew, el que se convirtió en el enemigo de Jenny en aquellos primeros años de Garp. Esa etapa podría denominarse: «Preparando a Garp para la Steering».

Jenny veía crecer el pelo de Garp y cubrirle las partes mutiladas de su oreja. La sorprendía su belleza, porque la belleza no había intervenido en su relación con el T.S. Garp. Si el sargento había sido apuesto, Jenny Fields no lo había notado. Pero el joven Garp era apuesto, bastaba con mirarle, aunque seguía siendo pequeñajo, como si hubiera nacido para caber en la instalación de la torreta oval.

Los niños de la pandilla que corrían por los senderos, los cuadrados de hierba y los campos de juegos de la Steering se volvieron más desgarbados y conscientes de sí mismos a medida que Jenny los veía crecer. Clarence DuGard pronto necesitó gafas, que siempre aplastaba; en el transcurso de los años, Jenny le atendió muchas veces por otitis y en una ocasión porque se rompió la nariz. Talbot Mayer-Jones empezó a cecear; tenía el cuerpo en forma de botella, un temperamento encantador y una leve sinusitis crónica. Emily Hamilton creció tanto que sus rodillas y sus codos siempre estaban en carne viva y sangrando a causa de sus tropezones; la forma en que se afirmaban sus pequeños pechos estremecía a Jenny, que a veces deseaba haber tenido una hija. Ira y Buddy Grove —«de la ciudad»— tenían los tobillos, las muñecas y los cuellos gruesos, y los dedos mugrientos y despachurrados por meterse en el Departamento de Mantenimiento a cargo de su padre. Y también crecieron los Percy, rubios y metálicamente impecables, con los ojos del color del hielo opaco del salobre río Steering, que se filtraba por las ciénagas hasta el cercano mar.

Stewart hijo, al que llamaban Stewie Two, se graduó en la Steering School antes de que Garp alcanzara la edad de ingresar; Jenny atendió dos veces a Stewie Two por dislocamiento de los tobillos, y una tercera por gonorrea. Más adelante, Stewie Two pasó por la Harvard Business School, una infección de estafilococos y un divorcio.

A Randolph Percy le llamaron Dopey hasta el día de su muerte (como consecuencia de un ataque cardíaco cuando sólo tenía treinta y cinco años; al igual que su padre, era gran procreador y ya tenía cinco hijos). Dopey nunca logró graduarse en la Steering, pero, felizmente trasladado a otra escuela preparatoria, obtuvo su título en poco tiempo. Un domingo, Midge gritó en el comedor:

—¡Nuestro Dopey ha muerto!

Su sobrenombre sonó tan extraño en ese momento que la familia, después de su muerte, empezó a llamarle Randolph al hablar de él.

William Percy, Willy el Chillón, detestaba su estúpido mote —lo que habla a su favor— y aunque era tres años mayor que Garp, le ofreció su amistad cuando era alumno de los cursos superiores de la Steering y Garp acababa de empezar. A Jenny siempre le gustó William, al que llamaba por su nombre. Muchas veces le trató por bronquitis y le conmovió la noticia de su muerte (en una guerra, inmediatamente después de graduarse en Yale). Incluso escribió una larga carta de pésame a Midge y a Fat Stew.

En cuanto a las niñas Percy, Cushie tuvo lo suyo (en lo cual Garp desempeñó un pequeño papel: tenían casi la misma edad).

Y la joven Bainbridge, la más joven de los Percy, que estaba harta de que le llamaran Pooh, no tendría *su* encuentro con Garp hasta que éste estuvo en la flor de la vida.

Jenny vio crecer a todos esos chicos y a su Garp. Mientras Jenny esperaba a que Garp estuviera listo para ingresar en la Steering, la bestia negra de Bonkers envejeció y se volvió más lento, aunque no desdentado. Y Garp siempre se apartó de él, incluso después de que Bonkers dejara de mezclarse con la pandilla; cuando acechaba, oculto junto a los blancos pilares delanteros de la casa de los Percy —enmarañado, enredado y amenazador como un arbusto espinoso en la oscuridad—, Garp seguía vigilándolo. Había ocasiones en que algún crío o alguien nuevo en el vecindario se acercaba demasiado y huía despavorido a causa de sus gruñidos. Entonces, Jenny recordaba todas las suturas y fragmentos de carne de los que el perrazo era responsable, pero Fat Stew soportó todas sus críticas y Bonkers siguió vivo.

«Creo que mi madre llegó a apreciar la presencia de ese animal, aunque nunca quiso reconocerlo», escribió Garp. «Bonkers era el Enemigo Percy Personificado, hecho de músculo, piel y halitosis. Debió complacer a mi madre observar que el viejo perro se encogía mientras yo crecía.»

Cuando Garp estuvo preparado para su ingreso en la Steering, el negro Bonkers tenía catorce años. Cuando Garp ingresó en la Steering School, la cabeza de Jenny Fields estaba adornada con algunas Medallas de Plata propias. Cuando Garp inició sus cursos en la Steering, Jenny había seguido todos los cursos que merecían seguirse y había preparado una lista de ellos, ordenados según su valor e interés universales. Cuando Garp era un estudiante hecho y derecho de la Steering, a Jenny Fiels le entregaron el tradicional regalo a miembros del profesorado y del personal que habían soportado quince años de servicios: la famosa vajilla Steering. Los austeros edificios de ladrillos de la escuela, incluido el pabellón de enfermería, estaban grabados al fuego en las enormes superficies de los platos, vívidamente reproducidos en los colores de la Steering School. Sangre y azul.

Lo que quería ser
cuando fuera mayor

En 1781, la viuda y los hijos de Everett Steering fundaron la Steering Academy —como se llamó en los comienzos—, porque Everett Steering había anunciado a su familia, mientras trinchaba su último ganso navideño, que su única decepción con *su* ciudad era que no había proporcionado a sus hijos una academia capaz de prepararlos para una educación superior. No mencionó a sus hijas. Era constructor de barcos en una aldea cuyo vínculo vital con el mar era un río condenado a desaparecer... Everett sabía que el río estaba condenado. Era un hombre elegante y, por lo general, nada juguetón, pero después de la comida de Navidad se permitió participar en una lucha de bolas de nieve con sus hijos e hijas. Murió de apoplejía antes del anochecer. Everett Steering tenía cincuenta y dos años; hasta sus hijos y sus hijas eran demasiado mayores para jugar con bolas de nieve, pero él tenía derecho a llamar *su* ciudad a la ciudad de Steering.

A ésta la habían bautizado con su nombre en un exceso de entusiasmo por la independencia de la ciudad como consecuencia de la Guerra Revolucionaria. Everett Steering había organizado la instalación de cañones en puntos estratégicos junto a la ribera; con dichos cañones se proponía hacer frente a un ataque que nunca se produjo por parte de los británicos, que se esperaba entrarían en el río por mar, en Great Bay. Entonces el río se llamaba Great River, pero después de la guerra le dieron el nombre de Steering River; y la ciudad, que no tenía nombre propio —aunque la llamaban Los Prados, porque estaba asentada en las marismas de aguas dulces y saladas, a pocas millas al interior de Great Bay—, también recibió la denominación de Steering.

Muchas familias de Steering dependían de la construcción de buques, o de otros negocios que llegaban, río arriba, desde el mar; dado que al principio se denominó Los Prados, el pueblo había sido un puerto de apoyo de Great Bay. Pero junto con sus deseos de fundar una academia para varones. Everett Steering manifestó a su familia que Steering *no* seguiría siendo puerto por mucho más tiempo. El río, observó, se estaba cegando con sedimentos.

Everett Steering era famoso porque en toda su vida había contado un solo chiste y únicamente a su familia. La broma consistía en que el único río que llevaba su nombre estaba lleno de lodo y se llenaba más a cada instante. Desde Steering hasta el mar, las tierras eran puros pantanos y vegas, y Everett sabía que, a menos que el pueblo decidiera que valía la pena mantener a Steering como puerto y cavara un canal más profundo para el río, incluso un bote a remo tendría dificultad para llegar desde Steering hasta Great Bay (salvo con marea muy alta). Everett sabía que algún día la marea cubriría el lecho del río desde su ciudad natal hasta el Atlántico.

En el siglo siguiente, la familia Steering fue lo bastante sensata como para basar su sistema de vida en las fábricas textiles que levantaron para aprovechar el salto de agua de la parte del Steering River que no llevaba agua de mar. En la época de la Guerra Civil, las *únicas* empresas de la ciudad de Steering, sobre el Steering River, eran los Molinos Steering. La familia abandonó los barcos y se dedicó a los tejidos en el momento oportuno.

Otra familia de constructores de buques de Steering no corrió la misma suerte; el último barco de esta familia sólo recorrió la mitad del camino entre Steering y el mar. En una parte del río antes famosa —el estrecho— el último barco construido en Steering se instaló para siempre en el barro y durante años podía divisarse desde el camino, la mitad fuera del agua con marea alta y completamente seco con marea baja. Los chicos jugaron en la embarcación hasta que se escoró y aplastó a un perro. Un criador de cerdos llamado Gilmore rescató del naufragio los mástiles para levantar su establo. Y en la época en que el joven Garp asistía a la Steering School, el equipo universitario podía remar en sus cáscaras de nueces sobre el río sólo con marea alta. Con marea baja, el Steering River es una ciénaga húmeda que se extiende desde Steering hasta el mar.

Por tanto, se debió al instinto que Everett Steering tenía en materia de aguas el que, en 1781, se fundara una academia para varones. Al cabo de un siglo, floreció.

«Durante todos esos años», escribió Garp, «los astutos genes Steering debieron de sufrir alguna adulteración; los instintos familiares con respecto al agua se transformaron de buenos en muy malos». A Garp le encantaba referirse a Midge Steering Percy de esa forma: «Una Steering cuyos instintos hídricos han seguido su propio curso». A Garp le resultaba maravillosamente irónico «que los genes acuáticos de los Steering se hubieran quedado sin cromosomas cuando llegaron a Midge». «*Su* sentido hídrico estaba tan pervertido», escribió Garp, «que primero la atrajo a Hawai y después a la Marina de los Estados Unidos... en la forma de Fat Stew.»

Midge Steering Percy ocupaba el último puesto de su estirpe. La mismísima Steering School se convertiría en la última Steering tras ella, y quizás el viejo Everett también lo previó; muchas familias dejaron menos, o cosas peores, a sus descendientes. En la época de Garp, al menos, la Steering School todavía era inexorable y definida en sus fines: «La preparación de hombres jóvenes para una educación superior». Y en el caso de Garp, también contaba con una madre que se tomaba en serio ese objetivo. Incluso el mismo Garp se tomaba la escuela tan en serio que hasta Everett Steering, hombre de un solo chiste en toda su vida, se habría sentido orgulloso.

Garp sabía qué cursos seguir y a qué profesora elegir. A menudo, ésta es la diferencia entre uno a quien le va bien y otro a quien le va mal en los estudios. Garp no era un estudiante realmente dotado, pero tenía una orientación; muchos de sus cursos estaban todavía frescos en la memoria de Jenny, que era una buena maestra. Probablemente Garp no tenía más inclinaciones intelectuales innatas que su madre, pero, a cambio, poseía también la poderosa disciplina de Jenny; una enfermera tiene algo innato para establecer un hábito y Garp confiaba en su madre.

Jenny sólo fue remisa en sus consejos en un campo concreto. Jamás había prestado la menor atención a los deportes de la Steering; no estaba en condiciones de ofrecerle a Garp sugerencia alguna en cuanto a qué juegos podía gustarle practicar. Estaba en condiciones de indicarle que le gustaría más «Civilización del Este asiático» con el señor Merrill que «El Tudor inglés» con el señor Langdell. Pero Jenny ignoraba, por ejemplo, las diferencias de placer y dolor que había entre el fútbol europeo y el americano. Sólo había observado que su hijo era bajo, fuerte, bien equilibrado, rápido y solitario; suponía que él ya sabía qué juegos le gustaría practicar. Pero no era así.

El remo en equipo, pensaba Garp, era estúpido. Remar al unísono en un bote, al igual que un galeote que hunde el remo en agua sucia, y el Steering estaba, sin duda, podrido. Flotaban en el río desperdicios fabriles y excrementos humanos, y siempre, después de la marea, un cieno salado cubría las marismas (una inmundicia con una consistencia de grasa de cerdo congelada). El río de Everett Steering estaba lleno de algo más que lodo, pero aunque hubiera sido brillantemente inmaculado, Garp no era un remero. Y tampoco un tenista. En uno de sus primeros ensayos —mientras cursaba el primer año en la Steering—, Garp escribió: «No me gustan las pelotas. El balón se interpone entre el atleta y sus ejercicios. Lo mismo ocurre con los discos de goma en el hockey sobre hielo y con la pelota de badminton; y tanto los patines como los esquís se entrometen entre el cuerpo y la tierra. Y cuando además uno aleja el propio cuerpo de la contienda mediante un objeto prolongador —una raqueta, un bate o un palo—, se pierde toda pureza de movimientos, toda fuerza y toda concentración». A los quince años ya se percibía su instinto por una estética personal.

Puesto que era demasiado pequeñajo para el rugby americano, intentó hacerse corredor de fondo —que se llamaba *cross-country*—, pero se metió en demasiados charcos y soportó un resfriado perpetuo durante el otoño.

Cuando se abrió la temporada de deportes de invierno, Jenny estaba afligida por el desasosiego que mostraba su hijo; le criticó por exagerar los problemas de una mera decisión deportiva: ¿por qué no sabría qué tipo de ejercicio preferir? Pero a Garp los deportes no le parecían ninguna distracción. A Garp *nada* le parecía entretenido. Desde el principio parecía creer que era necesario lograrlo todo con esfuerzo. («Los escritores no leen por diversión», escribiría Garp más tarde, hablando de sí mismo.) Incluso antes de que el joven Garp supiera que sería escritor, o supiera *qué* quería ser, no parecía hacer nada «por diversión».

Garp se quedó confinado en la enfermería el día en que se suponía debía inscribirse en algún deporte invernal. Jenny no le permitió levantarse de la cama.

—De cualquier modo, no sabes a qué quieres apuntarte —le dijo.

Garp, por toda respuesta, sólo pudo toser.

—Es una estupidez increíble —prosiguió Jenny—. Quince años en esta presumida e inculta comunidad y te derrumbas tratando de decidir qué *juego* practicarás para ocupar tus tardes.

—Todavía no he encontrado mi deporte, mamá —gruñó Garp—. *He de* tenerlo.

—¿Por qué? —preguntó Jenny.

—No sé —gimió Garp sin dejar de toser.

—Dios, es increíble —protestó Jenny—. *Yo* te encontraré un deporte. Iré al gimnasio y te inscribiré en cualquier cosa.

Entonces Jenny pronunció lo que para Garp, después de cuatro años en la Steering School, ya era una letanía:

—Sé más que tú, ¿verdad?

Garp dejó caer la cabeza en la almohada empapada de sudor.

—En *esto* no, mamá. Seguiste todos los cursos, pero jamás jugaste en ninguno de los equipos.

Si Jenny Fields reconoció este extraño descuido, no lo admitió. Era un típico día de diciembre en la Steering, con el suelo brillante de nevisca a medio derretir y manchado de la nieve gris y barrosa de las botas de ochocientos muchachos. Jenny Fields se abrigó y recorrió penosamente el descongelado campus invernal como madre convencida y decidida que era. Parecía una enfermera resignada a llevar cualquier esperanza posible al encarnizado frente ruso. Con ese ánimo se aproximó Jenny Fields al gimnasio de la Steering. En quince años de permanencia en la escuela, Jenny nunca había puesto los pies allí: no sabía que era importante. En el extremo más alejado del campus de la Steering, rodeado por los acres de campos de juego, pistas de hockey y de tenis, como el corte transversal de una enorme colmena humana, Jenny vio surgir de la sucia nieve el gigantesco gimnasio a la manera de una batalla que no había previsto, y su corazón se inundó de inquietud y pesimismo.

El Gimnasio y Polideportivo Seabrook —y el Estadio Seabrook y las Pistas de Hockey sobre Hielo Seabrook— llevaban el nombre del espléndido atleta y as de la aviación de la Primera Guerra Mundial, Miles Seabrook, cuyo rostro y macizo torso saludaron a Jenny desde un tríptico de fotografías encerrado en la vitrina-aparador del amplio vestíbulo de entrada al gimnasio. Miles Seabrook, la cabeza oculta por un casco de piel y hombreras probablemente innecesarias. Debajo de la fotografía de la vieja camiseta N.º 32 estaba el jersey propiamente dicho, casi hecho jirones: desteñido y atacado a menudo por las polillas, el jersey yacía en la vitrina para trofeos, debajo del primer tercio del tríptico de Miles Seabrook. En un cartel figuraba SU AUTENTICA CAMISETA.

La instantánea del centro del tríptico mostraba a Miles Seabrook como portero de hockey; en los viejos tiempos, los porteros iban acolchados, pero el valiente rostro estaba a descubierto, los ojos claros y desafiantes, con cicatrices por todas partes. La mole de Miles Seabrook llenaba la red que a sus espaldas parecía pequeña. ¿Cómo podría nadie haber superado a Miles Seabrook, con sus manazas de cuero, rápidas como las de un gato y del tamaño de las de un oso, su palo como una porra y su hinchado pecho protector, sus patines como las largas garras de un gigantesco oso hormiguero? Debajo de las fotografías correspondientes al fútbol y al hockey aparecían los marcadores de los *grandes* encuentros anuales: la temporada en todos los deportes de la Steering terminaba con el tradicional enfrentamiento con la Bath Academy, casi tan vieja y famosa como la Steering y detestada rival de todos sus alumnos. Los viles muchachos de la Bath con su uniforme verde y oro (en tiempos de Garp, esos colores se llamaban vómito y caca de bebé). STEERING, 7 - BATH, 6; STEERING, 3 - BATH, 0. Nadie superaba a Miles.

El *capitán* Miles Seabrook —como le denominaban en la tercera fotografía del tríptico— devolvió la mirada a Jenny Fields desde un uniforme demasiado familiar para ella. En un segundo se dio cuenta de que era un traje de aviador; aunque las vestimentas cambian entre una guerra mundial y otra, no habían cambiado tanto para que Jenny no reconociera el cuello revestido de lana de la chaqueta de cuero, levantado en un ángulo presuntuoso, y el tranquilizador y desabrochado barboquejo de la gorra de vuelo, las orejeras levantadas (¡las orejas de Miles Seabrook jamás podían enfriarse!) y las gafas, acomodadas descuidadamente sobre la frente. En el cuello, un pañuelo del más puro blanco. No se citaba ningún marcador debajo de este retrato, pero si alguna persona del Departamento de Atletismo de la Steering hubiera tenido la sufiente ironía, Jenny podría haber leído: ESTADOS UNIDOS, 16 - ALEMANIA, 1. Dieciséis era el número de aviones que Miles Seabrook había derribado antes de que los alemanes lo derribaran a él.

Cintas y medallas empolvadas en la vitrina cerrada con llave, como ofrendas ante el altar de Miles Seabrook. Había un objeto de madera carcomida, que Jenny confundió con una parte del avión derribado de Miles Seabrook; estaba preparada para cualquier sorpresa de mal gusto, pero la madera únicamente era todo lo que quedaba de su último palo de hockey. ¿Por qué no sus pelotas?, pensó Jenny Fields. O, a la manera del recuerdo de un bebé muerto, ¿por qué no uno de sus rizos? En realidad, los había, en las tres fotografías, ocultos por un casco, o una gorra, o un enorme calcetín a rayas. Quizá, pensó Jenny —con característico desdén—, Miles Seabrook era lampiño.

Jenny no estaba de acuerdo con las tres consecuencias que implicaba la polvorienta vitrina: el guerrero-atleta que se limitaba a cambiar de uniforme. En todos los casos, sólo se ofrecía a su cuerpo una protección engañosa: como enfermera de la Steering School, Jenny había visto, durante quince años, lesiones causadas por la práctica del fútbol y del hockey, a pesar de cascos, máscaras, barboquejos, hebillas, goznes y acolchados. Y el sargento Garp —y todos sus compañeros— le había demostrado a Jenny que en la guerra los hombres tenían la más ilusoria protección de todas.

Hastiada, Jenny siguió su camino; cuando superó las vitrinas, sintió que avanzaba hacia el motor de una peligrosa máquina. Evitó los espacios cubiertos de arena del gimnasio, donde oía los gritos y los gruñidos de las contiendas. Buscó los pasillos oscuros donde, suponía, estaban las oficinas. ¿Pasé aquí quince años, pensó, para perder a mi hijo en *esto*?

Reconoció en parte el olor. Desinfectante. Años de esforzado fregado. Sin duda alguna, un gimnasio era un sitio donde gérmenes de monstruoso potencial aguardaban su oportunidad para desarrollarse. Esa parte del olor le recordó los hospitales y la enfermería de la escuela: aire embotellado, postoperatorio. Pero en la colosal casa erigida en memoria de Miles Seabrook había *otro* olor tan repugnante para Jenny Fields como el olor a sexo. El conjunto del gimnasio y el polideportivo lo habían construido en 1919, un año antes de su nacimiento: lo que Jenny olía eran casi cuarenta años de pedos y de sudor de los muchachos obligados por la tensión y el esfuerzo. Lo que Jenny olía era la *competición*, feroz y plena de decepciones. Ella era ajena a todo eso, algo que jamás había formado parte de su vida en su infancia ni en su juventud.

En un corredor que parecía no estar al alcance del campo de fuerzas centrales de las múltiples energías del gimnasio, Jenny se quedó inmóvil y prestó atención. En algún lugar próximo había una sala de levantamiento de pesas; oyó el vapuleo del hierro y los terribles tirones de hernias progresivas: la perspectiva que tiene una enfermera de semejante esfuerzo. A Jenny le parecía que, en realidad, todo el edificio gemía y empujaba, como si todos y cada uno de los alumnos sufriera de estreñimiento y buscara alivio en el horrendo gimnasio.

Jenny Fields se sintió perdida, que es la forma en que puede sentirse una persona cuidadosa cuando se le pone delante un error.

El sangrante luchador estaba en ese instante junto a ella. Jenny no sabía cómo había logrado sorprenderla el aturdido y chorreante adolescente, pero se abrió una puerta del pasillo que daba a una sala de apariencia inocua, y el magullado rostro del luchador la contemplaba, con las orejeras tan ladeadas que el barboquejo se había deslizado hasta su boca, donde se estiraba el labio superior en una mueca de pescado. El apoyo del barboquejo, que antes había sostenido su mentón, ahora rebosaba sangre de su chorreante nariz.

Como enfermera, Jenny no se sintió demasiado impresionada por la sangre, pero se encogió ante la inevitable colisión con el húmedo muchacho de duro porte que de algún modo logró esquivarla, arremetiendo de costado. Con admirable puntería y volumen, vomitó encima de su compañero de lucha, que pugnaba por sujetarle.

—Disculpa —farfulló el mareado, porque la mayoría de los muchachos de la Steering eran bien educados.

El compañero de lucha le hizo el favor de quitarle el tocado de la cabeza, para que el desventurado vomitador no se asfixiara ni se estrangulara; sin pensar en sus propias salpicaduras, aquél gritó en dirección a la puerta abierta de la sala de lucha libre:

—¡Carlisle no lo logró!

Desde la puerta de la sala, cuyo calor atrajo a Jenny a la manera de un invernáculo a mediados del invierno, una clara voz de tenor respondió:

—¡Carlisle! Te serviste *dos* raciones de esa aguachirle del comedor para el almuerzo, Carlisle. ¡Con *una* merecías perder! ¡No habrá compasión para ti, Carlisle!

Carlisle, para quien no había compasión, siguió avanzando a lo largo del pasillo; regó con sangre su camino hasta una puerta, a través de la cual culminó su sucia fuga. Su compañero de lucha —que, según Jenny, también le había negado su compasión— dejó caer el equipo de Carlisle en el corredor, con el resto de sus inmundicias; después siguió a Carlisle a los vestuarios. Jenny abrigó la esperanza de que fuera a cambiarse de ropa.

Se asomó a la puerta abierta de la sala de lucha; respiró intensamente y dio un paso al frente. Inmediatamente sintió que perdía el equilibrio. Sus pies palparon una mullida sensación carnosa y la pared se hundió cuando se apoyó en ella; se encontraba en el interior de una celda acolchada, con el suelo y los acolchados de las paredes tibios y flexibles, el aire tan asfixiante y oliendo a sudor que apenas se atrevió a respirar.

—¡Cierre la puerta! —gritó el hombre de la voz de tenor.

Los luchadores, se enteraría Jenny más adelante, *adoran* el calor y su propio sudor, especialmente cuando quieren bajar de peso, y *florecen* cuando las paredes y los suelos están tan calientes y pródigos como nalgas de bellas durmientes.

Jenny cerró la puerta. Hasta ésta tenía una colchoneta encima y Jenny se pegó a ella, imaginando que alguien podía abrir la puerta desde el exterior y librarla misericordiosamente. El hombre de la voz de tenor era el entrenador y Jenny, en medio del sofocante calor, le vio marcar el paso junto a la pared de la sala, incapaz de permanecer quieto mientras miraba de soslayo a sus esforzados luchadores.

—¡Treinta segundos! —les gritó.

Las parejas que estaban encima de la colchoneta brincaban como si estuvieran eléctricamente estimulados. Los grupos de a dos que ocupaban la sala de lucha libre estaban enredados en violentas marañas, siendo las intenciones de cada luchador, a los ojos de Jenny, tan deliberadas y desesperadas como las de una violación.

—¡Quince segundos! —bramó el entrenador—. ¡Empujad!

De pronto, el enredado par que estaba más cerca de Jenny se apartó sin desanudar los músculos, con las venas de los brazos y los cuellos hinchados. Un grito sin aliento y un hilo de saliva emergieron de la boca de uno de los muchachos, mientras su oponente se liberaba de él y se separaban, chocando contra la pared acolchada.

—¡Hora! —gritó el entrenador.

El entrenador no necesitaba silbato. Los luchadores se volvieron repentinamente lánguidos y se separaron con gran lentitud. Media docena de ellos avanzaron pesadamente hacia la puerta; tenían en la mente el agua y el aire frescos, aunque Jenny creyó que todos se encaminaban al vestíbulo con el propósito de vomitar o de sangrar en paz, o ambas cosas.

Jenny y el entrenador eran los únicos cuerpos de pie que permanecían en la sala de lucha libre. Jenny observó que el entrenador era un hombre pulcro y bajo, compacto como un resorte; también notó que era casi ciego, porque ahora miraba con ojos miopes en su dirección, y reconoció que su blancura y su forma eran extraños a ese ambiente. Empezó a buscar a tientas sus gafas, que habitualmente apoyaba en lo alto de las colchonetas de las paredes, aproximadamente al nivel de la cabeza, donde tenían menos posibilidades de ser aplastadas por un luchador lanzado contra la pared. Jenny también observó que el entrenador tenía aproximadamente su edad, y que nunca le había visto en el campus o en los alrededores, con o sin gafas.

El entrenador era nuevo en la Steering. Se llamaba Ernie Holm y hasta ese momento consideraba que la comunidad escolar era tan presumida como la juzgaba Jenny. Ernie Holm había figurado dos veces entre los diez mejores campeones de lucha libre de la Universidad de Iowa, pero jamás había alcanzado un título nacional y había sido entrenador de escuelas secundarias de todo el Estado de Iowa durante quince años, mientras trataba de criar solo a su única hija. Estaba hasta la coronilla del Medio Oeste, como habría dicho él mismo, y se había mudado al Este para asegurarle a su hija una educación de buen tono, como lo habría expresado él mismo. Ella era el cerebro de la familia, se enorgullecía en decir, y había heredado la belleza de su madre, a la que jamás hacía referencia.

Helen Holm había pasado toda su vida en tardes de tres horas sentada en salas de lucha, desde Iowa hasta Steering, observando a muchachos de diversa complexión, sudorosos y entrelazados. Helen señalaría, años más tarde, que el hecho de haber pasado su infancia como la única niña en una sala de lucha libre la había convertido en una lectora. «Nací para ser espectadora», decía Helen. «Me crié para ser *voyeur*».

De hecho, era una lectora tan buena e infatigable, que Ernie Holm sólo se había trasladado al Este por ella. Aceptó el puesto en la Steering School por Helen, porque en su contrato había leído que los hijos de los miembros del profesorado y del personal podían asistir a ella gratuitamente, o podían recibir una suma de dinero equivalente para educarse en otra institución privada. Ernie Holm era un mal lector: había pasado por alto el hecho de que la Steering School sólo admitía a varones.

De pronto se encontró en la glacial comunidad de Steering, en pleno otoño, con su inteligente hija otra vez matriculada en una pequeña y mediocre escuela pública. En realidad, la escuela pública de la ciudad de Steering era, probablemente, peor que la mayoría de las escuelas públicas, porque los muchachos inteligentes asistían a la Steering, y las chicas inteligentes se marchaban de allí. Ernie Holm no había imaginado que tendría que separarse de su hija, ya que se había mudado precisamente para estar con ella. De modo que, mientras Ernie Holm se acostumbraba a sus nuevas obligaciones, Helen Holm deambulaba al margen de la importante escuela, devorando su librería y su biblioteca (y oyendo hablar, sin duda alguna, de la *otra* gran lectora de la comunidad: Jenny Fields); y Helen continuaba aburriéndose, como se había aburrido en Iowa, con sus aburridas condiscípulas de su aburrida escuela pública.

Ernie Holm era sensible al aburrimiento de los demás. Dieciséis años atrás se había casado con una enfermera; cuando Helen nació, la enfermera abandonó su profesión para dedicarse por completo a ser madre. Seis meses después quiso volver a trabajar como enfermera, pero en aquellos tiempos no había guarderías en Iowa y la mujer de Ernie Holm se volvió cada vez más distante por el esfuerzo de ser al mismo tiempo una madre de dedicación plena y una ex enfermera. Un buen día lo abandonó. Lo dejó con una hija de dedicación plena y sin explicaciones.

Así, Helen Holm se crió en salas de lucha libre, que son muy seguras para los niños, ya que están acolchadas por todas partes y siempre calurosas. Los libros habían evitado que Helen se aburriera, aunque a Ernie Holm le preocupaba pensar cuánto tiempo continuaría sustentándose en el vacío la aplicación de su hija. Ernie estaba seguro de que Helen llevaba en su interior los *genes* del aburrimiento.

Entonces se trasladó a la Steering. Por tanto, Helen —que también llevaba gafas con la misma indispensable necesidad que su padre— estaba con él la tarde en que Jenny Fields entró en la sala de lucha. Jenny no notó la presencia de Helen; de hecho, muy poca gente la notaba cuando tenía quince años. Sin embargo, Helen divisó a Jenny de inmediato; a diferencia de su padre, no luchaba con los muchachos ni hacía demostraciones de presas y movimientos, de modo que se dejaba las gafas puestas.

Helen Holm estaba siempre a la búsqueda de enfermeras, porque siempre esperaba ver a su desaparecida madre, a la que Ernie no había hecho ningún intento por encontrar. Con las mujeres, Ernie Holm había aprendido a aceptar el no por respuesta. Pero cuando Helen era pequeña, Ernie le había contado una historia que sin duda le gustaba imaginar, relato que siempre había intrigado a Helen. «Algún día», decía el cuento, «verás aparecer una hermosa enfermera, con expresión de no saber dónde está, que puede mirarte como si tampoco supiera quién eres... aunque ansiosa por descubrirlo.»

—¿Y ésa será mi mamá? —solía preguntar Helen a su padre.

—¡Y ésa será tu mamá! —solía responder Ernie.

De manera que, cuando Helen Holm levantó la vista de su libro en la sala de lucha libre de la Steering School, creyó ver a su madre. Por su uniforme blanco, Jenny Fields siempre parecía fuera de lugar; allí, encima de las colchonetas de color carmesí, parecía morena y saludable, de huesos fuertes, bien parecida aunque no precisamente bonita. Helen Holm debió pensar que ninguna otra mujer se habría aventurado en ese infierno de muelles pisos donde trabajaba su padre. Las gafas de Helen se empañaron y cerró el libro. Con su anónimo vestido holgado de color gris, que ocultaba su desgarbada figura de quince años —las caderas firmes y los pechos pequeños—, se apoyó torpemente contra la pared y aguardó una señal de reconocimiento de su padre.

Pero Ernie Holm seguía buscando sus gafas a tientas; borrosamente vio a una figura blanca —vagamente femenina, quizás una enfermera— y su corazón se paralizó ante la posibilidad de aquello en lo que nunca había creído realmente: el retorno de su esposa y sus palabras: «¡Cuánto os he echado de menos, a ti y a nuestra hija!». ¿Qué otra enfermera se atrevería a entrar en semejante lugar?

Helen vio que su padre se tambaleaba e interpretó sus movimientos como la esperada señal. Helen se encaminó en dirección a Jenny por encima de las colchonetas y ésta pensó: ¡Vaya chica! Una chica hermosa con gafas. ¿Qué hace una chica tan bonita en un lugar como éste?

—¡Mamá! —exclamó la chica—. ¡Soy *yo*, mamá! Soy Helen —rompió a llorar y echó sus delgados brazos en los hombros de Jenny. Apretó su húmedo rostro contra el cuello de la enfermera.

—¡Santo Cielo! —se asombró Jenny Fields.

Jenny era una mujer a la que nunca le había gustado que la tocaran. No obstante, era enfermera y debió de percibir la necesidad de Helen, porque no la rechazó aunque sabía muy bien que no era su madre. Jenny Fields pensaba que con ser madre *una* vez era suficiente. Palmeó la espalda de la muchacha y miró implorante al entrenador de lucha, que acababa de encontrar sus gafas.

—Tampoco soy *su* madre —le dijo Jenny amablemente cuando vio que Ernie la miraba con la misma expresión de alivio que mostraba el rostro de Helen.

Lo que Ernie Holm pensó fue que el parecido iba más allá del uniforme y de la coincidencia de una sala de lucha libre en la vida de dos enfermeras; pero Jenny no era ni remotamente tan bonita como su fugada esposa y Ernie consideró que ni siquiera quince años habrían vuelto a su mujer tan sencilla y meramente bien parecida como Jenny. Sin embargo, Jenny le cayó bien a Ernie Holm, que esbozó una sonrisa en la que parecía excusarse, sonrisa conocida por sus oponentes cuando perdían.

—Mi hija creyó que usted era su madre —explicó Ernie Holm a Jenny—. Hace un tiempo que no la ve.

Evidentemente, pensó Jenny Fields. Sintió que la chica se ponía tensa y se separaba de ella.

—No es tu mamá, querida —le aclaró Ernie Holm a Helen, quien retrocedió hasta la pared; era una chica reservada, que no tenía por costumbre mostrar sus emociones, ni siquiera delante de su padre.

—¿Y usted pensó que yo era su mujer? —inquirió Jenny, ya que por un momento le había parecido que él también la había confundido. Entretanto, Jenny se preguntaba cuánto tiempo hacía que no aparecía la esposa del entrenador.

—Por un instante me confundí —reconoció Ernie afablemente, con una tímida sonrisa en los labios.

Helen se acurrucó en un rincón de la sala de lucha y contempló furiosa a Jenny, como si ésta fuera deliberadamente responsable de su confusión. Jenny se sintió conmovida por la muchacha; hacía años que Garp no la abrazaba de esa manera y se trataba de una sensación que echaba de menos, incluso una madre tan selectiva como Jenny.

—¿Cómo te llamas? —preguntó Jenny—. Yo soy Jenny Fields.

Naturalmente, era un nombre que Helen Holm conocía. La hasta hace poco misteriosa lectora de la Steering School. Además, Helen no había volcado previamente en nadie los sentimientos que reservaba para su madre; aunque hubiera sido un accidente el que le había llevado a echar los brazos al cuello de Jenny, a Helen le resultó difícil renunciar totalmente a esos sentimientos. Tenía la tímida sonrisa de su padre y observó a Jenny agradecida; curiosamente, Helen sintió que le gustaría volver a abrazarla, pero se contuvo. Los luchadores arrastraban los pies por la sala, jadeantes al volver de la fuente, donde los que querían rebajar de peso sólo se habían enjuagado la boca.

—Basta de prácticas, ahora —les dijo Ernie Holm, mientras les indicaba con un gesto que salieran de la sala—. Eso es todo por hoy. ¡A correr sus vueltas!

Obedientes, incluso aliviados, se agolparon en la puerta de la sala; recogieron sus equipos, sus trajes holgados de goma, sus carretes de esparadrapo. Ernie Holm esperó a que la sala se vaciara, mientras su hija y Jenny Fields aguardaban a que les diera una explicación; como mínimo correspondía una explicación, pensaba, y en ningún sitio se sentía tan cómodo como en una sala de lucha libre. Para él era el lugar apropiado para contarle algo a alguien, incluso un difícil relato sin final, e incluso a una extraña. De modo que, cuando sus muchachos se fueron a la pista de carreras, Ernie contó muy pacientemente su historia de padre e hija, el breve relato de la enfermera que los había abandonado y del Medio Oeste que acababan de dejar. Era un relato que Jenny supo apreciar, por supuesto, ya que no conocía a otro padre solo con una hija. Y aunque podía haberse sentido tentada de contarles *su* historia —puesto que existían interesantes similitudes y diferencias, Jenny se limitó a repetir su versión corriente: el padre de Garp había sido soldado, etcétera. ¿Quién pierde el tiempo casándose en tiempos de guerra? Aunque no era la historia completa, evidentemente interesó a Helen y a Ernie, que en la comunidad de la Steering School no habían conocido a nadie tan receptivo y sincero como Jenny.

En la cálida sala de lucha libre, sobre las mullidas colchonetas y rodeados de esas paredes acolchadas, en semejante ambiente, es posible una repentina e inexplicable intimidad.

Naturalmente, Helen recordaría aquel primer abrazo toda su vida; aunque sus sentimientos por Jenny cambiarían y retrocederían, a partir de aquel momento en la sala de lucha, Jenny Fields fue para Helen una madre mejor que la que hubiera tenido nunca. Jenny también recordaría lo que había sentido al ser abrazada como una madre e incluso observaría, en su autobiografía, que el abrazo de una hija es diferente al de un hijo. Es, por lo menos, irónico que su única experiencia premonitoria de semejante apreciación ocurriera aquel día de diciembre en el gigantesco gimnasio erigido en memoria de Miles Seabrook.

Habría sido de lamentar que Ernie Holm hubiese sentido algún deseo hacia Jenny Fields e imaginado, aunque fuera por un instante, que podía haber otra mujer con la cual vivir su vida. Porque Jenny Fields no era propensa a semejantes sentimientos; sólo pensaba que Ernie era un hombre bueno y amable… que quizá podría ser su amigo. Si lo fuera, sería el primero.

Ernie y Helen debieron de sentirse perplejos cuando Jenny preguntó si podía quedarse un momento a solas en la sala de lucha. Debieron de preguntarse para qué. Entonces Ernie se acordó de preguntarle qué la había llevado allí.

—Vine a inscribir a mi hijo en los cursos de lucha libre —declaró Jenny intuitivamente con la esperanza de que Garp aprobara su decisión.

—Sí, claro —dijo Ernie—. Le ruego que apague las luces y los calentadores cuando se vaya. La puerta se cierra sola.

Cuando Jenny se quedó sola, apagó las luces y oyó cómo disminuían hasta desaparecer las resistencias de los calentadores. En la sala a oscuras con la puerta entornada, se descalzó y caminó por la colchoneta. Pese a la aparente violencia de este deporte, pensó, ¿por qué me siento tan *segura* aquí? ¿Será por él? Pero Ernie atravesó rápidamente su mente, sencillamente como un hombre bajo, pulcro y musculoso, con gafas. Si Jenny pensaba en los hombres —lo que en realidad no hacía—, pensaba que eran más tolerables los bajos y pulcros, y prefería que los hombres y las mujeres tuvieran músculos, que fueran fuertes. Le gustaba la gente con gafas de la manera que sólo pueden gustarle a quienes no necesitan llevarlas y pueden encontrarlas «bonitas». Pero principalmente es esta *sala*, pensó, la sala de lucha libre tapizada de rojo, inmensa pero limitada, acolchada contra el dolor. Se dejó caer de rodillas sólo para comprobar cómo la recibía la colchoneta. Hizo una vuelta de campana y se rasgó el vestido; luego se sentó encima de la colchoneta y miró al corpulento muchacho que se asomó a la puerta de la oscurecida estancia. Era Carlisle, el luchador que había perdido su almuerzo; se había puesto otro equipo y volvía en busca de más castigo. Su mirada se posó en la colchoneta y se fijó en la nívea enfermera, que parecía una osa acurrucada en su cueva.

—Disculpe, señora —dijo Carlisle—. Estaba buscando a alguien con quien trabajar.

—Entonces no me mires *a mí* —respondió Jenny—. ¡A correr tu vuelta!

—Sí, señora —Carlisle salió de estampida.

Cuando la puerta se cerró a sus espaldas, Jenny se dio cuenta de que había dejado dentro sus zapatos. Uno de los porteros no logró encontrar la llave correspondiente y le prestó unas enormes zapatillas de baloncesto que habían aparecido en objetos perdidos. Jenny cruzó a zancadas la nieve congelada hasta la enfermería; sentía que su primer viaje al mundo de los deportes la había dejado algo más que un poco cambiada.

En el pabellón, en su cama, Garp seguía tosiendo.

—¿Lucha libre? —bramó—. Santo Dios, mamá, ¿estás tratando de que me maten?

—Creo que te gustará el entrenador —contestó Jenny—. Lo he conocido y es un hombre muy amable. También he conocido a su hija.

—¡Jesús! —gruñó Garp—. ¿Lucha su *hija*?

—No, lee —concluyó con tono aprobador.

—Parece muy apasionante, mamá —opinó Garp—. ¿No comprendes que liarme con la hija del entrenador de lucha libre puede costarme la cabeza? ¿Es eso lo que quieres?

Pero Jenny no lo había dicho en este sentido. En realidad, sólo había pensado en la sala de lucha y en Ernie Holm; sus sentimientos hacia Helen eran puramente maternales y cuando su torpe hijo sugirió la posibilidad de liarse —de que *él* se interesara por la joven Helen Holm—, Jenny se alarmó. No había pensado previamente en la posibilidad de que su hijo se interesara por nadie en ese sentido, al menos, pensaba, hasta mucho tiempo después. Las palabras de Garp la inquietaron y sólo fue capaz de decirle:

—Sólo tienes quince años. Recuérdalo.

—¿Y cuántos tiene la hija? ¿Cómo se llama?

—Helen —replicó Jenny—. También tiene quince años. Lleva *gafas* —agregó hipócritamente. A fin de cuentas, a ella le gustaban las gafas y era posible que a Garp le ocurriera lo mismo—. Son de *Iowa* —se sintió más pedante que cualquiera de los detestables petimetres que pululaban en la comunidad de la Steering School.

—¡Lucha libre! —volvió a rezongar Garp.

Jenny sintió alivio al ver que Garp abandonaba el tema de Helen. Se sintió incómoda al comprender que evitaba semejante posibilidad. La chica *es* bonita, pensó, aunque no de una manera manifiesta, y a los jovencitos sólo les gustaban las chicas de belleza *evidente*. ¿Preferiría que Garp se interesara por una de éstas?

En cuanto a *ese* tipo de chicas, Jenny le había echado el ojo a Cushie Percy, algo atrevida en el lenguaje y de aspecto negligente. ¿Estaría tan *evolucionada* una mocosa de quince años de la raza de Cushie Percy? Jenny se detestó por haber pensado siquiera en la palabra *raza*.

Había sido un día confuso para Jenny. Se quedó dormida y por una vez no se preocupó por la tos de su hijo, ya que le parecía que le aguardaban problemas graves. ¡Precisamente cuando pensaba que empezábamos a estar en paz! Tendría que hablar con alguien acerca de las costumbres de los varones... tal vez con Ernie Holm. Abrigó la esperanza de que la opinión que se había formado de él fuera acertada.

Tal como fueron las cosas, tenía razón respecto a la sala de lucha libre, que proporcionó a Garp un intenso bienestar. Al muchacho también le cayó bien Ernie. En esa primera temporada de lucha en la Steering, Garp trabajó dura y felizmente en el aprendizaje de sus movimientos y presas. Aunque los universitarios de su peso le golpearon duramente, nunca se quejó. Garp sabía que había encontrado su deporte y su pasatiempo, que absorbería lo mejor de sus energías hasta que llegara la hora de dedicarse a ser escritor. Le encantaba lo rotundo del combate, los temibles límites del círculo trazado en la colchoneta, el agotador entrenamiento, la constancia mental de mantener bajo el peso. Y en aquella primera temporada en la Steering —notó aliviada Jenny—, Garp apenas mencionó a Helen Holm, que siempre leía, con sus gafas y su holgado vestido color gris. De vez en cuando levantaba la vista, cuando daban un portazo o cuando oía un grito de dolor.

Fue Helen quien llevó los zapatos de Jenny al pabellón de la enfermería, y ésta se reprochó a sí misma no haberla invitado a entrar. ¡Por un momento habían parecido tan próximas! Pero dentro estaba Garp. Jenny no quería presentarlos. Además, Garp estaba resfriado.

Un día, en la sala de lucha libre, Garp se sentó junto a Helen. El no ignoraba que tenía un grano en el cuello y que sudaba copiosamente. Las gafas de Helen estaban tan empañadas que Garp dudó de que pudiera leer.

—Lees mucho —le comentó.

—No tanto como tu madre —respondió Helen sin mirarle.

Dos meses más tarde, Garp dijo a Helen:

—Te estropearás los ojos si sigues leyendo en un lugar tan caluroso como éste.

Helen le miró, esta vez a través de los cristales nítidos, que agrandaban sus ojos de manera sorprendente.

—Ya los tengo estropeados. *Nací* con los ojos estropeados.

Pero a Garp le parecían unos ojos hermosos, tanto que no supo qué decirle.

Después se acabó la temporada de lucha. Garp se inscribió para pruebas en pista, apática elección de un deporte de primavera. Su preparación física, después de la temporada de lucha libre, era bastante buena, de modo que participó en carreras de una milla; era el tercer corredor del equipo de la Steering, pero nunca pasó de allí. Después de correr una milla, Garp sentía que acababa de empezar. («Ya era un novelista, aunque entonces no lo sabía», escribiría Garp años más tarde.) También practicó lanzamiento de jabalina, pero no demasiado.

Los lanzadores de jabalina de la Steering se entrenaban detrás del estadio de fútbol, donde pasaban la mayor parte del tiempo arponeando ranas. La parte alta de agua dulce del Steering River corría detrás del Estadio Seabrook; muchas jabalinas se perdían allí y muchas ranas morían atravesadas. La primavera no es buena, pensaba Garp, que estaba inquieto y echaba de menos la lucha; si no podía luchar, pensaba, al menos que llegue el verano para hacer carreras de larga distancia en el camino a la playa de Dog's Head Harbor.

Un día, en la fila más alta de las gradas vacías del Estadio Seabrook, vio a Helen Holm a solas con un libro. Subió las escaleras hasta ella, haciendo chocar la jabalina contra el cemento para que no se asustara al verle repentinamente a su lado. Helen no se asustó ni se sorprendió: hacía semanas que le observaba junto a los demás lanzadores de jabalina.

—¿Ya mataste bastantes animales por hoy? —le preguntó Helen—. ¿Vienes a la caza de algo más?

«Desde el principio», escribió Garp, «Helen tuvo facilidad de palabra.»

—Por lo mucho que lees, creo que serás escritora —comentó Garp, tratando de parecer indiferente, pero ocultó, al sentirse culpable, la punta de la jabalina con el pie.

—No existe la menor probabilidad —Helen no tenía ninguna duda al respecto.

—Entonces, quizá te cases con un escritor —sugirió Garp.

Helen lo miró a los ojos con una expresión muy seria. Sus nuevas gafas ahumadas, que llevaba por prescripción médica, eran más adecuadas para sus anchos pómulos que las anteriores, que siempre se le deslizaban por la nariz.

—Si me caso *con alguien*, será con un escritor —afirmó Helen—. Pero dudo de que llegue a casarme.

Garp sólo había tratado de hacer una broma y la seriedad de Helen le puso nervioso. Dijo:

—Bueno, estoy seguro de que no te casarás con un luchador.

—Puedes estar absolutamente seguro de ello —tal vez el joven Garp no pudo ocultar su dolor, porque Helen agregó—: A menos que se trate de un luchador que también sea escritor.

—Pero primero y fundamentalmente un escritor —conjeturó Garp.

—Sí, un *verdadero* escritor —concluyó Helen con tono misterioso, aunque dispuesta a definir el significado de sus palabras.

Garp no se atrevió a preguntárselo. La dejó volver al libro.

Resultó engorroso bajar las escaleras del estadio arrastrando la jabalina a sus espaldas. Garp se preguntó si algún día Helen llevaría un vestido distinto de ése holgado de color gris. Más adelante escribió que había descubierto por primera vez que tenía imaginación mientras trataba de representarse mentalmente el cuerpo de Helen Holm. «Como siempre llevaba ese maldito vestido holgado», escribió, «*tenía* que imaginar su cuerpo; no existía otra forma de verlo.» Garp imaginó que Helen tenía un cuerpo estupendo y en ninguno de sus escritos dice que se sintiera decepcionado cuando finalmente lo vio.

Fue aquella tarde en el estadio vacío, con sangre de rana en la punta de la jabalina, cuando Helen Holm avivó su imaginación y T. S. Garp decidió que sería escritor. Un *verdadero* escritor, como había dicho Helen.

La graduación

T. S. Garp escribió un cuento breve todos los meses mientras estuvo en la Steering, desde el final de su primer año hasta que se graduó, pero únicamente cuando fue alumno de tercer año le mostró a Helen algo de lo que escribía. Después de su primer año como espectadora de la Steering, Helen se marchó a estudiar a la Talbot Academy para niñas y Garp sólo la veía algunos fines de semana. A veces, Helen asistía a las sesiones de lucha. Garp la vio después de uno de esos encuentros y le pidió que le esperara mientras se duchaba, ya que en su armario tenía algo para ella.

—¡Oh! —exclamó Helen—. ¿Tus viejas coderas almohadilladas?

Helen ya no entraba en la sala de lucha libre, aunque pasara en la Steering largas vacaciones. Vestía calcetines color verde oscuro y una falda plisada de franela gris; a menudo, su jersey —siempre de un color sólido y oscuro— hacía juego con los calcetines, y siempre llevaba recogido el oscuro pelo largo, ya fuera en una trenza en la coronilla, o completamente sujeto. Tenía la boca amplia, con labios muy delgados, y nunca usaba lápiz labial. Garp sabía que olía maravillosamente, pero nunca la tocó. No creía que algún chico lo hiciera; era tan esbelta y casi tan alta como un árbol joven —unos cinco centímetros más que Garp— y los huesos de su cara eran puntiagudos, de aspecto casi doloroso, aunque sus ojos, detrás de las gafas, se veían siempre tiernos y grandes, de un delicioso color miel.

—¿Tus viejos zapatos de lucha libre? —inquirió Helen al ver el enorme sobre herméticamente cerrado que Garp tenía en la mano.

—Es algo para leer —le informó Garp.

—Tengo muchas cosas para leer.

—Es algo que escribí yo —explicó Garp.

—¡Oh! —se asombró Helen.

—No tienes que leerlo ahora. Puedes llevártelo a la escuela y escribirme una carta.

—Tengo mucho que escribir —se quejó Helen—. Montones de ejercicios atrasados.

—Entonces podemos hablar sobre esto más adelante —insinuó Garp—. ¿Pasarás aquí la Pascua?

—Sí, pero tengo un compromiso.

—Oh —se lamentó Garp.

Pero cuando Garp alargó la mano para coger su cuento, los nudillos de la larga mano de Helen estaban muy blancos y no soltó el sobre.

En la categoría de 65 kilos, durante su tercer año de estudios, Garp terminó la temporada con una marca de triunfos y derrotas de 12 a 1, y sólo perdió en la final del campeonato de Nueva Inglaterra. En su último año de estudios, ganó en todo: capitán del equipo, el luchador más capaz por votación y el título de Nueva Inglaterra. Su equipo representaría el comienzo de un dominio de casi veinticinco años en Nueva Inglaterra de los equipos de lucha libre de la Steering, entrenados por Ernie Holm. En aquella parte del país, Ernie poseía lo que llamaba «ventaja Iowa». Cuando Ernie se fue, la lucha libre de la Steering empezó a rodar cuesta abajo. Quizás porque Garp fue el primero de muchas estrellas de la Steering, Ernie Holm siempre le tuvo especial consideración.

A Helen no podía importarle menos. Se alegraba cuando los luchadores de su padre ganaban, porque eso le hacía feliz. Pero en el último año de estudios de Garp, cuando capitaneaba el equipo, Helen no asistió a un solo encuentro. Sin embargo, le devolvió el cuento por correo, desde Talbot, con la siguiente carta:

«Querido Garp:

Este cuento promete, aunque en ese momento creo que eres más luchador que escritor. El lenguaje está cuidado y comprendes a la gente, pero la situación parece falsa y el final del relato es excesivamente pueril. Sin embargo, te agradezco que me lo hayas mostrado.

Sinceramente,
Helen».

Habría más cartas de rechazo en la carrera literaria de Garp, naturalmente, pero ninguna como ésta significó tanto para él. En realidad, Helen había sido benévola. El cuento que Garp le dio a leer se refería a dos jóvenes enamorados que eran asesinados en un cementerio por el padre de la chica, que los confunde con ladrones de tumbas. Después de este lamentable error, entierra juntos a los enamorados; por alguna razón absolutamente desconocida, al cabo de poco tiempo roban sus tumbas. No se sabe lo que ocurre con el padre, y no digamos del ladrón de sepulturas.

Jenny le dijo a Garp que sus primeros esfuerzos por escribir eran poco realistas, pero a Garp le estimulaba su profesor de literatura, hombre frágil y tartamudo que se apellidaba Tinch, y que de todo lo que había en la Steering era lo que más se parecía a un escritor. Su aliento olía mal y a Garp le recordaba la fetidez de Bonkers: una habitación cerrada, llena de geranios secos. Pero lo que Tinch decía, aunque oloroso, era amable. Aplaudía la imaginación de Garp y le enseñó, de una vez por todas, la gramática clásica y el amor por un vocabulario preciso. Los alumnos de la época de Garp le apodaban Stench* y constantemente le enviaban mensajes referentes a su halitosis. Depositaban frascos con enjuagues sobre su escritorio y cepillos de dientes en su buzón del campus.

Después de recibir uno de esos mensajes —un paquete de pastillas refrescantes, de menta, junto con el mapa de la Inglaterra Literaria—, Tinch preguntó a sus alumnos de la clase de redacción si creían que le olía mal el aliento. Todos permanecieron inmóviles y mudos, pero Tinch señaló al joven Garp, su favorito, en quien más confiaba, y le preguntó directamente:

—¿Dirías tú, Garp, que te-te-tengo mal aliento?

La verdad entró y se esfumó por las ventanas abiertas de aquel día primaveral. Garp era famoso por su sinceridad carente de humor, por su habilidad como luchador y por su redacción. En las demás cuestiones era entre indiferente y mediocre. Desde temprana edad, afirmó más tarde Garp, aspiraba a la perfección y no se dispersaba. Sus puntuaciones de aptitud general revelaban que no tenía inclinación por nada, que no había nada innato en él. Esto no significó sorpresa alguna para Garp, que compartía con su madre la convicción de que *nada* ocurre naturalmente. Pero cuando un crítico, después de leer la segunda novela de Garp, afirmó que era «un escritor nato», Garp tuvo un arranque de malicia. Envió una copia de la crítica a los examinadores de Princeton, Nueva Jersey, con una carta en que les sugería que volvieran a comprobar los resultados de sus pruebas. Luego envió una copia de esas pruebas al crítico, con una nota que decía: «Muchísimas gracias, pero yo no soy nada nato». En opinión de Garp, no había «nacido» más escritor que enfermero o artillero de torreta oval.

—¿G-G-Garp? —tartamudeó el señor Tinch y se inclinó cerca de él.

Garp olió la terrible verdad. Sabía que ganaría el premio anual de redacción de tema libre: el único juez era Tinch. Y si lograba aprobar matemáticas de tercero —que cursaba por segunda vez—, se graduaría respetablemente y haría feliz a su madre.

—¿Tengo m-m-al aliento, Garp? —insistió Tinch.

—Bueno y malo son cuestiones de opinión, señor —respondió Garp.

—¿Y c-c-cuál es *tu* opinión?

—De acuerdo con *mi* opinión —espetó Garp sin parpadear—, usted tiene el mejor aliento de todos los profesores de esta escuela.

Garp miró al otro lado del salón de clase, donde estaba Benny Potter, de Nueva York —imbécil *nato*, al menos en la opinión de Garp—, y vio cómo se le borraba la sonrisa del rostro porque, con su mirada, Garp le informó que le rompería el cuello si abría la boca.

—Gracias, Garp —dijo Tinch.

Garp ganó el premio de redacción de tema libre, a pesar de la nota que adjuntó a su último ejercicio.

«Señor Tinch: En clase le mentí porque no quería que esos zoquetes se rieran de usted. Sin embargo, tiene que saber que su aliento es realmente desagradable. Lo siento.

T. S. Garp»

—¿Sabes una c-c-cosa? —le preguntó Tinch a Garp cuando volvieron a estar a solas para conversar sobre el último cuento de Garp.

—¿Qué?

—N-n-no puedo hacer nada c-c-coon mi aliento —explicó Tinch—. Creo que se debe a que me estoy m-m-muriendo. Me estoy pudriendo de adentro hacia afuera.

A Garp no le pareció divertido y, después de graduarse, siempre pidió noticias de Tinch, y se alegraba de que el anciano no padeciera nada irreparable.

Tinch moriría en los jardines de la Steering, una noche invernal, por causas que no tenían nada que ver con su mal aliento. Volvía a su casa después de una reunión de profesores —donde reconocieron que probablemente había bebido demasiado—, resbaló en el hielo y cayó en el sendero helado, donde quedó inconsciente. El vigilante nocturno no encontró el cuerpo hasta el amanecer, hora en que Tinch ya había muerto congelado.

Lamentablemente fue el imbécil de Benny Potter el primero en transmitirle la noticia a Garp. Este lo encontró en Nueva York, donde Potter trabajaba para una revista. La pobre opinión que Garp tenía de Potter estaba realzada por la pobre opinión que Garp tenía de las revistas y por su convencimiènto de que aquél le envidiaba por su producción más importante como escritor. «Potter es uno de esos desgraciados que tienen una docena de novelas ocultas en los cajones», escribió Garp, «pero no se atreven a mostrárselas a nadie.»

Sin embargo, en tiempos de la Steering, Garp tampoco mostraba sus trabajos. Sólo Jenny y Tinch observaban sus progresos —y estaba el cuento que le había dado a leer a Helen Holm. Garp decidió que no le mostraría otro cuento hasta que consiguiera escribir uno tan bueno que Helen no pudiera criticarlo.

—¿No te has enterado? —preguntó Benny Potter a Garp en Nueva York.

—¿De qué? —preguntó Garp.

—El viejo Stench estiró la pata. Murió c-c-congelado.

—¿Qué dices?

—El viejo Stench —insistió Potter; Garp siempre había detestado ese sobrenombre—. Se emborrachó, volvió haciendo eses a su casa, se cayó, se rompió el cogote y nunca volvió a despertar.

—¡Cretino! —se indignó Garp.

—Es verdad, Garp —dijo Benny—. Hacía muchos grados bajo cero. Aunque —agregó peligrosamente— yo habría creído que con esa caldera que tenía por boca habría podido mantener el c-c-calor.

Estaban en el bar de un elegante hotel, en algún lugar de la calle Cincuenta y tantos, en algún sitio entre Park Avenue y la Tercera: Garp nunca sabía dónde estaba cuando se encontraba en Nueva York. Tenía que reunirse con alguien para almorzar y había tropezado con Potter, que le había llevado a ese bar. Garp levantó a Potter por las axilas y le sentó en la barra.

—Nunca te gusté —se lamentó Benny.

Garp le arrojó de espaldas sobre la barra, de modo que los bolsillos de la chaqueta abierta de Potter cayeron dentro del fregadero.

—¡Déjame en paz! —exclamó Benny—. Siempre fuiste el lameculos predilecto del viejo Stench.

Garp empujó a Benny de tal manera que su trasero se hundió en el fregadero, que estaba lleno de vasos en remojo, y el agua se desbordó por la barra.

—Por favor, señor, no se siente en la barra —dijo el *barman* a Benny.

—¡Me están atacando, minusválido! —vociferó Benny.

Garp ya se había ido y el *barman* tuvo que sacar a Benny Potter del fregadero y alejarlo de la barra.

—¡Maldito sea ese hijo de puta! ¡Tengo todo el culo mojado! —gritó Benny.

—Señor, le ruego que aquí controle su vocabulario —rogó el *barman*.

—¡Mi maldito billetero está empapado! —Benny retorció los fondillos de sus pantalones y entregó su húmedo billetero al barman—. ¡Garp! —aulló Benny—. Nunca tuviste buen humor.

Es justo decir que, especialmente en sus tiempos de estudiante, Garp carecía de sentido del ridículo con respecto a la lucha libre y a escribir, su pasatiempo favorito y su carrera en ciernes.

—¿Cómo sabes que serás escritor? —le preguntó Cushie Percy una vez.

Era el último año de estudios de Garp y salían de la ciudad, junto al Steering River, en dirección a un lugar que Cushie dijo conocer. Había vuelto de Dibbs para pasar el fin de semana en casa. La Dibbs School era la quinta escuela preparatoria para niñas a la que Cushie asistía; había iniciado sus estudios en la Talbot —en la misma clase que Helen—, pero había tenido problemas con la disciplina y le habían pedido que cambiara de escuela. Esos problemas se repitieron en otras tres escuelas. Entre los muchachos de la Steering, la Dibbs School era famosa —y popular— por sus chicas con problemas con la disciplina.

Había marea alta y Garp vio un bote de ocho remos que se deslizaba por el agua; lo seguía una gaviota. Cushie Percy le cogió la mano. Cushie tenía muchas formas complicadas de comprobar el afecto de un chico por ella. Varios de los muchachos de la Steering estaban dispuestos a brindarle su afecto cuando estaban a solas con ella, pero a la mayoría de ellos les disgustaba que los viesen en tal actitud con ella. Cushie notó que a Garp no le importaba. Le retuvo la mano con firmeza; por supuesto, habían crecido juntos, pero ella no pensaba que fueran amigos íntimos. Al menos, pensó Cushie, si Garp quiere lo mismo que los demás, no le fastidia que lo vean buscándolo. Por eso le gustó a Cushie.

—Creí que serías luchador —dijo Cushie.

—*Soy* un luchador y *seré* escritor —aclaró Garp.

—Y te casarás con Helen Holm —bromeó Cushie.

—Es posible.

La mano de Garp se aflojó un poco en la de Cushie. Esta sabía que Helen Holm era otro de los temas en que él se mostraba falto de humor, y que debía tener cuidado.

Un grupo de alumnos de la Steering subía por el sendero del río en dirección a ellos; pasaron a su lado y uno de ellos gritó:

—¿Qué estás haciendo, Garp?

Cushie le apretó la mano:

—No dejes que te fastidien.

—No me fastidian.

—¿Sobre qué escribirás? —quiso saber Cushie.

—Lo ignoro.

Ni siquiera sabía si iría a la universidad. Algunas escuelas del Medio Oeste se habían interesado por él como luchador y Ernie Holm había escrito algunas cartas. Dos instituciones le concedieron una entrevista personal y Garp las visitó. En sus salas de lucha libre se había sentido más indeseado que derrotado. Los competidores universitarios parecían tener más interés en vencerle que el que él tenía por vencerles. Pero una de las escuelas le hizo una prudente oferta: algo de dinero y ninguna promesa más allá del primer año. Bastante justo, si se tiene en cuenta que él provenía de Nueva Inglaterra. Pero Ernie ya le había advertido que las cosas serían así. «Allí es un deporte distinto, muchacho. Quiero decir que tú tienes capacidad y, si me permites decirlo, has tenido un buen entrenamiento. Pero te ha faltado agresividad y realmente tienes necesidad de ella. Tendrías que estar realmente interesado.»

Cuando le preguntó a Tinch qué consideraba aconsejable para su *escritura*, el profesor no supo qué responder. «A-a-alguna buena escuela, supongo. P-p-pero si vas a escribir, ¿n-n-no es lo mismo cualquier sitio?»

—Tienes un cuerpo hermoso —le susurró Cushie Percy a Garp y él le apretó la mano.

—Tú también —respondió sinceramente.

En realidad, Cushie tenía un cuerpo absurdo. Era menuda pero ya totalmente desarrollada, con un pecho abundante. Su nombre, pensaba Garp, no tendría que ser Cushman sino *Cushion...** y desde la infancia a veces la llamaba así.

—Oye, Cushion, ¿quieres dar un paseo?

Ella dijo que conocía un sitio nuevo.

—¿Adónde me llevas? —le preguntó Garp.

—¡Ja! —rió Cushie—. *Tú* me llevas a *mí*. Yo sólo te muestro el camino. Y el lugar.

Se desviaron del sendero en la parte del Steering River que tiempo atrás se denominaba «el estrecho». Allí había varado un barco, pero no había señales visibles. Sólo la playa traicionaba la historia. Era en ese estrecho codo donde Everett Steering había imaginado que arrasaría a los ingleses, y allí estaban los cañones de Everett, tres enormes cilindros de hierro, oxidados en las salientes del hormigón. En otros tiempos habían girado, por supuesto, pero los recientes padres de la patria los habían fijado para siempre. Al lado, un permanente racimo de balas de cañón, que

* *Cushion* significa cojín. (N. de la T.)

parecían crecer en el cemento. Las balas estaban verdosas y rojizas de herrumbre, y la plataforma de hormigón donde estaban asentados los cañones se encontraba ahora llena de basura, botes de cerveza y cristales rotos. El talud herboso que bajaba hasta el inmóvil y casi vacío río aparecía pisoteado, como hollado por rebaños de ovejas, pero Garp sabía que sólo habían pasado por allí infinitos alumnos de la Steering y sus novias. La elección de Cushie no era muy original, pero era lo que cabía esperar de ella, pensó Garp.

Hablaron. A Garp le gustaba Cushie, y William Percy siempre le había tratado bien. Garp era demasiado joven para conocer a Stewie Two, y Dopey era Dopey. La joven Pooh era una niña extraña y asustadiza, pensaba Garp, pero Cushie había heredado directamente de su madre, Midge Steering Percy, aquella patética estupidez. Garp se sintió poco honrado con Cushie al no mencionar lo que él consideraba la absoluta imbecilidad de su padre, Fat Stew.

—¿Nunca estuviste aquí? —preguntó Cushie.

—Quizá, con mi madre, pero hace mucho tiempo.

Naturalmente, Garp sabía qué eran «los cañones». Una de las frases predilectas de la Steering era «montar los cañones»; por ejemplo: «el último fin de semana monté a los cañones», o «tendrías que haber visto a Fenley montando a los cañones». Hasta los mismos cañones lucían estas lapidarias inscripciones: «Paul montó a Betty, 1958» y «M. Overton, 1959, tiró aquí su primer disparo».

Al otro lado del lánguido río, Garp vio a los jugadores de golf del Steering Country Club. Incluso a distancia, su ridícula ropa parecía poco natural contra las verdes calles y más allá de la hierba que crecía hasta los flancos de las ciénagas. Sus pantalones de madrás y chaquetas a cuadros entre la línea de la playa pardo-verdosa y pardo-grisácea, los hacía parecer cautelosos animales fuera de lugar, que perseguían sus saltarinas bolas blancas en un lago.

—El golf es estúpido —sentenció Garp.

Otra vez su tesis de los juegos con pelotas y palos; Cushie ya la conocía y no le interesaba. Se instaló en un lugar suave, con el río a sus pies, los arbustos alrededor y, por encima de sus hombros, las bostezantes fauces de los grandes cañones. Garp levantó la mirada hasta la boca del cañón más cercano y se asustó al ver la cabeza de una muñeca rota que le observaba con su ojo de cristal.

Cushie le desabrochó la camisa y le mordió ligeramente los pezones.

—Me gustas —le dijo.

—*Tú* me gustas, Cushion.

90

—¿El hecho de que seamos viejos amigos estropea esto? —preguntó Cushie.

—Oh, no —se apresuró a responder Garp.

Garp abrigaba la esperanza de seguir adelante con «esto», porque *esto* nunca le había ocurrido y contaba con la experiencia de Cushie para que *esto* ocurriera. Se dieron un beso húmedo encima de la maltrecha tierra; Cushie besaba con la boca abierta y empujó artísticamente su lengua entre los dientes de Garp.

Sincero, incluso a su edad, Garp intentó hacerle saber que pensaba que su padre era un idiota.

—Claro que lo es —coincidió Cushie—. Tu madre también es un poco rara ¿no te parece?

Bueno, sí, Garp supuso que tenía razón.

—Pero de todos modos me gusta —dijo el más fiel de los hijos, incluso a su edad.

—A mí también me gusta —opinó Cushie. Habiendo dicho lo necesario, Cushie se desvistió. Garp también lo hizo, pero repentinamente ella le preguntó—: Vamos, ¿dónde está?

Garp sintió pánico. ¿Dónde está *qué*?

—¿Dónde está tu *cosa*? —insistió Cushie, meneando lo que Garp creía *era* su cosa.

—¿Qué?

—¿No trajiste nada? —le azuzó Cushie.

Garp se preguntó qué se suponía debía haber llevado:

—¿Qué?

—Oh, Garp... —se lamentó Cushie—. ¿No tienes *gomas*?

La miró como pidiéndole disculpas. Sólo era un chico que había vivido toda su vida con su madre y la única goma que había visto era una sujeta al pomo de la puerta de su apartamento del pabellón de la enfermería, probablemente puesta por un desalmado llamado Meckler... que tiempo atrás se había graduado y había partido camino de la autodestrucción.

Sin embargo, tendría que haberlo sabido: Garp había oído muchas conversaciones acerca de gomas.

—Ven aquí —Cushie le llevó hasta los cañones—. Nunca hiciste esto, ¿verdad? —Garp movió la cabeza de un lado a otro, sincero hasta la médula—. Oh, Garp... si no fueras un viejo amigo —Cushie sonrió, pero él supo que ahora no le permitiría hacerlo. La hija de Fat Stew señaló la boca del cañón del centro—. Mira —Garp miró: un destello de cristales, semejante a los guijarros que, imaginó, cubrirían una playa del trópico, y también vio algo más... no tan romántico—. Gomas —concluyó Cushie.

El cañón estaba repleto de viejos condones. ¡Cientos de profilácticos! Un despliegue de reproducción frustrada. Al igual que los perros, que mean fuera de los límites de su territorio, los muchachos de la Steering School dejaban sus óbolos en la boca del cañón mamut que protegía el Steering River. El mundo moderno había dejado su impronta sobre otro hito histórico.

Cushie se estaba vistiendo.

—No sabes nada —bromeó—, ¿de qué vas a escribir entonces?

Garp había sospechado ya que eso plantearía un problema durante unos años: una piedra en el camino de su profesión.

El también quiso vestirse, pero ella le pidió que se tendiera para poder contemplarle.

—Eres hermoso y todo está bien —le besó.

—Puedo ir a buscar algunas gomas. No tardaré mucho y podríamos volver aquí.

—Mi tren sale a las cinco —se lamentó Cushie, pero sonrió comprensivamente.

—No creía que tuvieras un horario rígido.

—Bueno, incluso en la Dibbs hay *algunas* normas —Cushie se sintió herida por la mala reputación de la escuela—. Además, tú sales con Helen. Sé que lo haces.

—Pero no así —reconoció Garp.

—Garp, no tendrías que contárselo todo a cualquiera —le aconsejó Cushie.

Tenía el mismo problema con sus escritos; el señor Tinch se lo había advertido.

—Siempre estás demasiado serio —lo reprendió Cushie, porque por una vez estaba en posición de superioridad.

Abajo, en el río, un bote de ocho remos se deslizaba por el estrecho canal de agua que quedaba. Se dirigía al cobertizo de la Steering antes de que bajara la marea y no hubiese profundidad suficiente para volver.

En ese momento, Garp y Cushie vieron al jugador de golf. Había bajado por la ciénaga al otro lado del río; con sus pantalones de madrás color violeta arrollados por encima de las rodillas, vadeaba el cieno en el lugar donde la marea ya había retrocedido. Delante de él, en las ciénagas más húmedas, estaba su pelota de golf, aproximadamente a unos dos metros de la orilla del agua. El jugador avanzó con pies de plomo, pero ahora el agua le llegaba a la pantorrilla; con la cabeza del palo de golf agitó el barro y lanzó una maldición.

—¡Vuelve, Harry! —gritó alguien.

Era su compañero de partida, un hombre vestido con igual pintoresquismo, con unos pantalones verdes a la altura de las rodillas, de un verde que ninguna hierba jamás tuvo, y calcetines amarillos. El que se llamaba Harry dio otro paso en dirección a la pelota. Parecía una extraña ave acuática que perseguía su huevo en una superficie aceitosa.

—¡Harry, te hundirás en esa mierda! —le advirtió su amigo.

Garp reconoció la voz del compañero de Harry: el hombre de verde y amarillo era Fat Stew, el padre de Cushie.

—¡Es una pelota nueva! —gritó Harry.

Junto con el grito de Harry desapareció su pierna izquierda hasta la cadera; trató de volverse, perdió el equilibrio y se sentó. En pocos segundos quedó embarrado hasta la cintura, con su frenético rostro encarnado asomando por encima de la camisa azul... más azul que cualquier cielo azul. Blandió el palo pero se le escapó de las manos y cayó en el barro, a pocos centímetros de su pelota, inexplicablemente nívea y perdida para siempre.

—¡Socorro! —bramó Harry.

Pero a gatas logró avanzar en dirección a Fat Stew y la seguridad de la orilla.

—¡Parece que hay anguilas! —gritó aterrorizado.

Avanzó apoyado en el tronco, utilizando los brazos a la manera que una foca utilizaría sus aletas en tierra. Un extraño ruido le persiguió a través de la ciénaga, como si debajo del barro alguna boca jadeara para absorberle.

Garp y Cushie ahogaron sus risas entre los arbustos. Harry hizo su último esfuerzo por alcanzar la costa. Stewart Percy, con la intención de ayudarle, pisó el barro con un solo pie y perdió un zapato de golf y un calcetín amarillo que fueron succionados.

—¡Shhh! Quédate *quieto* —pidió Cushie. Los dos se dieron cuenta de que Garp tenía una poderosa erección—. Oh, qué pena —susurró Cushie, sin dejar de observar con tristeza la erección, y cuando Garp intentó echarla en la hierba y atraerla a su lado, agregó—: No quiero bebés, Garp. Ni siquiera uno tuyo. Y el tuyo podría ser un jap, ya lo sabes. Puedes tener la seguridad de que no quiero uno de ésos.

—¿Qué dices? —se extrañó Garp: una cosa era no saber nada acerca de las gomas, ¿pero qué cosa misteriosa era ésa de los bebés jap?

—Shhh —insistió Cushie—. Te daré un tema para tu obra.

Los furiosos jugadores de golf ya se abrían paso a través de la ciénaga y volvían a su inmaculada calle cuando la boca de Cushie mordisqueó el borde del ombligo de Garp. Este nunca estuvo seguro de si su memoria quedó abolida por la palabra *jap*, y si en ese momento recordó que había sangrado en casa de Percy cuando la pequeña Cushie les dijo a sus padres que «Bonkie mordió a Garp» (y el minucioso reconocimiento que el crío Garp había sufrido frente al desnudo Fat Stew). Debió de ser entonces cuando Garp recordó a Fat Stew diciéndole que tenía ojos de jap, y se le hizo vívido un fragmento de su historia personal; al margen de la situación real, en ese momento Garp decidió pedirle a su madre más detalles de los que hasta ese momento le había ofrecido. Sintió la necesidad de saber algo más respecto a su padre, no sólo que había sido un soldado y etcétera. Pero también sintió los suaves labios de Cushie Percy sobre su vientre y, cuando ella llevó su pene al interior de su cálida boca, se sintió tan sorprendido que su decisión quedó borrada, al igual que el resto de su cuerpo. Allí, bajo los triples cilindros de los cañones de la familia Steering, T. S. Garp fue iniciado en el sexo de esa forma relativamente segura y no reproductiva. Naturalmente, desde el punto de vista de Cushie, también era no recíproca.

Volvieron por el borde del Steering River, cogidos de la mano.

—Quiero verte el próximo fin de semana —Garp estaba decidido a no olvidar las gomas.

—Sé que en realidad quieres a Helen —dijo Cushie. Probablemente odiaba a Helen Holm, como si la conociera: Helen Holm era una cursi mental.

—Me da igual, quiero verte.

—Eres muy bueno —Cushie le apretó la mano—. Además, eres mi más viejo amigo.

Pero ya entonces ambos debían de saber que es posible conocer a alguien toda la vida sin llegar a ser amigos.

—¿Quién te dijo que mi padre era japonés? —le preguntó Garp.

—No me acuerdo —replicó Cushie—. Tampoco sé si lo era realmente.

—Yo tampoco —admitió Garp.

—No sé por qué no se lo preguntas a tu madre —insinuó Cushie.

Pero por supuesto, Garp ya se lo había preguntado y Jenny se atenía inquebrantablemente a su primera y única versión.

Cuando Garp telefoneó a Cushie, a la Dibbs School, ella le dijo:

—¡Eres *tú*! Mi padre acaba de llamarme y me dijo que no debía verte ni escribirte ni hablar contigo. Ni siquiera leer tus cartas... como si me las escribieras. Supongo que algún jugador de golf nos vio abandonar los cañones —a Cushie le parecía divertido, pero Garp sólo pudo comprender que su futuro en los cañones se le había escapado de las manos—. Estaré en casa el fin de semana de tu graduación.

Pero Garp se preguntó: ¿si compraba los condones ahora, todavía servirían para el día de la graduación? ¿Se estropearían con el tiempo las gomas? ¿Cuántas semanas podían conservarse? ¿Habría que guardarlas en la nevera? No tenía a quién preguntarlo.

Garp pensó en interrogar a Ernie Holm, pero temía que Helen se enterara de que había estado con Cushie Percy y, aunque no mantenía con Helen una relación a la que pudiera serle infiel, Garp tenía su imaginación y sus planes.

Escribió a Helen una larga carta, en realidad una confidencia referente a su «lujuria», como la llamaba, aclarando que no tenía ni punto de comparación con sus sentimientos más elevados por ella, como los denominaba. Helen respondió de inmediato, diciéndole que ignoraba por qué le contaba *a ella* todo eso, pero que en su opinión lo había *escrito* muy bien. Estaba mucho mejor escrito que el cuento que le había mostrado, por ejemplo, y abrigaba la esperanza de que continuara dándole a leer lo que escribiera. Agregaba que su opinión acerca de Cushie Percy, por lo poco que la conocía, le indicaba que era bastante *estúpida*, «aunque simpática». Y si Garp se entregaba a su lujuria, como él la llamaba, ¿no era muy afortunado al tener cerca a alguien como Cushie?

Garp volvió a escribirle informándole que no le mostraría otro relato hasta que escribiera uno lo bastante bueno para ella. También se refirió a sus intenciones con respecto a las razones por las que no iría a la universidad. En primer lugar, pensaba, el único motivo para ir a la universidad era la lucha libre, y no estaba seguro de que le interesara lo suficiente luchar a ese nivel. No veía razón alguna para continuar luchando en alguna insignificante universidad donde no se diera prioridad a los deportes. «Sólo merece la pena hacerlo», escribió Garp a Helen, «si tengo el propósito de ser el mejor». Pensaba que tratar de ser el mejor en lucha libre no era lo que deseaba y también sabía que no era probable que pudiera llegar a serlo. ¿Y quién asistiría a la universidad para ser el mejor en *creación literaria*?

¿De dónde había sacado la idea de querer ser el mejor?

Helen respondió, por carta, que le convendría ir a Europa. Garp discutió la cuestión con Jenny.

Con gran sorpresa, Garp se enteró de que Jenny nunca había pensado que él iría a la universidad; ella no aceptaba el concepto de que para eso estaban las escuelas preparatorias.

—Si se supone que la Steering School proporciona una educación de primera categoría —dijo Jenny—, ¿para qué demonios *necesitas más* educación? Quiero decir que, si has prestado atención, ya estás educado. ¿De acuerdo?

Garp no se sentía educado, pero dijo que creía que lo estaba. Pensaba que había prestado suficiente atención. En cuanto a Europa, Jenny se mostró interesada.

—Me gustaría intentarlo. Ya estoy harta de estar aquí.

En ese momento, Garp comprendió que su madre estaba decidida a no separarse de él.

—Encontraré el mejor lugar de Europa para un escritor —propuso Jenny—. Yo también estoy pensando en escribir algo.

Garp se sintió tan mal que se acostó. Cuando se levantó, le escribió a Helen que estaba condenado a ser seguido por su madre el resto de su vida. «¿Cómo podré escribir con mi mamá mirando por encima del hombro?» le escribió a Helen. Su amiga carecía de respuesta para eso; dijo que sometería la cuestión a su padre y que tal vez éste le diera un consejo a Jenny. A Ernie Holm le gustaba Jenny y de vez en cuando la llevaba al cine. Incluso Jenny se había convertido en una especie de entusiasta de la lucha libre, y aunque no podía haber nada más que amistad entre ellos, Ernie era muy comprensivo con la historia de la madre soltera: la había oído y había aceptado la versión de Jenny que para *él* era todo cuanto necesitaba saber. Defendía a Jenny con uñas y dientes ante cualquier miembro de la comunidad de la Steering que mostrara curiosidad por saber algo más.

Pero en los asuntos culturales, Jenny se guiaba por los consejos de Tinch. Le preguntó a qué lugar de Europa podían ir un hijo y su madre, cuál era el clima más artístico, el mejor lugar para escribir. El señor Tinch había estado por última vez en Europa en 1913. Sólo había pasado allí un verano. Había ido primero a Inglaterra, donde vivían varios miembros de la familia Tinch, sus antepasados británicos, pero su familia le asustó al pedirle dinero; le pidieron tanto y tan burdamente que Tinch huyó de inmediato al continente. Pero la gente fue grosera con él en Francia y mal educada en Alemania. Tenía un estómago delicado y le asustaba la cocina italiana, de modo que fue a Austria.

—En Viena —confesó Tinch a Jenny—, encontré la *auténtica* Europa. Viena era c-c-contemplativa y artística. Allí era posible sentir la tristeza y la g-g-grandeza.

Un año más tarde estalló la Primera Guerra Mundial. En 1918, la gripe mató a muchos de los vieneses que habían sobrevivido a la guerra. Mató al viejo Klimt, y mató al joven Schiele y a la joven esposa del joven Schiele. El cuarenta por ciento de la población masculina restante no sobreviviría a la Segunda Guerra Mundial. La Viena a la que Tinch enviaba a Jenny y a Garp era una ciudad cuya vida había acabado. Su fatiga todavía podía confundirse con una naturaleza c-c-contemplativa, pero Viena ya no podía expresar ninguna g-g-grandeza. Entre las verdades a medias de Tinch, Jenny y Garp llegaron a percibir la tristeza.

«Y *cualquier* lugar puede ser artístico», escribió Garp más adelante, «si allí trabaja un artista.»

—¿Viena? —le dijo Garp a Jenny.

Dijo Viena en el mismo tono que había dicho «¿lucha libre?» tres años atrás, tendido en su lecho de enfermo y escéptico en cuanto a la capacidad de Jenny para elegir un deporte. Pero recordó que entonces había acertado, y que él no sabía nada de Europa y muy poco acerca de cualquier otro lugar. Garp había estudiado tres años de alemán en la Steering, lo que sería útil, y Jenny (que no era buena para los idiomas) había leído un libro acerca de los extraños compañeros de cama de la historia austriaca: María Teresa y el fascismo. El libro se titulaba *Del Imperio al Anschluss*. Garp lo había visto durante años en el cuarto de baño, pero ahora no lograron encontrarlo. Quizá se había perdido en los vestuarios de la piscina.

—La última vez que lo vi estaba en manos de Ulfelder —comentó Jenny.

—Ulfelder se graduó hace tres años —le recordó Garp.

Cuando Jenny le dijo al decano Bodger que se marchaba, éste respondió que la Steering School la echaría de menos y que la recibiría con los brazos abiertos si decidía volver. Jenny no quiso ser descortés, pero sugirió que suponía que era posible ser enfermera en cualquier parte; ignoraba, por supuesto, que jamás volvería a trabajar como enfermera. A Bodger le sorprendió que Garp no fuera a la universidad. En opinión del decano, Garp no había representado un solo problema de disciplina en la Steering desde que había sobrevivido al tejado del pabellón de la enfermería a los cinco años de edad, y su cariño por el papel que había desempeñado en el rescate se había convertido en afecto hacia Garp. Además, el decano Bodger era un admirador de la lucha libre y uno de los pocos admiradores de Jenny. Pero supo aceptar el hecho de que el joven pareciera convencido de su «aventura como escritor», como la denominó Bodger. Naturalmente, Jenny no le informó que ella también pensaba escribir.

Esta parte del plan fastidió a Garp, pero no dijo una sola palabra, ni siquiera a Helen. Todo ocurría demasiado rápido y Garp sólo pudo transmitir su inquietud a Ernie Holm, entrenador de lucha libre.

—Estoy seguro de que tu madre sabe lo que hace —le dijo Ernie—. Tú tienes que estar seguro de *ti mismo*.

Hasta el viejo Tinch desbordó optimismo por el plan.

—Un tanto excéntrico —comentó Tinch a Garp—, p-p-pero muchas ideas buenas lo son.

Años más tarde, Garp pensaría que el tartamudeo de Tinch era una especie de mensaje a Tinch desde su propio cuerpo. Garp escribió que el cuerpo de Tinch estaba tratando de advertirle a Tinch que algún día se c-c-congelaría.

Jenny dijo que saldrían de viaje inmediatamente después de la graduación, aunque Garp había abrigado la esperanza de quedarse a pasar el verano en Steering.

—¿Para qué? —le preguntó Jenny.

Por Helen, quiso responderle, pero no tenía cuentos lo bastante buenos para ella, como había afirmado ya. No tenía otra posibilidad que irse y escribirlos. Y no podía esperar que Jenny se quedara otro verano para que él pudiera cumplir su cita con Cushie Percy en los cañones: tal vez eso era algo que no estaba destinado a ocurrir. No obstante, pensó con optimismo que se encontraría con Cushie el fin de semana de la graduación.

Cuando Garp se graduó, llovió. Intensas cortinas de agua empaparon el campus de la Steering; las alcantarillas se atascaron y los coches que llegaban de otros Estados surcaron las calles como yates en medio de una tempestad. Las mujeres parecían desvalidas con sus vestidos estivales, los coches presurosamente cargados y pobres. Se levantó una gran tienda de color carmesí frente al Gimnasio Miles Seabrook, y en ese circo de aire viciado se entregaron los diplomas; los discursos se perdieron por el golpetear de la lluvia sobre la lona carmesí.

Nadie se quedó cuando concluyó la ceremonia. Los coches abandonaron la ciudad. Helen no había asistido porque su graduación se celebraría el fin de semana siguiente y todavía estaba examinándose. Garp estaba seguro de que Cushie Percy había sido testigo de la decepcionante ceremonia, pero no la había visto. Sabía que tenía que estar con su ridícula familia y era lo bastante sensato como para mantenerse a distancia de Fat Stew; a fin de cuentas un padre ultrajado seguía siendo un padre, aunque el honor de Cushman Percy se hubiera perdido tiempo atrás.

Cuando asomó el sol del crepúsculo, ya no tenía importancia. Steering despedía vapor y la tierra —desde el Estadio Seabrook hasta los cañones— estaría anegada días enteros. Garp imaginó los profundos surcos de agua que atravesarían la suave hierba de los cañones; hasta era posible que el Steering River estuviera crecido. Los cañones desbordarían: los cilindros estaban ladeados y se llenaban de agua cada vez que llovía. En esos casos, los cañones chorreaban cristales rotos y dejaban resbaladizos charcos de condones usados en el hormigón. Garp sabía que ese fin de semana no habría modo de llevar a Cushie a los cañones.

Pero la caja con tres profilácticos crepitaba en su bolsillo como un diminuto fuego seco de esperanza.

—He comprado cerveza. Emborráchate, si quieres —dijo Jenny.

—¡Por Dios, mamá! —reaccionó Garp.

Pero bebió con ella. La noche de la graduación de Garp se sentaron solos junto a la enfermería vacía, y todas las camas del anexo estaban vacías también de sábanas, excepto las dos en que ellos dormirían. Garp bebió cerveza y se preguntó si *todo* tenía que ser un anticlímax; se tranquilizó pensando en los pocos cuentos buenos que había leído, pero, aunque se había educado en Steering, no era un gran lector, en comparación con Helen o con Jenny por ejemplo. El sistema de lectura de Garp consistía en encontrar un libro que le gustara y leerlo repetidas veces; después tenía que estar mucho tiempo sin leer otro, para no estropear el anterior. Mientras estuvo en la Steering, leyó treinta y cuatro veces *El partícipe secreto* de Joseph Conrad. También leyó *El hombre que amaba las islas*, de D. H. Lawrence, veintiuna veces; ahora se sentía dispuesto a releerlo.

Al otro lado de las ventanas del pequeño apartamento del anexo de la enfermería, el campus de la Steering estaba oscuro, húmedo y desierto.

—Considéralo así —dijo Jenny cuando sintió que Garp se estaba entristeciendo—. A ti sólo te llevó cuatro años graduarte en la Steering, pero yo he estado en esta maldita escuela dieciocho.

Jenny no era bebedora: a mitad de su segunda cerveza se quedó dormida. Garp la llevó a su dormitorio; Jenny ya se había descalzado y Garp sólo le quitó su alfiler de enfermera, para que no se pinchara si rodaba en la cama. Era una noche cálida, de modo que no la tapó.

Garp bebió otra cerveza y salió a deambular.

Por supuesto, sabía a donde se dirigía.

La casa de la familia Percy —originalmente la casa de la familia Steering— no estaba lejos del anexo de la enfermería. Sólo había luz en una ventana y Garp sabía a qué dormitorio pertenecía: la pequeña Pooh Percy —que ya tenía catorce años— no podía dormir a oscuras. Cushie también le había contado a Garp que a Bainbridge todavía le gustaba llevar pañales, tal vez, pensaba Garp, porque su familia insistía en llam..rla Pooh. «No veo qué tiene de *malo*», había dicho Cushie, «en realidad, no *usa* los pañales, porque no se hace nada encima. A Pooh sólo le gusta *llevarlos...* a veces».

Garp permaneció de pie en la hierba húmeda, debajo de la ventana de Pooh Percy y trató de recordar cuál era el dormitorio de Cushie. Como no lo logró, decidió despertar a Pooh; estaba seguro de que le reconocería y de que le avisaría a Cushie. Pero Pooh se asomó a la ventana como un fantasma y no pareció reconocer inmediatamente a Garp, que se agarraba con fuerza a la hiedra que rodeaba la ventana. Los ojos de Bainbridge Percy parecían los de un ciervo paralizado por los faros de un coche, a punto de ser atropellado.

—Por favor, Pooh, soy *yo* —susurró Garp.

—Buscas a Cushie, ¿no? —preguntó Pooh de mal humor.

—¡Sí! —gruñó Garp.

En ese momento la hiedra cedió y Garp cayó encima de los setos. Cushie, que dormía en bañador, le ayudó a desenredarse.

—Vas a despertar a toda la casa. ¿Has estado bebiendo?

—He estado *cayendo* —respondió Garp irritado—. Tu hermana es realmente rara.

—Estás todo mojado —observó Cushie—. ¿Adónde podemos ir?

Garp había ya pensado en eso. Sabía que en la enfermería había sesenta camas vacías.

Pero Garp y Cushie ni siquiera habían atravesado el portal cuando Bonkers se enfrentó a ellos. La bestia negra estaba sin aliento, como consecuencia de haber descendido los peldaños del porche y su hocico color hierro grisáceo estaba salpicado de espuma; su aliento golpeó a Garp como una bofetada. Bonkers gruñía, pero hasta su gruñido era ahora moderado.

—Dile que se vaya —susurró Garp a Cushie.

—Está sordo. Es muy viejo.

—Sé muy bien la edad que tiene —afirmó Garp.

Bonkers ladró con un sonido poco sólido y agudo, similar a los goznes de una puerta en desuso. Estaba más delgado, pero pesaba fácilmente setenta kilos. Víctima del gorgojo y la sarna, de viejos mordiscos y alambres de púas, Bonkers olfateó a su enemigo y lo arrinconó contra el portal.

—¡Fuera, Bonkie —siseó Cushie.

Garp trató de esquivar al perro y notó con cuánta lentitud reaccionaba.

—Está medio ciego —murmuró Garp.

—Y apenas huele —agregó Cushie.

—Tendría que estar muerto —susurró Garp casi para sus adentros, pero por las dudas lo rodeó para pasar.

Bonkers lo siguió lentamente. Su boca todavía le recordaba a Garp la potencia de una excavadora a vapor, y el colgajo de músculos sobre su pecho negro y lanudo trajeron a su memoria la fuerza con que el perro podía embestir... aunque tiempo atrás.

—Ignóralo —sugirió Cushie cuando Bonkers arremetió.

El perro fue lo bastante lento como para que Garp pudiera girar; tiró de las patas delanteras del animal y dejó caer su propio peso, desde el pecho, sobre su lomo. Bonkers se encorvó hacia adelante y se deslizó de morros en el suelo, tratando de agarrarse con las patas traseras. Garp controlaba el desplomado cuarto delantero, pero la cabeza de Bonkers sólo se mantenía baja por la presión del pecho de Garp. Se oyó un quejido cuando Garp se apoyó en la columna vertebral del animal y apoyó la mejilla en su cuello. En la refriega apareció una *oreja* —en la boca de Garp— y Garp la mordió. La mordió con toda la fuerza posible y Bonkers aulló. Mordió la oreja de Bonkers en memoria de su propia carne que le faltaba, la mordió por los cuatro años que había pasado en la Steering School... y por los dieciocho que había pasado su madre.

Garp sólo lo soltó cuando se encendieron las luces en casa de los Percy.

—¡Corre! —le aconsejó Cushie, Garp la cogió de la mano y ella le siguió—. ¿Tenías que morderle? —Garp sintió un mal sabor de boca.

—El me mordió a mí —le recordó Garp.

—No lo he olvidado.

Cushie le apretó la mano y Garp la llevó en dirección a la enfermería.

—¿Qué demonios ocurre aquí? —oyeron que gritaba Stewart Percy.

—¡Es Bonkie, es Bonkie! —dijo Pooh Percy, y su voz resonó a aquellas altas horas de la noche.

—¡Bonkers! —Llamó Fat Stew—. ¡Ven aquí, Bonkers! ¡Aquí, Bonkers!

Todos oyeron el resonante chillido del perro sordo.

Se produjo una conmoción capaz de llenar un campus desierto. El alboroto despertó a Jenny Fields, que se asomó a la ventana del anexo de la enfermería. Afortunadamente para Garp, éste la vio encender la luz. Escondió a Cushie detrás de él y la dejó en un pasillo del anexo, mientras iba en busca del consejo médico de Jenny.

—¿Qué te ocurrió? —preguntó Jenny.

Garp quería saber si la sangre que corría por su barbilla era de él o pertenecía a Bonkers. En la mesa de la cocina, Jenny le quitó una especie de costra negra que tenía pegada a la cara. Cayó sobre el cuello de Garp y se posó en la mesa: tenía el tamaño de un dólar de plata. Ambos la contemplaron fijamente.

—¿Qué es? —inquirió Jenny.

—Una oreja —respondió Garp—. O un fragmento de oreja.

Sobre la mesa esmaltada de blanco se destacaba el correoso resto negro de una oreja, levemente rizado en los bordes y agrietado como un guante viejo.

—Tuve un encuentro con Bonkers —explicó Garp.

—Oreja por oreja —sentenció Jenny Fields.

Garp no tenía un solo rasguño, toda la sangre pertenecía a Bonkers.

Cuando Jenny volvió a su dormitorio, Garp llevó furtivamente a Cushie por el túnel que conducía a la enfermería principal. En dieciocho años, Garp había aprendido bien el camino. La llevó al ala más alejada del apartamento del pabellón; estaban encima de la entrada principal, cerca de las salas de cirugía y anestesia.

Así, para Garp, el sexo siempre estaría asociado a ciertos olores y sensaciones. La experiencia sería sigilosa pero agradable: una compensación última en tiempo de angustia. El olor penetraría su mente como algo profundamente personal, aunque vagamente hospitalario. Los alrededores le parecerían siempre desiertos. En la mente de Garp el sexo seguiría siendo un acto solitario cumplido en un universo abandonado, después de la lluvia. Siempre significó para Garp un acto de fantástico optimismo.

Cushie evocaba, naturalmente, imágenes de los cañones. Después de usar el último condón del paquete, Cushie le preguntó si eso era todo lo que tenía, si sólo había comprado una caja de tres. A un luchador nada le gusta tanto como el cansancio bien ganado: Garp se quedó dormido mientras Cushie se quejaba.

—La primera vez no tenías ninguno y ahora se te agotaron. Es una suerte que seas un viejo amigo... —estaba diciendo Cushie cuando Garp se durmió.

Todavía reinaba la noche y faltaba mucho para el amanecer cuando Stewart Percy los despertó. La voz de Fat Stew violó la vieja enfermería como una enfermedad innombrable.

—¡Abran! —oyeron que gritaba y se acercaron a la ventana.

Desde el verde césped, en bata y zapatillas —con Bonkers sujeto de la traílla a su lado—, el padre de Cushie aporreaba las ventanas del anexo de la enfermería. Poco después apareció Jenny bajo la luz.

—¿Estás enfermo? —preguntó a Stewart.

—¡Quiero a mi hija! —chilló Stewart.

—¿Estás borracho?

—¡Déjame entrar! —atronó Stewart.

—El doctor no está y dudo de que yo pueda curarte —respondió Jenny Fields.

—¡Zorra! —la insultó Stewart—. ¡El bastardo de tu hijo ha seducido a mi hija! Sé que están allí, en esa jodida enfermería.

Ahora sí que es una enfermería jodida, pensó Garp, mientras se deleitaba con el agradable tacto y el perfume de Cushie que temblaba a su lado. En el aire frío, al otro lado de la oscura ventana, se estremecieron en silencio.

—¡Tendrías que ver a mi perro! —chilló Stewart a Jenny—. ¡Sangre por todas partes! ¡El perro escondido debajo del columpio! ¡Sangre en el portal! ¿Qué le hizo a Bonkers ese bastardo?

Garp sintió que Cushie se encogió de miedo cuando oyó la voz de Jenny. Lo que ésta dijo debió recordarle a Cushie Percy *su* observación de trece años atrás. Todo lo que Jenny Fields dijo fue:

—Garp mordió a Bonkie.

Luego apagó la luz y, en la oscuridad que cubría la enfermería y su pabellón, sólo se oyó la respiración de Fat Stew con el último chaparrón, que limpió la mugre de la Steering School depurándola definitivamente.

En la ciudad donde murió
Marco Aurelio

Cuando Jenny llevó a Garp a Europa, éste estaba mejor preparado que la mayoría de los muchachos de dieciocho años para el solitario confinamiento de la vida de un escritor. Garp ya crecía en el mundo de su propia imaginación; a fin de cuentas, había sido criado por una mujer que consideraba que el confinamiento solitario era una forma de vida perfectamente natural. Habían de transcurrir años hasta que Garp se diera cuenta de que no tenía ningún amigo, y semejante rareza nunca le pareció sorprendente a Jenny Fields. En su estilo distante y amable, Ernie Holm había sido el primer amigo que habría aparecido en la vida de Jenny Fields.

Antes de encontrar un piso, Jenny y Garp vivieron en más de una docena de pensiones de Viena. Al señor Tinch se le ocurrió que ésa sería la forma ideal de escoger la zona de la ciudad que más les gustara: vivirían en todos los distritos y luego tomarían una decisión. Pero la vida a corto plazo en una pensión debió de ser más agradable para Tinch en el verano de 1913; cuando Jenny y Garp llegaron a Viena, corría el año 1961. En poco tiempo se hartaron de arrastrar sus máquinas de escribir de pensión en pensión. No obstante, fue esa aventura la que dio a Garp el material para su primer relato importante: «La Pensión Grillparzer». Antes de llegar a Viena, Garp ni siquiera sabía qué era una pensión, pero en breve descubrió que una pensión era algo que ofrecía menos que un hotel; siempre era de menores dimensiones y jamás elegante; a veces iba incluido el desayuno y otras, no. En algunas ocasiones, una pensión era una ganga y en otras, un error. Jenny y Garp encontraron pensiones limpias, cómodas y acogedoras, aunque a menudo las encontraron sórdidas.

Jenny y Garp tardaron poco tiempo en decidir que querían vivir en la Ringstrasse, la calle circular que rodea el corazón de la ciudad vieja, o cerca de ella; era la parte de la ciudad donde estaba casi todo, y donde Jenny podía desenvolverse mejor sin hablar alemán, ya que era la zona más refinada y cosmopolita de Viena, si es que Viena contaba con semejante zona.

A Garp le resultaba divertido estar a cargo de su madre; tres años de alemán en Steering hicieron de Garp el líder, y evidentemente disfrutaba haciendo de jefe de Jenny.

—Pide la schnitzel, mamá —decía.

—Se me ocurre que esta Kalbsnieren es interesante —respondía Jenny.

—Riñón de ternera, mamá —decía Garp—. ¿Te gustan los riñones?

—No lo sé —reconocía Jenny—. Probablemente, no.

Cuando finalmente se mudaron a un piso, Garp se ocupaba de las compras. Jenny había pasado dieciocho años comiendo en los comedores de la Steering y jamás había aprendido a cocinar; ahora era incapaz de seguir las instrucciones de una receta. En Viena, Garp descubrió que le encantaba cocinar, pero, según sus afirmaciones, lo primero que le gustó de Europa fue el W.C. De pensión en pensión, Garp descubrió que un W.C. era una diminuta habitación en que sólo había un inodoro; fue la primera cosa europea que le pareció sensata. Le escribió a Helen que «es el sistema más sabio: orinar y descargar los intestinos en un lugar, y cepillarse los dientes en otro». Por supuesto, el W.C. ocuparía un lugar destacado en «La Pensión Grillparzer», el cuento de Garp, pero éste no escribiría ese relato, ni ningún otro, hasta algún tiempo después.

Aunque era extraordinariamente disciplinado tratándose de un joven de dieciocho años, había demasiadas cosas para ver; con esas cosas de las que repentinamente se sintió responsable Garp estaba muy ocupado y durante meses lo único que escribió satisfactoriamente fueron las cartas a Helen. Estaba demasiado exaltado con su nuevo territorio para organizar el necesario hábito, aunque lo intentó.

Trató de escribir un relato sobre una familia; todo lo que sabía al empezar era que la familia llevaba una vida interesante y que todos sus miembros estaban muy unidos. Pero eso no era suficiente.

Jenny y Garp se mudaron a un apartamento pintado de color crema, con altos techos, en el segundo piso de un viejo edificio de la Schwindgasse, pequeña calle del distrito cuarto. Estaban a la vuelta de la esquina de la Prinz-Eugen-Strasse, de la Schwarzenbergplatz y del Bajo y el Alto Belvedere. Garp visitó todos los museos de arte de la ciudad, pero Jenny jamás fue a ninguno, salvo al Alto Belvedere. Garp le explicó que éste sólo contenía pinturas de los siglos XIX y XX, pero Jenny le respondió que tenía bastante con esos dos siglos. Garp le dijo que al menos podía atravesar los jardines hasta el Bajo Belvedere y ver la colección de barrocos, pero Jenny movió la cabeza negativamente; había seguido varios cursos de historia del arte en la Steering, y ya tenía suficiente formación.

—¡Y los Brueghel, mamá! —se deleitó Garp—. No tienes más que coger el *strassenbahn* que sube por la Ring y bajar en la Mariahilferstrasse. El enorme museo que está exactamente frente a la parada del tranvía es el Kunsthistorisches.

—Pero a Belvedere puedo ir andando —protestó Jenny—. ¿Para qué voy a coger un tranvía?

También podía ir caminando a la Karlskirche, y había algunos edificios de embajadas dignos de verse a corta distancia, en la Argentinierstrasse. La Embajada de Bulgaria estaba exactamente al otro lado de la calle de su piso de la Schwindgasse. Jenny afirmó que le gustaba quedarse en su barrio. Había una cafetería a una manzana de distancia, a la que a veces iba a leer los diarios en inglés. Nunca salía a comer a menos que Garp la llevara, y si él no le cocinaba en el apartamento, no probaba bocado. Estaba absolutamente obsesionada por la idea de escribir algo; en aquella época, más obsesionada que Garp.

—No tengo tiempo de ser turista en este momento de mi vida —comunicó a su hijo—. Pero ve tú, empápate de cultura. Eso es lo que tendrías que estar haciendo.

«Absorber, a-a-absorber», les había dicho Tinch. Jenny consideraba que eso era lo que Garp debía hacer; en cuanto a ella, pensaba que ya había absorbido lo suficiente como para tener mucho que decir. Jenny Fields tenía cuarenta y un años. Imaginaba que la parte interesante de su vida había quedado atrás: todo cuanto quería hacer era escribir sobre aquella época.

Garp le dio una hoja de papel para que la llevara siempre consigo. En ella había escrito su domicilio, por si se perdía: Schwindgasse 15/2, Wien IV. Garp tuvo que enseñarle a pronunciar la dirección, una lección tediosa.

—*Schwindgassefünfzehnzwei* —escupió Jenny.

—Repítelo —ordenó Garp—. ¿Quieres seguir perdida el día en que te pierdas?

Durante el día, Garp recorría la ciudad y descubría lugares a los que llevar a Jenny por la noche, a última hora de la tarde, cuando ella terminaba de escribir; tomaban una cerveza o un vaso de vino y Garp le contaba minuciosamente todo lo que había hecho durante el día. Jenny le escuchaba amablemente. Tanto el vino como la cerveza le producían sueño. Habitualmente cenaban fuera y Garp acompañaba a Jenny a casa en el *strassenbahn;* Garp se enorgullecía de no ir jamás en taxi, porque había estudiado a fondo la red de tranvías. A veces iba a las plazas de mercado por la mañana, volvía a casa temprano y dedicaba toda la tarde a cocinar. Jenny nunca se quejó. Le daba lo mismo comer en casa que fuera.

—Este es un Gumpoldskirchner —dijo Garp refiriéndose al vino—. Va muy bien con el Schweinebraten.

—¡Qué palabras tan divertidas! —observó Jenny.

En una sensata evaluación de la prosa de Jenny, más adelante Garp escribió: «Mi madre luchaba tanto con el inglés que no es extraño que jamás se molestara en aprender alemán».

Aunque Jenny Fields se sentaba todos los días ante la máquina de escribir, no sabía cómo hacerlo. Aunque escribía —físicamente—, no disfrutaba leyendo lo que había escrito. Trataba de recordar las cosas buenas que había leído y de saber en qué se diferenciaban de su primer intento de borrador. Ella había empezado, sencillamente, por el principio. «Nací», etcétera. «Mis padres querían que siguiera en Wellesley, pero...». Y, por supuesto: «Decidí que quería tener un hijo mío y finalmente lo logré de la siguiente forma...». Pero Jenny había leído novelas lo bastante buenas como para saber que la suya *no sonaba* como las buenas novelas de su memoria. Se preguntó qué andaba mal y a menudo enviaba a Garp de compras a las pocas librerías que vendían libros en inglés. Quería estudiar más atentamente los comienzos de los libros; en poco tiempo escribió más de trescientas páginas mecanografiadas, pero sentía que su libro todavía no había empezado.

No obstante, Jenny sufría sus problemas literarios en silencio; con Garp se mostraba contenta, aunque rara vez le prestaba atención. Jenny Fields pensó, toda su vida, que las cosas tienen principio y fin. Como la educación de Garp, como la suya. Como el sargento Garp. No había perdido el cariño por su hijo, pero sentía que había concluido una etapa de su maternidad; sentía que lo había guiado hasta allí y que ahora debía permitirle que encontrara por su cuenta en qué ocuparse. No podía pasarse la vida inscribiéndolo a lucha libre o a cualquier otra cosa. A Jenny le gustaba vivir con su hijo; en realidad, nunca se le ocurrió que alguna vez vivirían separados. Pero esperaba que Garp se desenvolviera por sí mismo en Viena, y eso es lo que él hacía.

Garp no había avanzado con su relato acerca de una familia interesante y unida, salvo que les había descubierto una ocupación peculiar. El padre de la familia era una especie de inspector y la familia le acompañaba en su trabajo. La tarea consistía en inspeccionar todos los restaurantes, hoteles y pensiones de Austria... evaluándolos y adjudicándoles una categoría, fuera A, B o C. Garp imaginaba que a *él* le gustaría ocupar ese puesto. En un país como Austria, tan dependiente del turismo, la clasificación y la reclasificación de los lugares donde comían y dormían los turistas *debía* de tener una especie de importancia decisiva, pero Garp ignoraba en qué o para quién era importante. Por el momento, sólo tenía a la familia, ahora con un trabajo divertido. Descubrían fallos, otorgaban calificaciones. Y después, ¿qué? Era más fácil escribirle a Helen.

Durante el fin del verano y el inicio del otoño, Garp recorrió toda Viena, a pie o en trolebús, sin conocer a nadie. Escribió a Helen que «una parte de la adolescencia consiste en sentir que a tu alrededor no hay nadie lo bastante parecido a ti como para comprenderte»; Garp escribió que creía que Viena realzaba ese sentimiento en él, «porque en Viena *no hay* realmente nadie como yo».

Al menos numéricamente su percepción era correcta. En Viena había muy pocas personas de su misma edad. En 1943 no nacieron muchos vieneses; si de eso se trata, no nacieron muchos vieneses desde el principio de la ocupación nazi, en 1938, hasta finales de la guerra, en 1945. Y aunque nació un sorprendente número de bebés como consecuencia de violaciones, no muchos vieneses *desearon* hijos hasta después de 1955, año en que finalizó la ocupación rusa. Viena fue una ciudad ocupada por extranjeros durante diecisiete años. La mayoría de los vieneses consideraron —comprensiblemente— que esos diecisiete años no eran buenos ni sensatos para tener hijos. La pericia vital de Garp consistió en vivir en una ciudad que le hacía sentir peculiar por tener dieciocho años. Ello debió de hacerle madurar más rápido y es posible que también contribuyera a su creciente sensación de que Viena era más «un museo que alberga una ciudad muerta» —como le escribió a Helen— que una ciudad viviente.

La observación de Garp no quería ser negativa. A Garp le encantaba vagar por el museo. «Una ciudad más real no me habría caído tan bien», escribió más adelante. «Pero Viena estaba en su fase letal; permanecía inmóvil y me permitía observarla, pensar en ella, volver a observarla. En una ciudad *viviente*, jamás habría notado tantas cosas. Las ciudades vivas no se quedan quietas.»

Así, T. S. Garp pasó los meses calurosos *descubriendo* Viena, escribiendo cartas a Helen Holm y a cargo de la vida doméstica de su madre, que había sumado el aislamiento de escribir a la vida de soledad elegida. «Mi madre, la escritora», escribía Garp en tono de guasa en innumerables cartas a Helen. Pero envidiaba el mero hecho de que Jenny pudiera escribir. El se sentía atascado con su cuento. Comprendía que daría a su inventada familia una aventura tras otra, sin saber adónde iban. ¿A otro restaurante B con postres tan mal elaborados que la clasificación A estaría siempre fuera de su alcance? ¿A otro hotel B que pasaría a ser C con la misma certeza con que jamás lograrían eliminar el moho del vestíbulo? Tal vez alguien de la familia del inspector podía ser envenenado en un restaurante A, pero ¿qué *significaba* eso? Y podía haber locos, incluso criminales, ocultos en alguna de las pensiones, ¿pero qué tenía que ver eso con el plan general?

Garp sabía que no tenía un plan general.

En una estación de ferrocarril vio descargar un circo, compuesto de cuatro miembros, proveniente de Hungría o de Yugoslavia. Trató de imaginarlos en su cuento. Había un oso que montaba en motocicleta y daba vueltas alrededor de un aparcamiento. Se reunió un grupo de curiosos, y un hombre que caminaba con las manos juntó dinero por el espectáculo del oso en un cuenco que llevaba en equilibrio en las plantas de los pies; el hombre se cayó, pero lo mismo le ocurrió al oso.

Finalmente, la motocicleta se negó a arrancar. Nunca estuvo claro qué hacían los otros dos miembros del circo, porque precisamente cuando salieron a ocupar el lugar del oso y del hombre que caminaba con las manos, llegó la policía y les pidió que llenaran una serie de formularios. Eso no tenía nada de interesante, y la multitud —ahora compuesta sólo por un miembro— se dispersó. Garp fue quien más tiempo había aguantado allí, no porque le interesara el espectáculo de ese decrépito circo, sino porque quería incluirlos en su historia. No sabía cómo. Cuando Garp abandonó la estación, oyó que el oso vomitaba.

Durante semanas enteras, el único progreso de Garp con su cuento fue un título: «El Departamento Austríaco de Turismo». No le gustó. Volvió a dedicarse a ser turista en lugar de escritor.

Pero, cuando hizo más frío, Garp se cansó del turismo; empezó a reprender a Helen por no contestar a sus cartas... señal de que él le escribía demasiadas. Ella estaba mucho más atareada que él; asistía a la universidad, donde la habían aceptado como alumna del segundo año y arrastraba más del doble de la carga normal de cursos. Si en aquellos años Helen y Garp se parecían en algo, era en que ambos se comportaban como si estuvieran yendo a algún sitio, y de prisa.

—Deja en paz a la pobre Helen —le aconsejó Jenny—. Creí que escribirías algo más que cartas.

Pero a Garp no le gustaba la idea de competir en el mismo campo que su madre. La máquina de escribir de Jenny jamás interrumpía su tecleo para pensar; Garp sabía que ese uniforme golpeteo probablemente acabaría con *su* carrera de escritor antes de empezarla. «Mi madre nunca conoció el silencio de la revisión», observó Garp una vez.

En noviembre, Jenny tenía seiscientas páginas escritas, pero todavía tenía la sensación de que en realidad no había empezado. Garp no tenía ningún tema sobre el que pudiera desahogarse de semejante manera. La imaginación, comprendió, plantea más dificultades que la memoria.

Su «apertura», como la designaría cuando le escribió a Helen, se produjo un día de frío y nieve en el Museo de la Historia de la Ciudad de Viena. Se trataba de un museo al que era fácil ir andando desde la Schwindgasse; como sabía que podía ir a pie hasta allí en cualquier momento, nunca lo había visitado. Un día, Jenny lo mencionó. Era uno de los dos o tres lugares que ella había visitado, únicamente porque estaba frente a la Karlsplatz y dentro de lo que ella llamaba su barrio.

Jenny mencionó que allí exponían la habitación de un escritor, aunque no recordaba su nombre. Pensaba que tener la habitación de un escritor en un museo era una idea interesante.

—¿La *habitación* de un escritor, mamá? —inquirió Garp.

—Sí, toda una habitación —explicó Jenny—. Trasladaron todos los muebles del escritor y probablemente también las paredes y el piso. No sé cómo lo hicieron.

—Yo no se *por qué* lo hicieron —añadió Garp—. ¿Toda la habitación está en el museo?

—Sí, me pareece que era un dormitorio, pero también el lugar donde *escribía*.

A Garp se le salieron los ojos de las órbitas. Le parecía algo obsceno: ¿estaría allí el cepillo de dientes del escritor? ¿Y el orinal?

Era una habitación perfectamente corriente, aunque la cama parecía demasiado pequeña, como la de un niño. La mesa también parecía pequeña. No es la cama ni el escritorio de un escritor expansivo, pensó Garp. La madera era oscura; todo parecía fácilmente rompible. Garp pensó que su madre tenía un lugar mejor para escribir. El escritor cuya habitación estaba encerrada en el Museo de la Historia de la Ciudad de Viena se llamaba Franz Grillparzer: Garp jamás lo había oído nombrar.

Franz Grillparzer murió en 1872; era un poeta y dramaturgo austríaco a quien muy pocos conocían fuera de Austria. Es uno de los escritores del siglo XIX que no sobrevivió a su siglo con popularidad perdurable, y más adelante Garp comentaría que Grillparzer no merecía sobrevivir al siglo XIX. A Garp no le interesaban las comedias ni los poemas, pero fue a la biblioteca y leyó la que se considera la obra en prosa más notable de Grillparzer: el cuento *El pobre violinista*. Tal vez, pensó Garp, sus tres años de alemán de Steering no eran suficientes para apreciar el relato; en alemán, le pareció repugnante. Después encontró una traducción inglesa en una librería de segunda mano de Habsburgersgasse: también le pareció repugnante.

Garp opinaba que el famoso cuento de Grillparzer era un melodrama ridículo; también pensaba que estaba mal narrado y que era excesivamente sentimental. No se parecía ni remotamente a los cuentos rusos del siglo XIX, donde a menudo el personaje es un hombre indeciso y un fracasado en todos los aspectos de la vida práctica; pero, en opinión de Garp, Dostoievski sabía despertar el interés por semejante desecho humano; Grillparzer aburría con sus lastimeras trivialidades.

En la misma librería de segunda mano, Garp compró una traducción inglesa de los *Pensamientos,* de Marco Aurelio; le habían obligado a leer a Marco Aurelio en las clases de latín de la Steering, pero nunca lo había leído en inglés. Compró la obra porque el librero le dijo que Marco Aurelio había muerto en Viena.

«En la vida de un hombre», escribió Marco Aurelio, «su época sólo es un momento; su ser, un fluir incesante; su juicio, el débil resplandor de una vela de sebo; su cuerpo, presa de los gusanos; su alma, un remolino inquieto; su fortuna, oscura; su fama, dudosa. En síntesis, todo lo que es cuerpo es agua en tránsito, todo lo que es alma, sueños y nubes.» Por alguna razón, Garp pensó que Marco Aurelio vivió en Viena cuando escribió ese fragmento.

El tema de las tristes observaciones de Marco Aurelio era, indudablemente, *el tema* de la mayoría de las obras serias, pensó Garp; entre Grillparzer y Dostoievski, la diferencia no estaba en el tema. La diferencia, concluyó Garp, estaba en la inteligencia y el estilo; la diferencia era el arte. De alguna manera, tan obvio descubrimiento le alegró. Años más tarde, en una introducción crítica a la obra de Grillparzer, Garp leyó que éste era «a rachas paranoide, sensible y torturado, a menudo deprimido, maniático y embargado por la melancolía; en resumen, un hombre complejo y moderno».

«Es posible», escribió Garp, «pero también era un pésimo escritor.»

El convencimiento de que Franz Grillparzer era un «pésimo escritor» pareció proporcionarle a Garp por primera vez auténtica confianza en sí mismo como artista, incluso antes de haber escrito nada. Quizá en la vida de todo escritor es indispensable este momento en que otro escritor es atacado como indigno de realizar esa tarea. El instinto asesino de Garp con respecto al pobre Grillparzer era casi un secreto de lucha libre, como si Garp hubiera observado a un futuro oponente en un encuentro con otro luchador y, al conocer sus debilidades, *supiera* que podía derrotarle.

Incluso obligó a Jenny a leer *El pobre violinista*. Fue una de las pocas veces en que solicitó su opinión *literaria*.

—Basura —sentenció Jenny—. Simplista. Sensiblero. Un flan barato.

Los *dos* estaban encantados.

—En realidad no me gustó su habitación —confesó Jenny a Garp—. No era la habitación de un escritor.

—Bueno, no creo que eso importe, mamá —comentó Garp.

—Pero era una habitación incómoda, oscura, llena de adornos.

Garp se asomó a la habitación de su madre. Encima de la cama y la cómoda, y junto a su espejo de pared —que casi oscurecía su propia imagen—, estaban esparcidas las páginas de su original increíblemente largo y desordenado. Garp no creía que la habitación de su madre se pareciera mucho a la de un escritor, pero no dijo nada.

Escribió a Helen una carta larga y petulante, en que citaba a Marco Aurelio y vituperaba a Franz Grillparzer. Según su opinión, «Franz Grillparzer murió para siempre en 1872 porque, al igual que los vinos baratos, no podía trasladarse fuera de Viena sin estropearse». La carta era una especie de flexión muscular —quizá Helen se dio cuenta—, la carta era calistenia. Garp la escribió con copia y decidió que le gustaba tanto que guardó el original y envió la copia a Helen. «Me siento como una biblioteca», le contestó Helen. «Tengo la impresión de que quieres usarme como archivador.»

¿Se estaría quejando Helen? Garp no era lo bastante sensible con respecto a la vida de Helen como para molestarse en preguntárselo. Se limitó a contestarle que estaba «disponiéndose a escribir». Confiaba en que a ella le gustaran los resultados. Helen debió de sentirse advertida, pero no mostró ninguna angustia; en la universidad, engullía cursos prácticamente al triple del ritmo normal. Mientras se aproximaba el fin de su primer semestre, estaba a punto de convertirse en alumna del segundo semestre del tercer curso. El ensimismamiento y el ego de un joven escritor no asustaban a Helen Holm; ella avanzaba a pasos agigantados y sabía apreciar a una persona tenaz. Además, le gustaba que Garp le escribiera; ella también tenía un ego, y aquellas cartas —nunca dejaba de hacérselo notar— estaban maravillosamente bien escritas.

En Viena, Jenny y Garp iniciaron una serie de bromas Grillparzer. Empezaron por descubrir pequeñas señales del difunto Grillparzer en toda la ciudad. Había una Grillparzergasse, y una Kafeehaus de Grillparzers; un día, en una pastelería, se sorprendieron al descubrir una especie de pastel que llevaba su nombre: Grillparzertorte. Era empalagoso. Así, mientras Garp cocinaba para su madre, le preguntó si prefería los huevos pasados por agua o a la Grillparzer. Un día, en el zoológico Schönbrunn observaron un antílope especialmente desgarbado, con flancos en forma de huso y sucios de excrementos; el antílope se apoyaba tristemente en sus angostos y sucios flancos traseros; Garp lo identificó: *der Gnu des Grillparzers*.

Respecto a su propio trabajo de escritora, en cierta ocasión Jenny le comentó a Garp que se sentía culpable de «hacer un Grillparzer». Le explicó que eso significaba que había introducido una escena en la que aparecía un personaje «como una sirena quejumbrosa». La escena en que pensaba era la del cine de Boston donde se le había acercado el soldado. «En el cine», escribió Jenny Fields, «se me acercó un soldado consumido por la lujuria.»

—Eso es horrible, mamá —apuntó Garp.

La frase «consumido por la lujuria» era la que, según Jenny, consistía en «hacer un Grillparzer».

—Pero así *era* —insistió Jenny—. Estaba consumido por la lujuria.

—Es mejor decir que estaba *cargado* de lujuria —sugirió Garp.

Otro Grillparzer. Lo que a Jenny no le interesaba, en un sentido general, era la *lujuria*. Conversaron cuanto pudieron acerca de la lujuria, Garp confesó su lujuria por Cushie Percy y ofreció una versión adecuadamente atenuada de la escena de la consumación. A Jenny no le gustó nada.

—¿Y Helen? —preguntó—. ¿Sientes eso por Helen?

Garp reconoció que así era.

—¡Qué espanto! —exclamó Jenny.

Jenny no comprendía esas sensaciones ni entendía cómo Garp las asociaba con el placer y mucho menos con el afecto.

—Todo lo que es cuerpo es agua en tránsito —Garp citó con poca convicción a Marco Aurelio.

Su madre se limitó a menear la cabeza. Cenaron en un restaurante de los alrededores de la Blutgasse.

—Blutgasse significa Calle de la Sangre —tradujo Garp, dichoso.

—Deja de traducirlo todo —le recriminó Jenny—. No quiero saberlo todo.

Jenny pensaba que la decoración era *demasiado* roja, y la comida demasiado cara. El servicio era lento y se marcharon demasiado tarde. Hacía mucho frío y las alegres luces de la Kärntnerstrasse contribuyeron muy poco a abrigarlos.

—Llamemos un taxi —propuso Jenny.

Pero Garp insistió en que cinco manzanas más adelante podían coger un tranvía.

—¡Tú y tus malditos *strassenbahns*! —protestó Jenny.

Era evidente que el tema de la «lujuria» les había estropeado la noche.

El primer distrito rebosaba de luces navideñas; entre los chapiteles de San Esteban y la enorme mole de la Opera se extendían siete manzanas de tiendas, bares y hoteles; en esas siete manzanas podían sentirse como en cualquier otro lugar del mundo en invierno.

—Mamá, alguna noche tenemos que ir a la ópera —sugirió Garp.

Hacía seis meses que estaban en Viena y no conocían la ópera, pero a Jenny no le gustaba acostarse tarde.

—Ve tú solo —respondió.

Unos pasos más adelante, Jenny vio a tres mujeres con abrigos largos de piel, de pie en la acera; una de ellas tenía un manguito haciendo juego con el abrigo y se lo acercó a la cara con el propósito de echar el aliento en su interior para calentarse las manos. Era bastante elegante, aunque en las dos mujeres que la acompañaban había algo del oropel de Navidad. Jenny sintió envidia del manguito.

—Eso es lo que quiero —anunció—. ¿Dónde puedo conseguir uno de ésos? —señaló a las mujeres, pero Garp ignoraba a qué se refería.

Garp sabía que esas tres mujeres eran prostitutas.

Cuando las prostitutas vieron que Jenny subía la calle con Garp, se sorprendieron por lo incomprensible de esa relación. Vieron a un chico guapo con una mujer sencilla aunque elegante, lo bastante mayor para ser su madre; pero Jenny caminaba con Garp, enlazados del brazo, y en la conversación que sostenían en ese momento había algo de tensión y de confusión lo cual hizo pensar a las prostitutas que *no podía* ser la madre. En ese momento Jenny las señaló y se pusieron furiosas; pensaron que Jenny era otra prostituta que trabajaba en su territorio y que había pescado a un muchacho que parecía pudiente y nada siniestro, un muchacho apuesto que podría haberles pagado *a ellas*.

En Viena, la prostitución es legal y está completamente controlada. Existe una especie de sindicato; hay certificados médicos, revisiones periódicas, tarjetas de identificación. Sólo a las prostitutas más elegantes se les permite trabajar en las lujosas calles del distrito primero. En los más aislados, las prostitutas son más feas, o más viejas, o ambas cosas; también son más baratas, naturalmente. Sus precios son fijos, distrito por distrito. Cuando las prostitutas vieron a Jenny se cruzaron en la acera para bloquearles el camino. Instantáneamente decidieron que Jenny no estaba a la altura del nivel de una prostituta del distrito primero y que probablemente trabajaba en forma independiente —lo cual es ilegal—, o que había salido del distrito que tenía asignado para conseguir algo más de dinero, lo que le ocasionaría dificultades con el resto de las prostitutas.

A decir verdad, la mayoría de la gente, no habría confundido a Jenny con una prostituta, pero es difícil decir exactamente qué parecía. Durante tantos años se había vestido de enfermera que realmente no sabía cómo hacerlo en Viena; tenía tendencia a vestirse excesivamente bien cuando salía con Garp, quizá a modo de compensación por la vieja bata que nunca se quitaba cuando escribía. No tenía ninguna experiencia en comprarse ropa, y en una ciudad extranjera toda la ropa le parecía casi igual. Como carecía de un gusto específico, compraba sencillamente los vestidos más caros; en resumidas cuentas, *tenía* dinero y no tenía la paciencia ni el interés de comparar precios. En consecuencia, se la veía de estreno e impecable, y a su lado Garp no parecía de la misma familia. En la Steering, Garp siempre había llevado chaqueta, corbata y pantalones cómodos, especie de uniforme corriente para cualquier ciudad con el que podía moverse cómodamente.

—¿Me harías el favor de preguntarle a esa mujer dónde compró el manguito? —pidió Jenny a Garp.

Con gran sorpresa de Jenny, las mujeres salieron a su encuentro y bloquearon la acera.

—Son *prostitutas*, mamá —susurró Garp.

Jenny Fields sintió que se paralizaba. La mujer del manguito le habló duramente. Por supuesto, Jenny no entendió una sola palabra y miró a Garp en espera de la traducción. La mujer endilgó una perorata a Jenny, que en ningún momento apartó los ojos de su hijo.

—Mi madre quería preguntarle dónde compró su precioso manguito —dijo Garp en alemán.

—Ah, son *extranjeros* —dijo una.

—Santo Dios, es *su madre* —dijo otra.

La mujer del manguito clavó la mirada en Jenny, que a su vez la tenía clavada en el manguito. Una de las prostitutas era una jovencita con el pelo recogido en lo alto de la cabeza y salpicado de pequeñas estrellas doradas y plateadas; también tenía una estrella verde en una mejilla y una cicatriz que tiraba levemente de su labio superior, y uno no sabía de inmediato qué tenía su rostro, aunque era obvio que tenía algo. Su cuerpo, sin embargo, no tenía nada de malo; era alta, esbelta y no parecía dispuesta a dejarse contemplar, aunque esto era lo que Jenny hacía en ese momento.

—Pregúntale cuántos años tiene —dijo Jenny a Garp.

—*Ich bin* dieciocho —respondió la muchacha—. Conozco bueno inglés.

—La misma edad de mi hijo —Jenny dio un codazo a Garp.

Jenny no se dio cuenta de que la habían confundido con una colega y cuando más tarde Garp se lo contó, se indignó... consigo misma. «¡Es por la ropa!» gritó. «¡No sé cómo vestirme!» A partir de entonces, Jenny sólo se vistió de enfermera; sacó de nuevo su uniforme y lo llevaba a todas partes, como si siempre estuviera de servicio, aunque jamás volvió a trabajar como enfermera.

—¿Puedo ver su manguito? —preguntó Jenny a su propietaria. Jenny supuso que todas hablaban inglés, aunque la única que entendía algo era la más joven. Garp tradujo y la mujer se quitó a regañadientes el manguito: un suave aroma emergió del cálido nido donde sus largas manos, relumbrantes de sortijas, habían permanecido entrelazadas.

La tercera prostituta tenía un hoyuelo en la frente, semejante a una impresión hecha con un hueso de melocotón. Aparte de este fallo —y de una boca pequeña y gorda como la de un niño demasiado gordo— era normal: unos veinte años, calculó Garp; probablemente tenía un pecho enorme, pero no podía estar seguro ya que lo llevaba oculto bajo el abrigo de piel negra.

La mujer del manguito, pensó Garp, era hermosa. Tenía un semblante largo, triste en apariencia. Su cuerpo, imaginó Garp, era sedante. Tenía una boca serena. Sólo sus ojos y sus manos desnudas en la noche fría le permitieron adivinar que tenía, como mínimo, la edad de su madre. Tal vez fuera mayor.

—Me lo regalaron —respondió a Garp con respecto al manguito—. Venía con el abrigo —la piel era muy brillante, de un color ceniciento.

—Es auténtico —intervino la prostituta joven que hablaba inglés: evidentemente admiraba todo lo que llevaba la prostituta de más edad.

—Puedes comprar algo más barato casi en cualquier parte —informó a Garp la mujer del hoyuelo—. Ve a Stef's —agregó en una extraña jerga que Garp apenas comprendió, mientras señalaba la Kärntnerstrasse.

Pero Jenny no levantó la vista y Garp se limitó a asentir con la cabeza. Continuó contemplando los largos dedos de la mujer mayor, relumbrantes de sortijas.

—Tengo las manos heladas —dijo en voz baja a Garp.

Garp le quitó el manguito a Jenny y se lo devolvió a la prostituta. Jenny parecía deslumbrada.

—*Hablemos* con ella —rogó Jenny a Garp—. Quiero preguntárselo.

—¿Preguntarle *qué*? —se asombró Garp—. ¡Por favor!

—De lo que estábamos hablando. Quiero preguntarle por la *lujuria*.

Las dos prostitutas mayores miraron a la que sabía inglés, pero los escasos conocimientos de ésta no le permitieron comprenderles.

—Hace frío, mamá —protestó Garp—. Y es tarde. Vamos a casa.

—Dile que queremos ir a un lugar abrigado sólo para sentarnos a charlar —insistió Jenny—. Nos permitirá pagarle *eso*, ¿no?

—Supongo que sí —gimió Garp—. Mamá, *ella* no sabe nada de la lujuria. Probablemente no siente nada semejante.

—Yo quiero hacerle preguntas sobre la lujuria *masculina* —recalcó Jenny—. Sobre *tu* lujuria. De *eso* debe saber algo.

—¡En nombre de Dios, mamá!

—*Was mnacht's?* —preguntó la prostituta—. ¿Qué ocurre? ¿Qué pasa aquí? ¿Quieres comprar el manguito?

—No, no —se apresuró a decir Garp—. Quiere comprarte *a ti*.

La prostituta mayor parecía atónita; la del hoyuelo rió.

—No, no —explicó Garp—. Sólo para *hablar*. Mi madre quiere hacerte algunas preguntas.

—Hace frío —respondió la prostituta con tono suspicaz.

—¿Algún lugar cerrado? —sugirió Garp—. Donde tú digas.

—Pregúntale cuánto cobra —dijo Jenny.

—*Wie viele kostet?* —musitó Garp.

—Quinientos chelines... es la tarifa habitual.

Garp tuvo que explicarle a Jenny que eran aproximadamente veinte dólares. Jenny Fields viviría más de un año en Austria sin aprender los números en alemán ni el sistema monetario.

—¿Veinte dólares sólo por hablar? —se sorprendió Jenny.

—No, no, mamá, eso es por *lo habitual*.

Jenny reflexionó. ¿Veinte dólares era mucho por lo habitual? Lo ignoraba.

—Dile que le daré diez —concedió Jenny.

Pero la prostituta dudó, como si hablar, para ella, fuera más difícil que «lo habitual». Su indecisión se vio influida por algo más que por el precio; no confiaba en Garp ni en Jenny. Le preguntó a la joven que hablaba inglés, si eran ingleses o norteamericanos. Norteamericanos, fue la respuesta de la joven, lo que le proporcionó cierto alivio.

—A menudo los ingleses son perversos —explicó a Garp—. Por lo general, los americanos son vulgares.

—Sólo queremos *conversar* contigo —insistió Garp, pero comprendió que la prostituta imaginaba alguna monstruosa rareza madre-hijo.

—Doscientos cincuenta chelines —aceptó por último la señora del manguito de visón—. Y me pagan el café.

Fueron al lugar donde iban todas las prostitutas a abrigarse, un diminuto bar con minúsculas mesas; constantemente sonaba el teléfono, pero sólo unos pocos hombres acechaban, hoscos, junto al perchero para los abrigos, observando a las mujeres. Existía una especie de regla según la cual no podían acercarse a las mujeres cuando estaban en ese bar, que era una especie de hogar, una zona neutral.

—Pregúntale cuántos años tiene —pidió Jenny.

Cuando Garp se lo preguntó, la mujer cerró los ojos y sacudió la cabeza.

—De acuerdo —dijo Jenny—, pregúntale por qué cree que gusta a los hombres —Garp puso los ojos en blanco—. Está bien, ¿*a ti* te gusta? —Garp respondió afirmativamente—. Bien, ¿qué tiene que tú desees? —le interrogó Jenny—. No me refiero sólo a su sexo, sino a si hay algo más en ella que sea satisfactorio. Algo para imaginar, algo en lo cual pensar, una especie de *aura*.

—¿Por qué no me pagas *a mí* doscientos cincuenta chelines si no le haces preguntas a ella? —dijo Garp, hastiado.

—No seas desvergonzado. Quiero saber si la degrada sentirse *deseada* de esa manera... y luego *ser poseída* de esa manera... o si cree que eso sólo degrada a los hombres.

Garp se esforzó por traducir correctamente. La mujer pareció pensar seriamente en la cuestión; o quizá no había comprendido la pregunta, o el alemán de Garp.

—No lo sé —respondió por último.

—Hay más preguntas —adelantó Jenny.

Durante una hora continuaron así. Entonces la prostituta dijo que tenía que volver a trabajar. Jenny no parecía satisfecha ni decepcionada por la falta de resultados concretos de la entrevista; sólo se la veía insaciablemente curiosa. Garp nunca había deseado tanto a nadie como a esa mujer.

—¿La deseas? —le preguntó Jenny tan repentinamente que Garp fue incapaz de mentir—. Quiero decir que después de todo esto... después de mirarla y hablarle... ¿quieres tener también relaciones sexuales con ella?

—Por supuesto, mamá —admitió Garp en un tono desdichado.

Jenny no estaba más cerca de comprender la lujuria que antes de la cena. Parecía sorprendida y desconcertada por su hijo.

—De acuerdo —le entregó doscientos cincuenta chelines que le debían a la mujer y otros quinientos chelines—. Haz lo que quieras hacer o lo que *tengas* que hacer. Pero llévame primero a casa, por favor.

La prostituta había observado cómo cambiaba de manos el dinero: supo apreciar a primera vista la cantidad correcta.

—Oye —le dijo a Garp y le tocó las manos con sus dedos, fríos como los anillos—. Si tu madre quiere comprarme para ti está bien, pero no puede acompañarnos. Me niego absolutamente a que esté presente. Lo creas o no, sigo siendo católica y si buscas algo raro como eso, tendrás que pedírselo a Tina.

Garp se preguntó quién sería Tina; se estremeció ante la idea de que nada podía ser demasiado «raro» para ella.

—Llevaré a mi madre a casa —explicó Garp a la hermosa mujer—. Y no volveré a buscarte.

Pero ella le sonrió y Garp pensó que su erección irrumpiría a través de su bolsillo lleno de chelines sueltos y cambio sin valor. Aunque sólo uno de los perfectos dientes de la mujer —un gran incisivo superior— era de oro puro, saltaba a la vista.

En el taxi (en el que aceptó volver a casa) Garp explicó a su madre el sistema vienés de prostitución. Jenny no se sorprendió al enterarse de que la prostitución era legal, sino de que fuera *ilegal* en tantos otros sitios.

—¿Por qué no ha de ser legal? —se extrañó—. ¿Por qué una mujer no puede usar su cuerpo como le venga en gana? Si alguien quiere pagarlo, sólo es un trato más entre tantos de ínfima categoría. ¿Veinte dólares es mucho dinero para algo así?

—No, está bien. De hecho, es un precio muy bajo para las más atractivas.

Jenny le dio un manotazo.

—¡Sabes demasiado sobre esta cuestión!

Luego agregó que lo lamentaba. Jamás le había pegado antes, pero no comprendía en absoluto tanta lujuria, tanta lujuria, tanta lujuria

En el apartamento de la Schwindgasse, Garp insistió en *no* salir; en realidad, se acostó y se durmió antes que Jenny, que hojeaba los originales en su desordenada habitación. Una oración bullía en su mente, pero no logró darle forma con claridad.

Garp soñó con otras prostitutas; había visitado a dos o tres en Viena… pero nunca había pagado los precios del distrito primero. La noche siguiente, después de comer temprano en la Schwindgasse, Garp fue a ver a la mujer del manguito de visón con matices brillantes.

Su nombre de guerra era Charlotte. No se sorprendió al verle. Charlotte tenía edad suficiente como para saber cuándo había pescado a alguien, aunque nunca le dijo a Garp qué edad tenía exactamente. Era una mujer que se cuidaba mucho y sólo cuando estaba completamente desnuda era evidente su edad en todas partes, excepto en las venas de sus largas manos. Tenía marcas de estiramiento en el vientre y en los pechos, pero le contó que el niño había muerto largo tiempo atrás. No le molestó que Garp le tocara la cicatriz de la cesárea.

Después de ver cuatro veces a Charlotte a la tarifa fija del distrito primero, un sábado por la mañana, Garp la encontró en el Naschmarkt. Charlotte estaba comprando fruta. Probablemente tenía el pelo un poco sucio; lo llevaba cubierto con un pañuelo y peinado como el de una jovencita: flequillo y dos trenzas cortas. El flequillo se veía algo grasiento sobre la frente, que parecía más pálida a la luz del día. No iba maquillada y vestía tejanos americanos, zapatillas de tenis y un jersey largo, estilo abrigo, con cuello de cisne. Garp no la habría reconocido si no hubiera visto sus manos, con todas las sortijas puestas, al coger la fruta.

Al principio no respondió cuando Garp le habló, pero él ya le había dicho que hacía todas las compras y que cocinaba para él y su madre, lo que ella consideró divertido. Cuando superó su irritación por encontrar a un cliente fuera de las horas de «trabajo», pareció de buen humor. Durante un tiempo, para Garp no estuvo claro que él tenía la misma edad que habría tenido el hijo de Charlotte. Esta se tomó cierto interés vicarial por la forma en que Garp vivía con su madre.

—¿Cómo andan los escritos de tu madre? —preguntaba Charlotte.

—Todavía a trancas y barrancas —respondía Garp—. Creo que aún no ha resuelto el problema de la lujuria.

Pero Charlotte sólo permitía que Garp bromeara respecto a su madre hasta cierto punto.

Garp se sentía tan inseguro de sí mismo cuando estaba con Charlotte que jamás le comentó que *él* trataba de escribir; sabía que ella pensaría que era demasiado joven. A veces él también lo creía. Su cuento todavía no estaba lo bastante avanzado como para discutirlo con nadie. Lo máximo que había logrado era cambiar el título. Ahora lo llamaba «La Pensión Grillparzer» y, del cuento, fue lo primero que le satisfizo rotundamente. Le ayudó a centrarse. Ahora tenía un lugar, un lugar en el que ocurriría casi todo lo que era importante. Eso le ayudó a pensar en una forma más centrada acerca de sus personajes, acerca de la familia de inspectores de clasificación, y de los demás huéspedes de una pequeña y triste pensión de algún sitio (*tenía* que ser pequeña y triste, y estar en Viena, para llevar el nombre de Franz Grillparzer). Entre esos «otros huéspedes» incluiría a unos artistas de circo; no muy buenos, pensó, sino de un circo que no tuviera adonde ir, que no aceptarían en ningún otro lugar.

En el mundo de las clasificaciones de pensiones, todo se desarrollaría en un ambiente de tercera clase, de clase C. Ese tipo de fantasía empezó a empujar a Garp, lentamente, en lo que consideró era la orientación acertada; en ese sentido tenía razón, pero era demasiado joven para ponerse manos a la obra. De todos modos, cuanto más escribía a Helen, menos escribía en otros sentidos importantes. Además, no podía hablar de ese asunto con su madre: la imaginación no era su lado fuerte. Naturalmente, se habría sentido ridículo hablando de *cualquiera* de esos temas con Charlotte.

Garp se encontró a menudo con Charlotte en el Naschmarkt, los sábados por la mañana. Hacían las compras y a veces almorzaban juntos en un restaurante servio cercano al Stadpark. En esas ocasiones, Charlotte pagaba su parte. Durante uno de esos almuerzos, Garp le confesó que le resultaba difícil pagar su tarifa del distrito primero regularmente, sin reconocer ante su madre adónde iba a parar tanto dinero. Charlotte se puso furiosa porque él mencionó los negocios fuera de las horas de trabajo. Se habría puesto más furiosa aún si él le hubiera contado que la frecuentaba menos, profesionalmente, porque le resultaba mucho más fácil ocultarle a Jenny los precios de alguien del distrito sexto, alguien a quien había conocido en la esquina de Karl Schweighofergasse y Mariahilfer.

Charlotte tenía muy pobre opinión de las colegas que actuaban fuera del distrito primero. En cierta ocasión, le había dicho a Garp que pensaba retirarse ante la primera señal de que empezaba a esfumarse su categoría de distrito primero. Jamás trabajaría en otro distrito. Había ahorrado mucho dinero, le dijo, y pensaba instalarse en Munich (donde nadie sabía que era prostituta) y casarse con un joven médico que la cuidaría, en todos los sentidos, hasta su muerte; era innecesario que le explicara a Garp que siempre había atraído a los jóvenes, pero Garp se tomó muy mal su revelación de que los médicos eran —a la larga— deseables. Tal vez fue esta primera revelación sobre la facultad de los médicos de ser deseables lo que hizo que Garp, en su carreta literaria, poblara a menudo sus novelas y cuentos de personajes tan poco simpáticos de la profesión médica. Si así fue, no se le ocurrió hasta tiempo después. No aparece ningún médico en «La Pensión Grillparzer». Al principio tampoco interviene la muerte, aunque ése era el tema al que finalmente llegaría el cuento. Garp introdujo sólo un *sueño* con la muerte, aunque muy denso, y se lo adjudicó a la persona más vieja del relato: una abuela. Garp supuso que eso significaba que sería la primera en morir.

LA PENSION GRILLPARZER

Mi padre trabajaba para el Departamento Austríaco de Turismo. Fue idea de mi madre el que toda la familia lo acompañara cuando viajaba como espía del Departamento de turismo. Mi madre, mi hermano y yo lo acompañábamos en sus misiones secretas destinadas a descubrir la descortesía, el polvo, las comidas mal preparadas, las trampas de los restaurantes, hoteles y pensiones de Austria. Teníamos instrucciones de crear dificultades siempre que pudiéramos, de no pedir nunca exactamente lo que figuraba en el menú, de imitar las extrañas demandas de los extranjeros: las horas en que nos gustaría bañarnos, la necesidad de aspirinas, orientación para visitar el zoológico. Teníamos instrucciones de ser educados pero importunos; cuando la inspección concluía, informábamos a mi padre en el coche. Mi madre decía:

—La peluquería siempre está cerrada por la mañana. Pero afuera lo informan, como corresponde. Supongo que es correcto siempre que no afirmen que tienen una peluquería «en» el hotel.

—Bueno, eso es lo que afirman —respondía mi padre, mientras tomaba notas en su gigantesco bloc.

Siempre conducía yo y decía, por ejemplo:

—El coche está aparcado en la calle, pero alguien hizo catorce kilómetros entre el momento en que se lo entregamos al portero y el que lo recogimos en el garaje del hotel.

—Esa es una cuestión que debe ponerse directamente en conocimiento de la dirección —dijo mi padre y tomó nota.

—El inodoro perdía —dije.

—Yo no pude abrir la puerta del W.C. —intervino mi hermano Robo.

—Robo —le recriminó mamá—, siempre tuviste problemas con las puertas.

—¿Se supone que eso era clase C? —pregunté.

—Sospecho que no —replicó papá—. Todavía figura como clase B.

Avanzamos un rato en silencio; nuestros juicios más serios se referían al cambio de categoría de un hotel o pensión. No sugeríamos frívolamente las reclasificaciones.

—Creo que esto exige una carta a la dirección —insinuó mamá—. No una carta demasiado amable, pero tampoco muy dura. Sólo con el propósito de establecer los hechos.

—Sí, el hombre me gustó —papá siempre se empeñaba en conocer personalmente a los directores.

—No olvides que usaron nuestro coche —apunté—. Eso es realmente imperdonable.

—Y que los huevos estaban malos —agregó Robo, que todavía no había cumplido diez años y cuyos criterios nadie tomaba en serio.

Nos convertimos en un equipo de evaluadores mucho más duros cuando mi abuelo murió y vino a vivir con nosotros la abuela,

*la madre de mi madre, que a partir de entonces nos acompañó en
nuestros viajes. Johanna, regia dama, estaba acostumbrada a los
viajes de clase A y las obligaciones de mi padre requerían con más
frecuencia investigaciones de alojamientos de clase B y clase C. Los
hoteles (y pensiones) B y C eran los que más interesaban a los
turistas. En los restaurantes nos iba un poco mejor. La gente que
no podía permitirse el lujo de dormir en lugares elegantes se interesaba, no obstante, por los mejores lugares para comer.*

—No permitiré que prueben sus sospechosas comidas conmigo
—nos dijo Johanna—. Este extraño empleo puede tener para ti el
atractivo de contar con vacaciones gratis, pero el precio que se paga
es terrible: la ansiedad de no saber qué tipo de alojamiento tendrás
por la noche. A los norteamericanos puede resultarles encantador
que todavía tengamos habitaciones sin cuartos de baño privados,
pero yo soy una anciana y no me gusta nada atravesar un pasillo
para asearme y satisfacer mis necesidades fisiológicas. Y la angustia
sólo es la mitad de la cuestión. Es posible contraer todo tipo de
enfermedades, y no sólo a partir de la comida. Si la cama es dudosa, te aseguro que no podré pegar un ojo. Además, los chicos son
jóvenes e impresionables; tendríais que pensar en la clientela de
algunos de esos alojamientos y plantearos seriamente las influen-
cias —mi madre y mi padre asintieron con un movimiento de cabeza y no dijeron nada—. ¡Vé más despacio! —me dijo severamente la abuela—. Sólo eres un jovencito al que le gusta exhibirse
—disminuí la marcha—. Viena —suspiró la abuela—. En Viena
siempre fui al Ambassador.

—Johanna, el Ambassador no está sujeto a investigación
—dijo papá.

—Me lo imaginaba —comentó la abuela—. Supongo que ni
siquiera vamos a un hotel de clase A.

—Bueno, en su mayor parte éste es un viaje B —reconoció mi
padre.

—Confío en que eso significa que hay un lugar A en nuestro
camino.

—No —admitió papá—. Hay un lugar C.

—Me parece bien —interrumpió Robo—. En la clase C hay
riñas.

—Me lo imaginaba —replicó Johanna.

—Se trata de una pensión de clase C, muy pequeña —aclaró
mi padre, como si el tamaño disculpara las incomodidades.

—Y solicitaron la clasificación B —explicó mamá.

—Pero hubo quejas —agregué.

—No me extraña, —comentó la abuela.

—Y animales —añadí y mi madre me miró con intención.

—¿Animales? —inquirió la abuela.

—Animales —confirmé.

—«Sospechas» de animales —me corrigió mi madre.

—Sí, seamos justos —observó papá.

—¡Fantástico! —gruñó la abuela—. Sospechas de animales. ¿Pelos en las alfombras? ¡Sus espantosos excrementos en los rincones! ¿Sabéis que mi asma reacciona gravemente en cualquier habitación en que haya estado un gato?

—La queja no se refería a gatos —dije y mi madre me dio un codazo.

—¿Perros? —quiso saber Johanna—. ¡Perros rabiosos! Perros que te muerden cuando vas al cuarto de baño.

—No —dije—. Tampoco se refiere a perros.

—¡Osos! —gritó Robo.

Pero mi madre se apresuró a decir:

—No estamos seguros con respecto al oso, Robo.

—Esto no es serio —dictaminó Johanna.

—¡Claro que no es serio! —condicionó papá—. ¿Cómo puede haber osos en una pensión?

—Según una carta, así era —insistí—. Por supuesto, el Departamento de Turismo supuso que se trataba de la queja de un maniático. Pero hubo otra inspección... y una segunda carta afirmando que había un oso.

Mi padre me miró con el ceño fruncido por el espejo retrovisor, pero yo pensé que si todos participábamos de la investigación, era justo abrirle los ojos a la abuela.

—Probablemente no se trata de un oso de verdad —dijo Robo evidentemente desilusionado.

—¡Un hombre vestido de oso! —gritó la abuela—. ¿Qué clase de inaudita perversión es «ésa»? Una bestia de hombre que avanza a hurtadillas y disfrazado. ¿Con qué intención? Sé que se trata de un hombre vestido de oso —afirmó—. Quiero ir «primero» a ese lugar, Si en este viaje hemos de soportar una experiencia de clase C, que sea lo antes posible.

—Pero no hemos hecho reservas para esta noche —dijo mamá.

—Sí, tendríamos que darles la oportunidad de que estén preparados para recibirnos —opinó papá.

Aunque papá nunca revelaba a sus víctimas que trabajaba para el Departamento de Turismo, consideraba que las reservas eran sencillamente una forma decente de permitir que el personal estuviera lo mejor preparado posible.

—Estoy segura de que no es necesario pedir reservas en un lugar frecuentado por hombres que se disfrazan de animales —calculó Johanna—. No me cabe la menor duda de que «siempre» hay lugar en semejante sitio. Estoy segura de que los huéspedes acos-

tumbran a agonizar en sus lechos... de miedo, o de cualquier daño ignominioso que les produce ese demonio vestido de oso.

—*Probablemente es un oso «de verdad»* —*se retractó Robo, esperanzado, porque, con el giro que adoptaba la conversación, estaba seguro de que para la abuela sería preferible un verdadero oso al fantasma imaginario. Creo que Robo no le tenía miedo a un oso auténtico.*

Conduje lo menos llamativamente posible hasta la pequeña esquina de Planken y Seilergasse. Buscábamos una pensión de clase C que quería ser B.

—*No hay lugar para aparcar* —*le informé a papá que ya estaba tomando nota del fallo en su bloc.*

Aparqué en doble fila, permanecimos en el interior del coche y escrutamos la Pensión Grillparzer; sólo tenía cuatro reducidos pisos y se encontraba entre una pastelería y un Tabak Trafik.

—*¿Ves? No hay osos* —*informó papá.*

—*Ni «hombres» espero* —*comentó la abuela.*

—*Vienen por la noche* —*intervino Robo, mientras escudriñaba cautelosamente ambos lados de la calle.*

Entramos y nos presentamos al director, un tal Herr Theobald, que instantáneamente puso en guardia a Johanna.

—*¡Tres generaciones que viajan juntas!* —*gritó*—. *Como en los viejos tiempos* —*agregó, especialmente para la abuela*—, *antes de los divorcios y de que los jóvenes quisieran apartamentos para ellos solos. ¡Esta es una pensión «familiar»! Lamento que no hayan hecho la reserva, en cuyo caso habría podido ponerlos más juntos.*

—*No estamos acostumbrados a dormir en la misma habitación* —*le informó la abuela.*

—*¡Por supuesto!* —*exclamó Theobald*—. *Sólo quise decir que lamentablemente «sus» habitaciones no estarán juntas.*

Evidentemente, el hecho preocupó a la abuela:

—*¿A qué distancia nos pondrá?*

—*Bien, sólo me quedan dos habitaciones* —*dijo Herr Theobald*—. *Y una sola de ellas tiene espacio suficiente como para que los dos chicos la compartan con sus padres.*

—*¿Y a qué distancia está mi habitación de la de ellos?* —*preguntó Johanna fríamente.*

—*¡Usted estará exactamente enfrente del W.C.!* —*dijo Theobald, como si fuera una ventaja.*

Pero cuando nos llevaron a ver nuestras habitaciones, la abuela permaneció al lado de papá, desdeñosamente, y al final de la procesión la oí murmurar:

—*No es así cómo concebía mi retiro. Frente al W.C., escuchando los ruidos de todos los visitantes.*

—Todas mis habitaciones son distintas —comentó Theobald—. Los muebles pertenecieron a mi familia.

Le creímos. La habitación grande, espaciosa como un vestíbulo, que Robo y yo compartiríamos con mis padres, era un museo de baratijas, en que los pomos de los armarios eran todos de distintos estilos. Por otro lado, el lavabo tenía grifos de bronce y la cabecera de la cama era de madera tallada. Observé que mi padre contrapesaba estas cuestiones para sus futuras anotaciones en el bloc.

—Puedes hacer eso más tarde —propuso Johanna—. ¿Dónde está «mi» habitación?

Toda la familia siguió sumisamente a Theobald y a la abuela por el largo y serpenteante vestíbulo; mi padre contó los pasos que había hasta el W.C. La alfombra era delgada y de color ceniciento. Las paredes estaban cubiertas de viejas fotografías de equipos de carreras de patinaje, con los pies calzados con extrañas paletas curvadas en las puntas, similares a zapatos de bufones de la corte o de corredores de antiguos trineos.

Robo, que corría adelantado, anunció su descubrimiento del W.C.

La habitación de la abuela estaba atestada de porcelanas, madera ilustrada e indicios de moho. Las cortinas estaban húmedas. La cama tenía una perturbadora cresta en el centro, como la piel levantada de la columna vertebral de un perro, casi parecía un cuerpo muy delgado extendido bajo la colcha.

La abuela no dijo nada, y cuando Theobald abandonó la habitación como un hombre herido al que le han dicho que vivirá, le preguntó a mi padre:

—¿En qué se basa la Pensión Grillparzer para intentar obtener la clasificación B?

—Decididamente es C —afirmó papá.

—Nació C y morirá C —opiné.

—Yo diría que es E o F —sentenció la abuela.

En el sombrío salón de té, un hombre sin corbata cantaba una canción húngara.

—Eso no significa que sea húngaro —tranquilizó papá a Johanna, aunque en tono escéptico.

—Yo diría que las probabilidades no están a su favor —sugirió la abuela.

Johanna no quiso tomar té ni café. Robo comió un poco de pastel y, según dijo, le gustó. Mi madre y yo fumamos un cigarrillo: ella estaba tratando de abandonar aquel vicio y yo de iniciarme en él; en consecuencia, compartimos un cigarrillo entre los dos —nos habíamos hecho la promesa de que ninguno de los dos fumaría nunca un cigarrillo entero.

—Es un huésped estupendo —le susurró Herr Theobald a mi padre, señalando al cantante—. Conoce canciones del mundo entero.

—Al menos de Hungría —apuntó la abuela, que esta vez sonrió.

Un hombre menudo y afeitado, aunque con la permanente sombra azulada de una barba en su rostro enjuto, se dirigió a mi abuela. Llevaba una camisa blanca y limpia (aunque amarilleada por el uso y los lavados), pantalones y una chaqueta que no hacía juego.

—¿Cómo ha dicho? —preguntó la abuela.

—He dicho que cuento sueños —le informó el hombre.

—«Cuenta» sueños —repitió la abuela—. ¿Significa eso que «tiene» sueños?

—Los tengo y los cuento —respondió el hombre en un tono misterioso.

El cantante dejó de cantar:

—Si usted quiere conocer algún sueño —dijo el cantante—, él puede contárselo.

—Tengo la plena seguridad de que no quiero conocer ninguno —la abuela vislumbró con disgusto la mata de vello oscuro que asomaba por el cuello abierto de la camisa del cantante: no quería ni reconocer la presencia del hombre que «contaba» sueños.

—Veo que usted es una dama —dijo el hombre de los sueños a la abuela—. No responde a cualquier sueño que se presenta.

—Por supuesto —Johanna lanzó a mi padre una de sus miradas de «¿cómo-puedes-permitir-que-me-ocurra-esto?».

—Pero yo conozco uno —dijo el hombre de los sueños y cerró los ojos.

El cantante acercó una silla y repentinamente nos dimos cuenta de que estaba sentado muy próximo a nosotros. Robo, aunque era demasiado mayor, estaba en el regazo de papá.

—En un gran castillo, una mujer duerme junto a su marido. De pronto se despierta completamente, a altas horas de la noche. Se despertó sin tener la menor idea de qué la había despertado y se sintió tan lúcida como si llevara horas despierta. También tomó conciencia, sin echar una mirada ni decir una palabra, ni tocarle, de que su marido estaba del todo despierto, y tan súbitamente como ella.

—Espero que esto sea adecuado para los oídos del niño, ja, ja —insinuó Herr Theobald, pero nadie lo miró.

Mi abuela cruzó las manos sobre el regazo y los contempló: las rodillas juntas, los tobillos cruzados bajo la silla de respaldo

128

recto. Mi madre sostenía la mano de mi padre. Yo estaba junto al hombre de los sueños, cuya chaqueta olía a jardín zoológico. Prosiguió:

—La mujer y su marido permanecieron despiertos, atentos a los ruidos del castillo que alquilaban y no conocían a fondo. Esperaban oír ruidos en el patio, que jamás se molestaban en cerrar con llave. Los habitantes de aquel lugar siempre paseaban cerca del castillo; a los niños de la aldea se les permitía columpiarse sobre la gran puerta del patio. ¿Qué era lo que les había despertado?

—¿Osos? —inquirió Robo, pero papá acercó las yemas de los dedos a la boca de mi hermano.

—Oyeron caballos —dijo el hombre de los sueños. La anciana Johanna —con los ojos cerrados y la cabeza inclinada pareció estremecerse—. Oyeron la respiración y las coces de unos caballos que trataban de estarse quietos. El marido alargó la mano y tocó a su esposa. «¿Caballos?», preguntó. La mujer se levantó y se acercó a la ventana que daba al patio. Desde aquel día juraría que el patio estaba lleno de soldados montados, ¡y qué soldados! ¡Llevaban armaduras! Las mirillas de sus cascos estaban cerradas y sus murmullos eran tan difíciles de oír como las voces de una emisora de radio cuando se esfuman. Las armaduras rechinaban cuando sus caballos se movían inquietos. En el patio del castillo se encontraba el viejo tazón seco de una antigua fuente, pero la mujer observó que la fuente chorreaba; el agua desbordaba el gastado tazón y los caballos bebían. Los caballeros eran prudentes y no desmontaron; levantaron la vista en dirección a las oscuras ventanas del castillo, como si supieran que no eran bienvenidos en ese bebedero, su posada de descanso en el camino. A la luz de la luna, la mujer divisó el brillo de sus grandes escudos. Volvió arrastrándose a la cama y se tendió rígida junto a su marido. «¿Qué son?», preguntó él. «Caballos», respondió la mujer. «Eso pensaba. Se comerán las flores». «¿Quién construyó este castillo?», quiso saber ella. Era un castillo muy viejo y ambos lo sabían. «Carlomagno», replicó el marido y volvió a dormirse. Pero la mujer siguió despierta, escuchando el murmullo del agua que ahora parecía correr por todo el castillo, gorgoteando en las cañerías, como si el antiguo manantial extrajera el líquido de todas las fuentes disponibles. Y allí seguían las voces distorsionadas de los cuchicheantes jinetes... los soldados de Carlomagno que hablaban en su lengua muerta. Para aquella mujer, las voces de los soldados eran tan malsanas como el siglo XX y los hombres llamados Frank. Los caballos seguían bebiendo. La mujer permaneció despierta mucho tiempo, aguardando a que los soldados se marcharan; no temía un ataque por parte de ellos: tenía la certeza de que estaban de viaje y sólo se habían detenido para descansar en un lugar que ya conocían.

Pero mientras el agua corría, la mujer sintió que no debía alterar el silencio ni la oscuridad del castillo. Cuando se durmió, pensó que los hombres de Carlomagno seguían allí. Por la mañana, su marido le preguntó: «¿Tú también oíste correr el agua?» Sí, también ella la había oído, naturalmente. Pero la fuente estaba seca, por supuesto, y por la ventana vieron que las flores estaban intactas, y todo el mundo sabe que los caballos comen flores. «Mira», dijo la mujer a su marido. El fue al patio con ella. «No hay huellas de cascos ni botas. Debemos haber "soñado" que oímos caballos». Ella no sugirió que también había soldados ni que, a su entender, no era probable que dos personas soñaran lo mismo. No le recordó que era un fumador empedernido, incapaz de oler un caldo hirviente y que el aroma de los caballos en el aire fresco era demasiado sutil para él. La mujer vio a los soldados, o soñó con ellos otras dos veces mientras estuvieron en el castillo, pero su marido jamás volvió a despertarse al mismo tiempo que ella. Siempre ocurría repentinamente. En cierta ocasión despertó con sabor a metal en la lengua, como si se hubiera llevado un hierro viejo oxidado a la boca, una espada, una coraza, una cota de malla, un escudo. Otra vez estaban en el patio y hacía frío. La densa bruma que surgía del agua de la fuente los envolvía; sus caballos estaban cubiertos de escarcha. Y no había tantos la vez siguiente, como si el invierno o las escaramuzas fueran reduciendo su número. La última vez, los caballos le parecieron flacos y los hombres una especie de armaduras desocupadas que se balanceaban delicadamente en sus sillas. Los caballos tenían largas máscaras de hielo en los hocicos. Su respiración (o la respiración de los jinetes) era congestionada. El marido —concluyó el hombre de los sueños— moriría de una enfermedad respiratoria. Pero la mujer lo ignoraba cuando tuvo este sueño.

Mi abuela se levantó y abofeteó el rostro con barba gris del hombre de los sueños. Robo se acomodó en el regazo de mi padre; mi madre cogió la mano de su madre. El cantante echó su silla hacia atrás y de un salto se puso de pie, asustado o dispuesto a pelear con alguien, pero el hombre de los sueños se limitó a inclinarse ante la abuela y abandonó el sombrío salón de té. Daba la impresión de que había sellado un pacto con Johanna, pacto que no producía ningún placer a ninguno de los dos. Mi padre escribió algo en su gigantesco bloc.

—¿Qué les ha parecido «esa» historia? —preguntó Herr Theobald—. Ja, ja —revolvió el pelo de Robo, algo que siempre fastidiaba a mi hermano.

—Herr Theobald —dijo mi madre sin soltar la mano de Johanna—, mi padre murió de una enfermedad respiratoria.

—¡Caray! —exclamó Herr Theobald—. Lo siento, meine Frau —dijo a la abuela, pero la anciana no respondió.

Llevamos a la abuela a comer a un restaurante de clase A, pero apenas probó bocado.

—Ese hombre es un gitano, un ser satánico y un húngaro —nos dijo.

—Por favor, mamá, no podía saber lo de papá —dijo mi madre.

—Sabía más que «tú» —espetó la abuela.

—La schnitzel es excelente —observó papá mientras escribía en el bloc—. El Gumpoldskirchner le va muy bien.

—Los Kalbsnieran están muy buenos —opiné.

—Los huevos son fantásticos —agregó Robo.

La abuela no pronunció palabra hasta que volvimos a la Pensión Grillparzer, donde notamos que la puerta del W.C. estaba a una distancia de unos treinta centímetros del suelo, de modo que parecía la mitad inferior de la puerta de un servicio público norteamericano, o de un saloon de las películas del Oeste.

—Me alegro de haber usado el W.C. en el restaurante —comentó Johanna—. ¡Qué asco! Trataré de pasar la noche sin exponerme en un lugar en que todos los que pasan pueden espiarme los tobillos.

Una vez en nuestro dormitorio familiar, papá preguntó:

—¿No vivió en un castillo Johanna? Me parece que, en otros tiempos, ella y el abuelo alquilaron un castillo.

—Sí —confirmó mamá—, antes de que yo naciera. Arrendaron el Schloss Katzelsdorf. Vi las fotografías.

—Entonces por eso se puso tan furiosa con el sueño del húngaro —aventuró papá.

—Alguien anda en bicicleta por el vestíbulo —informó Robo— Vi pasar una rueda bajo nuestra puerta.

—Duérmete, Robo —ordenó mamá.

—Chirriaba y chirriaba —insistió Robo.

—Buenas noches, chicos —nos despidió papá.

—Si vosotros podéis hablar, nosotros también —afirmé.

—Entonces hablad entre vosotros —sugirió papá—. Yo estoy hablando con mamá.

—Yo quiero dormir y espero que nadie hable —dijo mamá.

Lo intentamos. Quizá dormimos. Más tarde, Robo me susurró que quería ir al W.C.

—Ya sabes donde está —respondí.

Robo salió y dejó la puerta levemente entreabierta; le oí alejarse por el pasillo, rozando la pared con la mano. Volvió inmediatamente.

—Hay alguien en el W.C. —dijo.

—Espera a que salga —propuse.

—La luz estaba apagada —explicó Robo—, pero se veía bien por el hueco de la puerta. Alguien está dentro, en la oscuridad.

—Yo también prefiero usar el W.C. a oscuras —dije.

Pero Robo insistió en contarme exactamente lo que había visto. Afirmó que debajo de la puerta se veía un par de «manos».

—¿Manos?

—Sí, en el lugar donde tendrían que estar los pies —Robo aseguró que había una mano a cada lado del inodoro, en lugar de un pie.

—¡Vete de aquí, Robo! —me harté.

—Por favor, ven a comprobarlo —me rogó.

Le acompañé al vestíbulo pero no había nadie en el W.C.

—Se fue —afirmó Robo.

—Caminando con las manos, sin duda —me burlé—. Mea, te esperaré.

Robo entró en el W.C. y orinó tristemente, a oscuras. Cuando volvíamos a nuestra habitación, se nos adelantó un hombre menudo y moreno, con el mismo tipo de cutis y ropa que el hombre de los sueños que había hecho enojar a la abuela. Nos guiñó un ojo y sonrió. No pude dejar de notar que caminaba con las manos.

—¿Te das cuenta? —susurró Robo.

Entramos en nuestro cuarto y cerramos la puerta.

—¿Qué ocurre? —quiso saber mamá.

—Hemos tropezado con un hombre que camina con las manos —dije.

—Un hombre que «mea» patas arriba —aclaró Robo.

—Clase C —murmuró papá en sueños: a menudo soñaba que tomaba notas en su bloc.

—Hablaremos de ello por la mañana —agregó mamá.

—Probablemente era un acróbata que quiso exhibirse delante de ti porque eres un niño —expliqué a Robo.

—¿Cómo sabía que yo era un niño cuando estaba en el W.C.? —preguntó Robo.

—Dormid —decretó mamá.

Entonces oímos que la abuela gritaba en el vestíbulo.

Mamá se puso su bonita bata verde; papá su salto de cama y las gafas; yo me abrigué con un par de pantalones encima del pijama. Robo fue el primero en llegar al hall. Por el hueco de la puerta vimos que había luz en el W.C. La abuela gritaba rítmicamente en el interior.

—¡Aquí estamos! —le dije.

—¿Qué ocurre, mamá? —preguntó mi madre.

Nos congregamos junto a la amplia hendedura de luz. Vimos las zapatillas de color malva de la abuela y sus tobillos blancos como la porcelana bajo la puerta. Dejó de gritar.

—Oí murmullos cuando estaba en la cama —dijo.

—Eramos Robo y yo —la tranquilicé.

—Después, cuando parecía que ya no había nadie, entré al W.C. —nos contó Johanna—. Dejé la luz «apagada». No hice ruido. Luego vi y oí la rueda.

—¿La «rueda»? —preguntó papá.

—Pasó varias veces una rueda frente a la puerta. Iba y venía.

Papá giró sus dedos como si fueran ruedas al costado de la cabeza y le hizo una mueca a mamá.

—Alguien necesita un nuevo juego de ruedas —susurró, pero mamá le miró con expresión malhumorada.

—Encendí la luz y la rueda se alejó —concluyó Johanna.

—Te dije que había una bicicleta en el vestíbulo —apuntó Robo.

—Cállate la boca, Robo —ordenó papá.

—No, no era una bicicleta —explicó la abuela—. Sólo había «una» rueda.

Papá se llevó un dedo a la frente y lo movió en señal de que alguien estaba desvariando:

—A ella le faltan una o dos ruedas —le dijo a mi madre al oído, pero ella le dio un manotazo y le torció las gafas.

—Entonces llegó alguien, espió «por debajo» de la puerta y en ese momento empecé a gritar.

—¿Alguien? —inquirió papá.

—Vi sus manos, manos de hombre, tenía los nudillos peludos. Apoyaba las manos en el felpudo, al otro lado de la puerta. Debió de «levantar» la vista para mirarme.

—No, abuela —intervine—. Creo que estaba aquí apoyado en las manos.

—No te hagas el gracioso —me reprendió mamá.

—Pero vimos a un hombre que caminaba con las manos —insistió Robo.

—No vísteis nada de eso —declaró papá.

—Sí, lo vimos —confirmé.

—Despertaremos a todo el mundo —nos advirtió mamá.

La abuela tiró de la cadena y salió arrastrando los pies, con muy poca entereza. Llevaba una bata encima de una bata encima de una bata; tenía el cuello muy largo y la cara cubierta de crema blanca. Parecía una oca que se encuentra en apuros.

—Era maligno e indigno —nos dijo—. Conocía una magia espantosa.

—¿El hombre que te vio? —le preguntó mamá.

—El hombre que contó «mi sueño» —aclaró la abuela y una lágrima atravesó los surcos de su crema facial—. Ese sueño era mío y él se lo contó a todos. Es horrible que lo conociera. Mi, sueño de los caballos y los soldados de Carlomagno; yo soy la única que debe saberlo. Tuve ese sueño antes de que nacieras —le dijo a mamá—. Y ese mago maligno e indigno contó mi sueño como si fuera una noticia. Yo ni siquiera hablé a tu padre de todo lo que contenía ese sueño. Además, nunca estuve segura de que fuera un sueño. Y ahora aparecen hombres de nudillos velludos que caminan con las manos y hay ruedas mágicas. Quiero que los chicos duerman conmigo.

Por tanto, Robo y yo compartimos el enorme dormitorio familiar —alejado del W.C.— con la abuela, que se tendió sobre las almohadas de mi madre y de mi padre, con su rostro encremado y brillante como la cara de un fantasma húmedo. Robo permaneció despierto, observándola. No creo que Johanna durmiera muy bien; imagino que tenía otra vez su sueño de muerte y revivía el último invierno de los soldados de Carlomagno con sus extraños ropajes de metal cubiertos de escarcha y sus celadas inmovilizadas por el hielo.

Cuando fue evidente que yo tenía que ir al W.C., los brillantes y redondos ojos de Robo me siguieron hasta la puerta.

Había alguien en el W.C. No asomaba luz bajo la puerta, pero vi una bicicleta de una sola rueda aparcada contra la pared exterior. Su usuario estaba sentado en el W.C. a oscuras; tiró varias veces de la cadena: al igual que un niño, aquel ciclista no esperaba a que el depósito se llenara.

Me acerqué a la abertura que separaba la puerta del suelo, pero el ocupante no estaba apoyado en las manos. Vi algo que eran claramente pies, casi en la posición esperada, pero esos pies no tocaban el piso; las plantas estaban inclinadas en mi dirección y parecían almohadillas oscuras, de color morado. Se trataba de unos pies enormes, adheridos a espinillas cortas y peludas. Eran pies de oso, aunque no tenían garras. Las garras de los osos no son retráctiles como las de los gatos; si un oso tiene garras, son visibles. Allí había, entonces, un impostor disfrazado de oso, o un oso desgarrado. Un oso doméstico, quizá. Al menos —si tenemos en cuenta su presencia en el W.C. —un oso «domesticado». Por el olor supe que no se trataba de un hombre vestido de oso: era un oso. Un auténtico oso.

Retrocedí hasta la puerta de la ex habitación de la abuela, detrás de la cual aguardaba mi padre, en espera de nuevas perturbaciones. Abrió la puerta de golpe y caí en el interior. Ambos nos asustamos. Mamá se sentó en la cama y se tapó la cabeza con la colcha de plumas.

—¡Lo tengo! —gritó papá y cayó sobre mí.

El suelo tembló; el extraño vehículo del oso se deslizó contra la pared y cayó sobre la puerta del W.C., por la que repentinamente salió el oso arrastrando los pies. Tropezó con su bicicleta y se tambaleó hasta recuperar el equilibrio. Con mirada preocupada recorrió el vestíbulo y observó hacia más allá de la puerta abierta, para ver a papá sentado sobre mi pecho. Levantó el vehículo con sus patas delanteras.

—¿Grauf? —dijo el oso.

Papá cerró de un portazo. Oímos una voz de mujer que llegaba desde el otro lado del vestíbulo.

—¿Dónde estás, Duna?

—¡Harf! —respondió el oso.

Papá y yo oímos que la mujer se acercaba murmurando:

—Oh, Duna, ¿otra vez practicando? ¡Siempre estás practicando! Pero es mejor hacerlo durante el día —el oso no respondió.

Papá abrió la puerta y mamá, todavía debajo del edredón, le dijo:

—No dejes entrar a nadie.

Una bonita mujer madura se encontraba en el vestíbulo, junto al oso, que ahora hacía equilibrios con su vehículo y apoyaba una enorme pata en el hombro de la mujer, que llevaba un turbante de color rojo intenso y un vestido largo en forma de túnica que parecía una cortina. Sobre su alto pecho lucía un collar de garras de oso; los pendientes tocaban el hombro de su vestido-cortina y el otro hombro desnudo, donde mi padre y yo fijamos la vista en un atractivo lunar.

—Buenas noches —dijo la mujer a papá—. Lamento si les hemos molestado. Duna tiene prohibido practicar por la noche, pero le encanta trabajar.

El oso musitó algo y se alejó de la mujer pedaleando. Sabía mantener muy bien el equilibrio, pero era descuidado; rozó las paredes del vestíbulo y tocó con las patas las fotografías de los equipos de patinaje. La mujer se separó de papá y corrió tras el oso gritando su nombre y enderezando las fotografías mientras lo seguía.

—En húngaro, «Duna» significa Danubio —me explicó papá—. Ese oso lleva el nombre de nuestro amado Donau —en ocasiones mi familia se sorprendía al descubrir que los húngaros también pudieran amar un río.

—¿Es auténtico ese oso? —quiso saber mamá, todavía bajo el edredón.

Renuncié a las explicaciones de papá. Sabía que por la mañana Herr Theobald tendría mucho que explicar y pensaba que en ese momento lo escucharía todo convenientemente reseñado.

Crucé el vestíbulo hasta el W.C. Cumplí mi función de prisa a causa del olor a oso y de mis sospechas de que había pelos por todas partes; fui demasiado suspicaz, porque el oso lo había dejado todo pulcro, al menos todo lo pulcro que puede dejarlo un oso.

—Vi al oso —le comuniqué a Robo cuando entré en nuestro cuarto, pero mi hermano se había subido a la cama de la abuela y se había dormido a su lado.

Sin embargo, Johanna estaba despierta.

—Vi cada vez menos soldados. La última vez sólo había nueve. Todos parecían hambrientos; sin duda ya se habían comido los caballos que faltaban. Hacía mucho frío. ¡Yo quería ayudarles! Pero no estábamos vivos al mismo tiempo. ¿Cómo podía ayudarles si todavía no había nacido? Naturalmente, sabía que morirían. ¡Pero llevó tanto tiempo! La última vez la fuente estaba congelada. Utilizaron las espadas y sus largas picas para romper el hielo a pedazos. Hicieron fuego y derritieron el hielo en un cazo. Sacaron huesos de sus alforjas, huesos de todo tipo, y los echaron en el agua. Debió de ser un caldo muy débil porque los huesos ya habían sido roídos tiempo atrás. No sé qué huesos eran. De conejo, supongo, y quizá de ciervo o de jabalí. Tal vez de los caballos que faltaban. Preferí no pensar —me confesó la abuela— que eran los huesos de los soldados que no habían regresado.

—Duerme, abuela —le dije.

—No te preocupes por el oso —se despidió la abuela.

Y *ahora*, ¿qué?, se preguntó Garp. ¿Qué puede ocurrir después? No estaba seguro de qué había ocurrido ni por qué. Garp era un cuentista nato; sabía imaginar situaciones, una tras otra, y las situaciones parecían encajar. ¿Pero qué significaban? El sueño y esos desesperados artistas, y lo que les ocurriría a cuantos estaban presentes... todo tenía que estar relacionado. ¿Cuál sería la explicación natural? ¿Qué tipo de final podía hacer que todos participaran del mismo mundo? Garp sabía que no sabía demasiado, que todavía no sabía demasiado. Confiaba en su instinto, que le había llevado hasta allí con «La Pensión Grillparzer»; ahora tenía que confiar en el instinto que le decía que no avanzara hasta saber mucho más.

Lo que hacía que Garp fuera más adulto y más sensato que lo que correspondía a sus diecinueve años no se relacionaba con su experiencia ni con lo que había aprendido. Poseía cierto instinto, cierta determinación y una paciencia superior al término medio; le encantaba el trabajo duro. Junto con la gramática que Tinch le había enseñado, eso era todo. Sólo dos hechos impresionaban a Garp: que su madre creyera realmente que ella era capaz de escribir un libro y que la relación más importante de su vida actual fuese con una prostituta. Estos dos hechos contribuyeron en gran medida al desarrollo del humorismo del joven Garp.

Dejó de lado «La Pensión Grillparzer». Ya llegará, pensó. Sabía que tenía que saber más; todo lo que podía hacer era observar Viena y aprender. La ciudad estaba allí para él. La vida parecía estar aguardándole. También hizo muchas observaciones de Charlotte y prestó atención a todo cuanto su madre hacía, pero era, sencillamente, demasiado joven. Lo que necesito es *visión* de conjunto, pensó. Un esquema general de las cosas, mi propio punto de vista. Ya llegará, se repetía a sí mismo, como si estuviera entrenándose para otra temporada de lucha: saltando a la cuerda, corriendo por una estrecha pista, levantando pesas, algo casi tan estúpido pero igualmente necesario.

Hasta Charlotte tiene su idea del mundo, pensó; no le cabía ninguna duda de que su madre también la tenía. Garp no tenía de él una comprensión paralela a la que de su mundo absolutamente claro tenía Jenny Fields. Pero sabía que sólo era una cuestión de tiempo imaginar un mundo propio, con un poco de ayuda del mundo real. El mundo real pronto colaboraría.

La Pensión Grillparzer

Cuando la primavera llegó a Viena, Garp no había concluido «La Pensión Grillparzer»; ni, por supuesto, había escrito a Helen acerca de sus relaciones con Charlotte y sus colegas. Jenny había llevado su hábito de escribir a un ritmo aún más intenso; había encontrado la frase que bullía en su mente desde la noche en que discutió sobre la lujuria con Garp y Charlotte: en realidad se trataba de una vieja frase de su vida pasada y fue la que realmente inició el libro que la haría famosa.

«En este mundo de cochina mentalidad», escribió Jenny, «eres la esposa de alguien o la puta de alguien... o vas camino de convertirte en una de las dos cosas.» Esta frase otorgó al libro un tono del que carecía; Jenny estaba descubriendo que al empezar con esa frase proyectaba un aura sobre su autobiografía, aura que unía las partes inconexas de la historia de su vida, a la manera que la niebla envuelve un paisaje desigual, a la manera en que el calor penetra en una laberíntica casa hasta sus últimos rincones. Esta frase inspiró otras similares, y Jenny las entretejió como si hubiera aplicado un ribete de brillantes colores a un tapiz tejido sin diseño previo.

«Quería trabajar y vivir sola», escribió. «Eso me convirtió en "sexualmente sospechosa".» Y también le proporcionó un título: *Sexualmente sospechosa*, autobiografía de Jenny Fields. Se publicaron ocho ediciones y la tradujeron a seis idiomas aun antes de poner a la venta la edición de bolsillo, capaz de mantener a Jenny —y a todo un regimiento de enfermeras— con uniformes nuevos durante un siglo.

«Después deseé un hijo, pero no quería tener que compartir mi cuerpo ni mi vida para tenerlo», escribió Jenny. «También eso me convirtió en "sexualmente sospechosa".» Así, Jenny encontró el hilo con el que entrelazaría su obra.

Pero, cuando la primavera llegó a Viena, Garp sintió deseos de viajar. Quizás un recorrido por Italia; probablemente podrían alquilar un coche.

—¿Sabes conducir? —le preguntó Jenny, aunque sabía perfectamente bien que él nunca había aprendido, ya que jamás había tenido necesidad de hacerlo—. Bien, yo tampoco. Además, estoy trabajando. Ahora no puedo interrumpirme. Si quieres viajar, hazlo por tu cuenta.

En la oficina de American Express, donde Garp y Jenny recogían su correspondencia, Garp conoció a sus primeros jóvenes viajeros norteamericanos. Dos ex alumnas de Dibbs y un muchacho llamado Boo, que había estudiado en Bath.

—¿Qué tal si nos reunimos? —preguntó una de las chicas a Garp—. Todos hemos terminado la preparatoria.

La joven se llamaba Flossie y a Garp le pareció que tenía relaciones con Boo. La otra chica se llamaba Vivian y, por debajo de la minúscula mesa de café de la Schwarzenbergplatz, apretó la rodilla de Garp entre las suyas al tiempo que sorbía babeando su vaso de vino.

—Acabo de visitar a un dentista —le explicó—. Tengo tanta novocaína en la boca que no sé si está abierta o cerrada.

—Mitad y mitad —replicó Garp.

Pero, mientras Garp pensaba: ¡al demonio! Echaba de menos a Cushie Percy y sus relaciones con prostitutas empezaban a hacer que se sintiera como sexualmente sospechoso. Ahora estaba claro que a Charlotte le interesaba hacerle de madre; aunque él trataba de imaginarla en otro plano, sabía, con profunda tristeza, que ese plano jamás pasaría del campo profesional.

Flossie, Vivian y Boo se dirigían a Grecia, pero dejaron que Garp les mostrara Viena durante tres días. En ese lapso, Garp se acostó dos veces con Vivian —cuya novocaína por fin se esfumó— y una con Flossie, mientras Boo cambiaba sus cheques de viaje y el aceite del coche. Garp sabía que no podía haber intercambios amorosos entre los muchachos de la Steering y los de Bath, pero Boo fue el último en reír.

Es imposible determinar de quién se contagió Garp la gonorrea, si de Vivian o de Flossie, pero estaba convencido de que *el origen* era Boo. En su opinión, ésa era la «peste de Bath». Naturalmente, cuando aparecieron los primeros síntomas, los tres se habían ido a Grecia y Garp se enfrentó a solas con la supuración y el ardor. Pensó que en Europa no podía haber una enfermedad venérea peor. «La gonorrea de Boo, la pesqué por bobo», escribió, pero mucho después; cuando ocurrió, no fue nada divertido y Garp no se atrevió a pedir consejo profesional a su madre. Sabía que ella se negaría a creer que no la había contraído con una prostituta. Reunió el coraje necesario para pedirle a Charlotte que le recomendara un médico familiarizado con su enfermedad: consideró que ella debía de saberlo. Pero luego comprendió que posiblemente Jenny se habría enfurecido *menos* con él.

—¡Nunca pensé que los norteamericanos tuvieran tan poca idea de la higiene más elemental! —gritó airada Charlotte—. ¡Tendrías que pensar en tu madre! Yo esperaba que tuvieras mejor gusto. La gente que lo hace por nada con alguien que apenas conoce, tendría que despertar tus sospechas, ¿no?

Una vez más, habían pescado a Garp sin condones. Por ello, Garp visitó al médico particular de Charlotte, hombre campechano, apellidado Thalhammer, al que faltaba el pulgar izquierdo.

—Antes era zurdo —le contó *Herr Doktor* Thalhammer a Garp—. Pero todo es superable si uno acopia la energía necesaria. ¡Somos capaces de aprender cualquier cosa que nuestra mente se decida a aprender! —concluyó de buen humor, en tanto le demostraba a Garp que podía escribir la prescripción con la mano derecha y con envidiable caligrafía.

Fue una cura sencilla e indolora. En tiempos de Jenny en el Boston Mercy, le habrían aplicado el tratamiento de Valentine y así habría aprendido, más aparatosamente, que no todos los chicos ricos son chicos limpios.

Tampoco le escribió a Helen sobre esta cuestión.

Su estado de ánimo decayó; la primavera avanzaba y la ciudad se abrió de muchas minúsculas maneras, como capullos. Pero Garp sentía que ya había recorrido todo lo que tenía que recorrer en Viena. Apenas lograba que su madre dejara de escribir el tiempo suficiente como para cenar con él. Cuando buscó a Charlotte, sus compañeras le informaron que estaba enferma y que hacía varias semanas que no trabajaba. Durante tres sábados consecutivos Garp no la encontró en el Naschmarkt. Una noche de mayo, cuando salió al encuentro de sus compañeras en la Kärntnerstrasse, éstas se mostraron reacias a hablar de Charlotte. La prostituta, cuya frente parecía marcada por el hueso de un melocotón, le dijo que Charlotte estaba enferma de lo que al principio creía. La joven de la edad de Garp, que tenía el labio defectuoso y algunos conocimientos de inglés, trató de explicarle de qué se trataba.

—Tiene enfermo el *sexo* —manifestó.

Curiosa manera de expresarlo, pensó Garp. No se sorprendió de que alguien pudiera enfermar del sexo, pero cuando sonrió, la joven prostituta que hablaba inglés frunció el ceño y se alejó.

—Tú no lo comprendes —observó la exuberante prostituta del hoyo en la frente—. Olvida a Charlotte.

Corría mediados de junio y Charlotte no había vuelto. Garp llamó a *Herr Doktor* Thalhammer y le preguntó dónde podía encontrarla.

—Dudo de que quiera ver a nadie —opinó Thalhammer—, aunque los seres humanos son capaces de adaptarse a cualquier cosa.

Muy cerca de Grinzing y de los bosques de Viena, en el distrito decimonoveno —al que las putas no frecuentan—, Viena parece una aldea que se imita a sí misma; en esos suburbios, muchas de las calles todavía son empedradas y crecen árboles en las aceras. Desconocedor de esa parte de la ciudad, en el *strassenbahn* n.º 38, Garp siguió más allá de la Grinzinger Allee; tuvo que volver hasta la esquina de Billrothstrasse y Rudolfinergasse, donde estaba el hospital.

El Rudolfinerhaus es un hospital privado en una ciudad de medicina socializada; sus viejas paredes de piedra tienen el mismo color amarillo María Teresa que el palacio de Schönbrunn, o el Alto y Bajo Belvedere. Sus jardines quedan encerrados en su propio patio interior y es tan caro como cualquier hospital de los Estados Unidos. Por ejemplo, el Rudolfinerhaus no proporciona pijamas a sus pacientes, ya que por lo general éstos prefieren usar su propia ropa. Los vieneses acomodados se dan el lujo de internarse en él —y también la mayoría de los extranjeros que temen la medicina socializada van a parar al Rudolfinerhaus, donde se sobresaltan al enterarse de los precios.

Cuando Garp visitó el hospital en junio, le pareció que estaba lleno de madres jóvenes y bonitas que acababan de dar a luz. Pero también estaba atestado de personas pudientes que acudían a curarse de graves dolencias y parcialmente lleno de personas pudientes —como Charlotte— que iban a morir allí.

Charlotte ocupaba una habitación individual porque, como decía, ahora no tenía ninguna razón para ahorrar. Garp supo que estaba agonizando en cuanto la vio. Había perdido cerca de quince kilos. El color de Charlotte era el del opaco hielo del salobre Steering River. No pareció sorprendida al ver a Garp, pero estaba tan drogada que Garp supuso que no se sorprendía por nada. Garp llevó una cesta con frutas; desde que se encontraban en la compra sabía lo que le gustaba comer a Charlotte, pero ahora le introducían un tubo en la garganta durante varias horas diarias, lo que la dejaba demasiado dolorida para tragar algo, salvo líquidos. Garp comió algunas cerezas mientras Charlotte enumeraba las partes del cuerpo que le habían extirpado. Sus órganos sexuales, le parecía, la mayor parte del tracto digestivo y algo que tenía que ver con el proceso de eliminación.

—Ah, y los pechos, creo —dijo.

El blanco de sus ojos era muy gris y pasó las manos por encima de su pecho, donde, halagada, imaginó que solían estar sus senos. A Garp le pareció que no se los habían quitado; bajo las sábanas, algo seguía ocupando su lugar. Pero luego pensó que Charlotte había sido una mujer tan encantadora que era capaz de mantener su cuerpo de tal manera que podía suscitar la *ilusión* de conservar los pechos.

—Gracias a Dios tengo dinero —suspiró Charlotte—. Esta es una residencia de clase A, ¿verdad?

Garp asintió. Al día siguiente le llevó una botella de vino; las costumbres del hospital eran muy tolerantes en cuanto al alcohol y a las visitas; tal vez ése era uno de los lujos que se pagaban.

—Aunque saliera, ¿qué podría hacer? —caviló Charlotte en voz alta—. Me quitaron el bolso.

Trató de beber un poco de vino y luego se quedó dormida. Garp le pidió a una auxiliar de enfermera que le explicara qué había querido decir Charlotte con el término «bolso», aunque creía saberlo. La auxiliar tenía la edad de Garp, alrededor de diecinueve años o menos, y se ruborizó y apartó la vista de él cuando tradujo la jerga: bolso era la expresión que utilizaban las prostitutas para nombrar la vagina.

—Gracias —dijo Garp.

En sus visitas a Charlotte, una o dos veces encontró a sus dos compañeras, que se mostraban tímidas e infantiles con Garp a la luz diurna de la soleada habitación de Charlotte. La joven que hablaba inglés se llamaba Wanga; se había cortado el labio de niña con un bote de mayonesa al correr desde la tienda hasta su casa.

—Íbamos a una excursión —explicó—, pero toda mi familia tuvo que venir conmigo al hospital.

La mujer más madura y mohína, con el hoyo en forma de hueso de melocotón en la frente y los pechos como dos melones, no se ofreció a explicar su *cicatriz*; era la famosa Tina, para quien nada era demasiado «raro».

En algunas ocasiones, Garp tropezaba en el hospital con *Herr Doktor* Thalhammer y cierta vez, en que coincidieron al salir, fueron juntos hasta el coche del médico.

—¿Quieres que te lleve? —le ofreció Thalhammer amablemente.

En el coche se encontraba una bonita estudiante a la que Thalhammer presentó como su hija. Hablaron tranquilamente acerca de *Die Vereinigten Staaten* y Thalhammer insistió en que no le causaba ninguna dificultad dejar a Garp en la puerta de su casa de la Schwindgasse. La hija de Thalhammer le recordó a Helen, pero Garp ni siquiera pensó en tratar de volver a verla; el hecho de que su padre le hubiera atendido recientemente a causa de una

143

gonorrea le parecía una dificultad insuperable, a pesar del optimismo de Thalhammer en el sentido de que la gente puede adaptarse a *cualquier* cosa. Garp dudaba de que Thalhammer se adaptara a eso.

A Garp, ahora, todo su entorno le parecía agonizante. Para él, los numerosos parques y jardines rezumaban decadencia, y el tema de los grandes pintores expuestos en los más famosos museos siempre era la muerte. Siempre había mutilados y ancianos en el *strassenbahn* n.º 38 que iba a Grinzinger Allee y las embriagadoras flores que rodeaban los senderos de ciruelos del patio del Rudolfinerhaus sólo le recordaban salas funerarias. Garp recordó las pensiones en que él y Jenny se habían hospedado a su llegada a Viena, más de un año atrás; los desteñidos y desiguales empapelados, las empolvadas chucherías, la porcelana desconchada, las bisagras que reclamaban aceite. «En la vida de un hombre», escribió Marco Aurelio, «su época sólo es un momento... su cuerpo, presa de los gusanos...»

La joven auxiliar de enfermera, a quien Garp había turbado preguntándole por el «bolso» de Charlotte, se mostraba cada vez más altanera con él. Un día en que llegó temprano, antes de la hora de las visitas, le preguntó con demasiada acritud qué relación tenía con Charlotte. ¿Era miembro de la familia? Ella había visto a las demás visitantes de Charlotte —sus llamativas compañeras— y suponía que Garp sólo era el viejo cliente de una puta.

—Es mi madre —afirmó Garp sin saber por qué, pero pudo apreciar la conmoción producida en la joven auxiliar y su posterior respeto.

—¿Qué les dijiste? —le susurró Charlotte pocos días más tarde—. Creen que eres mi *hijo*.

Garp confesó su mentira; Charlotte confesó que no había hecho nada por desmentirlo.

—Gracias —murmuró—. Es hermoso engañar a los cretinos. Se creen tan superiores —y recuperando su perdida y marchita impudicia, agregó—: Si todavía tengo el equipo, podrás hacerlo gratis una vez, o dos, a mitad de precio.

Garp se sintió conmovido y lloró delante de ella.

—No seas criatura —le dijo—. ¿Qué *soy* para ti, realmente?

Cuando Charlotte se durmió, él leyó en el gráfico del hospital que tenía cincuenta y un años.

Murió una semana después. Cuando Garp entró en su habitación, la encontró impecablemente limpia, con la cama sin sábanas y las ventanas abiertas de par en par. Cuando preguntó por ella, estaba a cargo del piso una enfermera a la que no reconoció, una gris solterona dura que movió la cabeza negativamente de un lado para otro.

—*Fräulein* Charlotte —insistió Garp—. Es paciente de *Herr Doktor* Thalhammer.

—Tiene muchos pacientes —respondió la dura solterona gris.

La enfermera se dignó consultar una lista, pero Garp ignoraba el verdadero nombre de Charlotte. Finalmente, encontró un solo modo de identificarla:

—La prostituta. Se trata de una prostituta.

La mujer gris lo contempló fríamente, si bien Garp no logró vislumbrar satisfacción en su expresión tampoco percibió compasión.

—La prostituta ha muerto —afirmó la vieja enfermera: quizá fue sólo su imaginación, pero Garp percibió cierto triunfo en su voz.

—Algún día, *meine Frau* —le dijo—, usted también morirá.

Y eso, pensó —mientras abandonaba el Rudolfinerhaus—, era algo adecuado y correcto para decir en Viena. Trágate esto, vieja ciudad gris, vieja puta muerta.

Aquella noche fue por primera vez a la ópera; con gran sorpresa descubrió que cantaban en italiano y, como no entendía una sola palabra, supuso que toda la representación era una especie de servicio religioso. Deambuló a altas horas de la noche hasta los iluminados chapiteles de San Esteban; la torre sur de la catedral, leyó en una placa, se había iniciado a mediados del siglo XIV y concluido en 1439. Viena, pensó Garp, era un cadáver; posiblemente toda Europa era un cadáver ataviado en un ataúd abierto. «En la vida de un hombre», escribió Marco Aurelio, «su época sólo es un momento... su fortuna, oscura...»

En ese estado de ánimo, Garp emprendió el camino de regreso a su casa por la Kärntnerstrasse, donde encontró a la famosa Tina. Su profundo hoyo, iluminado por el neón de las luces urbanas, adoptaba un tono azul verdoso.

—*Guten Abend, Herr* Garp —le saludó—. Te diré algo.

Tina explicó que Charlotte había hecho un regalo a Garp. El regalo consistía en que Garp podía acostarse con Tina y con Wanga; de una en una o juntas. Juntas, sugirió Tina, era más interesante... y más rápido. Pero quizá a Garp no le gustaran las dos. Garp reconoció que Wanda no le atraía; tenía casi su misma edad y, aunque no lo diría si ella estuviera presente, para no herir sus sentimientos, no le importaba en absoluto que el frasco de mayonesa le hubiera dejado el labio torcido.

—Entonces puedes acostarte dos veces conmigo —dijo Tina alegremente—. Una vez ahora y otra cuando hayas tenido tiempo de recuperar el aliento. Olvida a Charlotte.

La muerte es algo que le ocurre a todo el mundo, explicó Tina. Aun así, Garp rechazó amablemente su oferta.

—Bueno, es aquí. Ven cuando gustes.

Tina extendió las manos en forma de cuenco y sus palmas formaron una amplia bragueta para Garp; pero éste se limitó a sonreír y despedirse con una inclinación —al estilo vienés— y siguió su camino al encuentro de su madre.

Gozó del leve dolor que le embargaba. Disfrutó de su tonto rechazo, sospechando que más por lo que de Tina *imaginaba* que por el placer que habría obtenido de su carne vagamente gorda. El hoyuelo plateado de su frente era casi tan grande como su boca y a Garp le recordó una pequeña tumba abierta.

Lo que Garp saboreaba era el principio del codiciado trance del escritor, en que el mundo entero cae bajo un solo tono de voz que lo abarca. «Todo lo que es cuerpo es agua en tránsito», recordó Garp, «todo lo que es alma, sueños y nubes.» Corría julio cuando Garp volvió a trabajar en «La Pensión Grillparzer». Su madre estaba concluyendo los originales que pronto cambiarían la vida de ambos.

Era agosto cuando Jenny terminó su libro y anunció que estaba dispuesta a viajar, a ver al menos algo de Europa. Sugirió Grecia.

—Cojamos el tren hacia algún sitio —dijo—. Siempre quise viajar en el Oriente Express. ¿Adónde va?

—Creo que de París a Estambul —respondió Garp—. Pero cógelo *tú*, mamá. Yo tengo mucho trabajo.

Donde las dan las toman, tuvo que reconocer Jenny. Estaba tan hastiada de *Sexualmente sospechosa* que ni siquiera lo releyó para corregirlo. Ahora no sabía qué hacer con el original. ¿Iría a Nueva York y entregaría la historia de su vida a un extraño, así sencillamente? Hubiera querido que Garp lo leyera pero sabía que éste estaba sumido en una tarea propia y comprendió que no debía molestarle. Además, no estaba muy segura; gran parte de la historia de su vida era también la vida de *él* y pensó que su lectura podía perturbarle.

Garp trabajó en la conclusión de su cuento «La Pensión Grillparzer» durante todo agosto. Helen exasperada, escribió a Jenny. «¿Ha muerto Garp?» preguntó. «Le ruego me cuente los detalles.» Esa Helen Holm es una chica inteligente, pensó Jenny. La respuesta que Helen recibió superaba con mucho a la que esperaba. Jenny le envió una copia de su original de *Sexualmente sospechosa*, con una nota en que le explicaba que eso era lo que había estado haciendo durante ese año, y que ahora también Garp estaba escribiendo. Jenny le dijo que apreciaría su sincera opinión sobre el original. Tal vez, concluía Jenny, alguno de sus profesores supiera qué hacer con un libro terminado.

Cuando Garp no escribía, se relajaba yendo al zoológico, que se encontraba en los grandes terrenos y jardines que rodean el Schönbrunn Palace. A Garp le parecía que muchos de los edificios del zoológico eran ruinas de guerra —destruidas en sus tres cuartas partes— que habían sido parcialmente reconstruidas para albergar a los animales. Eso daba a Garp la extraña impresión de que el zoológico aún existía durante el período bélico de Viena, por lo que también se interesó por esa época. Cuando se acostaba leía relatos históricos muy concretos sobre Viena durante las ocupaciones nazi y rusa. Esto no dejaba de tener relación con los temas de muerte que obsesionaban su redacción de «La Pensión Grillparzer». Garp descubrió que, cuando se escribe algo, todo parece tener relación con todo lo demás. Viena estaba agonizando; el zoológico no se había recuperado de los daños de guerra tanto como los hogares en que vivía *gente*; la historia de una ciudad es como la historia de una familia: hay intimidad e incluso afecto, pero finalmente la muerte separa a todos de cada uno de los demás. Sólo la intensidad de la memoria mantiene al muerte vivo para siempre; la tarea del escritor consiste en imaginarlo todo de un modo tan personal que la ficción es tan vívida como nuestros recuerdos reales. Sintió los agujeros del fuego de las ametralladoras en las paredes de piedra del vestíbulo del apartamento de la Schwindgasse.

Ahora sabía qué significaba el sueño de la abuela.

Garp escribió a Helen: le decía que un joven escritor necesita desesperadamente vivir con alguien y que él había decidido que quería vivir con ella; incluso le ofreció *casarse* con ella, porque el sexo era sencillamente necesario, pero ocupaba demasiado tiempo si constantemente se tenía que *planear* la forma de satisfacerlo. En consecuencia, razónó Garp, era mejor tenerlo en casa.

Helen escribió, rompió y volvió a escribir varias cartas antes de enviarle una en que le decía que podía meterse su oferta en el culo, por así decirlo. ¿Acaso pensaba que ella estudiaba tan seriamente para poder proporcionarle un sexo que ni siquiera era necesario *planear*?

Garp no releyó la respuesta que le envió; le informó que estaba demasiado ocupado escribiendo para tomarse el tiempo de darle explicaciones; ella tendría que leer el fruto de su trabajo y juzgar por sí misma cuán serio era.

«No tengo la menor duda de que eres serio», respondió Helen. «Pero en este preciso momento tengo demasiado material de lectura.»

Helen no le contó que se refería a la obra de Jenny, *Sexualmente sospechosa*, original de 1.158 páginas. Aunque posteriormente Helen coincidiría con Garp en que no se trataba de una joya literaria, tuvo que reconocer que era una obra muy convincente.

Mientras Garp daba los toques finales a su mucho más breve relato, Jenny Fields tramó su próximo movimiento. En su impaciencia, había comprado una revista norteamericana en un gran quiosco de Viena; en ella leyó que el osado director neoyorquino de una famosa editorial acaba de rechazar un manuscrito presentado por un infame ex miembro del gobierno que había sido condenado por robar dinero del erario público. El libro era una «ficción» apenas disfrazada de los sórdidos y míseros pactos políticos del delincuente. «Es una novela despreciable», decía el director. «Ese hombre no sabe escribir. ¿Por qué habría de ganar dinero con su execrable historia?» Naturalmente, el libro lo publicó otra editorial y proporcionó a su despreciable autor y al editor montañas de dinero. «A veces siento que tengo la responsabilidad de decir no», decía el editor, «aunque sé que a la gente *le gusta* leer semejante basura.» Finalmente, semejante basura la comentarían varios críticos serios, como si fuera un libro serio, pero Jenny se sintió muy impresionada por el director que había dicho no y recortó el artículo. Trazó un círculo alrededor del nombre del editor, un nombre sencillo, casi como el de un actor o el de un animal en un libro para niños: John Wolf*. En la revista aparecía una fotografía de John Wolf; daba la impresión de ser un hombre que cuidaba su aspecto e iba muy bien vestido; era semejante a una multitud de personas que trabajan y viven en Nueva York, donde los buenos negocios y el buen sentido sugieren que es *mejor* cuidar el propio aspecto y vestirse lo mejor posible, pero a Jenny Fields le pareció un ángel. Estaba segura de que sería *su* editor. Tenía la certeza de que *su* vida *no* era «despreciable» y de que John Wolf creería que merecía obtener dinero de ella.

Garp tenía otras esperanzas para «La Pensión Grillparzer». Jamás obtendría de ella mucho dinero y aparecería por primera vez en una revista «seria» donde casi nadie lo leería. Años después, cuando fuera más conocido, volverían a publicarlo prestándole mayor atención y se escribirían varias críticas elogiosas, pero «La Pensión Grillparzer» no le daría, en vida, suficiente dinero para comprar un buen coche. No obstante, Garp esperaba algo más que dinero o elogios de «La Pensión Grillparzer». Esperaba, sencillamente, conseguir que Helen Holm viviera con él, incluso que se casara con él.

Cuando terminó «La Pensión Grillparzer», Garp anunció a su madre que quería volver a casa y ver a Helen; le enviaría una copia del cuento, y ella ya lo habría leído a su llegada a los Esta-

* *Wolf*, en inglés, es «lobo». (N. de la T.)

148

dos Unidos. Pobre Helen, pensó Jenny; sabía que Helen tenía mucho material de lectura. A Jenny también la preocupó el modo en que Garp se refirió a Steering como «su casa»; pero tenía razones personales para querer ver a Helen, y a Ernie Holm no le molestaría tenerlos de huéspedes unos días. Además, siempre estaba la mansión paterna de Dog's Head Harbor, si es que necesitaban un lugar para recuperarse o para trazar nuevos planes.

Garp y Jenny eran personas tan singularmente obsesionadas que no se detuvieron a preguntarse por qué habían visto tan poco de Europa y ahora decidían marcharse. Jenny guardó en las maletas sus uniformes de enfermera. En la mente de Garp sólo quedaban los favores que Charlotte había dejado en manos de Tina.

La imaginación de esos favores había sustentado a Garp durante la elaboración de «La Pensión Grillparzer», pero, como descubriría a lo largo de su vida, las exigencias de la vida real y las del trabajo del escritor no son siempre similares. Su imaginación le sustentó mientras escribía; ahora que había dejado de hacerlo, deseaba a Tina. Fue a buscarla a la Kärntnerstrasse, pero la prostituta del frasco de mayonesa, que hablaba inglés, le dijo que Tina ya no estaba en el distrito primero.

—Así es la vida —declaró Wanga—. Olvida a Tina.

Garp descubrió que *podía* olvidarla; la lujuria, como la llamaba su madre, era engañosa en ese sentido. Y el tiempo, descubrió, había mitigado su disgusto por el labio torcido de Wanga; repentinamente le gustó. De modo que se acostó dos veces con ella y, como descubriría a lo largo de su vida, casi todo parece decepcionante después de que un escritor ha terminado de escribir algo.

Garp y Jenny habían vivido quince meses en Viena. Corría el mes de septiembre. Garp y Helen sólo tenían diecinueve años y pronto Helen volvería a la universidad. El avión voló de Viena a Frankfurt. El leve hormigueo (que era Wanga) abandonó inmediatamente la carne de Garp. Cuando pensaba en Charlotte, imaginaba que ella había sido feliz. A fin de cuentas, jamás había tenido que dejar el distrito primero.

El avión voló de Frankfurt a Londres; Garp releyo «La Pensión Grillparzer»y abrigó la esperanza de que Helen no lo rechazaría. Entre Londres y Nueva York, Jenny leyó el cuento de su hijo. En términos de lo que *ella* había estado haciendo durante un año, el relato de Garp la impresionó como bastante irreal. Pero nunca había sido demasiado aficionada a la literatura y se maravilló de la inventiva de su hijo. Más tarde diría que «La Pensión Grillparzer» era el tipo de relato que cabía esperar de un muchacho que carecía de una familia propiamente dicha.

Quizá, era así. Más tarde Helen diría que, en el final de «La Pensión Grillparzer», es donde se puede vislumbrar cómo sería el mundo según Garp.

LA PENSION GRILLPARZER (FINAL)

En la sala del desayuno de la Pensión Grillparzer encontramos a Herr Theobald con la troupe de huéspedes que habían perturbado nuestra noche. Yo sabía que (más que nunca) mi padre pensaba revelar su condición de espía del Departamento de Turismo.

—Aquí hay hombres que caminan con las manos —afirmó mi padre.

—Y hay hombres que espían por debajo de la puerta del W.C. —dijo la abuela.

—Ese hombre —dije, y señalé al tipo menudo y taciturno de la mesa del rincón, sentado con su cohorte: el hombre de los sueños y el cantante húngaro.

—Lo hace para ganarse la vida —explicó Herr Theobald.

Como si quisiera demostrar que era verdad, el hombre que caminaba con las manos empezó a ponerse patas arriba.

—Dígale que deje de hacer eso —ordenó papá—. Sabemos que puede hacerlo.

—¿Pero sabían que no puede hacerlo de ninguna otra manera? —inquirió repentinamente el hombre de los sueños—. ¿Sabían que sus piernas son inútiles? No tiene espinillas. ¡Es «maravilloso» que pueda caminar con las manos! De lo contrario, no podría caminar.

El hombre, aunque era evidentemente difícil hacerlo patas arriba, movió la cabeza afirmativamente.

—Por favor, siéntese —rogó mamá.

—Es perfectamente correcto ser mutilado —apuntó enérgicamente la abuela—. Pero usted es un maligno —dijo al hombre de los sueños—. Sabe cosas que no tiene derecho a saber. Conocía mi sueño —comunicó a Herr Theobald, como si le estuviera informando de un robo ocurrido en su habitación.

—Es un «poco» maligno, lo sé —admitió Theobald—. ¡Pero no siempre! Además, cada vez se comporta mejor. No puede evitar saber lo que sabe.

—Sólo estaba tratando de que usted viera claro —dijo el hombre de los sueños a la abuela—. Creí que le haría bien. A fin de cuentas, su marido murió hace mucho tiempo y ya es hora de que deje de estar tan afectada por ese sueño. Usted no es la única persona que lo ha tenido.

—¡Basta! —exclamó la abuela.

—Bueno, tiene que saberlo —insistió el hombre de los sueños.

150

—No, cállate, por favor —le pidió Herr Theobald.

—Pertenezco al Departamento de Turismo —anunció papá, probablemente porque no se le ocurrió otra cosa.

—¡Caray! —exclamó Herr Theobald, impresionado.

—Theobald no tiene la culpa —intervino el cantante—. La culpa es nuestra. Es bondadoso con nosotros, aunque le cueste la reputación.

—Se casaron con mi hermana —dijo Theobald—. Son de la familia, ¿comprenden? ¿Qué puedo hacer?

—¿Se casaron con su hermana? —se extrañó mamá.

—Bueno, primero se casó conmigo —dijo el cantante.

—Nunca estuvo casada con el otro —explicó Theobald y todos miraron compasivamente el hombre que sólo podía caminar con las manos.

—En otros tiempos hacían un número de circo, pero la política les creó problemas.

—Eramos los mejores de Hungría —se jactó el cantante—. ¿Oyeron hablar del Circo Szolnok?

—No, lo siento pero no lo hemos oído nombrar —respondió papá seriamente.

—Actuamos en Miskolc, en Szeged, en Debrecen —informó el hombre de los sueños.

—Dos veces en Szeged —aclaró el cantante.

—¡Habríamos llegado a Budapest de no haber sido por los rusos! —agregó el hombre que caminaba con las manos.

—¡Sí, fueron los rusos quienes le extirparon las espinillas! —dijo el hombre de los sueños.

—Di la verdad —sugirió el cantante—. Nació sin espinillas. Pero es cierto que no pudimos entendernos con los rusos.

—Intentaron meter preso al oso —dijo el hombre de los sueños.

—Di la verdad —insistió Theobald.

—Les quitamos a su hermana de las manos —dijo el hombre que caminaba con las manos.

—En consecuencia, tengo que alojarlos —explicó Herr Theobald—, y ellos trabajan todo cuanto pueden. ¿Pero quién se interesa por su espectáculo en este país? Es algo específicamente húngaro. Aquí no hay tradición de osos en bicicletas de una rueda. Además, los sueños no significan nada para nosotros, los vieneses.

—Di la verdad —le interrumpió el hombre de los sueños—. Eso se debe a que he contado los sueños que no debía. Trabajábamos en un club nocturno de la Kärntnerstrasse, pero nos despidieron.

—Nunca tendrías que haber contado aquel sueño —se lamentó el cantante.

—¡También fue responsabilidad de tu mujer! —le acusó el hombre de los sueños.

151

—Por aquel entonces era tu mujer —aclaró el cantante.

—Por favor, basta —imploró Theobald.

—Nos dedicamos a hacer funciones para niños enfermos —prosiguió el hombre de los sueños—. Visitamos algunos de los hospitales estatales, especialmente en Navidad.

—Si hiciérais algo más con el oso... —sugirió Herr Theobald.

—De eso habla con tu hermana —insinuó el cantante—. Es su oso... ella lo ha adiestrado, ella le ha permitido volverse perezoso, torpe y plagado de malas costumbres.

—Es el único de vosotros que nunca se ríe de mí —dijo el hombre que sólo podía caminar con las manos.

—Quisiera terminar con todo esto —intervino la abuela—. Para mí, todo esto es espantoso.

—Por favor, querida señora —dijo Herr Theobald—, sólo queríamos demostrarles que no teníamos intención de molestarles. Corren tiempos difíciles. Necesito la clasificación B para atraer a más turistas y no puedo, desde el fondo de mi alma, echar el Circo Szolnok.

—Desde el fondo del alma, su culo —exclamó el hombre de los sueños—. Le tiene miedo a la hermana. Ni sueña con echarnos.

—¡Si lo soñara, lo sabrías! —gritó el hombre que caminaba con las manos..

—Le tengo miedo al oso —se quejó Herr Theobald—. Esa bestia hace todo lo que ella le dice.

—No le llames bestia, llámalo él —dijo el hombre que caminaba con las manos—. Es un oso muy fino y jamás hizo daño a nadie. Sabes perfectamente bien que no tiene garras... ni muchos de los dientes.

—Al pobrecillo le cuesta comer —reconoció Herr Theobald—. Es bastante viejo y está cansado.

Miré por encima del hombro de papá y vi que escribía en su gigantesco bloc: «Un oso deprimido y un circo en paro. La familia se centra en la hermana».

En ese momento vi que la mujer atendía a su oso en la acera. Era por la mañana temprano, y la calle no estaba demasiado concurrida. En cumplimiento de la ley, tenía al oso sujeto con una traílla, pero ése era un control simbólico. Con su deslumbrante turbante rojo, la mujer iba y venía por la acera, siguiendo los apáticos movimientos del oso en su vehículo. El animal pedaleaba de parquímetro en parquímetro y a veces apoyaba una pata en uno de ellos para dar la vuelta. Evidentemente era muy hábil con aquel vehículo, pero también estaba claro que era un callejón sin salida para él. Obviamente, el oso sabía que no podía ir muy lejos pedaleando.

—Ahora tendría que sacarlo de la calle —se impacientó Herr Theobald—. La gente de la pastelería de al lado se queja —nos dijo—. Dicen que el oso aleja a sus clientes.

—¡Ese oso atrae a los clientes! —intervino el hombre que caminaba con las manos.

—Atrae a algunos y aleja a otros —aclaró el hombre de los sueños y se volvió repentinamente sombrío, como si su profundidad le hubiera deprimido.

Pero estábamos tan absorbidos por las bufonadas del Circo Szolnok que habíamos descuidado a la vieja Johanna. Cuando mi madre descubrió que la abuela lloraba en silencio, me pidió que buscara el coche.

—Ha sido demasiado para ella —le susurró mi padre a Herr Theobald.

El Circo Szolnok pareció avergonzado de sí mismo.

En la acera, el oso pedaleó en mi dirección y me alcanzó las llaves; el coche estaba aparcado junto al bordillo.

—No a todos les gusta que les den las llaves de esa manera —recriminó Herr Theobald a su hermana.

—Pensé que a él le gustaría —dijo la mujer y me revolvió el pelo..

La hermana de Herr Theobald era atractiva como una camarera de club nocturno, lo que significa que era más atractiva por la noche; a la luz del día vi que era más vieja que su hermano y también que sus maridos, y con el tiempo, supuse, dejaría de ser amante y hermana y se convertiría en madre de todos. Ya lo era del oso.

—Ven aquí —ordenó al oso.

Duna pedaleó indolentemente sin moverse de su lugar, apoyado en un parquímetro. Lamió la superficie del cristal del contador. La mujer tiró de la traílla. El le clavó la mirada. Ella volvió a tirar. Con insolencia, el oso volvió a pedalear, primero hacia atrás y luego hacia adelante. Parecía interesado al ver que tenía público. Comenzó a exhibirse.

—No intentes nada —le ordenó la mujer.

Pero el oso pedaleó cada vez más rápido, avanzando y retrocediendo, serpenteando y virando entre los parquímetros; la hermana tuvo que soltar la traílla.

—¡Duna, basta! —gritó, pero el oso ya estaba fuera de control.

Duna dejó que la rueda pasara demasiado cerca del bordillo y el vehículo le arrojó violentamente contra el parachoques de un auto aparcado. Se sentó en la acera con el vehículo a su lado; era evidente que no estaba herido, pero parecía anonadado y nadie rió.

—¡Oh, Duna! —le regañó tiernamente su ama, que se acercó al bordillo y se agachó junto a él—. Duna, Duna... —repitió su nombre cariñosamente.

El oso sacudió su enorme cabeza y no quiso mirarla. Tenía saliva sobre la piel cercana a la boca y la mujer se la limpió con la mano. Duna apartó la mano con una pata.

—¡*Vuelvan!* —nos gritó Herr Theobald con tono desdichado mientras subíamos al coche.

Mamá se sentó con los ojos cerrados y empezó a frotarse las sienes con los dedos; de esta forma no parecía oír nada de lo que decíamos. Afirmaba que era su única defensa durante los viajes con tan pendenciera familia.

No quise informar sobre la cuestión habitual respecto al cuentakilómetros del coche, pero vi que papá trataba de mantener el orden y la serenidad; tenía el gigantesco bloc extendido sobre el regazo, como si acabáramos de concluir una investigación de trámite.

—¿Qué nos dice el cuentakilómetros? —me apremió.

—Alguien anduvo treinta y cinco kilómetros —informé.

—Ese oso espantoso estuvo aquí —declaró la abuela—. Hay pelos de esa bestia en el asiento trasero, lo huelo.

—Yo no huelo nada —aseguró papá.

—¡Y el perfume de esa gitana del turbante! —insistió la abuela—. Flota cerca del techo del coche.

Papá y yo olfateamos. Mamá continuó frotándose las sienes. En el suelo, junto a los pedales del freno y del embrague, vi algunos mondadientes de color menta, de los que el cantante húngaro tenía la costumbre de llevar como una cicatriz en la comisura de los labios. No los mencioné. Era suficiente imaginarlos a todos... paseando por la ciudad en nuestro coche. El cantante conducía, el hombre que caminaba con las manos iba a su lado, saludando por la ventanilla con los pies. En el asiento de atrás, separando al hombre de los sueños de su ex esposa —frotando con la enorme cabeza el tapizado del techo y las magulladas patas apoyadas en su propio regazo—, iba el viejo oso, desgarbado como un borracho indefenso.

—Esa pobre gente... —comentó mamá, con los ojos todavía cerrados.

—Mentirosos y delincuentes —opinó la abuela—. Visionarios y refugiados con animales agotados.

—Se esforzaron, pero no lograron nada —se apenó papá.

—Estarían menor en un zoológico —observó Johanna.

—Yo lo pasé muy bien —dijo Robo.

—Es difícil salir de la clase C —reflexioné.

—Han caído más allá de la Z —dictaminó Johanna—. Han desaparecido del alfabeto humano.

—Opino que esto exige una carta —concluyó mamá.

Papá levantó la mano —como si fuera a impartirnos la bendición— y todos guardamos silencio. Estaba escribiendo en su bloc y no quería que le molestaran. Su expresión era grave. Yo sabía que la abuela confiaba en su veredicto. Mamá sabía que era inútil discutir. *Robo* ya se había aburrido. Conduje a través de las callejuelas; cogí la Spiegelgasse en dirección a la Lobkowitzplatz. La Spiegelgasse es tan estrecha que es posible ver el reflejo del coche en los escaparates de las tiendas y sentí que nuestros movimientos a través de Viena se superponían en un truco de cámara cinematográfica, como si estuviéramos haciendo un viaje de cuento de hadas por una ciudad de juguete.

Cuando la abuela se quedó dormida en el coche, mamá comentó:

—No creo que en este caso un cambio de categoría importe demasiado, en un sentido u otro.

—No —coincidió papá—, no demasiado.

Tenían razón, pero pasarían muchos años antes de que yo visitara la Pensión Grillparzer otra vez.

Cuando la abuela murió —repentinamente, mientras dormía—, mamá anunció que estaba harta de viajar. La verdadera razón, sin embargo, era que había empezado a verse acosada por el sueño de Johanna.

—Los caballos están tan delgados —me dijo una vez—. Siempre supe que tenían que estar delgados, pero no tanto. Y los soldados... sabía que eran desdichados, pero no tanto.

Papá renuncio a su puesto en el Departamento de Turismo y encontró trabajo en una agencia de detectives local, especializada en hoteles y grandes tiendas. Para él era un trabajo satisfactorio, aunque se negaba a trabajar durante las Pascuas: opinaba que a la gente debía permitírsele robar un poco en esas fechas.

Me pareció que mis padres se apaciguaban a medida que envejecían y sentí que eran realmente felices cerca del final. Sé que la fuerza del sueño de la abuela se atenuó gracias al mundo real y, concretamente, por lo que le ocurrió a *Robo*. Iba a una escuela privada, donde le querían mucho, pero le mató una bomba casera en su primer año de universidad. Ni siquiera era un «político». En su última carta a mis padres, escribió: «Se exagera la importancia de las facciones revolucionarias entre los estudiantes. Y la comida es execrable». Al terminar la carta, *Robo* fue a su clase de historia y el aula voló en pedazos.

Tras la muerte de mis padres, dejé de fumar y empecé a viajar otra vez. Llevé a mi segunda esposa a la Pensión Grillparzer. Con la primera nunca llegué a Viena.

La Grillparzer no había mantenido demasiado tiempo la clasificación B de papá y, cuando regresé a ella, estaba fuera de toda categoría. La hermana de Herr Theobald regentaba la pensión. Había desaparecido su atractivo de mujer de bandera y, en su lugar, sólo quedaba el cinismo asexuado propio de algunas tías vírgenes. Tenía un cuerpo informe y se había teñido el pelo de una especie de color bronce, de modo que su cabeza parecía un estropajo de cobre de los que se usan para fregar cacerolas. No me recordaba, y mis preguntas despertaron sus sospechas. Como yo parecía saber tanto acerca de sus antiguos socios, probablemente temía que fuera policía.

El cantante húngaro no estaba allí: otra mujer se había estremecido al oír su voz. Al hombre de los sueños se lo habían llevado... a una Institución. Sus propios sueños se habían convertido en pesadillas y todas las noches despertaba a los huéspedes de la pensión con sus horripilantes aullidos. Su retiro del sórdido alojamiento, dijo la hermana de Herr Theobald, fue casi simultáneo a la pérdida de la categoría B.

Herr Theobald había muerto. Apretándose el corazón, había caído en el vestíbulo una noche en que se aventuró a investigar lo que creía era un ladrón. Sólo se trataba de Duna, el oso revoltoso, que iba vestido con el traje a rayas del hombre de los sueños. La hermana de Theobald no me explicó por qué había vestido así al oso, pero el impacto producido por el taciturno animal pedaleando en su vehículo con las ropas del lunático fue suficiente para que Herr Theobald muriera de miedo.

El hombre que sólo podía caminar con las manos también había sufrido graves contratiempos. Se había enganchado el reloj de pulsera en el rastrillo de una escalera móvil y no logró saltar; la corbata —que rara vez usaba porque arrastraba por el suelo cuando andaba— se atascó bajo la parrilla del peldaño del extremo de la escalera y murió estrangulado. Detrás de él se formó una fila de personas que marchaban en su lugar dando un paso atrás, dejando que la escalera los llevara hacia adelante y retrocediendo otro paso. Transcurrió un rato hasta que alguien tuvo el valor de pasar por encima de él. El mundo tiene muchos mecanismos crueles, sin propósito deliberado, que no se han diseñado para personas que caminan con las manos.

Después, me contó la hermana de Theobald, la Pensión Grillparzer pasó de la categoría C a otra mucho peor. Como el peso de la dirección cayó sobre ella, tuvo mucho menos tiempo para dedicar a Duna, y el oso se volvió senil e indecente. En una ocasión intimidó a un cartero y lo obligó a bajar una escalera de mármol a un ritmo tan veloz que el hombre cayó y se rompió la cadera; el cartero denunció la agresión y se puso en vigor una antigua ordenanza que prohibía la permanencia de animales sueltos en lugares abiertos al público. Duna fue desterrado de la Pensión Grillparzer.

La hermana de Theobald mantuvo al oso durante un tiempo en una jaula del patio del edificio, pero se burlaban de él perros *y niños, y desde los apartamentos que daban al patio le arrojaban comida (y cosas peores) a la jaula. Se volvió insoportable y taimado; mientras fingía dormir se comió más de un gato. Luego le envenenaron dos veces y empezó a tener miedo a comer en tan peligroso entorno. No hubo otra posibilidad que regalarlo al Schönbrunn Zoo, pero hubo incluso dudas en cuanto a su aceptación. Estaba desdentado y enfermo —tal vez era contagioso— y el haber sido tratado como un ser humano durante tanto tiempo no le había preparado para el ritmo más apacible de la vida en el zoológico.*

El hecho de dormir al aire libre en el patio de la Pensión Grillparzer había avivado su reumatismo e incluso su única habilidad, la de pedalear en aquel vehículo, fue irrecuperable. La primera vez que lo intentó en el zoológico se cayó. Alguién rió. Cuando alguien se reía de algo que hacía Duna, me explicó la hermana de Theobald, aquél jamás volvía a hacerlo. Finalmente se convirtió en una especie de caso de caridad en el Schönbrunn, donde murió apenas dos meses después de ingresar. La hermana de Theobald opinaba que Duna había muerto de humillación —como consecuencia de una erupción que se extendió por su pecho, tuvieron que afeitarle. Un oso afeitado, dijo un empleado del zoológico, es humillado a muerte.

En el frío patio del edificio observé la jaula vacía del oso. Los pájaros no habían dejado una sola semilla, pero en un rincón de la jaula asomaba un montículo informe de excrementos osificados del oso, como un vacío de vida e incluso de olor, como los cadáveres capturados por el holocausto de Pompeya. No pude dejar de pensar en Robo: del oso quedaban más restos.

En el coche me sentí más deprimido al comprobar que no le habían sumado ni un solo kilómetro: nadie lo había conducido en secreto. Ya no había allí nadie que se tomara libertades.

—Cuando estemos a buena distancia de tu preciosa Pensión Grillparzer —me dijo mi segunda esposa—, me gustaría que me dijeras por qué me llevaste a un lugar tan sórdido.

—Es una larga historia —repliqué.

Estaba pensando que había notado una curiosa falta de entusiasmo o de amargura en el informe que del mundo hizo la hermana de Theobald. En su relato privaba lo chato —que uno relaciona con un cuentista que acepta los finales desdichados—, como si su propia vida y la de sus compañeros nunca hubieran sido exóticas para ella, como si siempre hubieran estado representando una obra absurda y condenada de antemano, en un esfuerzo para la nueva clasificación.

Más lujuria

Entonces ella se casó con él: hizo lo que le pedía. A Helen le pareció que, para empezar, era un buen cuento. Al viejo Tinch también le gustó. «Está pletórico de lo-lo-cura y tristeza», le dijo a Garp. Tinch le recomendó que enviara «La Pensión Grillparzer» a su revista predilecta. Garp aguardó tres meses la siguiente respuesta:

«El cuento es poco interesante y no dice nada nuevo en cuanto a la forma o al lenguaje. De cualquier modo, gracias por habérnoslo enviado».

Garp se sintió desconcertado y le mostró la carta a Tinch. Este también se desconcertó.

—Supongo que están interesados en una narración más nu-nu-nueva —observó Tinch.

—¿Qué significa una narración más nueva? —preguntó Garp. Tinch reconoció que, en realidad, no lo sabía.

—Su-su-pongo que la nueva narrativa se interesa por la for-forma y el lenguaje —aclaró el maestro—. Pero, en realidad, no comprendo de qué se trata. A veces se re-refiere a sí misma, creo.

—¿A sí misma? —inquirió Garp.

—Es una especie de narración acerca de la narración —concluyó Tinch.

Garp siguió sin comprender, pero lo que le importó fue que a Helen le gustó el cuento.

Casi quince años más tarde, cuando Garp publicó su tercera novela, el mismo director de la revista favorita de Tinch le escribió una carta. El contenido era muy elogioso para Garp y para su obra, y en ella el director le pedía que enviara cualquier cosa *nueva* que hubiera escrito. Pero T. S. Garp tenía una memoria privilegiada y la indignación de un tejón. Encontró la vieja nota de rechazo según la cual su cuento sobre la Pensión Grillparzer era «poco interesante»; el papel estaba lleno de manchas de café y había sido doblado tantas veces que estaba roto en los dobleces,

159

pero Garp lo adjuntó a una carta dirigida al director de la revista favorita de Tinch. La carta de Garp decía:

«Me interesa poco su revista y sigo sin hacer nada nuevo con respecto al lenguaje o a la forma. De cualquier manera, gracias por habérmelo pedido».

Garp tenía un ego obstinado que se desviaba de su camino para recordar agravios y rechazos referentes a su obra. Para Helen fue una suerte tener un ego feroz, porque, si no se hubiera tenido en alta estima a sí misma, habría terminado odiándole. Tal como ocurrieron las cosas, ambos tuvieron suerte. Muchas parejas viven juntas y descubren que no están enamoradas; algunas jamás lo descubren. Otras se casan y la novedad los invade en momentos difíciles de su vida. En el caso de Garp y Helen, apenas se conocían pero se guiaron por los presentimientos y, a su manera deliberada y tenaz, se enamoraron mutuamente después de casarse.

Quizás por estar tan ocupados con sus propias carreras, no analizaron demasiado su relación. Helen se licenció en la universidad dos años después de empezar los estudios y obtuvo el doctorado en literatura inglesa a los veintitrés años; ingresó en su primer empleo —como profesora adjunta en una facultad de mujeres— a los veinticuatro años. A Garp le llevaría cinco años concluir su primera novela, pero sería buena y le proporcionaría una reputación favorable para un joven escritor, aunque no le daría ningún dinero. Para entonces, era Helen la que ganaba por los dos. Y cuando Helen estudiaba y Garp escribía, Jenny se ocupaba de mantenerlos.

El libro de Jenny impresionó más a Helen —cuando lo leyó por primera vez— que a Garp, quien a fin de cuentas, había vivido con su madre y no se sorprendía de sus excentricidades que para él habían llegado a ser lugares comunes. No obstante, a Garp le impresionó el éxito de la obra. No había contado con convertirse en una figura pública, un personaje protagonista del libro de otro antes de haber escrito uno suyo.

El editor John Wolf jamás olvidaría el día en que conoció a Jenny Fields en su despacho.

—Una enfermera quiere verle —anunció su secretaria y puso los ojos en blanco como si eso lo explicara todo.

John Wolf y su secretaria no podían saber que el original de 1.158 páginas mecanografiadas era lo que volvía tan pesada la maleta de Jenny.

—Se refiere a mí —explicó a John Wolf mientras abría la maleta y apoyaba el mamotreto encima del escritorio—. ¿Cuándo puede leerlo?

A John Wolf le dio la impresión de que la mujer tenía la intención de permanecer en su despacho *mientras* lo leyera. Echó un vistazo a la primera frase («En este mundo de cochina mentalidad...») y pensó: ¡Oh!, ¿cómo me libro de *ésta*?

Naturalmente, después se sintió sobrecogido por el pánico cuando no encontró un número de teléfono adonde llamarla; cuando quiso decirle que ¡sí!, que publicarían *eso*. John Wolf no podía saber que Jenny Fields era huésped de Ernie Holm en la Steering, donde ella y Ernie hablaban por la noche, todas las noches (la habitual inquietud paterna cuando los progenitores descubren que sus hijos de diecinueve años piensan casarse).

—¿Adónde pueden ir todas las noches? —se asombró Jenny—. No vuelven hasta las dos o tres de la madrugada y anoche llovía. Diluvió toda la noche y ni siquiera tienen auto.

Iban a la sala de lucha. Por supuesto, Helen tenía una llave. Y una colchoneta de lucha era para ellos tan cómoda y familiar como cualquier cama, además de ser mucho mayor.

—Dicen que quieren tener hijos —se quejó Ernie—. Helen tendría que terminar antes sus estudios.

—Garp nunca pondrá punto final a un libro si tiene hijos —vaticinó Jenny: estaba pensando que ella había tenido que esperar dieciocho años para *empezar* el suyo.

—Los dos son muy trabajadores —comentó Ernie para tranquilizarse a sí mismo y a Jenny.

—*Tendrán* que serlo —respondió Jenny.

—No sé por qué no se van a vivir juntos —sugirió Ernie— y, si marcha, que se casen *después*, que tengan un bebé *después*.

—Yo no entiendo por qué razón puede alguien querer vivir con alguien —razonó Jenny Fields.

—Bien, a ti te gusta que Garp viva contigo —le recordó Ernie un tanto dolido— y a mí me gusta que Helen viva conmigo. Realmente la echo de menos cuando está en la escuela.

—Es la *lujuria* —declaró Jenny con tono cáustico—. El mundo está enfermo de lujuria.

Ernie se preocupó por ella: ignoraba que estaba a punto de volverse rica y famosa para siempre.

—¿Quieres una cerveza? —la invitó.

—No, gracias.

—Son buenos chicos —recalcó Ernie.

—Pero al final la lujuria los atrapa a todos —decretó Jenny Fields con tono taciturno.

Ernie Holm entró en silencio en la cocina y abrió otra cerveza para él.

El capítulo de *Sexualmente sospechosa* dedicado a la «lujuria» fue el que fastidió especialmente a Garp. Una cosa era ser un célebre hijo extramatrimonial y otra ser una célebre historia clínica de necesidad adolescente: su rijosidad privada se convirtió en un cuento popular. A Helen le pareció muy divertido, aunque confesó que no comprendía su atracción por las putas.

«La lujuria hace que el mejor de los hombres se desvíe de su camino», escribió Jenny Fields, en un párrafo que enfureció especialmente a Garp.

—¿Qué demonios sabe *ella* de eso? —gritó—. Jamás la sintió, ni una sola vez en su vida. ¡Vaya autoridad! Es como prestar atención a una planta que describe las motivaciones de un mamífero.

Pero otros críticos fueron más considerados con Jenny; aunque algunos de los periódicos más serios criticaron su obra, los medios de comunicación de masas, en general, la comentaron elogiosamente. «La primera autobiografía auténticamente feminista, tan dispuesta a celebrar un tipo de vida como a degradar otro», escribió alguien. «Esta obra valiente hace la importante afirmación de que una mujer puede llevar una vida plena sin vínculos sexuales de *ningún* tipo», escribió otro.

—En estos tiempos— había advertido John Wolf a Jenny—, la interpretarán como la voz correcta en el momento o la impugnarán como absolutamente equivocada.

La tomaron como la voz correcta en el momento, pero Jenny Fields, sentada pulcramente con su uniforme de enfermera —en el restaurante adonde John Wolf sólo llevaba a sus autores favoritos—, se sintió incómoda ante la palabra *feminismo*. No estaba segura de qué significaba, pero el *término* le recordaba la higiene femenina y el tratamiento de Valentine. Al fin y al cabo, su preparación formal había sido la enfermería. Dijo tímidamente que sólo creía haber tomado la decisión acertada acerca de la forma de vivir su propia vida y, dado que no había sido una elección popular, se sintió obligada a decir algo para defenderla. Paradójicamente, una multitud de jóvenes de la Florida State University de Tallhassee consideraron *muy* popular la elección de Jenny: originaron una pequeña controversia tramando sus propios embarazos. Durante un tiempo, en Nueva York, este síndrome entre las mujeres —al igual que los hombres— tomaron decisiones conscientes con respecto al curso de sus vidas; si eso la convertía en una feminista, dijo, suponía que lo era.

A John Wolf le gustaba mucho Jenny Fields e hizo todo lo posible por advertirle que no debía tratar de interpretar los ataques ni las alabanzas que recibiera su obra. Jenny nunca comprendió plenamente cuán «político» podía ser un libro, o cómo podía ser utilizado en tal sentido.

«Estudié para ser enfermera», dijo más adelante, en una de sus desconcertantes entrevistas. «La enfermería fue lo primero a que me dediqué y lo primero que quise hacer en la vida. Me parecía, sencillamente, una profesión muy práctica para una persona sana —y yo siempre he sido sana— que podía ayudar a la gente que no lo estaba o que no podía ayudarse a sí misma. Creo que también fue con ese espíritu, sencillamente, con el que quise escribir un libro.»

Garp opinaba que su madre nunca dejó de ser enfermera. Le había hecho de enfermera en la Steering School; había sido la perseverante comadrona de la extraña historia de su vida; finalmente, se convirtió en una especie de enfermera de mujeres con problemas. Se convirtió en una figura de notoria fortaleza; las mujeres buscaban su consejo. Con el repentino éxito de *Sexualmente sospechosa*, Jenny Fields descubrió una nación de mujeres que se enfrentaban con la elección de una forma de vida; esas mujeres se sintieron estimuladas por el propio ejemplo de Jenny para tomar decisiones impopulares.

Podría haber aceptado una sección de consejos en cualquier periódico, pero Jenny Fields consideraba que había terminado de escribir —al igual que había decidido, en otros tiempos, que había terminado su educación; del mismo modo que había decidido que había terminado con Europa. En cierto sentido, *jamás* terminó con la enfermería. Su padre, el estupefacto rey del calzado, murió de un ataque cardíaco poco después de la aparición de *Sexualmente sospechosa*; aunque la madre de Jenny nunca culpó de la tragedia al libro —y Jenny nunca se culpó a sí misma—, Jenny sabía que aquélla no podría vivir sola. A diferencia de Jenny Fields, su madre había desarrollado el hábito de vivir con otro; ahora era vieja y Jenny la imaginaba taconeando en las grandes estancias de Dog's Head Harbor, en ausencia de su compañero, sin propósito fijo y enteramente vacía del poco criterio que le había quedado.

Jenny se instaló en su casa de Dog's Head Harbor para atenderla, y fue allí donde inició su papel de consejera de las mujeres que buscaban consuelo por su incapacidad de tomar decisiones.

—¡Incluso decisiones *extrañas*! —gemía Garp, pero era feliz y lo atendían.

Garp y Helen tuvieron su primer hijo casi inmediatamente. Fue un varón y lo llamaron Duncan. A menudo, Garp bromeaba diciendo que la razón de que su primera novela estuviera compuesta por tantos capítulos breves era Duncan. Garp escribía entre biberones, siestas y cambios de pañales. «Fue una novela de tomas cortas». Helen iba a la facultad todos los días; sólo había aceptado tener un hijo si Garp estaba de acuerdo en ocuparse de él. A Garp le encantó la idea de no tener que salir nunca de casa.

Escribía y se ocupaba de Duncan; cocinaba, escribía y se ocupaba un poco más de Duncan. Cuando Helen volvía a casa, llegaba al hogar de un amo de casa razonablemente feliz; mientras su novela progresara, ningún hábito, por estúpido que fuera, podía perturbar a Garp. De hecho, cuanto más estúpido, mejor. Todos los días dejaba dos horas a Duncan con la mujer del piso de abajo e iba al gimnasio. Más tarde se convirtió en una excentricidad en la facultad de mujeres donde Helen daba clases: corría infinitas etapas alrededor del campo de hockey o saltaba a la cuerda durante media hora en un rincón de la sala de gimnasia. Echaba de menos la lucha y se quejó de que Helen no hubiera conseguido trabajo en un lugar donde hubiese equipo de lucha. Helen se quejaba de que el Departamento de Literatura Inglesa era demasiado exiguo y le disgustaba no tener alumnos del sexo masculino en sus clases, pero era un buen empleo y lo conservaría hasta que surgiera algo mejor.

En Nueva Inglaterra todo está cerca de todo lo demás. Visitaban a Jenny en la costa y a Ernie en la Steering. Garp llevó a Duncan a la sala de lucha de la Steering y lo hizo rodar por la colchoneta como si fuera una pelota.

—Aquí luchaba tu papá —le dijo.

—Aquí es donde tu papá lo hacía *todo* —dijo Helen a Duncan, refiriéndose, por supuesto, a su propia concepción y a la primera noche lluviosa que pasara con Garp en el Gimnasio Seabrook, vacío y cerrado con llave, sobre las cálidas colchonetas carmesíes extendidas de pared a pared.

—Bien, finalmente me atrapaste —le había susurrado a Garp en aquella ocasión con los ojos llenos de lágrimas.

Pero Garp se había extendido de espaldas en la colchoneta, preguntándose quién había atrapado a quién.

Cuando murió su madre, Jenny visitó con más frecuencia a Helen y a Garp, aunque éste ponía objeciones a lo que llamaba «el séquito» de su madre. Jenny Fields viajaba con un pequeño núcleo de admiradores, o con otras figuras que sentían que participaban en lo que se daría en llamar movimiento feminista; a menudo buscaban el apoyo de Jenny o su aprobación. Con frecuencia se presentaba un caso o una causa que exigía el puro uniforme blanco de Jenny en la plataforma de oradores, aunque rara vez Jenny hablaba mucho o durante largo rato.

Después de los demás discursos, presentaban a la autora de *Sexualmente sospechosa*. Con su uniforme de enfermera, era instantáneamente reconocida. Cerca de la cincuentena, Jenny Fields seguía siendo una mujer atléticamente atractiva, resuelta y sencilla. Se levantaba y decía: «Esto está bien». En otros casos decía: «Esto va mal», según la ocasión. Había tomado decisiones, había hecho elecciones difíciles con su propia vida y por tanto se contaba con ella para abordar el aspecto correcto de un problema femenino.

La lógica que se ocultaba detrás de todo esto hizo echar pestar a Garp durante días enteros y en cierta ocasión la entrevistadora de una revista femenina le preguntó si le permitía entrevistarle a fin de trazar un esbozo sobre la personalidad del hijo de una famosa feminista. Cuando la entrevistadora descubrió la vida elegida por Garp, su «papel de ama de casa» —como lo designó con regocijo—, Garp estalló.

—Hago lo que quiero —afirmó—. No le pongas otro nombre. Sólo hago lo que me da la gana... y eso es precisamente lo que hizo mi madre toda su vida, o sea lo que quería hacer.

La entrevistadora le presionó; dijo algo que pareció duro. Naturalmente, sugirió, debe ser difícil ser un escritor desconocido con una madre cuya obra se conoce en el mundo entero. Garp dijo que lo doloroso era ser mal interpretado y que no tenía ningún resentimiento por el éxito de su madre, aunque en algunas ocasiones le disgustaban sus seguidoras. «Esas comparsas que viven a costa de ella», gruñó.

El artículo de la revista femenina destacó que Garp también «vivía a costa» de su madre, muy cómodamente, y que no tenía ningún derecho a mostrarse hostil con el movimiento feminista. Esta fue la primera vez que Garp lo oyó nombrar: «el movimiento feminista».

Pocos días después, Jenny fue a visitarle. Le acompañaba una de sus gorilas, como Garp las llamaba: una mujer fornida, callada y hosca, que se apoyó con cautela en el vano de la puerta del apartamento de Garp y se negó a quitarse el abrigo. Miraba prudentemente al pequeño Duncan, como si aguardara —con extremo disgusto— el momento en que el niño la tocara.

—Helen está en la biblioteca —informó Garp a Jenny—. Yo pensaba llevar a pasear a Duncan. ¿Quieres venir?

Jenny miró inquisitivamente a la grandullona, que se encogió de hombros. Garp pensó que la mayor debilidad de su madre, desde su éxito, consistía en ser, según sus propias palabras, «utilizada por todas las mutiladas y enfermas que querrían haber escrito *Sexualmente sospechosa* o algo de parecido éxito».

· Garp lamentó sentirse acorralado en su propia casa por la muda compañera de su madre, mujer lo bastante robusta como para ser su guardaespaldas. Tal vez lo sea, pensó. Una desagradable imagen de su madre con una dura escolta atravesó su mente: una viciosa asesina que mantendría alejadas las manos masculinas del níveo uniforme de Jenny.

—¿Le ocurre algo a la *lengua* de esa mujer, mamá? —le susurró a Jenny.

El altanero silencio de la grandullona le indignaba; Duncan intentó hablar con ella, pero la mujer se limitó a clavar en el niño una mirada impasible. En voz baja, Jenny informó a Garp que la mujer no hablaba porque no tenía lengua. Literalmente.

—Se la cortaron —explicó Jenny.

—¡Caramba! —susurró Garp—. ¿Cómo ocurrió?

Jenny puso los ojos en blanco, costrumbre que había copiado de su hijo.

—Tú nunca lees nada, ¿verdad? —le preguntó Jenny—. Nunca te molestas en estar al día de los acontecimientos.

Los «acontecimientos», a juicio de Garp, nunca eran tan importantes como lo que él estaba haciendo, como su trabajo. Una de las cosas que le alteraban con respecto a su madre (desde que había sido adoptada por la política (femenina) era que siempre hablaba de las *noticias*.

—¿Quieres decir que ésta es una *noticia*? —quiso saber Garp—. ¿Es un accidente lingual tan famoso que yo tendría que estar enterado?

—¡Por Dios! —exclamó Jenny fastidiada—. No es un accidente famoso, fue algo deliberado.

—Dime, mamá, ¿le cortó alguien la lengua?.

—Precisamente —respondió Jenny.

—¡Cielos! —dijo Garp azorado.

—¿No has oído hablar de Ellen James?

—No —reconoció Garp.

—Bueno, ahora hay toda una asociación de mujeres a causa de lo que le ocurrió a Ellen James —le informó Jenny.

—¿Qué le ocurrió?

—Dos hombres la violaron cuando tenía once años —explicó Jenny—. Después le cortaron la lengua para que no pudiera contarle a nadie quiénes eran ni qué aspecto tenían. Eran tan estúpidos que no pensaron que una niña de once años sabe *escribir*. Ellen James escribió una detallada descripción de los hombres, que fueron detenidos, juzgados y condenados. Alguien los mató en la cárcel.

—¡Caray! ¿De modo que *ésa* es Ellen James? —susurró, señalando a la grandullona con nuevo aspecto.

Jenny volvió a poner los ojos en blanco.

—No —contestó—. Esa es un miembro de la Asociación Ellen James. Ellen James todavía es muy joven, delgada y rubia.

—¿Quieres decir que la Sociedad de Ellen James anda por el mundo sin hablar como si *ninguna* de ellas tuviera lengua?.

—No, quiero decir que *no tienen* lengua. Las afiliadas a la Asociación Ellen James se han hecho *cortar* la lengua. A modo de protesta por lo que le ocurrió a Ellen James.

—¡Qué barbaridad! —Garp observó a la grandullona con renovado disgusto.

—Se llaman a sí mismas ellenjamesianas —agregó Jenny.

—No quiero oír una sola palabra más de toda esta mierda, mamá.

—Bien, esa mujer que está allí es una ellenjamesiana —observó Jenny—. Tú me lo preguntaste.

—¿Cuántos años tiene ahora Ellen James? —inquirió Garp.

—Doce. Ocurrió hace un año.

—¿Y estas ellenjamesianas se reúnen, eligen presidentas y tesoreras y cosas parecidas?

—¿Por qué no se lo preguntas a ella? —sugirió Jenny señalando el bulto de la puerta—. Creí que no querías oír una sola palabra más sobre esto.

—¿Para qué voy a preguntárselo si no tiene lengua para responderme? —siseó Garp.

—Sabe *escribir* —concluyó Jenny—. Todas las ellenjamesianas llevan blocs y *escriben* lo que quieren decir. Tú sabes lo que significa escribir, ¿no?

Afortunadamente, en ese momento volvió Helen.

Garp habría de ver más ellenjamesianas. Aunque estaba profundamente perturbado por lo ocurrido a Ellen James, sólo sentía disgusto ante sus hoscas imitadoras adultas cuya costumbre consistía en presentarse con una tarjeta. La tarjeta solía decir algo así:

«Hola, me llamo Martha. Soy una ellenjamesiana. ¿Sabes lo que es una ellenjamesiana?».

Si no lo sabías, te dejaban otra tarjeta.

Las ellenjamesianas representaban, para Garp, el tipo de mujeres que pululaban alrededor de su madre e intentaban utilizarla para que las ayudara en sus burdas causas.

—Te diré algo sobre esas mujeres, mamá —le dijo cierto día— Probablemente nunca supieron hablar; probablemente nunca en su vida tuvieron que decir algo que valiera la pena, de modo que cortarse la lengua no fue un sacrificio. En realidad, posiblemente les ahorre considerables dificultades. Espero que comprendas lo que quiero decir.

—No tienes ninguna piedad —le dijo Jenny.

—Tengo *montones* de piedad... por Ellen James —afirmó Garp.

—Esas mujeres tienen que haber sufrido también en otras formas —opinó Jenny—, eso es lo que las acerca.

—¿Para infligirse más sufrimientos, mamá?

—La violación es un problema que afecta a todas las mujeres —dijo Jenny.

Garp detestaba sobre todo el uso del término «todas» —muy generalizador— en boca de su madre. Es la democracia llevada a su más estúpido extremo, pensaba.

—También es el problema de todos los hombres, mamá. Supón que la próxima vez que haya una violación me corte el pito y me lo cuelgue del cuello. ¿También respetarías eso?

—Estamos hablando de gestos *sinceros* —arguyó Jenny.

—Estamos hablando de gestos *estúpidos* —replicó Garp.

Pero siempre recordaría a su primera ellenjamesiana, la grandullona que llegó al apartamento con su madre; cuando se marchó, escribió una nota para Garp y se la depositó en la mano, como si fuera una propina.

—Mamá tiene una nueva guardaespaldas —comentó Garp a Helen cuando se despidieron.

Después leyó la nota de la guardaespaldas:

«Tu madre vale por dos como tú».

Pero en realidad, Garp no podía quejarse de su madre: durante los primeros cinco años de matrimonio, Jenny pagó todas sus cuentas.

Garp bromeaba diciendo que su primera novela se llamaba *Tardanza* porque había tardado tanto en escribirla, aunque había trabajado con regularidad y cuidadosamente; Garp rara vez postergaba las cosas.

La novela fue clasificada de «histórica». Se desarrollaba en la Viena de los años de guerra, entre 1938 y 1945, y llegaba hasta el período de la ocupación rusa. El protagonista era un joven anarquista que ha de mantenerse a la expectativa, después del *Anschluss*, de la posibilidad de asestar un golpe definitivo a los nazis. Espera demasiado tiempo. Más le habría valido dar el golpe antes de la ocupación nazi, pero el hombre no está seguro de nada y es demasiado joven para reconocer lo que ocurre. Al mismo tiempo su madre —viuda— cuida de su vida privada; alejada de la política, atesora el dinero de su difunto marido.

Durante los años de guerra, el joven anarquista trabaja como guardián del zoológico de Schönbrunn. Cuando la población de Viena empieza a padecer una grave inanición y los ataques de medianoche al zoológico son una fuente común de comida robada, el anarquista decide liberar a los restantes animales, que son inocentes, naturalmente, de la tardanza de su país en reaccionar y de su subordinación a la Alemania nazi. Pero entonces, los animales ya están casi muertos de hambre; cuando el anarquista los libera, se lo comen. «Eso era lo natural», escribió Garp. A su vez, los animales son sacrificados por una multitud muerta de hambre que deambula por Viena en busca de alimentos... adelantándose a las fuerzas rusas. También eso «era lo natural».

La madre del anarquista sobrevive a la guerra y se aloja en la zona de ocupación rusa (Garp le adjudicó el mismo piso que habían compartido él y su madre en la Schwindgasse); la interesada tolerancia de la viuda se ve finalmente perturbada por las repetidas atrocidades que ve cometer a los soviéticos: principalmente, violaciones. Observa cómo retorna la ciudad a la moderación y la tolerancia, y recuerda con gran pesar su propia indiferencia durante la toma del poder por parte de los nazis. Por último, los rusos se van; corre el año 1956 y Viena se repliega otra vez en sí misma. Pero la mujer llora a su hijo y a su quebrantado país; se acerca al zoológico, parcialmente reconstruido y otra vez próspero, todos los fines de semana, en recuerdo de las visitas secretas a su hijo durante la guerra. La revolución húngara inspira el último acto de la anciana dama. Cientos de miles de nuevos refugiados llegan a Viena.

En un esfuerzo por despertar a la complaciente ciudad —que no debe esperar sentada el desarrollo de los acontecimientos—, la madre intenta hacer lo mismo que su hijo: libera a los animales del Schönbrunn Zoo. Pero ahora los animales están bien alimentados y contentos; sólo unos pocos se ven forzados a abandonar sus jaulas, y los que salen se quedan en los senderos y jardines del zoológico; por último, retornan a sus jaulas, ilesos. Un oso anciano padece un ataque de violenta diarrea. El gesto liberador de la anciana es bienintencionado, pero por completo insensato y totalmente insatisfactorio. Detienen a la anciana, y un médico de la policía que la examina descubre que tiene cáncer: es un caso perdido.

Por último e irónicamente, el dinero atesorado le sirve para algo: muere rodeada de lujos en el único hospital privado de Viena, el Rudolfinerhaus. En sus sueños de moribunda imagina que algunos animales escapan del zoológico: una pareja de jóvenes osos negros asiáticos. Imagina que sobreviven y se multiplican con tanto éxito que llegan a ser una nueva y famosa especie animal en el valle del Danubio.

Pero sólo se trata de su imaginación. La novela concluye —después de la muerte de la viuda— con la muerte del oso diarreico en el zoológico de Schönbrunn. «He aquí la revolución de los tiempos modernos», escribió un crítico que catalogó a *Tardanza* de «novela antimarxista».

La novela fue elogiada por la exactitud de la ambientación histórica, cuestión que no interesaba en absoluto a Garp. También la citaron por su originalidad y por sus múltiples vertientes, tratándose de la primera novela de un autor tan joven. El editor había sido John Wolf y, aunque había coincidido con Garp en *no mencionar* en la sobrecubierta que se trataba de la primera novela del hijo de la heroína feminista Jenny Fields, muy pocos críticos dejaron de hacer sonar esa campana.

«Sorprende que el ahora famoso hijo de Jenny Fields», escribió uno, «haya crecido realmente para ser lo que dijo que quería ser cuando creciera.» Esta y otras descabelladas agudezas referentes a la relación de Garp con Jenny, enfurecieron a Garp por el hecho de que el libro no se pudiera leer y discutir por sus propios errores o aciertos, pero John Wolf le explicó la dura verdad de que probablemente la mayoría de los lectores estaban más interesados en quién era que en lo que había escrito.

«El joven Garp sigue escribiendo sobre osos», le recriminó un ingenioso crítico que desplegó la suficiente actividad para descubrir la influencia de Grillparzer en su oscura publicación. «Quizá cuando crezca escriba algo sobre personas.»

Pero en conjunto fue un comienzo literario más sorprendente que la mayoría de ellos y más notorio. Nunca fue un libro popular, por supuesto, y apenas le dio nombre a T. S. Garp; no hizo de él «el producto casero» —como él mismo designaba a su madre— que era Jenny. Pero su obra no era de ese tipo; él no era de ese tipo de escritores y nunca lo sería, le advirtió a John Wolf.

«¿Qué esperas?», le escribió John Wolf. «Si quieres ser rico y famoso, emprende otra línea. Si eres serio, no te quejes. Escribiste un libro serio que se publicó seriamente. Si quieres *vivir* de eso, estás hablando de otro mundo. Recuérdalo: tienes veinticuatro años. Creo que escribirás otros muchos libros.»

John Wolf era un hombre honrado e inteligente, pero Garp no estaba seguro de ello, y no estaba contento. Había ganado algo de dinero y Helen contaba con un salario; ahora que no *necesitaba* el dinero de Jenny, a Garp le parecía correcto aceptarlo cuando ella se lo regalaba. También sentía que había ganado como mínimo otra recompensa: le pidió a Helen que tuvieran otro hijo. Duncan tenía cuatro años; era lo bastante crecido como para saber apreciar a un hermano o hermana. Helen estuvo de acuerdo, puesto que sabía cuánto le había facilitado Garp las cosas para tener a Duncan. Si quería cambiar pañales entre un capítulo y otro de su próxima obra, era cosa suya.

Pero, en realidad, era algo más que el mero deseo de tener un segundo hijo lo que indujo a Garp a volver a reproducirse. Sabía que era un padre excesivamente vigilante y protector y creía que podía aliviar a Duncan de parte de la presión de sus paternales plumas si había *otro* niño que absorbiera algo de su excesiva ansiedad.

—Soy muy feliz —le dijo Helen—. Si quieres otro hijo, lo engendraremos. Sólo quisiera que *descansaras*, que fueras más dichoso. Has escrito un buen libro y ahora escribirás otro. ¿No es precisamente lo que siempre deseaste?

Pero Garp protestó por las críticas de *Tardanza* y se quejó de las ventas. Criticaba a su madre y se reía de sus «psicofánticas amigas». Finalmente Helen le dijo:

—Quieres demasiado. Demasiadas alabanzas, o amor... o *algo*. Quieres que el mundo diga: «Amo tus escritos y te amo a ti» y eso es demasiado. En realidad, es enfermizo.

—Eso es lo que *tú* dijiste —le recordó—. «Amo tus escritos y te amo a ti», fueron exactamente tus palabras.

—Pero Helen sólo hay una —dijo Helen.

Desde luego, sólo había una Helen y Garp la adoraba. Siempre la llamaría «la más sabia de las decisiones de mi vida». Reconocía haber tomado algunas decisiones insensatas, pero en los primeros cinco años de matrimonio con Helen sólo le fue infiel una vez... y brevemente.

Se trataba de una niñera por horas de la facultad donde Helen era profesora: una alumna de primer año de la clase de literatura inglesa de Helen; era eficaz con Duncan, aunque Helen decía que no era muy buena estudiante. Se llamaba Cindy; había leído *Tardanza*, lo cual le había producido el correspondiente respeto por Garp. Cuando él la llevaba a casa, le hacía una pregunta tras otra sobre su obra: ¿Cómo pensaste ESTO? ¿Qué te hizo hacerlo de ESTA forma? Era menuda, puro parpadeos, sacudidas y arrullos —tan digna de confianza, tan constante y tan estúpida como una paloma de Steering. Helen la llamaba «Huesos de pichón», pero a Garp le atraía: no la llamaba por ningún mote. La familia Percy le había producido un perenne disgusto por los sobrenombres. Además, le gustaban las preguntas de Cindy.

Cindy pensaba dejar la facultad porque creía que una escuela de mujeres no era buena para ella; necesitaba vivir con adultos y con hombres, decía, y aunque la facultad le permitía residir fuera del campus —en su piso durante el segundo semestre del primer año— notaba que la facultad era demasiado «limitada» y quería vivir en un «entorno más real». Suponía que la Viena de Garp había sido «un entorno más real», aunque éste se esforzó por convencerla de que estaba en un error. Huesos de Pichón, pensaba

Garp, tenía un cerebro de mosquito, tan blando como un plátano y muy influenciable. Pero sabía que la deseaba y comprendió que estaba disponible. Como las prostitutas de la Kärntnerstrasse, estaría disponible cuando la buscara. Y sólo le costaría algunas mentiras.

Helen le leyó una crítica de una famosa revista de informaciones. Según el artículo, *Tardanza* era «una novela completa y conmovedora con profundas resonancias históricas... el drama abarca las ansias y las agonías de la juventud».

—A la mierda con «las ansias y las agonías de la juventud» —declaró Garp: una de esas ansias juveniles le perturbaba en ese preciso momento.

En cuanto al «drama», durante los primeros cinco años de su matrimonio con Helen, T. S. Garp experimentó un solo drama de la vida real y no tuvo mucho que ver con él.

Garp había estado corriendo en el parque municipal cuando encontró a la chica, una niña desnuda de diez años que corría delante de él por el sendero. Cuando la niña comprendió que la alcanzaría, cayó y se cubrió la cara, luego el pubis y de inmediato intentó ocultar sus casi inexistentes pechos. Era un día frío de finales de otoño; Garp vio sangre en las nalgas de la niña y en sus aterrorizados e hinchados ojos. La criatura no dejó de gritarle un solo instante.

—¿Qué te ha ocurrido? —le preguntó, aunque lo sabía muy bien.

Garp miró a su alrededor, pero no vio a nadie cerca. Ella apretó sus rodillas en carne viva contra el pecho y siguió gritando.

—No te haré daño, quiero ayudarte —dijo Garp, pero la niña chilló aún más. ¡Santo Dios, por supuesto!, pensó: probablemente el terrible violador le había dicho esas mismas palabras poco rato antes—. ¿Adónde se dirigió? —preguntó Garp. Luego cambió de tono, tratando de convencerla de que estaba de su lado—. Lo mataré por lo que te hizo —ella lo contempló y meneó la cabeza de un lado a otro, mientras se pellizcaba los brazos—. Por favor —insistió Garp—, ¿puedes decirme dónde está tu ropa? No tenía nada para ofrecerle, excepto su transpirada camiseta. Llevaba los shorts y las zapatillas de carrera. Se quitó la camiseta e instantáneamente sintió frío; la chica lanzó un terrible aullido y ocultó el rostro—. No, no tengas miedo, es para que te cubras —le explicó.

Dejó caer la camiseta sobre ella, pero la chica se retorció y la pateó; luego abrió mucho la boca y se mordió el puño.

«No era lo bastante crecida como para distinguir a simple vista si era chico o chica», escribió Garp. «Sólo en la hinchazón que rodeaba sus pezones había algo ligeramente afeminado. Indudablemente no había un sexo visible en su imberbe pubis y tenía las manos asexuadas de cualquier criatura. Quizá había algo sensual en su boca —unos labios prominentes—, pero eso era algo de lo cual no se la podía culpar.»

Garp empezó a gritar. El cielo estaba gris, se encontraban rodeados de hojas secas y, cuando Garp gritó, la niña recogió la camiseta y se cubrió con ella. Se encontraban en una extraña posición —la chica acurrucada bajo la camiseta de Garp, sujetándole un pie y él gritando encima de ella— cuando los policías montados del parque, una pareja, aparecieron por el sendero y divisaron el aparente violador con su víctima. Garp escribió que uno de los policías los separó metiendo su caballo entre ambos, «casi pisoteando a la niña». El otro policía dejó caer su porra sobre la clavícula de Garp; un costado de su cuerpo, escribió, quedó paralizado... «pero no el otro». Con «el otro», Garp desmontó al policía y lo bajó de su silla.

—¡No soy *yo*, cabrón hijo de puta! —chilló Garp—. Acabo de encontrarla aquí... hace menos de un minuto.

El policía, tendido sobre las hojas, mantenía la pistola en la mano. El otro policía, montado y haciendo cabriolas, le hablaba a gritos a la niña.

—¿Es *él*? —insistía.

La chica parecía aterrorizada por los caballos. Paseaba la mirada de Garp a los animales. Probablemente no sabe bien qué ocurrió, pensó Garp, y mucho menos quién fue. Pero la niña movió negativamente la cabeza, con violencia.

—¿Adónde se dirigió? —inquirió el policía montado.

Pero la chica seguía mirando a Garp. Se frotó el mentón y las mejillas: trataba de hablar con las manos. Parecía que sus palabras habían desaparecido o su *lengua*, pensó Garp al recordar a Ellen James.

—La *barba* —dijo el policía desde las hojas secas; se había puesto de pie pero no había soltado el arma—. Nos está diciendo que tiene barba —en esa época Garp llevaba barba.

—Fue *alguien* con barba —intervino Garp—. ¿Cómo la *mía*? —le preguntó a la niña mientras tiraba de su barba redonda y oscura, brillante de sudor.

Pero ella meneó la cabeza y pasó los dedos por su dolorido labio superior.

—¡Bigotes! —dedujo Garp.

La chica asintió. Señaló el camino por donde había llegado Garp, pero éste no recordaba haber visto a nadie cerca de la entrada del parque. El policía se encorvó sobre su caballo y se alejó de ellos a través de las hojas secas. El otro calmó a su caballo, pero no volvió a montar.

—Cúbrala con algo o busque su ropa —le indicó Garp.

Garp empezó a correr por el sendero detrás del primer policía; sabía que en tierra se ven cosas que no es posible ver desde el lomo de un caballo. Además, Garp era tan pagado de sí mismo en cuanto a su velocidad, que imaginaba era capaz de superar, si no de ser más resistente que cualquier caballo.

—¡Eh, será mejor que espere aquí! —le gritó el policía montado, pero Garp había cobrado impulso y no pensaba detenerse.

Siguió las grandes huellas del caballo. No había recorrido ochocientos metros por el sendero cuando vio la figura inclinada de un hombre, probablemente a veinticinco metros de distancia, casi oculto por los árboles. Garp le gritó a la figura, un anciano de bigote canoso, que miró por encima del hombro a Garp con expresión tan sorprendida y avergonzada que éste tuvo la certeza de haber encontrado al vejador. Se lanzó entre las enredaderas y los arbustos, con hojas como látigos, en dirección al hombre, que había estado meando, y se apresuraba a abrocharse la bragueta. Tenía el aspecto de cualquier hombre al que pescan haciendo algo que no debería haber hecho.

—Sólo estaba... —empezó a decir el hombre, pero Garp cayó sobre él y arrimó su rígida barba recortada a la cara del otro: le olisqueó como si fuera un sabueso.

—¡Si eres tú, canalla, lo *oleré*! —exclamó Garp.

El hombre intentó apartarse de la bestia semidesnuda, pero Garp le cogió por las muñecas y le obligó a dejar las manos quietas bajo su nariz. Volvió a olfatear y el anciano gritó, como si temiera que Garp le mordiera.

—¡Quédate quieto! —ordenó Garp—. ¿Fuiste tú? ¿Dónde está la ropa de la niña?

—¡Por favor! —masculló el hombre—. Sólo me dirigía al baño —no había tenido tiempo de abrocharse la bragueta y Garp observó su entrepierna con suspicacia.

«No existe olor semejante al del sexo», escribió Garp. «Es imposible disfrazarlo. Es tan fuerte como la cerveza derramada.»

Entonces Garp se arrodilló en la arboleda, desabrochó el cinturón del hombre, le abrió los pantalones y tironeó de sus calzoncillos hasta llevarlos a la altura de los tobillos; fijó la vista en el aterrorizado equipo del anciano.

—¡Socorro! —gritó el viejo.

Garp inspiró profundamente y el hombre cayó sobre los arbustos; tambaleándose como un títere con cuerdas sujetas bajo los brazos, se arrastró hasta una espesura de troncos delgados y ramas muy densas para no caer.

—¡Socorro, por Dios! —volvió a gritar.

Pero Garp ya corría de nuevo por el camino de herradura, hundiendo las piernas entre las hojas, batiendo el aire con los brazos, la dolorida clavícula palpitante.

En la entrada del parque, el policía montado recorría el aparcamiento. Se asomó a los coches, rodeó la choza de ladrillos donde estaban las salas de descanso. Algunas personas le seguían con la mirada, percibiendo su ansiedad.

—Ni uno solo con bigotes —dijo a Garp.

—Si llegó aquí antes que usted, es probable que se haya ido en coche —razonó Garp.

—Fíjese en el lavabo de hombres —dijo el policía, mientras se dirigía a una mujer que llevaba un cochecillo de bebé lleno de mantas blancas.

A Garp, los lavabos de hombres le recordaban los W.C.; en la puerta del desabrido lugar, Garp se cruzó con un joven que salía. No llevaba barba ni bigote y su labio superior era tan suave que casi brillaba; parecía un estudiante. Garp entró en el lavabo como un perro con el pelo erizado sobre el lomo y la cola levantada. Buscó pies debajo de las casetas; no le habría sorprendido ver un par de manos... ni un oso. Buscó espaldas en el largo mingitorio, o a cualquier hombre que se mirara en los espejos de los desconchados lavabos. Pero no había nadie en el servicio de hombres. Garp olfateó. Hacía bastante tiempo que llevaba barba llena pero recortada y no reconoció al instante el olor a crema de afeitar. Pero supo que ese malsano lugar olía a algo extraño. Entonces miró al lavabo más cercano: vio restos de espuma y pelos pegados a la pileta.

El joven barbilampiño que parecía un estudiante cruzaba el aparcamiento, rápida pero serenamente, cuando Garp se asomó a la puerta del servicio.

—¡Es *él*! —gritó.

El policía montado miró desconcertado al joven violador.

—¡No tiene bigote! —observó.

—¡Acaba de afeitárselo!

Garp corrió a través del aparcamiento, directamente hacia el muchacho, que empezó a correr en dirección al laberinto de senderos que forman el parque. Una serie de objetos cayeron de debajo de su chaqueta mientras corría: Garp vio las tijeras, una navaja, un bote de crema de afeitar y luego pequeños bultos de ropa... de la niña, naturalmente: sus tejanos con una mariquita cosida a la altura de la cadera, un jersey con el rostro brillante de una rana en el pecho; por supuesto, no había sostén: no era necesario. Las bragas llamaron la atención de Garp. Eran de sencillo algodón y de color azul; cosido al elástico de la cintura se veía un conejito azul que olía una flor del mismo color.

El policía montado cargó sobre el muchacho que corría. El pecho del caballo arrojó al muchacho de bruces en el sendero de carbonilla y una de sus patas traseras extrajo un fragmento de carne en forma de U de su pantorrilla; el muchacho quedó en posición fetal en el suelo, sujetándose la pierna. Entonces llegó Garp, con las bragas del conejito azul en la mano y se las entregó al policía montado. Otras personas —la mujer con el cochecillo lleno de mantas, dos chicos en bicicleta, un hombre delgado que llevaba un periódico en la mano— se acercaron a ellos. Entregaron al policía los demás objetos que en su carrera había dejado caer el muchacho. La navaja, el resto de la ropa de la chica. Nadie habló. Más tarde, Garp escribió que en aquel momento vio la breve historia del joven violador escrita en los cascos del caballo: las tijeras, el bote con crema de afeitar. ¡Por supuesto! El muchacho se dejaba crecer el bigote, atacaba a una niña, se afeitaba el bigote (que sería prácticamente todo lo que cualquier niña recordaría).

—¿Has hecho esto antes? —preguntó Garp al muchacho.

—Se supone que usted no debe hacerle preguntas —intervino el policía.

Pero el muchacho sonrió estúpidamente a Garp.

—Antes nunca me *pescaron* —respondió en tono jactancioso.

Cuando sonrió, Garp observó que al joven le faltaban todos los dientes superiores: el caballo se los había arrancado de una patada. Sólo había en su lugar un colgajo sangrante de encías. Garp comprendió que a ese chico probablemente le había ocurrido algo para que ya no *sintiera* demasiado: ni demasiado dolor, ni demasiado nada.

Por la arboleda del extremo del camino apareció el segundo policía andando junto a su caballo. La niña iba en la silla, cubierta con la chaqueta del policía. Agarraba la camiseta de Garp en sus manos. No pareció reconocer a nadie. El policía la llevó al lado del violador que seguía en el suelo, pero ella no le miró. El primer policía desmontó; se acercó al vejador y levantó su rostro sangrante para que la niña le viera.

—¿Es él?

La niña observó al joven con los ojos en blanco. El violador lanzó una breve carcajada y escupió sangre; la chica no respondió. Entonces Garp acercó delicadamente un dedo a la boca del muchacho; con sangre pintó un bigote sobre su labio superior. La niña empezó a gritar. Fue necesario calmar a los caballos. La chica no dejó de gritar hasta que el segundo policía se llevó al violador. Entonces cerró la boca y devolvió la camiseta a Garp. Acariciaba la espesa mata de pelo negro del cuello del animal, como si antes nunca hubiera visto un caballo.

Garp pensó que debía de ser doloroso para ella estar montada, pero repentinamente la niña preguntó:

—¿Puedo dar otra vuelta?

Garp se alegró al descubrir que la niña tenía lengua. En ese momento vio al anciano pulcramente vestido cuyo bigote era inocente; salía humildemente del parque en dirección al aparcamiento, buscando ansiosamente con la mirada al loco que le había arrancado salvajemente los pantalones y le había olido como un peligroso omnívoro. Cuando el anciano vio a Garp junto al policía, pareció aliviado —supuso que le habían detenido— y se acercó a ellos con paso enérgico. Garp consideró la posibilidad de salir corriendo —para evitar confusiones y explicaciones— pero en ese momento el policía le dijo:

—Tiene que darme su nombre. Decirme qué hace, además de correr por el parque —rió.

—Soy escritor —respondió Garp.

El policía se avergonzó de no haber oído nombrar a Garp, pero por aquel entonces éste no había publicado nada excepto «La Pensión Grillparzer»: era muy poco lo que el policía *podía* haber leído. Este hecho pareció desconcertar al representante del orden.

—¿Un escritor inédito? —inquirió: Garp se mostró abatido—. Entonces, ¿cómo se gana la vida?

—Me mantienen mi mujer y mi madre —respondió Garp.

—En ese caso, debo preguntarle cómo se ganan la vida *ellas* —prosiguió el policía—. Nos gusta consignar en nuestros archivos cómo se gana la vida la gente.

El ofendido caballero de bigote blanco que sólo había escuchado fragmentos del interrogatorio, exclamó:

—¡Lo que imaginaba! ¡Un vago, una basura despreciable!

El policía le contempló. En sus primeros años de autor inédito, Garp se enfurecía siempre que se veía obligado a admitir de qué vivía; en aquel momento sintió más ganas de promover la confusión que de aclarar las cosas.

—Sea como fuere, me alegro de que lo hayan atrapado —opinó el anciano—. Este solía ser un parque estupendo, pero la gente que entra aquí en estos tiempos... Tendrían que vigilarlo con más atención —dijo al policía, el cual supuso que el anciano se refería al violador.

El policía no quería discutir delante de la niña, de modo que la señaló con los ojos —seguía rígidamente montada— e intentó hacerle comprender al anciano que no debía continuar.

—¡No se lo habrá hecho a esa *niña*! —gritó el vejete, como si acabara de verla, o como si acabara de notar que iba desnuda bajo la chaqueta del policía, con la ropa en los brazos—. ¡Qué vileza! —fijó la vista en Garp—. ¡Qué asco! Supongo que querrán tomar mi nombre —sugirió al policía.

—¿Para qué? —inquirió el policía y Garp no pudo evitar una sonrisa.

—¡Para colmo sonríe satisfecho! —chilló el anciano—. Como *testigo*, naturalmente... repetiré lo que sé en cualquier tribunal del país si sirve para condenar a semejante canalla.

—¿Pero de qué fue testigo usted? —quiso saber el policía.

—Eso, eso que hizo... también me lo hizo *a mí* —afirmó el viejo.

El policía miró a Garp; éste puso los ojos en blanco. El policía seguía agarrado a la idea de que el anciano se refería al violador, pero no comprendía por qué trataba tan descortésmente a Garp.

—Claro —dijo para alegrar al pobre loco. Anotó su nombre y su domicilio.

Meses más tarde, Garp estaba comprando una caja con tres profilácticos cuando el anciano entró en el *drugstore*.

—¡Usted! —gritó—. Ya le soltaron, ¿no? Creí que le dejarían *años* en chirona.

A Garp le llevó unos segundos reconocerle. El farmacéutico supuso que el vejete era un lunático. El anciano de recortado bigote canoso avanzó prudentemente en dirección a Garp.

—¿Adónde irán a parar las leyes? —preguntó—. Supongo que está fuera por buena conducta. ¡Estoy seguro de que en la cárcel no hay ancianos ni niñas para *oler*! ¿O algún abogado le sacó mediante alguna hábil maniobra? ¡Esa pobre niña traumatizada para toda su vida, y usted suelto, libre de vagar por los parques!

—Está en un error —dijo Garp.

—Sí, éste es el señor Garp —intervino el farmacéutico.

El farmacéutico no agregó «el escritor». Garp sabía que, si se le ocurría agregar algo, sería «el héroe», porque aquél había visto los titulares de los periódicos referentes al delito y la captura en el parque.

¡ESCRITOR SIN EXITO NO FRACASA COMO HEROE!
CIUDADANO ATRAPA EN EL PARQUE A UN PERVERTIDO.
HIJO DE UNA FAMOSA FEMINISTA TIENE AGALLAS
PARA AYUDAR A LAS NIÑAS...

Garp fue incapaz de escribir durante meses a causa de ese titular, pero el artículo impresionó a todos los habitantes del lugar que conocían a Garp del supermercado, el gimnasio y el *drugstore*. En el ínterin se había publicado *Tardanza*, pero casi nadie pareció enterarse. Durante semanas, empleados y vendedores se dedicaron a presentarlo a los demás clientes.

—Este es el señor Garp, el que atrapó al violador del parque.

—¿Qué violador?

—El del parque municipal. El Chico Bigotes. El que perseguía a las niñas.

—¿Niñas?

—El señor Garp, aquí presente, es el que le atrapó.

—En realidad —solía decir Garp—, quién le atrapó fue el policía montado.

—¡Le arrancó todos los dientes! —cacareaban encantados el farmacéutico, el empleado y los vendedores de todas partes.

—Ese fue el caballo —reconocía Garp modestamente.

A veces alguien preguntaba:

—¿Y a qué se dedica usted, señor Garp?

El silencio que seguía dolía a Garp, como si pensara que probablemente era mejor responder que *corría...* para ganarse la vida. Cruzaba los parques: su profesión consistía en atrapar violadores. Deambulaba cerca de las cabinas telefónicas, como el hombre de la capa, a la espera de que se produjeran desastres. Cualquiera de esas cosas tendría más sentido para ellos que lo que realmente hacía.

—Escribo —admitía por último Garp.

Decepción, incluso suspicacia en los rostros antes llenos de admiración.

Para colmo de males, a Garp se le cayó en el drugstore la caja con tres profilácticos.

—¡Ja! —gritó el vejete—. ¡Miren! ¿Qué piensa hacer con eso?

Garp se preguntó qué posibilidades de uso tenía eso.

—Un pervertido anda suelto —aseguró el anciano al farmacéutico—. ¡Busca a inocentes para violarlas y deshonrarlas!

La intransigencia moral del vejete era irritante hasta el punto de que Garp no sintió deseo alguno de aclarar el malentendido; de hecho, disfrutaba con el recuerdo de haberle bajado los pantalones en el parque y no lamentaba para nada el incidente.

Transcurrió cierto tiempo antes de que Garp comprendiera que el anciano no tenía el monopolio de la intransigencia moral. Garp llevó a Duncan a un partido de baloncesto entre escuelas secundarias y quedó estupefacto al ver que el que recogía los billetes no era otro que el Chico Bigotes, el auténtico violador, el atacante de la inofensiva niña del parque municipal.

—¡Andas *suelto*! —se sorprendió Garp.

El vejador sonrió abiertamente a Duncan.

—Un adulto y un menor —dijo mientras rompía los billetes.

—¿Cómo es que estás libre? —Garp sintió que se estremecía.

—Nadie logró probar nada —dijo el chico con arrogancia—. Esa idiota ni siquiera era capaz de *hablar*.

Garp volvió a pensar en Ellen James con la lengua cortada a los once años. Sintió una terrible afinidad con el lunático al que tan violentamente había bajado los pantalones. Sintió también la terrible injusticia de todo, hasta el punto de que pudo incluso imaginar que una mujer desdichada estuviera lo bastante desesperada como para cortarse la lengua. Sabía que quería herir a Chico Bigotes allí mismo, delante de Duncan. Habría deseado poder arreglárselas para mutilarle, a modo de lección moral.

Pero había una multitud que quería ver el partido y Garp obstruía la entrada.

—Muévete —dijo el chico a Garp.

En la expresión del muchacho, Garp creyó reconocer la impudicia del mundo. Sobre su labio superior aparecía la estulta prueba de que se estaba dejando crecer el bigote.

Años más tarde vio a la niña, ya convertida en una joven; sólo la reconoció porque ella le reconoció a él. Garp salía de un cine de otra ciudad; ella estaba en la cola que esperaba entrar. La acompañaban algunos amigos.

—Hola, ¿cómo estás? —preguntó Garp.

Se alegró al ver que la muchacha tenía amigos. Para Garp eso significaba que era normal.

—¿Está bien la película? —preguntó la chica.

—¡Veo que has crecido! —la joven se ruborizó y Garp comprendió que había dicho una estupidez—. Quiero decir que hace tanto tiempo... y fueron momentos que vale la pena olvidar —agregó sinceramente.

Sus acompañantes ya estaban entrando al cine y la chica los observó como para asegurarse de que estaba sola con Garp.

—Sí, termino mis estudios este mes —dijo.

—¿La escuela secundaria? —Garp se preguntó si era posible que hubiera transcurrido *tanto* tiempo.

—No, la básica —la muchacha rió, nerviosa.

—¡Maravilloso! —exclamó Garp y, sin saber por qué, agregó—: Trataré de asistir a la entrega de diplomas.

La chica se mostró repentinamente desasosegada.

—No, por favor, *por favor* no vaya.

—Después de ese encuentro la vio varias veces, pero ella nunca volvió a reconocerle porque él se afeitó la barba.

—¿Por qué no te dejas crecer otra vez la barba? —le preguntaba Helen en ocasiones—. O al menos bigote.

Pero siempre que Garp encontraba a la niña violada y escapaba sin ser reconocido, se convencía de que debía seguir barbilampiño.

«Me incomoda», escribía Garp, «que mi vida haya entrado en contacto con tanta violación.» Evidentemente, se refería a la niña de diez años del parque municipal, a Ellen James —de once años— y su terrible sociedad, las mujeres heridas con su simbólica mudez autoinfligida. Más tarde escribiría una novela que tendría mucho que ver con las violaciones y que la convertiría en un producto más casero. Quizá lo ofensivo de la violación consistía, para Garp, en que era un acto que le disgustaba consigo mismo... con sus instintos masculinos, que en todo otro sentido eran intachables. Nunca sintió deseos de violar a nadie, pero la violación, pensaba Garp, volvía culpables a los hombres por asociación.

En su caso, a Garp le gustó el remordimiento por haber seducido a Huesos de Pichón en una situación similar a una violación. No fue una violación pero sí algo deliberado: incluso compró los condones semanas antes, sabiendo qué uso les daría. ¿No son los peores crímenes los premeditados? Garp no sucumbiría a una súbita pasión por la niñera por horas; lo planearía todo y estaría listo cuando Cindy sucumbiera a *su* pasión por él. El *conocimiento* del uso que daría a esas gomas fue lo que le hizo estremecer cuando se le cayeron delante del anciano del parque municipal que le acusó: «¡Busca a inocentes para violarlas y deshonrarlas!» ¡Cuánta razón tenía!

Sin embargo, preparó obstáculos en el sendero de su deseo de la joven; en dos ocasiones ocultó los profilácticos, pero más tarde recordó dónde los había escondido. A última hora de la tarde en que Cindy haría de niñera de Duncan por última vez, Garp le hizo desesperadamente el amor a Helen. En el momento en que tendrían que haber estado vistiéndose para salir o preparando la cena de Duncan, Garp cerró la puerta del dormitorio con llave y arrancó a Helen del armario.

—¿Estás loco? —le preguntó Helen—. Vamos a salir.

—Siento una terrible lujuria, no te niegues —rogó.

Ella le tomó el pelo:

—Por favor, señor, no acostumbro hacerlo antes de los *hors d'œuvres*.

—Tú eres los *hors d'œuvres*.

—Gracias —dijo Helen.

—Eh, está echada la llave —gritó Duncan mientras llamaba a la puerta.

—Duncan, por favor infórmanos cómo está el tiempo —dijo Garp.

—¿El tiempo? —se asombró Duncan e intentó forzar la puerta del dormitorio.

—¡Me parece que nieva en el patio trasero! —gritó Garp—. Ve a comprobarlo.

Helen sofocó la risa y otros ruidos contra el hombro de Garp. Él eyaculó tan rápido que la sorprendió. Duncan volvió al trote a la puerta del dormitorio, para informar que era primavera en el patio trasero y en todas partes. Garp le dejó entrar, ahora que había terminado.

Pero no había terminado, lo sabía. Cuando volvía con Helen de la fiesta, sabía exactamente dónde estaban los condones: debajo de la máquina de escribir, muda e inmóvil varios meses, desde la aparición de *Tardanza*.

—Pareces cansado —comentó Helen—. ¿Prefieres que yo lleve a Cindy a su casa?

—No, no es necesario —murmuró—. Yo la llevaré.

Helen le sonrió y frotó su mejilla contra la boca de él.

—Mi delirante amante vespertino —susurró—. *Siempre* puedes llevarme a cenar así, si quieres.

Permaneció sentado largo rato con Huesos de Pichón en el coche, ante el portal de su oscuro apartamento. Garp había elegido bien el momento: concluían las clases, Cindy se marchaba de la ciudad. Ella ya estaba alterada por tener que despedirse de su autor predilecto, al menos del único autor que conocía personalmente.

—Estoy seguro de que el año próximo será muy bueno para ti, Cindy —dijo Garp—. Y si alguna vez vuelves, no dejes de visitarnos. Duncan te echará de menos.

Cindy fijó la vista en las frías luces del tablero y luego miró a Garp con expresión desdichada y el rostro cubierto de lágrimas.

—Yo te echaré de menos *a ti* —gimió.

—No. No, no me eches de menos —insistió Garp.

—Te *amo* —susurró Cindy y apoyó incómodamente la cabeza en el hombro de Garp.

—No, no digas eso —la regañó Garp, sin tocarla: todavía no. La caja con tres condones anidaba pacientemente en su bolsillo, con las gomas enroscadas como víboras.

En el mohoso apartamento de Cindy, sólo usó una de ellas. Descubrió sorprendido que habían retirado todos los muebles; reunieron las abultadas maletas de Cindy e improvisaron un incómodo lecho. Garp se cuidó de no permanecer un segundo más de lo necesario para que Helen no pensara que había pasado demasiado tiempo incluso para una despedida *literaria*.

Un espeso arroyo atravesaba los terrenos de la escuela y Garp arrojó furtivamente los dos profilácticos restantes a través de la ventanilla del coche en marcha... imaginando que un alerta guardián del campus podía haberle visto y ya estaba revolviendo el lecho del arroyo para recuperar las pruebas: dos gomas que no habían sido arrastradas por la corriente. La prueba que conduce al criminal.

Pero nadie le vio, nadie le descubrió. Ni siquiera Helen —que ya dormía— percibiría el olor peculiar del sexo; a fin de cuentas, horas antes, él lo había adquirido legítimamente. Aun así, Garp se duchó y se metió limpiamente en su segura cama, se acurrucó contra Helen, que murmuró alguna palabra afectuosa e instintivamente cubrió la cadera de Garp con su largo muslo. Como él no respondió, apretó sus nalgas contra él. A Garp le ardía la garganta con la confianza de Helen y por su amor por ella. Palpó amorosamente la leve hinchazón de su embarazo.

Duncan era un niño sano e inteligente. La primera novela de Garp, al menos, había hecho de él lo que él decía que quería ser. La lujuria todavía complicaba la joven vida de Garp, pero tenía la suerte de que su mujer le deseara, lo mismo que él a ella. Ahora un segundo hijo entraría a formar parte de su cuidadosa y ordenada aventura. Volvió a palpar ansioso el vientre de Helen, en espera de una patada, de una señal de vida. Aunque coincidía con ella en que sería hermoso tener una niña, Garp abrigaba la esperanza de que fuera otro varón.

Se preguntó por qué. Recordó la chica del parque, su imagen de Ellen James sin lengua, las difíciles decisiones de su propia madre. Sintió la dicha de vivir con Helen; ella tenía sus propias ambiciones y él no podía dominarla con las suyas. Pero recordó a las prostitutas de la Kärntnerstrasse y a Cushie Percy (que moriría en su primer y único parto). Y ahora —su aroma todavía en su cuerpo, o al menos en su mente, aunque se había bañado—, la saqueada Huesos de Pichón. Cindy había gemido bajo su cuerpo, con la espalda apoyada en una maleta. Una vena azul latía en sus sienes, las sienes traslúcidas de una niña de piel pálida. Y aunque Cindy todavía tenía la lengua, había sido *incapaz* de hablarle cuando la dejó.

Garp no quería una hija a causa de los *hombres*. A causa de los hombres *malos*, sin duda alguna; pero incluso, pensó, a causa de los hombres como *yo*.

Segundos hijos, segundas novelas, segundo amor

Su segundo hijo fue un varón. El hermano de Duncan se llamó Walt... ni Walter ni el alemán Valt; era sencillamente una *t* en el extremo de una pared*, Walt: como la cola de un castor que manotea en el agua, como una pelota de frontón bien lanzada. Apareció en sus vidas y así pasaron a tener dos hijos.

Garp trataba de escribir la segunda novela. Helen ingresó en su segundo trabajo; se convirtió en profesora adjunta de literatura inglesa de la universidad estatal en la ciudad vecina. Garp y sus hijos disponían de un gimnasio para jugar y en algunas ocasiones Helen disponía de un brillante posgraduado que la aliviaba de la monotonía de los demás jóvenes; también tenía a otros —y más interesantes— colegas.

Uno de estos últimos era Harrison Fletcher; su especialidad era la novela victoriana, pero a Helen le gustaba por otras razones; entre ellas, la de que también estaba casado con una escritora. Esta se llamaba Alice y también trabajaba en su segunda novela, aunque nunca concluyó la primera. Cuando los Garp la conocieron, pensaron que se la podía confundir fácilmente con una ellenjamesiana: no hablaba. A Harrison, a quien Garp llamaba Harry, nunca le habían llamado antes Harry, pero le gustaba Garp y parecía disfrutar de su nuevo nombre como si aquél se lo hubieran regalado. Helen continuó llamándole Harrison, pero para Garp siempre sería Harry Fletcher. Fue el primer amigo que tuvo Garp, aunque ambos sentían que Harrison prefería la compañía de Helen.

Ni Helen ni Garp sabían qué pensar de Silenciosa Alice, como la llamaban.

—Debe de estar escribiendo una obra tan fabulosa que se ha quedado sin palabras —decía a menudo Garp.

Los Fletcher tenían una hija cuya edad la situaba incómodamente entre Duncan y Walt; se daba por sobreentendido que deseaban otro vástago. Pero la obra, la segunda novela de Alice,

---

* Juego de palabras con el término *wall*, que significa «pared» (N. de la T.)

pasaba primero; cuando estuviera terminada, tendrían otro hijo, decían.

A menudo, las dos parejas se reunían para cenar, pero los Fletcher tenían la costumbre de comer fuera —o sea que ninguno de los dos cocinaba— y Garp estaba atravesando un período en que incluso llegaba a amasar y cocer el pan y siempre tenía un puchero hirviendo en el hornillo. Por regla general, Helen y Harrison hablaban sobre libros, la enseñanza y sus colegas; almorzaban juntos en la universidad y todas las noches charlaban largamente por teléfono. Garp y Harry iban juntos a partidos de fútbol y de baloncesto, y a encuentros de lucha; tres veces por semana jugaban al frontón, que era el deporte favorito —y el único de Harry—, pero Garp estaba a su altura porque era mejor atleta y se encontraba en mejor forma por su práctica diaria de correr. Por el placer de esas partidas, Garp suprimió su rechazo por las pelotas.

En el segundo año de su amistad, Harry le dijo a Garp que a Alice le gustaba ir al cine.

—A mí *no* —admitió Harry—, pero, si a ti te gusta, y Helen me ha dicho que sí, ¿por qué no llevas a Alice?

Alice Fletcher siempre reía tontamente en el cine, especialmente con las películas serias; meneaba la cabeza, incrédulamente, ante todo lo que veía. A Garp le llevó meses darse cuenta de que Alice tenía un impedimento o un defecto nervioso en el habla; tal vez fuera algo psicológico. Al principio, Garp creyó que eran palomitas de maíz.

Una noche, mientras la llevaba de vuelta a casa, le dijo:

—Creo que tienes un problema de dicción, Alice.

—Zí —respondió Alice y movió afirmativamente la cabeza.

A menudo se trataba de un simple ceceo; a veces era algo completamente distinto, que en algunas ocasiones desaparecía. La excitación parecía agravar el defecto.

—¿Cómo anda tu libro? —inquirió Garp.

—Bien —durante la película, Alice le había dicho que le había gustado *Tardanza*.

—¿Quieres que lea algo de lo tuyo? —le preguntó Garp.

—Zí —Alice ladeó la cabeza.

Con sus dedos cortos y fuertes, Alice estrujaba la falda sobre su regazo, tal como Garp había visto hacer a su hija. A veces la niña se arrollaba la falda, como si fuera una persiana, por encima de las bragas (aunque Alice nunca llegaba tan lejos).

—¿Fue un accidente? —insistió Garp—. Me refiero a tu problema de dicción. ¿O naciste así?

—Nazí azí.

El coche frenó ante la casa de los Fletcher y Alice tiró del brazo a Garp. Abrió la boca y señaló su interior, como si eso lo explicara todo. Garp vio dos filas de dientes pequeños y perfectos, y una lengua regordeta y fresca como la de una criatura. No encontró nada peculiar, pero reinaba la oscuridad en el coche y de todos modos no habría reconocido nada extraordinario si lo hubiera visto. Cuando Alice cerró la boca, Garp vio que lloraba —y también sonreía, como si su acto hubiera requerido gran dosis de confianza. Garp movió la cabeza como si lo comprendiera todo.

—Comprendo —murmuró.

Alice se secó las lágrimas con el dorso de una mano y apretó la de Garp con la otra.

—Harrizon tiene una aventura —espetó Alice.

Garp sabía que Harry no tenía una aventura con Helen, pero ignoraba lo que pensaba la pobre Alice.

—Desde luego con Helen, no —afirmó Garp.

—Na, na —Alice movió la cabeza de un lado a otro—. Ez con otra.

—¿Con quién? —inquirió Garp.

—¡Una eztudiante! —gimió Alice—. Una eztúpida zorrita.

Habían transcurrido un par de años desde el saqueo a Huesos de Pichón, pero en aquella misma época Garp había abordado a otra niñera por horas; se avergonzó de no recordar siquiera su nombre. Sentía sinceramente que las niñeras por horas le hubieran dejado de interesar para siempre. Sin embargo, simpatizó con Harry: era su amigo y un importantísimo amigo de Helen. También compadeció a Alice. Alice era encantadora; evidentemente, mostraba una especie de vulnerabilidad extrema, que exhibía tan visiblemente como un jersey demasiado ceñido sobre su sólido cuerpo.

—Lo siento —dijo Garp—. ¿Puedo hacer algo?

—Dile que zeze —rogó Alice.

A Garp nunca le había resultado difícil cesar, pero jamás había sido profesor... con «eztudiantes» en la mente o entre manos. Quizás Harry se había embarcado en algo importante. En lo único que se le ocurrió pensar fue en confesar sus propios deslices, suponiendo que eso tranquilizaría a Alice.

—Suele ocurrir, Alice.

—A ti no —afirmó ella.

—A mí me ocurrió dos veces —reconoció Garp.

Alice quedó anonadada.

—Por favor, no me engañez.

—La verdad es que me ocurrió dos veces. En ambos casos, una niñera por horas.

—¡Jezucrizto! —exclamó Alice.

—Pero no era importante. Amo a Helen.

—Ezto ez importante —dijo Alice—. Me haze daño. No puedo *ezcribir*.

Garp entendía mucho de escritores que no pueden *ezcribir*, circunstancia que le hizo amar a Alice en el acto.

—El cabrón de Harry tiene una aventura —dijo Garp a Helen.

—Lo sé —contestó Helen—. Le he dicho que termine con eso pero siempre vuelve. Ella ni siquiera es una buena alumna.

—¿Qué podemos hacer?

—¡Maldita *lujuria*! —se quejó ella—. Tu madre tenía razón. Es un problema de hombres. Habla *tú* con él.

—Alice me contó lo de tus niñeras por horas —dijo Harry a Garp—. No es lo mismo. Se trata de una chica especial.

—¡Por Dios, Harry, una *alumna*! —le recriminó Garp.

—Una alumna *especial* —respondió Harry—. Yo no soy como tú. He sido sincero y Alice lo ha sabido desde el principio. Tiene que adaptarse. Le he dicho que es libre de hacer lo mismo.

—Sí, pero ella no tiene alumnos —sugirió Garp—. No conoce a ningún estudiante.

—Te conoce a *ti* —dijo Harry—, y está enamorada de ti.

—¿Qué podemos hacer? —preguntó Garp a Helen—. Intenta enredarme con Alice para justificar su proceder.

—Al menos ha sido sincero con ella —comentó Helen.

Se produjo uno de esos silencios en que, por la noche, una familia puede identificar sus respiraciones. Puertas abiertas que dan a un pasillo del piso superior; Duncan, con la perezosa respiración de un niño de casi ocho años con mucho tiempo por delante para vivir; Walt, con las inspiraciones de tanteo, breves y excitadas, de sus dos años; Helen, fría y serenamente.

Garp contiene el aliento. Comprendió que ella sabía lo de las niñeras por horas.

—¿Te lo dijo Harry?

—Podrías habérmelo hecho saber antes de contárselo a Alice —dijo Helen—. ¿Quién fue la segunda?

—Olvidé su nombre —confesó Garp.

—Me parece miserable. Es algo que, además de rebajarme, te rebaja a *ti*. Espero que lo hayas superado.

—Sí, así es.

Garp se refería a que había superado la etapa de las niñeras por horas. Pero ¿y la lujuria propiamente dicha? Ah... Jenny Fields había tocado un problema en el centro mismo del corazón de su hijo.

—Tenemos que ayudar a los Fletcher —decidió Helen—. Los queremos demasiado como para no intervenir en esta cuestión.

Helen, se maravilló Garp, cruzaba su vida en común como si se tratara de un ensayo bien estructurado: con una introducción, una presentación de los considerandos fundamentales y luego la tesis.

—Harry cree que esa muchacha es *especial* —apuntó Garp.

—Malditos *hombres* —protestó Helen—. Ocúpate de Alice. *Yo* le enseñaré a Harrison qué es ese algo especial.

De modo que una noche, después de comer un apetitoso pollo a la paprika y *spätzle*, preparados por Garp, Helen dijo:

—Harrison y yo fregaremos los platos. Acompaña a Alice a casa, Garp.

—¿Que la lleve a casa? ¿Ahora? —se extrañó Garp.

—Muéstrale tu novela —dijo Helen a Alice—. Muéstrale *todo* lo que quieras. Yo le mostraré a tu marido lo imbécil que es.

—Bueno, bueno —dijo Harry—, todos somos amigos y queremos *seguir* siéndolo, ¿no?

—Eres un hijo de puta —le dijo Helen—. Te tiras a una estudiante y dices que es algo especial: insultas al mismo tiempo a tu mujer y a mí. *Yo* te enseñaré qué es ese algo especial.

—Tranquila, Helen —intervino Garp.

—Vete con Alice. Y deja que sea ella quien lleve a la niñera a su casa.

—¡Bueno, bueno! —repitió Harrison Fletcher.

—¡Cállate la boca, Harrizon! —Alice cogió a Garp de la mano y se levantó de la mesa.

—¡Malditos *hombres*! —concluyó Helen.

Garp, mudo como una ellenjamesiana, llevó a Alice a casa.

—Yo puedo llevar a la niñera, Alice —propuso.

—Zí, pero vuelve *en zeguida.*

—De inmediato, Alice.

Alice le hizo leer el primer capítulo de su novela en voz alta.

—Quiero *oírlo* —le dijo— y no puedo hazerlo yo misma.

Por tanto, lo leyó Garp y se sintió aliviado al oír que sonaba maravillosamente. Alice escribía con tal fluidez y esmero que Garp podría haber *entonado* sus oraciones y habrían resultado hermosas.

—Tienes un tono hermoso, Alice —dijo Garp.

Ella lloró e hicieron el amor, por supuesto, y a pesar de lo que todos saben sobre estas cosas, *fue* especial.

—¿No lo fue? —preguntó Alice.

—Sí, lo fue —respondió Garp.

Ahora, pensó, *empiezan* los problemas.

—¿Qué podemos hacer? —preguntó Helen a Garp.

Había logrado que Harrison Fletcher olvidara a su alumna «especial»; ahora Harrison pensaba que *Helen* era lo más especial de su vida.

—Tú iniciaste todo ese lío —le recordó Garp—. Si ha de tener punto final, creo que debes ponérselo tú.

—Eso es fácil de decir —dijo Helen—. Me *gusta* Harrison; es mi mejor amigo y no quiero perderle; pero no tengo demasiado interés en acostarme con él.

—El *sí* lo tiene —afirmó Garp.

—Lo sé.

—Considera que eres lo mejor que ha tenido en su vida —le dijo Garp.

—¡Grandioso! Eso debe ser fantástico para Alice —se condolió Helen.

—A Alice no le importa eso —observó Garp—. No piensa en ello.

Garp sabía que Alice pensaba en *Garp* y él mismo temía que en cualquier momento todo acabara. Había instantes en que Garp pensaba que Alice era lo mejor que había tenido en su vida.

—¿Y tú? —le preguntó Helen. «Nada es igual», escribía Garp un día.

—Yo estoy bien —respondió—. Me gusta Alice, me gustas tú, me gusta Harry.

—¿Y Alice? —quiso saber Helen.

—A Alice le gusto.

—¡Caray! —exclamó Helen—. De modo que todos nos gustamos, pero a mí no me interesa demasiado *acostarme* con Harrison.

—Entonces todo ha terminado —Garp trató de ocultar la tristeza en su voz.

Alice le había asegurado que *nunca* terminaría. («¿Ez pozible que termine? ¿Ez posible que termine?», había gritado. «Yo no puedo hazer que *zeze*.»)

—Bueno, ¿no están ahora las cosas mejor de lo que estaban? —preguntó Helen a Garp.

—Lograste tu objetivo —razonó Garp—. Apartaste a Harry de su maldita alumna. Ahora tienes que dejarle poco a poco.

—¿Y tú y Alice?

—Si termina para uno de nosotros, termina para todos. Es lo justo.

—Yo sé lo que es *justo* —aseguró Helen—. También sé lo que es *humano*.

Los adioses que Garp imaginaba con Alice eran violentas escenas cargadas de la incoherente dicción de Alice y siempre concluían en coitos desesperados —otra decisión fracasada, húmeda de sudor y dulce del lozano engrudo del sexo, oh zí.

—Creo que Alice está un poco *loca* —subrayó Helen.

—Alice es muy buena escritora. Auténtica.

—Malditos *escritores* —murmuró Helen.

—Harry no sabe apreciar el talento de Alice —Garp se quedó asombrado de haber expresado eso en voz alta.

—¡Demonios! —musitó Helen—. ¡Es la última vez que intento salvar un matrimonio, excepto el mío!

A Helen le llevó seis meses dejar a Harry poco a poco y durante ese tiempo Garp vio a Alice todo cuanto pudo, mientras aún trataba de prevenirla de que aquel cuarteto tendría vida efímera. También intentaba prevenirse a sí mismo, porque temía convencerse de que tenía que renunciar a Alice.

—No es lo mismo para los cuatro —dijo Garp a Alice—. Esto tendrá que terminar, y pronto.

—¿Y qué? —contestó Alice—. Todavía no ha zezado, ¿no?

—Todavía no —reconoció Garp.

Garp le leyó a Alice en voz alta todas las palabras que ella había escrito y tanto hicieron el amor que él sentía escozor al ducharse y no soportaba llevar calzoncillos mientras hacía sus carreras cotidianas.

—Tenemos que hazerlo y volver a hazerlo —dijo Alice fervientemente—. Tenemos que hazerlo mientras podamos.

—Tú sabes que esto *no puede* durar —trató de advertir Garp a Harry mientras jugaban al frontón.

—Lo sé, lo sé, pero es grandioso *mientras* dura, ¿no?

—¿No? —preguntó Alice. ¿Amaba Garp a Alice? Oh, zí.

—Sí, sí —Garp estaba convencido de ello.

Pero Helen, que era la que menos disfrutaba, era también la que más sufría; cuando finalmente le puso punto final, no pudo evitar que se notara su euforia. Los otros tres no pudieron evitar que se notara su enfado por el hecho de que se mostrara tan exaltada mientras ellos experimentaban semejante agonía. Sin imposición formal, existió una moratoria de seis meses en los encuentros de las parejas, salvo los fortuitos. Naturalmente, Helen y Harry se veían en el Departamento de Literatura Inglesa. Garp encontraba a Alice en el supermercado. En cierta ocasión, ella chocó deliberadamente su carrito de la compra contra el de él; el pequeño Walt quedó enjaulado entre los alimentos y las latas de zumo; la hija de Alice pareció igualmente alarmada por la colisión.

—Zentía la nezezidad de algún *contacto* —explicó Alice.

Una noche, muy tarde, llamó por teléfono a casa de los Garp; éste y Helen se habían acostado. Helen atendió la llamada.

—¿Está Harrizon ahí? —preguntó Alice.

—No, Alice —respondió Helen—. ¿Ocurre algo?

—*Aquí* no eztá —gritó Alice—. ¡No he vizto a Harrizon en toda la noche.

—Iré a hacerte compañía —sugirió Helen—. Garp puede buscar a Harrison.

—¿No puede venir *Garp* a hazerme compañía? —insinuó Alice—. *Tú* buzca a Harrizon.

—No, *yo* te haré compañía —insistió Helen—. Me parece lo mejor. Garp puede ir a buscar a Harrison.

—Quiero a Garp —declaró Alice.

—Lamento que no puedas tenerlo —contestó Helen.

—Yo soy quien lo lamenta, Helen.

Alice lloró y dijo una serie de cosas que Helen no logró entender. Le pasó el teléfono a Garp.

Garp habló y escuchó a Alice durante una hora. Nadie buscó a Harrison. Helen sentía que había hecho un buen trabajo al mantenerse equilibrada durante los seis meses que había permitido que todo continuara; ahora que había concluido esperaba que todos supieran controlarse.

—Si Harrison anda por ahí follándose a sus alumnas, le azotaré —estalló Helen—. ¡Ese *imbécil*! Y si Alice dice que es escritora, ¿por qué no escribe? Si tiene tanto que *decir,* ¿por qué pierde tiempo diciéndolo por teléfono?

El tiempo, sabía Garp, lo mitigaría todo. El tiempo también demostraría que estaba equivocado en cuanto a la obra de Alice. Podía tener un estilo hermoso, pero era incapaz de completar algo; nunca terminó su segunda novela durante todos los años que los Garp fueron amigos de los Fletcher... ni en los años posteriores. Podía decir cualquier cosa maravillosamente, pero —como señaló Garp a Helen cuando, por último, Alice le sacó de quicio— no podía llegar al final de nada. No podía *zezar.*

Tampoco Harry jugó sensatamente sus cartas. La universidad no le renovó el contrato, lo cual significó una amarga pérdida para Helen, porque le encantaba tenerle como amigo. Pero la alumna a la que Harry había dejado por Helen no se dejó despedir tan fácilmente, se quejó al Departamento de Literatura Inglesa de haber sido seducida, aunque naturalmente sólo se quejaba porque le habían dado calabazas. La denuncia hizo fruncir el ceño a los colegas de Harry. Además, no se tomó en consideración la defensa de *Helen* con respecto a la renovación del contrato de Harrison Fletcher: la estudiante despechada también había descubierto *su* relación con Harry.

Hasta la madre de Garp, Jenny Fields —con todo lo que representaba para las mujeres— coincidió con Garp en que el propio contrato de Helen en la universidad —que tan fácilmente le habían adjudicado, siendo más joven que el pobre Harry— había sido un gesto simbólico por parte del Departamento de Literatura Inglesa. Probablemente alguien les había dicho que necesitaban a una mujer en el Departamento, en calidad de profesor adjunto, y se había presentado Helen. Aunque ésta no dudaba de sus méritos, sabía que no la habían contratado por éstos.

Pero Helen todavía no se había acostado con ningún alumno. Harrison Fletcher había concedido, de manera imperdonable, más importancia a su vida sexual que a su trabajo. De cualquier manera, consiguió otro. Quizá lo que restaba de la amistad entre los Garp y los Fletcher quedó a salvo por la mudanza de éstos. Ahora las parejas se veían dos veces por año; la distancia limó lo que podrían haber sido asperezas. Alice podía hablar de su impecable prosa con Garp... por carta. Se extinguió la tentación de tocarse, incluso de entrechocar los carritos de la compra, y los cuatro coincidieron en seguir siendo el tipo de amigos que llegan a ser muchos viejos amigos: lo eran cuando tenían noticias los unos de los otros o cuando, en raras ocasiones, se reunían. Cuando no estaban en contacto, ni se acordaban de que existían.

Garp arrojó a la basura su segunda novela y empezó una *segunda* segunda novela. A diferencia de Alice, Garp era un verdadero escritor, no porque escribiera mejor que ella, sino porque sabía lo que todo artista debe saber. Como dijo Garp: «Sólo se crece llegando al final de algo y empezando otra cosa». Aunque los así llamados finales y comienzos sean ilusiones. Garp no escribía más rápido que otros ni más que ellos; sencillamente, siempre trabajaba con la *idea* de terminar.

Sabía que su segunda obra rebosaba de la energía que había obtenido de la relación con Alice.

Era un libro en que abundaban los diálogos mordaces y el sexo que dejaba doloridos a los protagonistas; el sexo, en la obra, también hacía sentir culpables a los personajes y, por lo general, con ganas de más sexo. Esta paradoja la pusieron de manifiesto varios críticos que denominaron al fenómeno tanto de «brillante» como de «soso». Un crítico dijo que la novela era «amargamente verídica», pero se apresuró a señalar que la amargura condenaba a la novela a la condición de «un clásico menor». Si la amargura hubiera sido más «refinada», teorizó el crítico, «habría emergido una verdad más pura».

Se expresaron otros disparates con respecto a la «tesis» de la novela. Un crítico formuló la idea de que la novela parecía decir que *sólo* las relaciones sexuales pueden hacer que la gente se revele profundamente a sí misma; sin embargo, precisamente durante las relaciones sexuales la gente parecía perder toda profundidad. Garp afirmó que nunca había sustentado una tesis y de muy mal humor respondió a un entrevistador que había escrito «una comedia, seria acerca del matrimonio, pero una farsa sexual». Más tarde escribió que «la sexualidad humana convierte en grotescas nuestras más serias intenciones».

Pero al margen de lo que Garp dijera —o los críticos—, el libro no fue un éxito. Titulada *El segundo pedo del cornudo*, la novela confundió a casi todos los que la leyeron; hasta sus críticos estaban confundidos. Vendió algunos miles de ejemplares menos que de *Tardanza* y, aunque John Wolf le aseguró a Garp que eso era lo que a menudo ocurría con las segundas novelas, Garp —por primera vez en su vida— sintió que había fracasado.

John Wolf, que era un buen editor, protegió a Garp de cierta crítica, hasta que empezó a temer que éste la viera casualmente; entonces le envió de mala gana el recorte de un periódico de la Costa Oeste, con una nota adjunta en la que le decía estaba enterado de que el crítico padecía de un desequilibrio hormonal. El autor señalaba secamente que era sórdido y patético que T. S. Garp, «el hijo sin talento de la famosa feminista Jenny Fields, haya escrito una novela sexista que se revuelca en el sexo... y ni siquiera de manera instructiva». Y así sucesivamente.

El hecho de haberse criado con Jenny Fields no convertía a Garp en el tipo de persona fácilmente influenciable por las opiniones que de él tuvieran los demás, pero ni a Helen le gustó *El segundo pedo del cornudo*. Tampoco Alice Fletcher, en sus amorosas cartas, jamás mencionó la existencia del libro.

El segundo pedo del cornudo trataba de dos parejas casadas que viven una aventura.

—¡Caray! —exclamó Helen cuando se enteró del tema del libro.

—No se refiere a *nosotros* —declaró Garp—. No se refiere a nada de eso. Se limita a *utilizar* eso.

—Y tú siempre me estás diciendo que la literatura autobiográfica es la *peor* —le recriminó Helen.

—Esto *no es* autobiográfico. Ya verás.

Helen no lo vio. Aunque la novela no trataba de Helen y Garp, y Harry y Alice, se refería a cuatro personas cuya relación, de objetivos desiguales y sexualmente competidores, resulta un estropicio.

Cada una de las personas del cuarteto tiene un defecto físico. Uno de los hombres es ciego. El otro padece de un tartamudeo de tan monstruosas proporciones que su diálogo es enloquecedoramente difícil de leer. Jenny regañó a Garp por parodiar al pobre y difunto señor Tinch, pero los escritores, sabía Garp, no eran más que observadores... buenos e implacables imitadores de la conducta humana. Garp no quería ofender a Tinch: se había limitado a utilizar uno de sus hábitos.

—No sé cómo puedes haberle hecho esto a Alice —se desesperó Helen.

Helen se refería a los defectos, especialmente a los de las mujeres. Una de ellas tenía espasmos musculares en el brazo derecho: su mano siempre repartía golpes, volcaba copas de vino, floreros, golpeaba rostros de niños y en una ocasión estuvo a punto de castrar a su marido (accidentalmente) con una podadora. Sólo su amante —el marido de la otra mujer— es capaz de aplacar tan terrible e incontrolable espasmo... por lo cual la mujer es, por primera vez en su vida, poseedora de un cuerpo intachable, de movimientos plenamente intencionados, auténticamente gobernado y controlado por ella misma.

La otra mujer sufre de imprevisibles e irrefrenables flatulencias. La pedorrera está casada con el tartamudo; el ciego, con el peligroso brazo derecho.

Dicho sea a favor de Garp, ninguno de los cuatro es escritor. («¿Tendríamos que estar agradecidos por los pequeños detalles favorables?», preguntó Helen.) Una de las parejas no tiene descendencia ni quiere tenerla. La otra está tratando de tener un hijo; la mujer concibe, pero su alegría se ve palidecida por la curiosidad de todos con respecto a la identidad del padre. ¿Cuál de ellos es? Las parejas esperan encontrar rasgos reveladores en el recién nacido. ¿Tartamudeará, se tirará pedos, golpeará o será ciego? (Garp consideró que éste era su último comentario —en beneficio de su madre— sobre el tema de los *genes*.)

Hasta cierto punto es una novela optimista, si no fuera porque la amistad que existe entre las parejas les convence, finalmente, de que deben romper su relación. Después, la pareja sin hijos se separa, desilusionada, el uno del otro... pero no necesariamente como resultado del experimento. El matrimonio que tiene el hijo triunfa como pareja; el niño se desarrolla sin defectos visibles. La última escena de la novela corresponde al encuentro casual de las dos mujeres; se cruzan en una escalera móvil de unos grandes almacenes durante las Navidades; la pedorrera sube, la del peligroso brazo derecho baja. Ambas van cargadas de paquetes. En el instante en que se cruzan, la mujer aquejada de incontrolables flatulencias libera un entusiasta pedo triple... la espástica golpea a un anciano que va delante de ella y le tumba escaleras abajo, derribando a gran número de personas. Pero es Navidad. Las escaleras mecánicas están atestadas y bulliciosas; nadie resulta herido y todo es perdonable en esos días. Las dos mujeres, mientras se distancian en sus transportes mecánicos, parecen reconocer serenamente sus respectivas cargas; sonríen tristemente.

—¡Es una comedia! —gritó repetidas veces Garp—. Nadie lo comprendió. Se supone que es muy *divertida*. ¡Qué película podría filmarse!

Pero nadie compró siquiera los derechos para la edición de bolsillo.

Como puede verse por el destino del hombre que sólo podía caminar con las manos, Garp tenía alguna fijación con las escaleras mecánicas. Helen dijo que ni una sola persona del Departamento de Literatura Inglesa le mencionó *El segundo pedo del cornudo;* en el caso de *Tardanza* muchos de sus colegas habían intentado, con buenas intenciones, al menos una discusión. Helen afirmó que el libro era un atropello a su intimidad y que abrigaba la esperanza de que toda la cuestión sólo fuese un capricho de Garp que pronto pasaría.

—¿Creen que eres *tú*? —le preguntó Garp—. ¿Qué demonios les ocurre a los estúpidos de tus colegas? ¿*Tú* te tiras pedos en las aulas de la facultad? ¿Se te sale el hombro de lugar en las reuniones del departamento? ¿Tartamudeaba en clase el pobre Harry? —chilló Garp—. ¿Soy ciego?

—*Sí*, eres ciego —dijo Helen—. Tienes tus propios términos para lo que es ficción y para lo que son hechos, pero, ¿crees que el resto de la gente conoce tu sistema? Es sencillamente tu *vida*, de alguna manera, por mucho que inventes y aunque sólo se trate de una experiencia *imaginada*. La gente *piensa* que soy yo y *piensa* que eres tú. A veces yo también lo creo.

El ciego de la novela es geólogo.

—¿Me ves jugando con rocas? —bramó Garp.

La mujer flatulenta trabaja como voluntaria en un hospital; es auxiliar de enfermera.

—¿Acaso se queja mi madre? —inquirió Garp—. ¿Me escribe señalando que jamás se tiró un pedo en un hospital, ya que sólo lo hace en casa y siempre bajo control?

Pero Jenny Fields *se quejó* a su hijo por *El segundo pedo del cornudo*. Le dijo que había escogido un tema tan estrecho, de tan ínfima importancia universal, que decepcionaba.

—Se refiere al sexo —explicó Garp—. Esto es clásico. Un discurso sobre lo que es universal, pronunciado por una mujer que ni una sola vez en su vida sintió deseos sexuales. Y el Papa, que hace votos de castidad, decide la cuestión de la anticoncepción para millones de seres humanos. ¡El mundo *está* loco! —concluyó Garp.

La novísima colega de Jenny era una transexual de más de un metro noventa, llamada Roberta Muldoon, antes Robert Muldoon, descollante lateral de los Eagles de Filadelfia; Roberta había rebajado su peso de 120 a 90 kilos desde su feliz operación de cambio de sexo. Las dosis de estrógeno habían disminuido su otrora imponente fuerza y algo de su resistencia; Garp también suponía que las otrora famosas «manos rápidas» de Robert Muldoon ya no lo eran tanto, pero Roberta Muldoon era una formidable compañera de Jenny Fields. Roberta idolatraba a la madre de Garp. Había sido *Sexualmente sospechosa*, el libro de Jenny, el que, un invierno, había dado a Robert Muldoon la valentía necesaria para someterse a la operación de cambio de sexo, mientras se recuperaba de una operación en la rodilla, en un hospital de Filadelfia.

Ahora Jenny Fields defendía el caso de Roberta contra las cadenas de televisión que, al decir de ésta, habían acordado en secreto no contratarla como locutora deportiva durante la temporada de fútbol, americano. Los *conocimientos* de fútbol de Roberta no habían disminuido un ápice con los estrógenos, argumentaba Jenny; campañas de apoyo de campus universitarios de todo el país habían convertido a Roberta Muldoon en una figura de impresionante controversia. Roberta era inteligente, se expresaba bien y, naturalmente, entendía de fútbol; habría sido un cambio favorable con respecto a los habituales imbéciles que trabajaban como comentaristas deportivos.

A Garp le gustaba. Hablaban de fútbol y jugaban al frontón. Roberta siempre ganaba las primeras partidas (era más fuerte que él y mejor atleta), pero su resistencia era inferior a la de él y, debido a ser persona robusta, se agotaba. Con el tiempo, Roberta también se cansaría de su pleito contra las cadenas de televisión, pero adquiriría gran resistencia para otras cosas más importantes.

—Indudablemente tienes ventajas sobre la Asociación Ellen James, Roberta —solía decirle Garp.

Garp disfrutaba más de las visitas de su madre cuando llegaba con Roberta. Esta era capaz de jugar horas enteras con Duncan a la pelota. Roberta prometió llevar al niño a un partido de los Eagles, pero a Garp le angustió la idea. Roberta era una figura marcada que había enfurecido a mucha gente. Garp imaginaba diversas formas de agresión y amenazas de bombas contra Roberta... y a Duncan desaparecido en el vasto y rugiente estadio de Filadeldia, donde sería deshonrado por un violador de menores.

Era el fanatismo de la correspondencia amenazadora que recibía Roberta Muldoon lo que había desatado la imaginación de Garp, pero cuando Jenny le mostró algunas cartas similares dirigidas a ella, Garp también se angustió. Se trataba de un aspecto de la publicidad de la vida de su madre que no había tenido en cuenta: algunas personas la aborrecían sinceramente. Escribieron a Jenny deseándole un cáncer. Escribieron a Roberta Moldoon abrigando la esperanza de que sus (de él o de ella) padres murieran. Una pareja escribió a Jenny Fields que les gustaría inseminarla artificialmente con esperma de elefante con el propósito de que estallara en su interior. La nota llevaba la firma de «Una pareja legítima».

Un hombre escribió a Roberta Moldoon y le informó que toda su vida había sido fanático de los Eagles —incluso sus abuelos que habían nacido en Filadelfia—, pero que ahora se pasaría a los Giants o a los Redskins y se trasladaría a Nueva York o a Washington —incluso a Baltimore, si fuera necesario— porque Roberta había pervertido a toda la línea ofensiva de los Eagles con sus mariconadas.

Una mujer escribió a Roberta Muldoon que abrigaba la esperanza de que una pandilla de los Oakland Raiders la linchara. La mujer consideraba que los Raiders formaban el equipo de fútbol más repugnante por lo cual podrían demostrarle a Roberta lo divertido que era ser mujer.

Un lateral de una escuela secundaria de Wyoming escribió a Roberta Muldoon que le avergonzaba seguir siendo lateral y que pediría cambio de posición... a la defensa. Por el momento, no había defensas transexuales.

Un jugador de la delantera universitaria de Michigan le escribió para comunicarle que, si pasaba por Ypsilanti, le encantaría montársela con las hombreras puestas.

—Esto no es nada —contó Roberta a Garp—. Las que recibe tu madre son mucho peores. A ella la odia mucha más gente.

—Mamá —dijo Garp—, ¿por qué no te retiras un tiempo? Tómate vacaciones. Escribe otro libro.

Jamás Garp había creído que llegaría a sugerirle algo semejante, pero repentinamente vio a Jenny como una posible víctima que se exponía —a través de otras víctimas— a todo el odio, la crueldad y la violencia del mundo. Siempre que la prensa la interrogaba, Jenny respondía que *estaba* escribiendo otra obra; sólo Garp, Helen y John Wolf sabían que era mentira. Jenny Fields no estaba escribiendo una sola línea.

—Ya he dicho todo lo que quiero decir sobre *mí* —respondió Jenny a su hijo—. Ahora me interesan otras personas. Tú preocúpate por *ti* mismo —concluyó con tono grave, como si en su opinión la introversión de su hijo, su vida imaginativa, fuera la forma más peligrosa de vivir.

De hecho, Helen temía lo mismo, especialmente cuando Garp no escribía y, durante más de un año después de *El segundo pedo del cornudo,* Garp no escribió. Luego lo hizo durante un año y después lo arrojó todo a la basura. Escribió cartas a su editor; fueron las cartas más difíciles que tuvo que leer John Wolf en su vida, y más difíciles aún de contestar. Algunas de ellas tenían diez o doce páginas; en la mayoría de ellas, Garp acusaba a John Wolf de no «empujar» *El segundo pedo del cornudo* tanto como podía hacerlo.

«Todos lo *odiaron*», le recordó John Wolf a Garp. «¿Cómo habría podido empujarlo?»

«Nunca apoyaste la obra», escribió Garp.

Helen escribió a John Wolf para pedirle que fuera paciente con Garp, pero John Wolf conocía muy bien a los escritores y era lo más paciente y amable que podía.

Por último, Garp escribió cartas a otras personas. Respondió algunas de las misivas amenazadoras dirigidas a su madre, en los pocos casos en que llevaban remitente. Escribió largas cartas con la intención de despojar a esa gente de su odio.

—Te estás convirtiendo en un asistente social —dijo Helen.

Garp se ofreció incluso a contestar la correspondencia de Roberta Moldoon, pero ésta tenía un nuevo amante y las cartas amenazadoras resbalaban sobre ella como agua.

—¡Caramba! —le dijo Garp con tono de queja—. Primero un traspaso sexual y ahora te enamoras. Para un lateral con tetas, eres realmente pesada, Roberta.

Eran muy buenos amigos y jugaban apasionadamente al frontón siempre que Roberta y Jenny iban a la ciudad, pero esto no ocurría con la suficiente frecuencia como para ocupar todo el tiempo de desasosiego de Garp. Este pasaba horas jugando con Duncan... y esperando a que Walt creciera lo suficiente como para poder jugar también con él. Se fraguaba una tormenta en el interior de Garp.

—La tercera novela es la mejor —dijo John Wolf a Helen, porque percibió que ella se estaba hastiando del desasosiego de Garp y necesitaba una charla estimulante—. Dale tiempo, ya llegará.

—¿Cómo sabe *él* que la tercera novela es la mejor? —bufó Garp—. Mi tercera novela ni siquiera existe. Y por la forma en que fue publicada, también podría no existir la segunda. Estos editores están llenos de mitos y profecías autocomplacientes. Si sabe tanto de terceras novelas, ¿por qué no escribe él *su* tercera novela? ¿Por qué no escribe la *primera*?

Pero Helen sonrió, le besó y empezó a acompañarle al cine, aunque era algo que detestaba. Ella era feliz con su trabajo y los niños eran dichosos. Garp era un buen padre y un buen cocinero; le hacía el amor más elaboradamente cuando no escribía que cuando trabajaba duramente. Ya llegará, pensó Helen.

Su padre, el bueno de Ernie Holm, había tenido síntomas prematuros de problemas cardíacos, pero era feliz en la Steering. Todos los inviernos, él y Garp se desplazaban juntos para ver uno de los grandes encuentros de lucha en Iowa. Helen estaba segura de que el bloc de apuntes de Garp era fácil de trasladar.

—Ya llegará —vaticinó Alice Fletcher a Garp por teléfono—. No puedes forzarlo.

—No estoy tratando de forzar nada —le aseguró—. No hay nada que forzar.

Pero pensó que la deseable Alice, que nunca pudo terminar nada —ni siquiera su amor por él—, no era la persona más indicada para comprender lo que quería decir.

Entonces, Garp empezó a recibir su propia correspondencia amenazadora. Alguien a quien había ofendido *El segundo pedo del cornudo* le dirigió una enérgica carta. No era un ciego ni un tartamudo, ni un espástico, ni un pedorrero, como cabía imaginar. Era exactamente lo que Garp necesitaba para emerger de su depresión.

«Distinguido mierdoso [escribió la parte ofendida]:

»He leído su novela. Usted parece encontrar divertidos los problemas de los demás. He captado su visión del mundo. Supongo que con su mata de pelo puede reírse de los calvos. En su cruel engendro se ríe de la gente que no puede tener orgasmos, de la gente que no tiene la bendición de un matrimonio feliz, de la gente cuyos cónyuges son infieles. Tendría que saber que las personas que tienen estos problemas no creen que todo sea tan divertido. Observe el mundo, mierdoso, es un lecho de dolor, la gente sufre y nadie cree en Dios ni educa bien a sus hijos. ¡Usted, mierdoso, no tiene ningún problema, de modo que puede reírse de la pobre gente que los tiene!

Sinceramente
Sra. I. B. Poole
Findley, Ohio.»

La carta escoció a Garp como una bofetada; rara vez se había sentido tan mal interpretado. ¿Por qué la gente insistía en que, si se era «cómico», no se podía ser también «serio»? Garp adivinaba que la mayoría de la gente confundía ser profundo con ser moderado, ser serio con ser profundo. Parecía que, si *sonabas* serio, lo eras. Probablemente otros animales no pueden reírse de sí mismos, y Garp estaba convencido de que la risa se relacionaba con la compasión, algo de lo que siempre necesitamos más. A fin de cuentas, había sido un chico carente de humor —y nunca religioso— por lo que quizás ahora se tomaba más en serio la comedia que los demás.

Pero a Garp le resultaba doloroso comprobar que su punto de vista se interpretaba como una burla; comprender que su obra le hacía parecer cruel le dio una sensación de fracaso. Muy cuidadosamente, como si le hablara a un suicida en potencia que está en la azotea de un hotel extranjero y desconocido, Garp escribió a su lectora de Findlay, Ohio.

«Estimada señora Poole:

»Este mundo es un lecho de dolor, la gente sufre terriblemente, muy pocos creemos en Dios o criamos bien a nuestros hijos; en este sentido, tiene razón. También es verdad que la gente que tiene dificultades no cree, por regla general, que sus problemas sean "divertidos".

»En cierta ocasión, Horace Walpole dijo que el mundo es cómico para aquellos que piensan y trágico para aquellos que sienten. Espero que coincidirá conmigo en que, de algún modo, Horace Walpole simplifica el mundo al decir esto. Seguramente tanto usted como yo pensamos y sentimos; en cuanto a qué es cómico y qué es trágico, señora Poole, el mundo está confundido. Por tal razón nunca he comprendido por qué se consideran opuestos "serio" y "divertido". Para mí es, sencillamente, una verdadera contradicción el hecho de que los problemas de la gente sean a menudo divertidos y que, no obstante, la gente es a menudo triste.

»Sin embargo, me avergüenza que crea que me río de la gente o que me divierto con ella. Me tomo muy en serio a la gente. De hecho, es lo único que me tomo en serio. Por tanto, sólo siento simpatía por el obrar de la gente y sólo cuento con la risa para consolarlos.

»Señora Poole, la risa es mi religión. A la manera de las grandes religiones, reconozco que mi risa es algo desesperada. Le relataré un breve cuento a modo de ilustración de lo que quiero decir. La historia ocurre en Bombay, India, donde mucha gente muere de inanición todos los días, aunque no a toda la gente de Bombay le sucede igual.

»Entre la población no hambrienta de Bombay, India, se celebró una boda y se dio una fiesta en honor de los contrayentes. Algunos de los invitados llegaron a lomos de elefante. Pero, de hecho, no se daban cuenta de que se estaban exhibiendo: sólo utilizaban los elefantes como medio de transporte. Aunque a nosotros puede sorprendernos como forma chocante de trasladarse, no creo que esos invitados lo consideraran así. Con toda probabilidad, la mayoría de ellos no era directamente responsable del amplio número de sus compatriotas que morían de hambre en derredor suyo; la mayoría de ellos sólo estaba "evadiéndose" de sus propios problemas, y de los problemas del mundo, al festejar la boda de un amigo. Pero, si usted fuera miembro de la colectividad hambrienta, pasara junto al sitio de la fiesta y viera todos esos elefantes aparcados, probablemente experimentaría un gran malestar.

»Más aún, algunos de los asistentes se emborracharon y empezaron a dar de beber cerveza a su elefante. Vaciaron una cubitera, la llenaron de cerveza, se dirigieron alegremente al aparcamiento y se la dieron a beber a su acalorado elefante. A éste le gustó, de modo que le dieron varias cubiteras más llenas de cerveza.

»¿Quién puede saber cómo afecta la cerveza a un elefante? Esas personas no querían hacer ningún daño, sólo estaban divirtiéndose, y es altamente probable que el resto de sus vidas no fuera ciento por ciento divertido. Probablemente necesitaban esa fiesta. Pero esas personas también se estaban comportando estúpida e irresponsablemente.

»Si uno de los muchos muertos de hambre hubiera pasado por el aparcamiento y visto a esos borrachos atosigando a un elefante con cerveza, apuesto a que se habría sentido humillado. Mas espero que comprenda que no me estoy *riendo* de nadie.

»Lo que ocurre a continuación es que se pide a los borrachos que *abandonen* la fiesta porque su comportamiento con el elefante ofendía a los otros invitados. Nadie puede culpar a los demás invitados por sentirse molestos; de hecho, algunos de ellos pueden haber creído que así evitarían que las cosas "se les escaparan de las manos", aunque la gente nunca ha tenido mucho éxito en lograr semejante cosa.

»Malhumorados y envalentonados por la cerveza, los invitados montaron a duras penas a su elefante y salieron del aparcamiento —una enorme exposición de bienestar, sin duda—, tropezando con otros elefantes y objetos, porque su elefante se balanceaba de un lado para otro embriagado, ofuscado y ahíto de cerveza. Su trompa avanzaba y retrocedía como un miembro artificial mal encajado. La enorme bestia avanzaba con tanta inestabilidad que chocó contra un poste de alumbrado público, lo arrancó limpiamente e hizo caer los cables eléctricos encima de su monumental cabeza, que le mataron instantáneamente, lo mismo que a los invitados a la boda que montaban en él.

»Créame, señora Poole: no pienso que eso fuera "divertido". Pero entonces llega un indio muerto de hambre. Ve a los invitados a la boda llorando la muerte de sus amigos y del elefante de sus amigos; gemidos, rasgamiento de vestiduras, abundancia de buena comida y bebida. Lo primero que se le ocurre es aprovechar la oportunidad para entrar a hurtadillas mientras los invitados están distraídos y robar un poco de esos manjares y bebidas para su hambrienta familia. Lo segundo que hace es reír como un loco por la forma en que los invitados se eliminaron a sí mismos y a su elefante. Al lado de la muerte por inanición, este método letal puede parecer divertido, o al menos rápido, al hindú subalimentado. Pero los invitados a la boda no lo consideran así. Ya es una tragedia para ellos; ya hablan de "este trágico acontecimiento" y, aunque quizá pueden perdonar la presencia de un "pordiosero roñoso" en su fiesta —e incluso tolerar que les robara comida—, no pueden perdonarle que se ría de sus amigos muertos y del elefante de sus amigos muertos.

»Los invitados a la boda —indignados por la conducta del mendigo (por su risa, no por su robo ni por sus harapos)— le ahogan en una de las cubiteras con cerveza que los difuntos invitados habían utilizado para aplacar la sed de su elefante. Interpretan este acto como una representación de la "justicia". Vemos que el cuento trata de la lucha de clases... y es, en resumen, "serio". Pero a mí me gusta considerarlo como una comedia acerca de un desastre natural: sólo son personas que intentan vanamente "hacerse cargo" de una situación cuya complejidad les sujeta, una situación compuesta de partes eternas y triviales. Al fin y al cabo, con algo tan inmenso como un elefante, podría haber sido mucho peor.

»Abrigo la esperanza, señora Poole, de haber esclarecido mejor lo que pretendo expresar. En cualquier caso, le agradezco el tiempo que ha empleado en escribirme, porque valoro la comunicación con mis lectores... aunque sea crítica.

Sinceramente suyo,
"Mierdoso."»

Garp era un hombre excesivo. Lo volvía todo barroco, creía en la exageración; también su novela era extremada. Garp jamás olvidó su fracaso con la señora Poole; a menudo se inquietaba al pensar en ella y la respuesta a su pomposa carta debió de perturbarle aún más.

«Estimado Sr. Garp [respondió la Sra. Poole]:
»Jamás creí que se tomaría la molestia de escribirme una carta. Debe de ser usted un enfermo. A través de su carta veo que cree en sí mismo, y supongo que eso es bueno. Pero la mayor parte de las cosas que dice son para mí basura y tonterías, y no quiero que trate de volver a explicarme nada, porque es aburrido y un insulto para mi inteligencia.

Suya,
Irene Poole.»

A semejanza de sus convicciones, Garp era contradictorio. Solía ser sumamente generoso con los demás, pero muy impaciente.

Establecía sus propias normas en cuanto al tiempo y la paciencia que cada persona merecía. Podía ser esmeradamente tierno hasta que decidía que ya lo había sido bastante. Entonces giraba en sentido contrario.

«Estimada Irene [escribió Garp a la señora Poole]:
»Usted tendría que dejar de leer o tendría que leer mucho más.»

«Estimado mierdoso [escribió Irene Poole]:
«Dice mi marido que, si vuelve a escribirme, le hará picadillo el cerebro.

Muy sinceramente,
Sra. de Fitz Poole.»

«Queridos Fitzy & Irene [insistió Garp]:
»Idos a la mierda.»

Así se perdió su buen humor y se esfumó su compasión.

De alguna manera, en «La Pensión Grillparzer», Garp había pulsado la cuerda de la comedia (con una mano) y la de la compasión (con la otra). El relato no despreciaba a la *gente* del cuento con forzadas agudezas ni con otra exageración racionalizada, como si fuera necesaria para demostrar algo. La historia tampoco hacía sensibleros a los personajes ni jugaba con su tristeza.

Pero ahora, Garp había perdido el equilibrio de su poder como cuentista. Opinaba que *Tardanza,* su primera novela, sufría el pretencioso peso de toda la historia fascista en que no había participado. Su segunda novela, adolecía del fracaso de no imaginar *bastante*; es decir, sentía que no había imaginado lo suficiente más allá de su propia experiencia común y corriente. *El segundo pedo del cornudo* surgió fríamente en él; sólo le parecía otra experiencia «real», pero bastante corriente.

De hecho, Garp ahora tenía la impresión de estar demasiado satisfecho de su vida feliz (con Helen y sus hijos). Sentía que estaba en peligro de limitar su capacidad de escritor en una forma bastante usual: escribir prácticamente sólo acerca de sí mismo. No obstante, cuando miraba a lo lejos fuera de sí mismo, Garp sólo veía una invitación a la presunción. Su imaginación le estaba fallando, «su juicio, una débil vela de junco». Cuando alguien le preguntaba ahora cómo iba su obra, sólo conseguía una breve y cruel imitación de la pobre Alice Fletcher:

—He *zezado* —respondía Garp.

El eterno marido

En las páginas amarillas del listín telefónico de Garp, Matrimonio figuraba cerca de Maderas. Después de Maderas aparecía Maquinarias, Marina, Marroquinería y Masonería; después venía Matrimonio y Familia, Consejeros. Garp buscaba Maderas cuando descubrió Matrimonio; tenía que formular unas inocentes preguntas acerca de unas tablas cuando Matrimonio llamó su atención y se planteó cuestiones más interesantes y perturbadoras. Por ejemplo, Garp nunca se había dado cuenta de que había más consejeros matrimoniales que almacenes de madera. Pero probablemente esto depende del lugar donde se vive, pensó. Seguramente en el campo la gente tenía que ver más con la madera.

Garp llevaba cerca de once años casado; en todo ese tiempo había encontrado muy poco uso para la madera y menos aún para los consejos matrimoniales. No fue por problemas personales por lo que Garp se interesó por la larga lista de nombres de las páginas amarillas, sino porque había pasado mucho tiempo tratando de imaginar cómo sería tener un trabajo.

Encontró el Centro de Asesoramiento Cristiano y el Servicio de Asesoramiento Pastoral de la Comunidad; Garp pensó en cordiales pastores que se frotaban constantemente sus secas y carnosas manos. Pronunciaban oraciones redondas y húmedas como pompas de jabón y decían cosas como: «No nos hacemos ilusiones en cuanto a que la Iglesia pueda ser de gran ayuda para los problemas individuales como el vuestro. Los individuos deben buscar soluciones individuales, deben mantener su individualidad; no obstante, de acuerdo con nuestra experiencia, mucha gente ha *identificado* su individualidad específica *en* la Iglesia».

Imaginó a la confundida pareja que abrigaba la esperanza de discutir el orgasmo simultáneo (¿mito o realidad?).

Garp notó que, en general, los miembros del clero se dedicaban a dar consejos; allí figuraba un Servicio Social Luterano, después el reverendo Dwayne Kuntz («diplomado») y una tal Louise Nagle, que era «ministro de todas las almas», asociada con algo llamado Departamento de Consejeros Matrimoniales y Familiares de Estados Unidos (institución que la había «diplomado»). Garp cogió un lápiz y dibujó pequeños círculos junto a los nombres de los consejeros matrimoniales de significación religiosa. Estaba convencido de que todos ellos ofrecían consejos bastante optimistas.

Tenía menos seguridad en cuanto al punto de vista de los consejeros con antecedentes más «científicos»; también estaba menos seguro en cuanto a la preparación en sí. Uno de ellos era un «psicólogo clínico diplomado», otro se limitaba a agregar a su nombre «L. en Clínica»; Garp sabía que esas aclaraciones podían significar cualquier cosa y que también podían no significar nada: un estudiante graduado en sociología, un ex especialista en administración empresarial. Otro decía «L. B.»; quizá la B correspondía a botánica. Otro era licenciado... ¿en matrimonios? Uno de ellos era «doctor»... ¿doctor en medicina o doctor en filosofía? ¿Cuál sería mejor para el asesoramiento matrimonial? Había alguien especializado en «terapia de grupo»; alguien, quizá menos ambicioso, sólo prometía «evaluación psicológica».

Garp seleccionó a dos como sus predilectos. El primero era el doctor O. Rothrock, «taller de propia estimación»; se aceptan tarjetas de crédito.

El segundo era M. Neff: «sólo mediante cita previa». Sólo figuraba un número de teléfono después del nombre de M. Neff. ¿No tenía títulos, o mostraba una suprema arrogancia? Tal vez ambas cosas. Si *yo* necesitara a alguien, pensó Garp, primero probaría con M. Neff. El Dr. O. Rothrock, con sus tarjetas bancarias y su taller de propia estimación era, evidentemente, un charlatán. Pero M. Neff era serio; Garp adivinó que M. Neff tenía una idea de las cosas.

Garp siguió un poco más allá de Matrimonio en las páginas amarillas. Tropezó con Maternidad y Mullido de Colchones (sólo figuraba un especialista de fuera de la ciudad, con un número de teléfono de Steering: el suegro de Garp. Ernie Holm mullía colchonetas a modo de pasatiempo modestamente lucrativo. Como Garp no estaba pensando en su antiguo entrenador, pasó de Mullido de Colchones a Música sin reconocer el nombre de Ernie). Antes había pasado por alto Mausoleos y Máquinas para Charcuterías, «véase Sierras». Suficiente. El mundo era demasiado complicado. Garp volvió a Matrimonio.

Entonces regresó Duncan de la escuela; el hijo mayor de Garp tenía ahora diez años. Era un chico alto, con el rostro delicado y huesudo de Helen Garp y sus almendrados ojos pardo amarillentos. Helen tenía el cutis color roble claro y Duncan había heredado su maravillosa piel. De Garp tenía el nervio, la testarudez, y los momentos de negra autocompasión.

—Papá —dijo Duncan—, ¿puedo pasar la noche en casa de Ralph? Es muy importante.

—¿Qué? No. ¿Cuándo? —fue la respuesta de Garp.

—¿Estuviste leyendo otra vez el listín telefónico? —preguntó Duncan a su padre.

Duncan sabía que siempre que Garp consultaba el listín telefónico, hablar con él era lo mismo que despertarle de una siesta. Lo leía a menudo en busca de nombres. Garp obtenía en la guía los nombres de sus personajes; cuando se atascaba al escribir, repasaba el listín en busca de más nombres; revisaba repetidas veces los nombres de sus personajes. Cuando viajaba, lo primero que Garp buscaba en la habitación del motel era el listín telefónico; habitualmente lo robaba.

—¿Papá? —insistió Duncan; suponía que su padre estaba en el trance provocado por el listín, viviendo las vidas de sus personajes de ficción.

En realidad, Garp había olvidado absolutamente que su recurso a la guía no era de carácter literario; ya no recordaba la madera y sólo pensaba en la audacia de M. Neff y en lo que significaría *ser* consejero matrimonial.

—¡Papá! Si no llamo a Ralph antes de la hora de cenar, su madre no me dejará ir.

—¿Ralph? —reaccionó Garp—. Aquí no está.

Duncan ladeó su fina mandíbula y puso los ojos en blanco, gesto también heredado de Helen, junto con su encantador cuello.

—Ralph está en *su* casa —dijo Duncan—. Y yo estoy en *mi* casa y quiero pasar la noche en la casa de él... con Ralph.

—Pero no si al día siguiente tienes que ir a la escuela —sentenció Garp.

—¡Santo Dios, hoy es viernes! —exclamó Duncan.

—No blasfemes, Duncan. Cuando tu madre vuelva del trabajo, pregúntaselo a ella.

Sabía que estaba buscando evasivas; Garp sospechaba de Ralph, peor aún, temía que Duncan pasara la noche en su casa, aunque no sería la primera vez. Ralph era un chico mayor, de quien Garp desconfiaba; además, no le gustaba su madre: salía por las noches y dejaba solos a los muchachos (Duncan lo había confesado). En cierta ocasión, Helen se había referido a la madre de Ralph como a una mujer «dejada», palabra que siempre había intrigado a Garp (aspecto, en las mujeres, que le atraía). El padre de Ralph no vivía con ellos, de modo que la apariencia «dejada» de la madre de Ralph se veía realzada por su condición de mujer sola.

—No *puedo* esperar a que vuelva mamá —insistió Duncan—. La madre de Ralph dice que tiene que saberlo antes de la hora de cenar para permitirme que vaya.

La cena era responsabilidad de Garp y la idea le distrajo; se preguntó qué hora sería. Duncan nunca parecía volver de la escuela a una hora determinada.

—¿Por qué no invitas a Ralph a pasar la noche aquí? —sugirió Garp.

Estratagema conocida. Ralph pasaba habitualmente la noche con Duncan, con lo que evitaba a su padre la angustia con respecto a la dejadez de la señora Ralph (nunca recordaba el apellido del amigo de su hijo).

—Ralph *siempre* pasa la noche aquí —observó Duncan—. Yo quiero quedarme *allá*.

Para hacer *¿qué?*, se preguntó Garp. ¿Beber, fumar hierba, torturar a los animales domésticos, espiar a la señora Ralph mientras hace el amor? Pero Garp sabía que Duncan tenía diez años y era muy sano... muy cuidadoso. Probablemente los dos chicos disfrutaban a solas en una casa donde Garp no estaba todo el tiempo sonriendo, ni preguntándoles si necesitaban algo.

—¿Por qué no llamas a la señora Ralph y le preguntas si puede aguardar a que vuelva tu madre antes de confirmar que puedes ir? —inquirió Garp.

—¡Santo Dios, *señora* Ralph! —gruñó Duncan—. Mamá se limitará a responder «a mí *me* parece bien, pregúntaselo a tu padre». Es lo que dice siempre.

Es un chico listo, pensó Garp. Estaba atrapado. Para no confesar que le aterrorizaba la idea de que la señora Ralph los matara en un incendio provocado por el cigarrillo encendido con el que se quedaba dormida y prendía fuego a su pelo, Garp accedió.

—De acuerdo, puedes ir —dijo malhumorado.

Ni siquiera sabía si la madre de Ralph fumaba. Sencillamente, le disgustaba a simple vista y sospechaba de Ralph... sin otra razón que la de que era mayor que Duncan y en consecuencia —imaginaba Garp—, era capaz de corromperlo.

Garp sospechaba de la mayoría de las personas hacia quienes su mujer y sus hijos se sentían atraídos; sentía la urgente necesidad de proteger a las pocas personas que amaba de la forma en que imaginaba «a todos los demás». La pobre señora Ralph no era la única víctima quizá difamada por sus paranoicas suposiciones. Tengo que salir más, pensó Garp. Si tuviera un trabajo, pensó —elucubración que repetía y volvía a pensar todos los días, desde que no escribía.

No había casi ningún trabajo en el mundo que atrajera a Garp, e indudablemente ninguno para el cual estuviera preparado; sabía que tenía pocas aptitudes. Podía escribir; *cuando* lo hacía, creía que escribía muy bien. Pero uno de los motivos por los que pensaba que debía conseguir un trabajo era que sentía la necesidad de saber más del resto de la gente; quería superar su desconfianza. Al menos, un trabajo le obligaría a entrar en contacto: si no se veía forzado a estar con otras personas, Garp se quedaba en su casa.

Al principio fue a causa de la literatura por lo que no se tomó en serio la idea de un trabajo. Ahora pensaba que lo necesitaba precisamente a causa de su obra. *Me estoy quedando sin personas a las que imaginar*, pensaba, pero quizá lo que en realidad ocurría es que nunca había habido muchas personas que le gustaran, y no había escrito nada que le gustara en muchos años.

—¡Me voy! —gritó Duncan.

Garp dejó sus ensueños. El chico llevaba una mochila color naranja brillante en la espalda; debajo asomaba un saco de dormir amarillo, arrollado y atado. Ambos elementos habían sido escogidos por Garp, por mor de su visibilidad.

—Te llevaré —se ofreció Garp.

Duncan volvió a poner los ojos en blanco:

—Mamá tiene el coche y todavía está en el trabajo, papá.

Por supuesto: Garp sonrió tontamente. Entonces Duncan fue a coger la bicicleta; le gritó a través de la puerta:

—¿Por qué no *vas andando*, Duncan?

—¿Para qué? —preguntó Duncan, exasperado.

Para que no se te quiebre la espina dorsal cuando un coche, conducido por un delirante adolescente, o por un adulto borracho que sufre un ataque cardíaco, te aplaste en la calle, pensó Garp, *y tu maravilloso y cálido pecho quede aplastado contra el bordillo, y tu cráneo no se abra en dos cuando aterrices en la acera y algún imbécil te envuelva en un viejo felpudo como si fueras un animalito doméstico descubierto en el alcantarilla. Luego salen a la calle los papanatas de los suburbios y tratan de adivinar de quién se trata («la casa verde y blanca de la esquina de Elm y Dodge, me parece»). Entonces alguien te trae a casa, toca el timbre y me dice: «Lo siento», señala el bulto sanguinolento del asiento trasero y pregunta: «¿Es suyo?»* Pero todo lo que Garp dijo fue:

—Está bien, Duncan, *coge* la bicicleta. ¡Ten cuidado!

Observó cómo Duncan cruzaba la calle, pedaleaba hasta la manzana siguiente y miraba a ambos lados antes de girar. *(Buen chico; nótese la prudente señal con la mano... aunque quizá sólo sea para complacerme.)* Era un suburbio seguro de una pequeña ciudad; confortables manchas verdes, casas unifamiliares, en su mayoría familias universitarias, de vez en cuando una gran casona dividida en apartamentos para graduados. La madre de Ralph, por ejemplo, parecía una eterna estudiante graduada, aunque tenía toda una casa para ella, y aunque era mayor que Garp. Su ex marido profesaba una de las materias científicas y se suponía que pagaba su educación. Garp recordó que Helen le había contado que el hombre vivía con una alumna.

Con toda probabilidad, la señora Ralph es una persona perfectamente buena, pensó Garp; tiene un hijo y sin duda le quiere. Sin duda es seria al tratar de hacer algo con su vida. ¡Con que sólo fuera más *cuidadosa*! La gente no se da cuenta de que es necesario ser cuidadoso. Es tan fácil echarlo a perder todo, pensó.

—¡Hola! —dijo alguien, o Garp *pensó* que alguien dijo.

Miró a su alrededor, pero quien había hablado ya no estaba —o nunca había estado allí. Se dio cuenta de que estaba descalzo (tenía los pies fríos y era principios de primavera), de pie en la acera, frente a su casa, con un listín telefónico en la mano. Le habría gustado seguir imaginando a M. Neff y la cuestión de la asesoría matrimonial, pero sabía que era tarde: debía preparar la cena y ni siquiera había hecho las compras. A una manzana de distancia oyó el zumbido de los motores que impulsaban los gigantescos congeladores del supermercado (por esa razón se habían mudado a ese barrio, para que Garp pudiera ir a pie a hacer la compra mientras Helen se llevaba el coche al trabajo. Además, estaban cerca de un parque donde él podía correr.). Había ventiladores en la parte trasera del supermercado y Garp los oía extraer el aire de los pasillos y esparcir suaves olores comestibles sobre la manzana. A Garp le gustaba. Tenía alma de cocinero.

Pasaba el día escribiendo (o intentando escribir), corriendo y cocinando. Se levantaba temprano y preparaba el desayuno para él y los chicos; nadie volvía a almorzar y Garp siempre se saltaba esa comida; todas las noches preparaba la cena para su familia. Era un ritual que le encantaba, pero la ambición de sus preparaciones dependía de cómo le había ido al escribir y en sus carreras. Si le iba mal con la literatura, se compensaba con una larga y ardua carrera; en otros casos, un mal día como escritor le agotaba tanto que era incapaz de correr un kilómetro; después intentaba salvar el día con un espléndido festín.

Helen nunca podía adivinar cómo había pasado Garp el día guiándose por lo que les cocinaba; un plato especial podía significar una celebración o que la comida era lo *único* que había hecho bien, que la cocina era la única tarea que le impedía caer en la desesperación. «Si eres cuidadoso», escribió Garp, «si utilizas buenos ingredientes y no usas sucedáneos, por lo general cocinarás algo muy bueno. A veces es lo único que vale la pena salvar en todo un día: lo que preparas para comer. Con el acto de escribir descubro que puedo contar con los ingredientes correctos, tomarme todo el tiempo y los cuidados necesarios, y no conseguir nada. Lo mismo se aplica al amor. La cocina, por lo tanto, puede mantener cuerda a una persona aplicada».

Entró en casa y buscó un par de zapatos. Prácticamente los únicos que tenía eran de carreras... muchos pares. Todos se encontraban en distintas etapas de deterioro. Garp y sus hijos llevaban ropa limpia pero arrugada; Helen compartía las tareas, pero, aunque Garp lavaba la ropa, se negaba a planchar. Helen planchaba su propia ropa y, excepcionalmente, alguna camisa para Garp; el planchado era la única tarea del ama de casa tradicional que Garp rechazaba. Cocinaba, atendía a los hijos, lavaba la ropa y hacía la limpieza. La cocina, expertamente; los chicos, un tanto tensa pero concienzudamente; la limpieza, algo neuróticamente. Echaba maldiciones por la ropa, los platos y los juguetes sueltos, pero lo recogía todo; tenía verdadera obsesión en recoger los objetos. Algunas mañanas, antes de sentarse a escribir, recorría toda la casa con una aspiradora o limpiaba el horno. La casa nunca parecía desordenada ni estaba sucia, pero siempre había cierta premura en cuanto a su pulcritud. Garp tiraba a la basura montones de cosas y a la casa siempre le faltaba algo. Durante meses enteros dejaba que la mayoría de las bombillas se quemaran y no las reemplazaba, hasta que Helen se daba cuenta de que vivían casi en la oscuridad total, apiñados alrededor de las dos únicas lámparas que funcionaban. Cuando Garp recordaba las bombillas, olvidaba el jabón o el dentífrico.

Helen también aportaba algunos detalles al hogar, pero Garp no se responsabilizaba de ellos. Las plantas, por ejemplo. Si Helen no se acordaba de ellas, se morían. Cuando Garp veía que una parecía decaer o estaba un poco pálida, la retiraba de la casa y la metía en el cubo de la basura. Así, días más tarde Helen preguntaba:

—¿Dónde está la azalea roja?

—Esa porquería tenía alguna enfermedad —observó Garp—. Encontré gusanos. Los pesqué arrastrándose por el suelo.

Así actuaba Garp en cuanto a atender el hogar.

Garp encontró sus zapatillas amarillas de carreras y se las puso. Dejó la guía en un armario donde guardaba el equipo pesado de cocina (apilaba listines telefónicos por toda la casa; después echaba la casa abajo para encontrar el que buscaba). Puso aceite de oliva en una sartén; picó una cebolla mientras esperaba que se el aceite se calentara. Era tarde para empezar a preparar la cena; ni siquiera había hecho la compra. Una salsa de tomate corriente, unos tallarines, una ensalada verde, una hogaza de su estupendo pan. Podría ir al mercado después empezar la salsa y sólo necesitaría comprar la verdura. Aceleró el cortar las cebollas (ahora un poco de albahaca fresca), pero era importante no echar nada en la sartén hasta que el aceite estuviera en su punto, bien caliente pero no humeante. En la cocina, como al escribir, hay cosas que nunca deben apresurarse. Garp lo sabía y nunca las apresuraba.

Cuando sonó el teléfono, se puso tan furioso que arrojó un puñado de cebollas en la sartén y se quemó con el aceite salpicado.

—¡Mierda! —gritó.

Atizó un puntapié al armario que había junto al horno e hizo saltar las bisagras de la puerta; se cayó al suelo un listín telefónico y Garp lo contempló fijamente. Agregó todas las cebollas y la albahaca fresca en el aceite y bajó la llama. Sumergió la mano ardiente en agua fría y, manteniendo a duras penas el equilibrio, con una mueca de dolor en el rostro, levantó el teléfono con la otra mano.

(Esos impostores, pensó Garp. ¿Qué aptitudes pueden existir para la asesoría matrimonial? Sin duda, pensó, es una de las tantas cosas en que esos simplistas de psiquiatras presumen de expertos.)

—Me pescaste en medio de algo —gritó por teléfono, mientras vigilaba de reojo cómo las cebollas empezaban a ponerse transparentes en la sartén.

No temía ofender a nadie con su forma de atender el teléfono; ésta era una de las diversas ventajas de no tener empleo. Su editor, John Wolf, sólo observaría que su manera de atender el teléfono confirmaba, sencillamente, la idea que tenía de la vulgaridad de Garp. Helen estaba acostumbrada a que atendiera así; si la llamada era para ella, sus amigos y colegas ya imaginaban que Garp estaba un poco chalado. Si se trataba de Ernie Holm, Garp experimentaría un estremecimiento momentáneo: el entrenador siempre se disculpaba demasiado, lo que incomodaba a aquél. En caso de que fuera su madre, Garp sabía que a su vez gritaría: «¡Otra mentira! *Nunca* estás en el medio de nada. Tú vives en los límites». (Garp abrigó la esperanza de que *no fuera* Jenny.) En esa etapa, ninguna otra mujer podía telefonearle. Salvo la directora del parvulario para informarle que el pequeño Walt había sufrido un accidente. Claro que podía ser Duncan, que llamaba para comunicarle que la cremallera de su saco de dormir se había roto o que acababa de romperse una pierna. Sólo alguna de estas dos últimas llamadas podía hacer que Garp se sintiera culpable por sus modales de matón. Indudablemente los propios hijos tienen derecho a pescarlo a uno en medio de algo y por lo general lo hacen.

—¿En medio de *qué*, querido? —preguntó Helen—. ¿En medio de *quién*? Espero que sea mona.

Por teléfono, la voz de Helen tenía un timbre de provocación sexual, lo que siempre sorprendía a Garp, porque ella no era así, ni siquiera coqueteaba. Aunque personalmente la consideraba muy excitante, no había nada de ello en su forma de vestir ni en sus costumbres en el mundo exterior. Pero, por teléfono, parecía cachonda.

—Me quemé —se quejó Garp dramáticamente—. El aceite está demasiado caliente y se me van a pegar las cebollas. ¿Qué cuernos pasa?

—¡Pobrecito! —dijo Helen con tono de guasa—. No le dejaste ningún mensaje a Pam —Pam era la secretaria del Departamento de Literatura Inglesa; Garp se esforzó por recordar qué mensaje se suponía que debía haberle transmitido—. ¿Te quemaste mucho?

—No —se puso de mal humor—. ¿*Qué* mensaje?

—Las tablas —aclaró Helen.

Madera, recordó Garp. Tenía que llamar a varias serrerías y pedir precios por unas tablas cortadas a medida; Helen las recogería al volver de la facultad. Garp recordó que los consejeros matrimoniales le habían desviado de los almacenes de madera.

—Me olvidé —confesó.

Sabía que Helen tendría otro plan en sustitución de aquél; ella conocía cuál sería su respuesta, aun antes de llamarle por teléfono.

—Llama ahora —le ordenó Helen—. Volveré a telefonearte cuando llegue al parvulario. Luego pasaré con Walt a buscar las tablas. Le encantan las serrerías.

Walt ya tenía cinco años; el segundo hijo de Garp asistía ahora al parvulario o centro preescolar... o como se llamara. Su aura de irresponsabilidad general proporcionaba a Garp algunas de sus pesadillas más atroces.

—De acuerdo —aceptó Garp—. Empezaré a llamar ahora mismo —estaba preocupado por la salsa de tomate y detestaba interrumpir una conversación con Helen cuando se encontraba en un estado de ánimo tan evidentemente fastidioso—. He encontrado un trabajo interesante —paladeó el silencio de Helen, que no fue muy prolongado.

—Eres escritor, querido. *Tienes* un trabajo interesante.

A veces, cuando Helen parecía querer que se quedara en casa y «sólo se dedicara a escribir», Garp sentía pánico, porque eso hacía la situación doméstica más cómoda para ella. Pero también lo era para él: eso era lo que pensaba que quería.

—Tengo que remover las cebollas —la interrumpió—. Y me arde la quemadura —agregó.

—Trataré de volver a llamarte cuando estés en medio de algo —bromeó Helen, conteniendo apenas la risa de vampiresa en su descarada voz, lo que al mismo tiempo excitó y enfureció a Garp.

Removió las cebollas y mezcló media docena de tomates en el aceite caliente; agregó pimienta, sal y orégano. Sólo llamó a la serrería más cercana al parvulario de Walt; Helen era demasiado meticulosa en algunas cosas; comparaba los precios de todo, aunque él la admiraba por ello. La madera es madera, razonó Garp; el mejor lugar para comprar las tablas era el más cercano.

¡Consejero *matrimonial*!, volvió a pensar Garp, mientras desleía una cucharada de puré de tomate en una taza de agua tibia y la agregaba a la salsa. ¿Por qué todos los trabajos serios están en manos de charlatanes? Sin embargo, supuso que un consejero matrimonial estaba un peldaño más abajo que un podólogo en la escala de consideración. ¿Despreciarían los psiquiatras a los consejeros matrimoniales de la misma manera que muchos médicos desdeñan a los podólogos? Garp tendía a despreciar, por encima de todos, a los psiquiatras, esos peligrosos simplificadores, esos ladrones de la complejidad de las personas. Para Garp, los psiquiatras eran el despreciable final de todos los incapaces de desdejar sus propios embrollos.

El psiquiatra aborda el embrollo sin el respeto que merece el mismo embrollo. El objetivo del psiquiatra consistía en despejar la mente; Garp opinaba que habitualmente esto se lograba (*cuando* se lograba) descartando todas las cosas embrolladas. Garp sabía que ésa era la forma más sencilla de despejar la mente. La cuestión consiste en *servirse* del embrollo, en hacer que las cosas embrolladas trabajen a favor de la propia persona. «Para un *escritor* es fácil decirlo», le había confesado Helen. «Los artistas *pueden* "servirse" de la confusión; la mayor parte de la gente no puede, y no quiere sentirse desorientada. Sé que *yo* no puedo. ¡Qué gran psiquiatra serías! ¿Qué harías si un pobre diablo que no tiene manera de sacar partido del embrollo te llamara y sólo quisiera deshacerse de él? Supongo que le aconsejarías que *escribiera* sobre la cuestión». Garp recordó esa conversación sobre la psiquiatría y sintió pena; sabía que simplificaba excesivamente las cosas que le enfurecían, pero estaba convencido de que la psiquiatría lo simplificaba excesivamente todo. Cuando sonó el teléfono, dijo:

—La serrería de Springfield Avenue. Es la más cercana.

—Sé dónde está —respondió Helen—. ¿Es a la única que llamaste?

—La madera es madera —declaró Garp—. Las tablas son tablas. Vé a Springfield Avenue. Cuando llegues, ya estarán cortadas.

—¿Qué trabajo interesante descubriste? —Garp sabía que Helen había estado pensando en ello.

—Consejero matrimonial.

Su salsa de tomate burbujeaba; sus deliciosos vapores flotaban por la cocina. Helen mantuvo un respetuoso silencio desde el otro lado de la línea. Garp sabía que esta vez le resultaría difícil preguntarle qué aptitudes tenía para desempeñar esa tarea.

—Pero tú eres escritor —dijo Helen.

—Cuento con perfectas aptitudes para este trabajo. He pasado años reflexionando en el laberinto de las relaciones humanas; he pasado horas conjeturando qué tiene la gente en común: el fracaso del amor —enumeró Garp con voz monótona—, la complejidad del compromiso, la necesidad de compasión.

—Entonces *escribe* acerca de eso —insinuó Helen—. ¿Qué más quieres? —ella sabía perfectamente bien qué sobrevendría.

—El arte no ayuda a nadie —afirmó Garp—. En realidad, la gente no puede utilizarlo: no se lo pueden comer, no los alberga ni los abriga; y si están enfermos, no los curará.

Helen sabía que ésa era la tesis de Garp sobre la inutilidad básica del arte; él rechazaba la idea de que el arte tuviera algún valor social, que pudiera tenerlo, que debiera tenerlo. No deben confundirse las dos cosas, pensaba: por un lado estaba el arte y, por otro, la posibilidad de ayudar a la gente. Y allí estaba él, titubeando entre ambas —hijo de su madre, a fin de cuentas. Pero fiel a su tesis, consideraba que el arte y la responsabilidad social eran dos actos bien diferenciados. Las confusiones surgían cuando ciertos medicuchos intentaban combinar ambos campos. Garp se sentiría irritado toda su vida por la convicción de que la literatura era un artículo de lujo; deseaba que fuera algo más accesible, pero, cuando lo era, la odiaba.

—Iré a buscar las tablas —dijo Helen.

—Y si las peculiaridades de mi arte no fuesen cualidades suficientes —añadió Garp—, como tú sabes bien, estoy casado —hizo una pausa—. Tengo hijos —otra pausa—. He tenido variedad de experiencias relacionadas con el matrimonio... ambos las hemos tenido.

—¿Springfield Avenue? Pronto estaré en casa.

—He tenido experiencia más que suficiente para esa tarea —insistió Garp—. He conocido la dependencia económica, he experimentado la infidelidad.

—Te felicito —Helen colgó.

Pero Garp pensó: tal vez el asesoramiento matrimonial sea un campo propio de charlatanes, aunque quien dé los consejos sea una persona auténtica y capacitada. Sabía que podía anunciarse más eficazmente en las páginas amarillas, incluso sin mentir.

IDEARIO MATRIMONIAL
Y ORIENTACION FAMILIAR
T.S. GARP

autor de *Tardanza* y *El segundo pedo del cornudo*

¿Para qué agregar que se trataba de novelas? Garp pensó que parecían manuales de consejos matrimoniales.

¿Recibiría a sus pobres pacientes en casa o en un consultorio?

Garp cogió un pimiento y lo depositó en el centro del hornillo de gas; encendió la llama y el pimiento empezó a tostarse. Cuando estuviera todo negro Garp lo dejaría enfriar y luego rasparía la piel chamuscada. En el interior habría un pimiento asado, muy dulce; lo cortaría y lo pondría a marinar en aceite, vinagre y un poco de orégano. Sería el aderezo de la ensalada. Pero la principal razón por la que le gustaba preparar ese aderezo consistía en que, mientras el pimiento se tostaba, inundaba la cocina con un delicioso aroma.

Dio vuelta al pimiento con un par de tenacillas. Cuando estuvo quemado, lo sujetó con ellas y lo dejó caer en el fregadero. El pimiento silbó.

—Habla todo lo que quieras —le dijo Garp—. No te queda mucho tiempo.

Estaba distraído. Normalmente dejaba de pensar en cualquier otra cosa mientras cocinaba... de hecho, se obligaba a hacerlo. Pero en ese momento sentía desconfianza por la asesoría matrimonial.

—Ya veo que no confías en tu obra —le dijo Helen al entrar en la cocina con más autoridad de la habitual.

De los brazos de Helen colgaban dos tablas recién cortadas, como escopetas del mismo estilo y color. Walt dijo:

—Papá quemó algo.

—Era un pimiento y papá lo quemó *adrede* —contestó Garp.

—Cada vez que no puedes escribir haces alguna estupidez —dijo Helen—. Pero debo confesarte que esta nueva idea es mejor que tu último pasatiempo.

Garp esperaba que ella estuviera lista, pero se sorprendió al ver que estaba tan preparada. Lo que Helen llamaba su último «pasatiempo» en su atascada obra, había sido una niñera por horas.

Garp hundió profundamente una cucharada de madera en su salsa de tomate. Pegó un salto cuando algún idiota dio la vuelta a la esquina de la casa con un rugiente viraje y un quejido de neumáticos le atravesó como el maullido de un gato atropellado. Instintivamente buscó a Walt con la mirada, que estaba a su lado, sano y salvo en la cocina.

—¿Dónde está Duncan? —Helen se dirigió a la puerta, pero Garp la detuvo.

—En casa de Ralph.

Garp no estaba preocupado, *esta vez*, de que el bólido significara que Duncan había sido atropellado. Pero Garp tenía la costumbre de perseguir a los coches lanzados a toda velocidad. Había acobardado convenientemente a todos los conductores del vecindario. Las calles que rodeaban la casa de Garp estaban divididas en cuadrados y todas las manzanas tenías señales de stop; habitualmente Garp alcanzaba a pie cualquier coche, siempre que el conductor respetara esas señales.

Se largaba calle abajo, tras el ruido del coche. A veces, si el auto iba realmente rápido, Garp necesitaba tres o cuatro señales de stop para alcanzarlo. En cierta ocasión, corrió cinco manzanas y estaba tan exhausto cuando llegó al vehículo transgresor que el conductor tuvo la seguridad de que había ocurrido un crimen en el vecindario y que Garp estaba tratando de dar aviso o que lo había cometido él mismo.

Garp impresionaba a la mayoría de los conductores y, aunque más tarde le maldijeran, delante de él se mostraban amables y le pedían disculpas; le aseguraban que nunca más volverían a acelerar en el barrio. Para ellos era evidente que Garp estaba en buena forma física. La mayoría eran estudiantes de secundaria que se azoraban fácilmente, cuando los pescaban conduciendo a toda velocidad en compañía de sus amiguitas, o dejando pequeñas manchas de humeante goma delante de sus casas. Garp no era tan ingenuo como para suponer que cambiarían sus costumbres, todo cuanto esperaba era lograr que aceleraran en otro sitio.

El transgresor de ese momento resultó ser una mujer (Garp vio el brillo de sus pendientes y sus pulseras mientras la perseguía). La conductora estaba dispuesta a saltarse un stop cuando Garp la asustó golpeando su ventanilla con la cuchara de madera. La cuchara chorreaba salsa de tomate y a primera vista parecía que había sido hundida en sangre.

Garp aguardó a que la mujer bajara la ventanilla y ya estaba ensayando sus primeras observaciones («Lamento haberla sobresaltado, pero quiero pedirle un favor personal…») cuando reconoció a la madre de Ralph, la famosa señora Ralph. Duncan y Ralph no estaban con ella; se encontraba sola y era evidente que había llorado.

—¿De qué se trata? —inquirió la mujer.

Garp no sabía si le reconocía como padre de Duncan.

—Lamento haberla sobresaltado —empezó a decir Garp, pero se interrumpió.

¿Qué más podía decirle? El rostro manchado, recién salida de una disputa con su ex marido o con un amante, la pobre mujer parecía sufrir como si fuera gripe su inminente edad madura; su cuerpo parecía encogido por la desdicha, tenía los ojos enrojecidos y vacíos.

—Lo siento —murmuró Garp: lamentaba toda la vida de la mujer.

¿Cómo podía decirle que todo lo que quería era que disminuyera la marcha?

—¿Qué ocurre? —insistió ella.

—Soy el padre de Duncan —se presentó Garp.

—*Sé* quién es usted. Yo soy la madre de Ralph.

—Lo sabía —Garp sonrió.

—El padre de Duncan conoce a la madre de Ralph —comentó ella cáusticamente.

A continuación la mujer prorrumpió a llorar. Inclinó la cabeza hacia adelante y tocó la bocina. Se sentó erguida y repentinamente golpeó la mano de Garp, apoyada en el cristal debajo de la ventanilla; los dedos de Garp se abrieron y se le cayó la cuchara de largo mango en el regazo de la mujer. Ambos fijaron la vista: la salsa de tomate manchó su arrugado vestido beige.

—Usted debe creer que soy una madre despreciable —afirmó la señora Ralph.

Garp, siempre pendiente de la seguridad, extendió la mano por encima de las rodillas de la mujer y cerró el contacto. Decidió dejar la cuchara en su regazo. Uno de los defectos de Garp consistía en que era incapaz de ocultar sus sentimientos a la gente, incluso a los extraños; si albergaba pensamientos desdeñosos con respecto a alguien, esa persona lo percibía.

—Ignoro qué clase de madre es usted —respondió Garp—. Creo que Ralph es un buen chico.

—Sabe ser una verdadera mierda.

—Quizá usted prefiera que esta noche Duncan no se quede en su casa —sugirió (abrigó la esperanza) Garp. Tuvo la impresión de que ella ni siquiera sabía que Duncan pasaría la noche con Ralph; vio que observaba la cuchara en su regazo—: Es salsa de tomate.

Con gran sorpresa de Garp, la señora Ralph levantó la cuchara y la lamió.

—¿Es cocinero? —preguntó.

—Sí, me gusta cocinar.

—Está muy buena —la señora Ralph le devolvió la cuchara—. Yo tendría que haber pescado uno como usted, algún pánfilo musculoso al que le gustara cocinar.

Garp contó mentalmente hasta cinco y dijo:

—Quisiera ir a buscar a los chicos. Podrían pasar la noche con nosotros si usted prefiere estar sola.

—¡Sola! —gritó—. *Normalmente* estoy sola. *Me gusta* tener a los chicos conmigo. Y *a ellos* también. ¿Quiere conocer el motivo? —la señora Ralph le miró maliciosamente.

—Sí, ¿cuál es?

—Les gusta espiarme mientras me baño —declaró la señora Ralph—. La puerta tiene una rendija. ¿No es hermoso que a Ralph le guste exhibir a su vieja madre delante de sus amigos?

—Sí —reconoció Garp.

—Usted no lo aprueba, ¿verdad, señor Garp? Usted no me aprueba en ningún sentido.

—Lamento que sea tan desdichada.

En el asiento delantero del desaliñado coche, al lado de la mujer, se hallaba una edición en rústica de *El eterno marido*, de Dostoievski; Garp recordó que la señora Ralph era estudiante.

—¿En qué se especializa? —preguntó estúpidamente: recordó que era una eterna postgraduada, probablemente su problema era una tesis que no lograba plasmar.

La señora Ralph meneó la cabeza negativamente.

—Usted siempre está satisfecho, ¿no? ¿Cuánto hace que está casado?

—Casi once años —la expresión de la señora Ralph fue más o menos indiferente: ella había estado casada doce años.

—Su hijo está seguro conmigo —dijo como si repentinamente se hubiera irritado con él, como si leyera su mente con absoluta precisión—. No se preocupe, soy inofensiva... con los niños —agregó—. Y no fumo en la cama.

—Estoy seguro de que para los chicos es bueno observarla mientras se baña —confesó Garp y se sintió inmediatamente incómodo por decirlo, aunque era una de las pocas cosas sinceras que le había dicho.

—No sé. No pareció ser muy bueno para mi marido, y *él* me espió durante años —levantó la vista y miró a Garp, a quien le dolía la boca de tantas sonrisas forzadas.

Tócale la mejilla o acaríciale la mano, pensó; al menos *dile* algo. Pero Garp era torpe para expresar ternura y no solía coquetear.

—Bueno, los maridos *son* extraños —musitó el consejero matrimonial lleno de sabiduría—. No creo que muchos de ellos sepan lo que quieren.

La señora Ralph rió amargamente:

—Mi marido encontró una *vagina* de diecinueve años. Parece que eso es lo que quiere.

—Lo lamento —el consejero matrimonial es el hombre de «lo lamento», como un médico con mala suerte, al que siempre le toca diagnosticar los casos perdidos.

—Usted es escritor —dijo la señora Ralph con tono acusador; blandió el ejemplar de *El eterno marido* y preguntó—: ¿Qué piensa de esto?

—Es una historia maravillosa —afortunadamente era un libro que Garp recordaba: muy complicado, lleno de contradicciones perversas y humanas.

—Yo lo considero un relato *malsano* —comentó la señora Ralph—. Me gustaría saber por qué a Dostoievski se le considera un autor tan especial.

—Sus personajes son psicológica y emocionalmente muy complejos; las situaciones son ambiguas.

—Sus mujeres son *menos* que objetos —observó la señora Ralph—. Ni siquiera tienen *forma*. Sólo son ideas de las que los hombres hablan y con las que juegan —le arrojó el libro a Garp por la ventanilla; chocó contra su pecho y cayó junto al bordillo. Ella apretó los puños contra su regazo y contempló la mancha, que destacaba su entrepierna con un ojo de salsa de tomate—. Ésta sí soy yo —concluyó sin apartar la vista de la mancha.

—Lo lamento —repitió Garp—. Puede dejar una mancha indeble.

—¡Todo deja una mancha indeleble! —chilló la señora Garp. Lanzó una carcajada tan absurda que espantó a Garp—. Apuesto a que piensa que todo lo que necesito es una buena follada.

Seamos justos: Garp rara vez pensaba eso de la gente, pero, cuando la señora Garp lo mencionó, pensó que en *su* caso podía apelarse a esa sencilla solución.

—Y apuesto a que piensa que me gustaría que me lo hiciera usted —de hecho, eso era lo que pensaba Garp.

—No, no lo creo —respondió.

—Sí, piensa que me encantaría —insinuó la señora Ralph.

—No —Garp bajó la cabeza.

—En *su* caso —dijo ella—, es posible que así fuera —Garp la miró y ella le dedicó una sonrisa maliciosa—. Es posible que le volviera menos pagado de sí mismo.

—Usted no me conoce lo suficiente para hablarme así —protestó Garp.

—Sé que es pagado de sí mismo —aseveró la señora Ralph—. Se cree tan superior...

Verdad: Garp sabía que *era* superior. Ahora también sabía que sería un pésimo consejero matrimonial.

—Por favor, conduzca con cuidado —Garp se apartó del coche—. Si puedo hacer algo por usted, llámeme.

—¿Por ejemplo, si necesito a un buen amante? —preguntó la señora Ralph con tono sarcástico.

—No, no me refiero a eso.

—¿Por qué me detuvo?.

—Porque pensé que conducía a demasiada velocidad.

—Me parece que usted es un pedo presuntuoso.

—Me parece que usted es una bestia irresponsable —contraatacó Garp. Ella chilló como si la hubieran apuñalado—. Oiga, lo lamento —repitió (una vez más)—, pero iré a buscar a Duncan.

—No, *por favor* —rogó ella—. Sé cuidarlo y de verdad *quiero* hacerlo. Lo pasará muy bien. ¡Le cuidaré como si fuera hijo mío! —esta observación no representó ningún consuelo para Garp—. No soy *tan* bestia... con los niños —logró esbozar una sonrisa alarmantemente atractiva.

—Lo lamento —Garp repitió su letanía.

—Yo también —concluyó la señora Ralph.

Como si la cuestión hubiera quedado resuelta, la mujer puso el coche en marcha, pasó el stop y atravesó el cruce sin mirar. Se alejó —lentamente pero por el centro de la calle— y Garp la saludó con el brazo en alto, agitando la cuchara de madera.

Luego recogió *El eterno marido* y emprendió el regreso a su casa.

El perro en el callejón,
el niño en el cielo

—Tenemos que sacar a Duncan de ese manicomio —dijo a Helen.

—Hazlo tú —respondió ella—. Eres tú quien está preocupado.

—Tendrías que haber visto cómo conducía.

—Se supone que Duncan no saldrá con ella de paseo —opinó Helen.

—Puede ocurrírsele llevar a los chicos a la *pizzería* —sugirió Garp—. Estoy seguro de que no sabe cocinar.

Helen hojeaba *El eterno marido*:

—Es un libro extraño para que una mujer se lo dé al marido de otra.

—No me lo dio, Helen, me lo *tiró*.

—Es un relato maravilloso —comentó Helen.

—Ella dijo que era *malsano* —dijo Garp con tono desesperado—, le parece injusto con las mujeres.

Helen pareció desconcertada.

—Yo diría que ni siquiera se ponen en tela de juicio —observó ella.

—¡Por supuesto! —vociferó Garp—. ¡Esa mujer es una imbécil! A mi madre le encantaría.

—Pobre Jenny, no la tomes con ella.

—Termina tus tallarines, Walt —dijo Garp.

—No me jorobes con tu plapo —respondió Walt.

—¡Qué magnífico vocabulario! Walt, yo no tengo un plapo —aclaró Garp.

—Sí, lo tienes —afirmó el niño.

—No sabe lo que quiere decir —intervino Helen—. Yo tampoco.

—A los cinco años, no es bueno decirle eso a la gente —observó Garp a su hijo.

—Estoy segura de que lo aprendió de Duncan —dijo Helen.

—Entonces Duncan lo aprendió de Ralph, que sin duda alguna se lo oyó decir a su maldita madre —dedujo Garp.

—Cuida *tu* vocabulario —le recriminó Helen—. Walt podría haber aprendido su plapo de ti.

—¡Eso es imposible! —saltó Garp—. Yo tampoco conozco su significado. Jamás utilicé esa palabra.

—Empleas muchas semejantes —comentó Helen.

—Walt, come tus tallarines.

—Serénate, Garp —Helen intentó calmar a su marido.

Garp contempló los tallarines que quedaban en el plato de Walt como si se tratara de un insulto personal:

—¡No sé para qué me molesto! ¡Este chico no come nada!.

Terminaron de comer en silencio. Helen sabía que Garp estaba pensando en un relato para contarle a Walt después de la cena. Sabía que Garp lo hacía para calmarse a sí mismo toda vez que estaba preocupado por los chicos, como si el acto de imaginar un buen cuento para ellos pudiese mantenerlos a salvo para siempre.

Garp era instintivamente generoso con los niños, leal como un animal y el más cariñoso de los padres; comprendía a Duncan y a Walt profunda y separadamente. Sin embargo, Helen estaba segura de que no se daba cuenta de que su angustia por ellos los volvía ansiosos, tensos, incluso inmaduros. Por un lado los trataba como a adultos, pero por el otro los protegía tanto que no les permitía crecer. No aceptaba que Duncan tuviera diez años y Walt, cinco; a veces sus hijos parecían fijados en su mente como críos de tres años.

Helen escuchó el cuento que Garp había imaginado para Walt con su habitual interés y atención. Como muchos de los cuentos que Garp contaba a los niños, comenzaba como una historia infantil y concluía como una historia que Garp parecía haber inventado para sí mismo. Cabe suponer que a los hijos de un escritor se les leen más cuentos que a los demás niños, pero Garp prefería que sus hijos sólo escucharan *sus* relatos.

—Había un perro —comenzó Garp.

—¿Qué clase de perro? —quiso saber Walt.

—Un enorme pastor alemán.

—¿Cómo se llamaba?

—No tenía nombre. Vivía en una ciudad de Alemania después de la guerra.

—¿Qué guerra? —preguntó Walt.

—La segunda guerra mundial.

—Claro —coincidió el niño.

—El perro había estado en la guerra. Había sido guardián, de modo que era feroz y muy inteligente.

—Muy *malo*.

—No, no era malo ni bueno y a veces era ambas cosas —prosiguió Garp—. Era cualquier cosa que su amo le enseñara a ser, porque estaba adiestrado para hacer lo que su amo le dijera que hiciera.

—¿Cómo sabía quién era su amo? —preguntó Walt.

—No lo sé. Después de la guerra, tuvo un nuevo amo. Este era el dueño de una cafetería de la ciudad, donde se podía tomar café, té y bebidas, además de leer los periódicos. Por la noche, el amo dejaba encendida la luz de la cafetería con el propósito de que la gente pudiera ver el escaparate y las mesas limpias, con las sillas patas arriba encima. El suelo estaba immaculadamente limpio y el perrazo se paseaba de un lado para otro de la cafetería todas las noches. Era como un león en la jaula del zoológico: nunca se quedaba quieto. A veces la gente lo veía y golpeaba el escaparate para llamar su atención. El perro les clavaba la mirada, no ladraba, ni siquiera gruñía. Se limitaba a dejar de pasear y fijaba la mirada, hasta que el que había intentado llamar su atención se alejaba. Tenías la sensación de que, si te quedabas demasiado tiempo, el perro te saltaría encima a través del escaparate. Pero nunca lo hizo; de hecho, nunca hizo nada, porque nunca nadie asaltó esa cafetería por la noche. Era suficiente con que el perro estuviera allí; no tenía que *hacer* nada.

—El perro *parecía* muy malo —calculó Walt.

—Ahora lo has comprendido. Todas las noches eran iguales para ese perro y durante el día permanecía atado en un callejón contiguo a la cafetería. Estaba sujeto por una larga cadena fijada al eje delantero de un viejo camión del ejército que habían metido marcha atrás en el callejón y habían dejado allí para siempre. El camión no tenía ruedas. Tú sabes lo que son los adoquines. Bien, el camión estaba apoyado en adoquines para que no se moviera ni un centímetro de sus ejes. Había bastante espacio para que el perro se arrastrara debajo del camión y se tendiera allí para protegerse de la lluvia y del sol. La cadena era lo suficientemente larga como para que caminara hasta el extremo del callejón y viera pasar a la gente por la acera y los coches por la calle. Si te acercabas por la acera, a veces podías ver su morro asomado al extremo del callejón; hasta allí llegaba la cadena y ni un centímetro más. Podías alargar la mano y él te olfateaba, pero no le gustaba que le tocaran y nunca lamía las manos, como hacen algunos perros. Si intentabas acariciarle, bajaba la cabeza y volvía cabizbajo al interior del callejón. Por la forma en que te miraba sabías que no era buena idea seguirle al callejón ni insistir demasiado en acariciarle.

—Porque te mordería —observó el niño.

—No puedes estar seguro. En realidad, nunca mordió a nadie, o al menos yo no estoy enterado de que lo hiciera.

—¿Tú estabas allí? —quiso saber Walt.

—Sí —Garp sabía que un cuentista siempre está «allí».

—¡Walt! —llamó Helen (a Garp le irritaba que ella escuchara a escondidas los cuentos que contaba a sus hijos)—. Eso es lo que llaman «vida de perros».

Ni Garp ni su padre supieron apreciar la interrupción de Helen. Walt dijo:

—Sigue con el cuento. ¿Qué le ocurrió al perro?

Las formalidades siempre obsesionaban a Garp. ¿Qué instinto hace que la gente siempre espere que *ocurra* algo? Si empiezas una historia acerca de una persona o de un perro, algo tiene que ocurrirles.

—¡Sigue! —gritó Walt impaciente.

Con frecuencia, Garp, atrapado por su propio arte, olvidaba a su público. Continuó:

—Si demasiadas personas extendían la mano para que el perro las oliera, éste volvía al callejón y se metía debajo del camión. A menudo veías la punta de su negro morro asomando por debajo del vehículo. El perro siempre estaba debajo del camión o en el extremo del callejón que daba a la acera; jamás se detenía en el medio. Tenía sus costumbres y nada podía perturbarlas.

—¿Nada? —preguntó Walt decepcionado, temeroso de que no ocurriera nada.

—Bueno, *casi* nada —reconoció Garp y Walt se reanimó—. *Algo* le fastidiaba, pero se trataba de una sola cosa. Sólo eso podía enfurecer al perro. Era lo único que le hacía ladrar. Realmente le enloquecía.

—¡Claro, un *gato*! —dedujo Walt.

—Un gato *tremendo* —dijo Garp con una voz que obligó a Helen a interrumpir su nueva lectura de *El eterno marido* y a contener el aliento. Pobre Walt, pensó.

—¿Por qué era tremendo el gato? —preguntó Walt.

—Porque atormentaba al perro —explicó Garp: Helen sintió alivio al ver que, aparentemente, «lo tremendo» se reducía a eso.

—Atormentar no es bueno —declaró Walt con conocimiento de causa.

Walt era la víctima de Duncan en el campo de los tormentos. *Duncan* tendría que estar oyendo este cuento, pensó Helen. Evidentemente, una lección sobre los tormentos no enriquece a Walt.

—Atormentar es *tremendo* —prosiguió Garp—. Pero aquel gato *era* tremendo. Era un viejo gato callejero, sucio y malvado.

—¿Cómo se llamaba? —insistió Walt.

—No tenía nombre. No era de nadie; siempre tenía hambre y por ello robaba comida. Nadie puede culparle por eso. También se peleaba mucho con otros gatos y supongo que tampoco se le puede culpar por ello. Tenía un solo ojo; el otro le faltaba hacía tanto tiempo que el agujero se había cerrado y en su lugar había crecido piel. Tampoco tenía orejas. Seguramente siempre había tenido que pelear.

—¡Pobrecito! —se conmovió Helen.

—Nadie podía culpar al gato por ser como era, salvo por atormentar al perro —continuó Garp—. Eso estaba mal y no tenía por qué hacerlo. Estaba hambriento, de modo que tenía que ser ladrón; nadie le atendía, de modo que tenía que luchar. Pero *no tenía* que atormentar al perro.

—Atormentar no está bien —repitió Walt: decididamente, un relato ideal para Duncan, volvió a pensar Helen.

—Todos los días el gato bajaba por la acera y se detenía para lavarse en el extremo del callejón. El perro salía de debajo del camión y corría tan rápido que la cadena culebreaba tras él como una víbora a la que acaban de adelantar en su camino. ¿Viste alguna vez algo así?

—Claro —aseguró Walt.

—Cuando el perro llegaba al extremo de su cadena, ésta le tiraba del cuello hacia atrás, le hacía perder pie y aterrizar en el pavimento del callejón; a veces se golpeaba las patas y otras la cabeza. El gato no se movía. Sabía hasta dónde llegaba la cadena y se sentaba a lavarse, mientras con su único ojo contemplaba al perro, que enloquecía. Ladraba, tiraba de la cadena y luchaba con ella hasta que el dueño de la cafetería, su amo, salía y ahuyentaba al gato. Entonces el perro volvía a meterse debajo del camión. A veces, el gato regresaba en seguida y el perro permanecía debajo del camión tanto tiempo como podía soportarlo, que no era mucho. Se quedaba quieto mientras el gato se lamía todo el cuerpo en la acera; pronto era posible oír al perro gemir y quejarse. El gato lo observaba a través del callejón y seguía lavándose. De inmediato el perro empezaba a ladrar bajo el camión y a dar vueltas como si estuviera cubierto de abejas, pero el gato no interrumpía su limpieza. Finalmente, el perro se lanzaba a la carga por el callejón, chasqueando la cadena a sus espaldas, aunque supiera lo que ocurriría. Sabía que la cadena le haría perder pie y lo arrojaría al pavimento, sabía que, cuando se levantara, el gato seguiría allí, a centímetros de distancia, lavándose. Y sabía que ladraría roncamente hasta que su amo o alguna otra persona ahuyentara al gato. El perro *detestaba* a ese gato.

—*Yo* también —dijo Walt.

—Y también yo —coincidió Garp.

Helen comenzó a pensar que estaba en contra de ese cuento: la conclusión era demasiado obvia. No dijo nada.

—Sigue —pidió Walt.

Garp sabía de sobra que un ingrediente indispensable del relato que se dirige a un niño consiste en contar (o fingir contar) un cuento con una conclusión obvia.

—Un día, todos pensaron que finalmente el perro había perdido la cabeza —prosiguió Garp—. Durante un día entero corrió desde debajo del camión, callejón arriba, hasta que la cadena le hacía perder pie; luego repetía la operación. Aun cuando el gato no estaba, el perro corría callejón arriba, tirando de su peso contra la cadena y cayendo en el pavimento. Algunas de las personas que pasaban por la acera se sorprendieron, sobre todo aquéllas que veían que el perro se lanzaba hacia ellas e ignoraban que había una cadena. Aquella noche el perro estaba tan cansado que no se paseó por la cafetería; durmió en el suelo, tendido como si estuviera enfermo. Esa noche cualquiera podría haber asaltado la cafetería: no creo que el perro se hubiera despertado. Al día siguiente hizo lo mismo, aunque tenía el cuello dolorido, porque ladraba cada vez que la cadena le hacía perder pie. Esa segunda noche durmió en la cafetería como si fuera un perro muerto al que habían asesinado allí mismo. Su amo llamó a un veterinario, que le aplicó unas inyecciones, supongo que para calmarle. Durante dos días el perro permaneció tendido en el suelo de la cafetería durante la noche y debajo del camión durante el día. Ni siquiera se movía cuando el gato se acercaba por la acera o se lavaba en el extremo del callejón. ¡Pobre perro!

—Estaba triste —comentó Walt.

—¿Tú crees que era *inteligente*? —preguntó Garp a su hijo.

Walt se desconcertó pero respondió:

—Creo que sí.

—Lo era, porque todo el tiempo que había empleado en correr contra la cadena, había movido el camión al que estaba atado... sólo un poquito. Aunque ese camión había permanecido allí durante años, estaba asentado en los adoquines, y los edificios de su alrededor podían derrumbarse sin que el camión se moviera. *Incluso así*, aquel perro logró *moverlo*. Sólo un poquito. ¿Crees que el perro movió el camión *lo suficiente*?

—Me parece que sí —opinó Walt: Helen pensaba lo mismo.

—Sólo necesitaba unos pocos centímetros para alcanzar al gato —observó Garp.

Walt asintió. Helen, segura del sangriento resultado, volvió a sumergirse en *El eterno marido*.

—Un día —continuó Garp lentamente—, el gato llegó y se sentó en la acera, en el extremo del callejón. Empezó a lamerse las patas. Con las patas húmedas se frotó los agujeros donde antes estaban sus orejas y el agujero donde solía estar su otro ojo, sin dejar de contemplar con el que le quedaba al perro debajo del camión. Ahora que el perro ya no salía, el gato empezaba a aburrirse. En ese momento el perro se decidió...

—Me parece que el camión se movió lo suficiente —le interrumpió Walt.

—El perro corrió callejón arriba más rápido que nunca, de modo que la cadena danzaba a sus espaldas y el gato no se movió, aunque *esta vez* el perro podía alcanzarle. Pero la cadena no se estiró *lo suficiente* —ante el curso que tomaba el relato, Helen refunfuñó—. El perro logró apoyar la boca en la cabeza del gato, pero la cadena le tiró con tanta fuerza que no pudo cerrarla; el perro jadeó y retrocedió, como antes; el gato, al comprender que las cosas habían cambiado, huyó despavorido.

—¡Maldición! —protestó Helen.

—¡Oh, no! —se quejó Walt.

—Por supuesto, no es posible engañar dos veces a un gato como aquél —dijo Garp—. El perro había tenido una oportunidad y la había desperdiciado. El gato jamás le permitiría volver a acercarse.

—¡Qué historia tan tremenda! —opinó Helen.

Walt expresó su coincidencia con ella en silencio.

—Pero ocurrió *algo más* —agregó Garp. Walt levantó la mirada, alerta. Helen, exasperada, volvió a contener el aliento—. El gato estaba tan aterrorizado, que se lanzó a la calle... sin mirar. Ocurra lo que ocurra, Walt, nunca debes bajar a la calle sin mirar.

—No —aseguró Walt.

—Ni siquiera si un perro está a punto de morderte —insistió el padre—. *Jamás*. Nunca cruces la calle sin mirar.

—Claro, ya lo sé. ¿Qué le ocurrió al gato?

Garp entrechocó sus manos con tanta energía que el niño pegó un salto.

—¡Murió así! ¡Plaf! Nadie pudo hacer nada por él. Le habría ido mejor si le hubiera alcanzado el perro.

—¿Le atropelló un coche? —quiso saber Walt.

—Un camión le aplastó la cabeza. Se le escaparon los sesos por los agujeros donde antes solían estar sus orejas.

—¿Le aplastó?

—Sí, le aplastó, le hizo papilla, le dejó así de chato —Garp extendió frente al rostro serio de Walt la palma de su mano.

Helen pensó que, al fin y al cabo, era un cuento para Walt: *¡no cruces la calle sin mirar!*

—Fin —dijo Garp.

—Buenas noches —saludó Walt.

—Buenas noches —le despidió su padre.

Helen oyó que se besaban.

—¿Por qué no tenía nombre el perro? —insistió Walt antes de irse a dormir.

—No lo sé. Nunca cruces la calle sin mirar.

Cuando Walt se durmió, Helen y Garp hicieron el amor. Helen tuvo una inspiración repentina con respecto al cuento de Garp.

—Ese perro no pudo haber movido el camión. Ni siquiera un milímetro —dijo.

—Es verdad —admitió Garp.

Helen tuvo la certeza de que él había estado «allí».

—¿Entonces lo moviste tú? —le preguntó.

—Yo tampoco podía moverlo. Ni siquiera un milímetro. Pero por la noche, mientras el perro patrullaba la cafetería, corté un eslabón de la cadena y lo llevé como muestra a una ferretería. La noche siguiente *agregué* algunos eslabones, aproximadamente quince centímetros.

—¿Y el gato no corrió despavorido a la calle?

—No, eso era para Walt —reconoció Garp.

—Naturalmente.

—La cadena quedó lo suficientemente larga. El gato no pudo escapar.

—¿Lo mató el perro?

—Lo partió en dos de un mordisco.

—¿En una ciudad de Alemania?

—No, en Austria. Estábamos en Viena. Nunca viví en Alemania.

—¿Pero cómo es posible que el perro hubiese estado en la guerra? —preguntó Helen—. Cuando llegaste debía de tener veinte años.

—El perro no estuvo en la guerra —confesó Garp—. Sólo era un perro. Su *amo* había estado en la guerra, el propietario de la cafetería. Por eso sabía cómo adiestrar al perro. Lo adiestró para que matara a cualquiera que entrara en la cafetería cuando afuera estaba oscuro. Si afuera había luz, cualquiera podía entrar; si había oscuridad, ni el amo podía hacerlo.

—¡Eso es ridículo! ¿Y si se declaraba un incendio? A mí me parece que ese método tiene una serie de fallos.

—Evidentemente era un método aprendido en la guerra.

—Bueno, es más coherente que si el perro hubiera estado en la guerra.

—¿Realmente piensas eso? —a Garp le pareció que Helen estaba atenta por primera vez desde que habían comenzado a conversar—. Eso es interesante —agregó—, porque acabo de inventarlo en este mismo instante.

—¿Lo de que el dueño estuvo en la guerra?

—Más que eso.

—¿Qué parte de la historia inventaste? —le interrogó Helen.

—Toda —dialogaban en la cama y Helen permaneció tendida y callada porque sabía que ése era uno de los momentos más críticos para Garp—. Bueno, *casi* toda.

Garp nunca se cansaba de ese juego, aunque indudablemente Helen, sí. El aguardaba a que ella le preguntara: *¿qué parte* de la historia? ¿Qué es verdad y qué invención? Luego él le diría que no tenía importancia y ella le contaría qué parte no *creía*. Entonces él modificaba esa parte. Todo lo que ella creía era cierto; todo lo que no creía necesitaba elaboración. Si ella creía la totalidad, toda la historia era cierta. Helen sabía que él era inexorable como cuentista. Si la verdad convenía al relato, la revelaría sin titubeos; pero si alguna verdad no encajaba, no tenía ningún inconveniente en cambiarla.

—Cuando termines de jugar, espero satisfacer mi curiosidad en cuanto a qué es lo que realmente ocurrió.

—En *la realidad* el perro era un sabueso —propuso Garp.

—¡Un sabueso!

—En realidad, un schnauzer, un grifón de pelo largo. Estaba todo el día atado en el callejón, pero no a un camión del ejército.

—¿A un Volkswagen?

—A un trineo para la basura. El trineo se utilizaba para arrastrar los cubos de basura hasta la acera en invierno, pero, por supuesto, el schnauzer era demasiado pequeño y débil para arrastrarlo, en cualquier época del año.

—¿Y el dueño de la cafetería? ¿No estuvo en la guerra?

—La dueña. Era viuda.

—¿Su marido había muerto en la guerra? —sugirió Helen.

—Era una viuda *joven*. Su marido había muerto al cruzar la calle. Le tenía mucho apego al perro, que su marido le había regalado en el primer aniversario de boda. Pero la dueña de su nuevo piso no permitía perros en la vivienda, de modo que la viuda dejaba al perro suelto en la cafetería todas las noches. Era un lugar espectral y solitario, y el perro se ponía muy nervioso; de hecho, cagaba toda la noche. La gente se detenía junto al escaparate y se reía de los desastres que *hacía* el perro. Esas risas lo ponían aún más nervioso, por lo que cagaba aún más. Por la mañana, la viuda llegaba temprano, para airear el lugar y limpiar los excrementos, zurraba al perro con un periódico y lo arrastraba al callejón, donde lo dejaba el día entero atado al trineo para la basura.

—¿Y no existía ningún gato? —preguntó Helen.

—Había montones de gatos. Iban al callejón a causa de los cubos de basura de la cafetería. El perro nunca tocaba la basura porque le tenía miedo a la viuda y le aterrorizaban los gatos; siempre que había un gato en el callejón revolviendo los cubos de basura, el perro se metía debajo del trineo y permanecía oculto hasta que el gato se marchaba.

—¿Entonces tampoco hubo tormentos?

—Siempre hay tormentos —sentenció solemnemente Garp—. Había una niña que llegaba al extremo del callejón y llamaba al perro a la acera, pero la cadena de este perro no llegaba a la acera y el animal ladraba penosamente a la pequeña, que no se movía de la acera y seguía llamándole hasta que alguien se asomaba a una ventana y le gritaba que dejara en paz al pobre infeliz.

—¿Tú estabas allí? —se interesó Helen.

—*Nosotros* estábamos allí —respondió Garp—. Diariamente mi madre escribía en una habitación cuya única ventana daba al callejón. Los ladridos de aquel perro la enloquecían.

—Entonces fue Jenny quien movió el trineo —fabuló Helen—. Y el perro se comió a la cría, cuyos padres se quejaron a la policía, que a su vez sacrificó al perro. Y *tú*, naturalmente, fuiste un gran consuelo para la doliente viuda, que quizá estaba en los primeros años de la cuarentena.

—Finales de la treintena. Pero las cosas no ocurrieron así.

—¿*Qué* ocurrió?.

—Una noche el perro tuvo un ataque en la cafetería. Una serie de personas afirmaba ser responsable de asustar tanto al perro como para provocarle el ataque. Hubo una especie de competencia en el barrio en cuanto a la responsabilidad. Todos los vecinos solían acercarse a la cafetería y acurrucarse contra el escaparate y las puertas, estremeciéndose como gigantescos gatos y creando un frenesí de movimientos intestinales al aterrorizado perro.

—Supongo que el ataque mató al perro.

—No del todo —aclaró Garp—. El ataque le paralizó los cuartos traseros, por lo que a partir de entonces sólo pudo mover su mitad anterior y menear la cabeza. La viuda, apegada a la vida de su desdichado perro como al recuerdo de su difunto marido, así como a un carpintero con el que se acostaba, le pidió que construyera un carrito para la mitad trasera del perro. El carrito tenía ruedas, de modo que el animal caminaba con sus patas delanteras y remolcaba sus cuartos traseros en el carrito.

—¡Santo Dios! —exclamó Jenny.

—No puedes imaginar el *ruido* que hacían esas ruedas.

—Creo que no.

—Mamá afirmaba que no lo oía —continuó Garp—, pero el ruido era patético, peor que los ladridos del perro a la estúpida niña que lo atormentaba. El animalito no podía girar en los rincones sin patinar. Avanzaba a saltos y luego giraba; sus ruedas traseras se deslizaban a su lado más rápido de lo que él era capaz de saltar y rodaba. Cuando caía de costado no podía volver a levantarse. Parece que yo era el único que le veía en esa situación, al menos, era el que siempre iba al callejón y volvía a erguirlo. En cuanto volvía a estar apoyado en sus ruedas, intentaba morderme, pero era fácil correr más que él.

—Entonces un día desataste al schnauzer y bajó a la calle sin mirar. No, disculpa: *rodó* a la calle sin mirar. Así concluyeron las dificultades de todos. La viuda y el carpintero se casaron.

—No fue así.

—Quiero la verdad —exigió Helen adormilada—. ¿Qué le ocurrió a ese maldito schnauzer?

—No lo sé. Mamá y yo volvimos a este país y ya conoces el resto.

Helen, mientras se hundía en el sopor, sabía que únicamente su silencio podía lograr que Garp revelara la verdad. Sabía que la nueva versión podía ser tan imaginaria como las anteriores, o que éstas podían ser esencialmente ciertas, incluso era posible que la de ahora fuese verdadera. Cualquier combinación era posible con Garp. Helen dormía ya cuando Garp le preguntó:

—¿Qué versión te gustó más?

Pero a Helen, hacer el amor le producía somnolencia y descubrió que el murmullo incesante de la voz de Garp aumentaba su sopor; era su forma preferida de dormirse: después de hacer el amor, mientras hablaba Garp.

El frustrado Garp. A la hora de acostarse, sus motores estaban casi fríos. Hacer el amor parecía animarle y lanzarle a charlas maratonianas, a comer, a leer toda la noche, a rondar por la casa. Durante ese lapso rara vez intentaba escribir, aunque a veces se escribía mensajes a sí mismo, referentes a lo que escribiría después.

Pero no aquella noche. Levantó las mantas y observó que Helen dormía; volvió a taparla. Se acercó al dormitorio de Walt y comprobó que estaba bien. Duncan dormía en la casa de la señora Ralph; cuando Garp cerró los ojos, vio un resplandor en el horizonte suburbano e imaginó que era la temible casa de Ralph... en llamas.

Garp observó a Walt y se serenó. Disfrutó del escrutinio del niño; se tendió a su lado y olió su aliento fresco, recordando el momento en que la respiración de Duncan se había vuelto agria mientras dormía, al igual que la de los adultos. Para Garp había sido una sensación desagradable —poco después del sexto cumpleaños de Duncan— la de percibir que su aliento era rancio y levemente ácido mientras dormía. Era como si el proceso de decadencia, de lenta agonía, ya se hubiera iniciado en él. Aquélla fue la primera vez que Garp tuvo conciencia de la mortalidad de su hijo. Con ese olor aparecieron por primera vez las decoloraciones y las manchas en la dentadura de Duncan. Tal vez sólo fuera que Duncan era su primogénito, pero Garp se preocupaba más por él que por Walt, aunque un niño de cinco años parece más expuesto (que uno de diez) a los accidentes corrientes en la infancia. ¿Y cuáles son?, se preguntó Garp. ¿Ser atropellados por un coche? ¿Morir atragantado por cacahuetes? ¿Ser raptado por extraños? El cáncer, por ejemplo, era un extraño.

Había muchos motivos de inquietud cuando uno se preocupaba por los niños y Garp se preocupaba por todo; algunos momentos, especialmente durante sus ataques de insomnio, Garp se consideraba psicológicamente inepto para el ejercicio de la paternidad. Entonces también se preocupaba por eso y se sentía mucho más angustiado por sus hijos. ¿Y si su enemigo más peligroso resultaba ser *él*? Pronto se quedó dormido junto a Walt, pero Garp era un soñador temeroso, no estuvo dormido mucho tiempo. Un momento más tarde gimió al sentir que le dolía la axila. Despertó súbitamente y encontró el pequeño puño de Walt enredado en su vello axilar. Su hijo también gemía. Garp se desenredó del gimiente niño y pensó que había tenido el mismo sueño que él, como si el tembloroso cuerpo del padre hubiera transmitido su sueño al hijo. Pero Walt tenía su propia pesadilla.

A Garp no se le había ocurrido que su instructiva historia del perro de guerra, del gato atormentador y del inevitable camión asesino podían aterrorizar a Walt. Pero en sus sueños, Walt vio al enorme camión abandonado, del tamaño y la forma de un tanque, con ametralladoras, indescriptibles herramientas y adminículos de aspecto amenazador: el parabrisas era una hendidura no más grande que la abertura de un buzón. Todo negro, por supuesto.

El perro atado al camión del ejército tenía el tamaño de un *pony*, aunque era mucho más delgado y cruel. Corría al trote largo, a cámara lenta, hacia el extremo del callejón y su cadena, débil en apariencia, le perseguía en espiral. No parecía lo bastante fuerte como para retener al perro. En el extremo del callejón, con las piernas temblorosas y tropezando, desesperadamente torpe e incapaz de volar, el pequeño Walt se tambaleaba en círculos, pero parecía que no podía *arrancar* para alejarse de este tremendo perro. Cuando la cadena chasqueó, el enorme camión avanzó como si alguien lo hubiera puesto en marcha y el perro cayó sobre el niño. Walt se agarró a la sudorosa y áspera piel del animal (la axila de su padre), pero por alguna razón se soltó. El perro estaba en su cuello, pero Walt corría hacia la calle, donde pasaban camiones semejantes al del callejón, con sus imponentes ruedas traseras en filas unidas como gigantescas rosquillas. Y por llevar sólo aspilleras a modo parabrisas, los conductores, naturalmente, no podían verle; no pudieron ver al pequeño Walt.

Entonces su padre le besó y el sueño de Walt se evaporó, por el momento. Otra vez estaba a salvo; olió a su padre, palpó sus manos y le oyó decir:

—Sólo fue un sueño, Walt.

En el sueño de Garp, él y Duncan viajaban en avión. Duncan necesitaba ir al cuarto de baño. Garp señaló el pasillo; allí al fondo había varias puertas: una reducida cocina, la cabina del piloto, el lavabo. Duncan quería que le llevara, que le mostrara *cuál* era la puerta que correspondía, pero Garp fue duro con él.

—Tienes diez años, Duncan —dijo el padre—. Sabes leer. También puedes preguntárselo a la azafata —Duncan apretó las rodillas y se mostró contrariado. Garp le empujó hacia el pasillo—. Crece, Duncan. Es una de esas puertas. Vé.

Mohíno, el chico cruzó el pasillo en dirección a las puertas. Una azafata le sonrió y le revolvió el pelo cuando pasó a su lado, pero, de acuerdo con su costumbre, Duncan no le preguntó nada. Llegó al extremo del pasillo, se volvió y le echó una mirada a Garp; éste lo azuzó con un gesto de impaciencia. Duncan se encogió de hombros, impotente. ¿*Cúal* era la puerta?

Malhumorado, Garp se levantó.

—¡Prueba alguna! —le gritó a través del pasillo; los demás viajeros observaron a Duncan.

El niño se sintió incómodo e inmediatamente abrió la puerta, la más cercana. Echó una rápida mirada —sorprendida aunque no crítica— a su padre antes de ser aspirado por el hueco de la puerta que había abierto. La puerta se cerró automáticamente tras él. La azafata gritó. El avión bajó un poco de altitud y en seguida corrigió su rumbo. Todos miraron por las ventanillas; algunas personas se desmayaron, otras vomitaron. Garp cruzó el pasillo a la carrera, pero el piloto y otro oficial de aspecto autoritario le impidieron abrir la puerta.

—Tiene que estar siempre cerrada, ¡estúpida! —chilló el piloto a la acongojada azafata.

—¡Creí que lo estaba! —sollozó la muchacha.

—¿Adónde da? —gritó Garp—. ¡Santo Dios! ¿Adónde da? —vio que no había ningún letrero encima de las puertas.

—Lo siento, señor —se lamentó el piloto—. No pudo evitarse.

Pero Garp le empujó para pasar, impulsó a un agente de policía vestido de paisano contra el respaldo del asiento y de un empujón apartó a la azafata del pasillo. Cuando abrió la puerta,

Garp comprendió que daba al exterior —a los impetuosos cielos— y antes de poder gritar el nombre de Duncan, fue aspirado a través de la puerta abierta en dirección al cielo, que cruzó como un rayo tras su hijo.

La señora Ralph

Si a Garp le hubieran concedido un deseo simple e inmenso, habría escogido el de poder convertir el mundo en un lugar *seguro*. Tanto para los niños como para los adultos. El mundo impresionaba a Garp como innecesariamente peligroso para ambos.

Tras haber hecho el amor, Helen se quedó dormida —después de los sueños—, y Garp se visitó. Cuando se sentó en la cama para atarse los cordones de las zapatillas de atletismo, se apoyó en una pierna de Helen y la despertó. Ella extendió la mano para tocarle y palpó sus pantalones cortos.

—¿Adónde vas? —le preguntó.

—A ver cómo está Duncan.

Helen se apoyó en un codo y miró la hora. Era más de la una de la madrugada y sabía que Duncan estaba en casa de Ralph.

—*Cómo* te las arreglarás para ver cómo está Duncan?

—No lo sé —reconoció Garp.

Como un pistolero a la caza de su víctima, como un violador de menores temido por los padres, Garp acecha los adormilados suburbios, verdes y oscuros en el aire primaveral; la gente ronca, desea y sueña mientras sus cortadoras de césped descansan; hace demasiado fresco para que sus acondicionadores de aire funcionen. Unas pocas ventanas están abiertas, algunas neveras ronronean. Se percibe el débil y contenido gorjeo de algunos televisores sintonizados en la película de la sesión de noche y el brillo gris azulado de las pantallas palpita en unas pocas casas. A Garp, ese brillo le parece un cáncer insidioso y estremecedor que anestesia al mundo. Tal vez la televisión *produce* cáncer, piensa Garp; pero su verdadera intransigencia es la de un escritor: sabe que donde funciona un televisor hay alguien que no está *leyendo*.

Garp avanza ágilmente por la calle; no quiere encontrar a nadie. Lleva flojos los cordones de las zapatillas de atletismo y sus pantalones aletean; no lleva calzoncillos porque no pensaba correr. Aunque el aire primaveral es fresco, no se ha puesto camisa.

En las casas a oscuras, algunos perros gruñen a Garp cuando pasa. Como acaba de hacer el amor, Garp imagina que su olor es tan penetrante como el de una fresa recién cortada. Sabe que los perros pueden olerlo.

Esos suburbios están bien vigilados por la policía y, por un instante, Garp teme que le atrapen por violación de algún código no escrito sobre la vestimenta, culpable, como mínimo, de no llevar documentos de identidad. Se da prisa, convencido de que corre en ayuda de Duncan, de que va a rescatar a su hijo de las manos de la cachonda señora Ralph.

Una joven que pedalea en una bicicleta sin luces está a punto de chocar contra él; la melena flota a sus espaldas, tiene las rodillas desnudas y brillantes, su aliento choca a Garp como una sorprendente mezcla de césped recién cortado y cigarrillos. Garp se agacha, ella grita y traza un zigzag alrededor de Garp; la muchacha se apoya con firmeza en los pedales y se aleja de él al máximo de velocidad, sin mirar atrás. Tal vez cree que es un exhibicionista en ciernes, con el torso y las piernas desnudas, dispuesto a bajarse los pantalones. Garp piensa que la muchacha viene de algún sitio en donde no tenía que haber estado; imagina que tendrá dificultades por ello. Pero, pensando en Duncan y en la señora Ralph, Garp sabe que tiene que resolver las propias.

Cuando Garp ve la casa de Ralph, se convence de que tendrían que otorgarle el premio de iluminación de la manzana; todas las ventanas iluminadas, la puerta delantera abierta, la cancerígena televisión, violentamente alta. Garp sospecha que la señora Ralph celebra una fiesta, pero mientras se acerca furtivamente —el jardín festoneado por excrementos de perro y un revoltijo de equipos deportivos—, presiente que la casa está desierta. Los letales rayos televisivos palpitan a través de la sala, atiborrada de pilas de zapatos y ropa; acurrucados contra el desordenado sofá ve los cuerpos de Duncan y Ralph, metidos a medias en sus sacos, dormidos (por supuesto), aunque dan la impresión de haber sido asesinados por la televisión. Bajo la enfermiza luz de la pantalla, sus rostros parecen exangües.

Pero, ¿dónde está la señora Ralph? ¿Salió? ¿Se acostó con todas las luces encendidas y la puerta abierta, dejando que a los chicos los devorara la televisión? Garp se pregunta si se habrá acordado de apagar el horno. La sala aparece llena de ceniceros; Garp teme que hayan quedado colillas sin pagar. Tras de los setos espía por la ventana de la cocina y aspira a fondo con la certeza de que percibirá el olor a gas.

Hay una pila de platos sucios en el fregadero, una botella de ginebra encima de la mesa de la cocina, un ácido olor a limas cortadas en rodajas. El cable de la luz del techo —antes demasiado corto— está excesivamente alargado por la delgada pierna y la cadera de unos *panties* doblados y que ocultan la otra mitad. El pie de nailon, salpicado de manchas translúcidas de grasa, se balancea con la brisa sobre la botella de ginebra. Garp no huele a quemado, salvo que haya un fuego lento debajo del gato, limpiamente echado encima de la cocina, artísticamente extendido entre los quemadores, con la barbilla apoyada en el mango de una pesada sartén, mientras su vellosa panza se calienta gracias al quemador piloto. Garp y el gato intercambian una mirada. El gato le guiña un ojo.

Pero Garp cree que la señora Ralph carece de la concentración suficiente para convertirse en gato. Su hogar —su *vida*—, en absoluto desorden, hace temer que la mujer haya abandonado el barco o, quizás, haya perdido el conocimiento en el piso superior. ¿Está en la cama? ¿Ahogada en la bañera? ¿Dónde está la bestia cuyos peligrosos excrementos han hecho del jardín un campo minado?

En ese preciso momento se aproxima estruendosamente por la escalera trasera un cuerpo pesado que al caer abre la puerta de entrada a la cocina, asusta al gato, que huye y arroja al suelo la pesada sartén de hierro. Con el trasero al aire, la señora Ralph cae sentada en el linóleo y parpadea; lleva una bata, parecida a un quimono, abierta y apenas sujeta por encima de su maciza cintura; en la mano, un vaso del que milagrosamente no vertió una sola gota. Observa la bebida, sorprendida, y da unos sorbos; sus generosas tetas, con la punta hacia abajo, brillan y se extienden sobre su pecho pecoso cuando se echa hacia atrás apoyada en los codos y eructa. El gato maúlla a modo de queja desde un rincón de la cocina.

—¡Cierra el pico, Titsy! —ordena la señora Ralph al gato.

Pero, cuando intenta levantarse, la señora Ralph gime y cae de espaldas. Tiene el vello púbico húmedo y brillante a los ojos de Garp; su vientre, jalonado de pliegues, se ve tan blanco y avejigado como si la señora Ralph hubiera estado sumergida durante largo tiempo.

—Te echaré de aquí aunque sea lo último que haga —grita la señora Ralph al techo de la cocina, aunque Garp supone que se dirige al gato.

Tal vez se haya roto un tobillo y esté demasiado borracha para sentirlo, piensa Garp; quizá se ha roto la columna vertebral. Garp avanza pegado a la casa y se acerca a la puerta principal, que está abierta. Llama.

—¿Hay alguien en casa? —grita.

El gato se precipita entre sus piernas y huye. Garp espera. Oye rumores provenientes de la cocina: los extraños ruidos del roce de la carne.

—Yo vivo y respiro —contesta la señora Ralph cuando se asoma al hueco de la puerta, con el quimono de flores desteñidas más o menos sujeto; ya no lleva el vaso en la mano.

—Vi las luces y se me ocurrió que tal vez ocurría algo —murmura Garp.

—Llega demasiado tarde —le informa la señora Ralph—. Los dos chicos están muertos. Yo no tendría que haberlos dejado jugar con esa bomba —analiza la expresión inmutable de Garp en busca de algún indicio de que comprende la ironía de sus palabras, pero se da cuenta de que él no bromea con esos temas—. ¿Quiere ver los cadáveres?

La señora Ralph tira de Garp hacia ella agarrándole por la cintura de sus pantaloncillos. Garp, sabedor de que no lleva calzoncillos, se tambalea rápidamente detrás de sus pantalones cortos y choca con la señora Ralph, que lo suelta con un chasquido del elástico y se encamina a la sala. El aroma que despide la mujer lo confunde: vainilla derramada en el fondo de una bolsa de papel honda y húmeda.

La señora Ralph coge a Duncan por debajo de los brazos y con sorprendente fuerza lo levanta con su saco de dormir hasta el enorme y desordenado sofá; Garp la ayuda a levantar a Ralph, que es más pesado. Acomodan a los niños, doblan sus sacos de dormir alrededor de los cuerpos y ponen almohadas bajo sus cabezas. Garp cierra el televisor y la señora Ralph, haciendo eses por la sala, apaga luces y junta ceniceros. Parecen un matrimonio que limpia después de una fiesta.

—¡Buenas noches! —musita la señora Ralph a la sala ya a oscuras, mientras Garp tropieza con un cojín y se abre paso a tientas, orientándose por las luces de la cocina—. Todavía no puede irse —sisea la señora Ralph—. Tiene que ayudarme a echar a alguien de aquí— le coge del brazo y se le cae un cenicero; se abre su quimono. Garp se inclina para recoger el cenicero y roza con el pelo uno de sus pechos—. Tengo a un lunático en el dormitorio y no quiere irse. No puedo lograr que se vaya.

—¿Un lunático? —pregunta Garp.

—Es un verdadero patán, un jodido pasota.

—¿Un pasota?

—Sí, por favor, échelo —vuelve a tirar del elástico de la cintura de los pantalones cortos y esta vez echa una mirada sin disimulo—. No es mucho lo que lleva, ¿verdad? ¿No tiene frío? —apoya una mano en el vientre desnudo de Garp—. No, no tiene frío —se estremece.

Garp se aleja de ella.

—¿Quién es? —Garp teme verse envuelto en la expulsión del ex *marido* de la señora Ralph de su propia casa.

—Venga, se lo mostraré —susurra.

Lo lleva hasta la escalera trasera a través de un estrecho pasillo, jalonado de pilas de ropa sucia y enormes sacos de comida para animales domésticos. No es extraño que se haya caído, piensa Garp.

En el dormitorio de la señora Ralph, Garp ve inmediatamente el cuerpo extendido del perdiguero negro sobre la ondulante cama de agua. El perro se desplaza muellemente de costado y mueve la cola. La señora Ralph se acopla con su perro, piensa Garp, y no puede echarlo en la cama.

—Abajo, muchacho —ordena Garp—. Sal de aquí —el perro mueve más enérgicamente la cola y orina un poco.

—No me refiero a *él* —dice la señora Ralph y da un fuerte empujón a Garp.

Garp recupera el equilibrio encima de la cama, que suena a chapoteo. El perrazo le lame la cara. La señora Ralph señala un sillón que está a los pies de la cama, pero Garp ya ha visto al joven reflejado en el espejo de la cómoda. Sentado en el sillón, desnudo, se peina el rubio extremo de su delgada cola de caballo, que sostiene sobre el hombro y rocía con uno de los aerosoles de la señora Ralph. Su vientre y sus muslos tienen el mismo aspecto de mantequilla viscosa que Garp observó en la carne y la piel de la señora Ralph, y su joven pito es tan delgado y arqueado como el espinazo de un lebrel.

—Hola, ¿cómo estás? —dice el muchacho a Garp.

—Bien, gracias —contesta Garp al saludo.

—Líbrese de él —interviene la señora Ralph.

—He estado tratando de que se *relajara*. Estoy intentando lograr que se suelte, ¿comprendes?

—No permita que le hable —ordena la señora Ralph—. Lo matará de aburrimiento.

—Todos están tan nerviosos... —dice el chico a Garp; se vuelve en la silla, se echa hacia atrás y apoya los pies en la cama de agua; el perro le lame los dedos. La señora Ralph le quita sus piernas de la cama de una patada—. ¿Comprendes lo que quiero decir?

—Ella quiere que te vayas.

—¿Eres el marido? —pregunta el muchacho.

—Así es —confirma la señora Ralph— y te aplastará el pitito si no te marchas.

—Será mejor que te vayas —le dice Garp—. Te ayudaré a recoger tu ropa.

El chico cierra los ojos y parece meditar.

—En ese lío es realmente grandioso —dice la señora Ralph a Garp—. Para todo lo que sirve es para cerrar los ojos.

241

—¿Dónde está tu ropa? —pregunta Garp al chico.

Probablemente tiene diecisiete o dieciocho años, piensa Garp. Tal vez es lo bastante mayor como para ir a la universidad o a la guerra. El muchacho se entrega a sus ensueños y Garp le sacude suavemente por el hombro.

—No me toques, hombre —dice con los ojos cerrados.

En su voz hay algo absurdamente amenazador que hace retroceder a Garp y mira a la señora Ralph. Esta se encoge de hombros.

—Es lo mismo que me dijo a mí —afirma la señora Ralph.

Al igual que sus sonrisas, nota Garp, los encogimientos de hombros de la señora Ralph son espontáneos y sinceros. Garp aprieta la cola de caballo del muchacho y la enrosca alrededor de su cuello; le sujeta la cabeza con un brazo y la mantiene fuertemente apretada. El joven abre los ojos.

—Busca tu ropa, ¿me oyes?

—No me toques —repite el muchacho.

—Te estoy tocando.

—Está bien, está bien —Garp le suelta.

El muchacho es varios centímetros más alto que Garp, pero, como mínimo, pesa cinco kilos menos. Busca su ropa, pero la señora Ralph ya ha encontrado la larga túnica de color púrpura, ridículamente cargada de brocado. El joven se la enfunda como si fuera una armadura.

—Fue hermoso follarte —dice a la señora Ralph—, pero tendrás que aprender a relajarte.

La señora Ralph ríe tan estruendosamente que el perro deja de menear la cola.

—Y tú tendrías que volver el día uno y aprenderlo todo de nuevo, desde el principio —replica la señora Ralph y se tiende encima de la cama de agua, junto al perdiguero, que apoya la cabeza en su vientre—. ¡Fuera, Bill! —dice malhumorada al perro.

—No sabe relajarse —informa el chico a Garp.

—Tú no tienes ni puñetera idea de *cómo* relajar a alguien —dice la señora Ralph.

Garp conduce al joven fuera del dormitorio y por la traidora escalera trasera, a través de la cocina, hasta la puerta principal.

—*Ella* me invitó a entrar —explica el muchacho—. Fue idea suya.

—También te pidió que te fueras.

—Debo decirte que tú tampoco sabes relajarte.

—¿Sabían los niños lo que estaba ocurriendo? —pregunta Garp—. ¿Estaban dormidos cuando subísteis?

—No te preocupes por los chavales. Los críos son estupendos, hombre. Y saben mucho más de lo que suponen los adultos.

Los niños son personas perfectas hasta que los adultos les ponen las manos encima. Los chavales estuvieron muy bien. *Siempre* lo están.

—¿Tienes hijos *tú*? —no pudo dejar de murmurar Garp; hasta ese momento había demostrado gran paciencia con el joven, pero Garp no es paciente en lo que se refiere a los niños. No acepta ninguna autoridad más que la suya—. Adiós. No vuelvas —le empuja, aunque suavemente, hacia el jardín.

—¡No me empujes! —grita el muchacho.

Garp se agacha para eludir el puñetazo y queda con los brazos cerrados alrededor de la cintura del joven; le parece que el chico pesa treinta y ocho o cuarenta kilos aunque sabe, naturalmente, que es más pesado. Le hace una toma de oso y le une los brazos a la espalda; entonces le lleva hasta la acera. Cuando el muchacho deja de luchar, Garp le suelta.

—¿Sabes adónde ir? ¿Necesitas alguna orientación? —el chico respira profundamente y se palpa las costillas—. No les digas a tus amigos que pueden venir aquí. No se te ocurra llamar por teléfono.

—Ni siquiera sé cómo se llama esta mujer, hombre —gime el joven.

—Y no vuelvas a llamarme «hombre».

—Está bien, hombre.

Garp siente una placentera sequedad en la garganta, que reconoce como su predisposición para pegarle a alguien, pero la deja pasar.

—Por favor, vete de aquí.

A una manzana de distancia, el chico grita:

—¡Adiós, hombre!

Garp sabe a qué velocidad puede alcanzarle y la anticipación de esa comedia le atrae, pero resultaría decepcionante que el muchacho no le temiera y Garp no siente la necesidad urgente de hacerle daño. Se despide de él agitando la mano con el brazo extendido. El joven levanta el dedo mayor y se aleja arrastrando la túnica: un cristiano primitivo perdido en los suburbios.

Cuídate de los leones, muchacho, piensa Garp y desea mentalmente que encuentre amparo. Sabe que dentro de pocos años Duncan tendrá la misma edad; Garp sólo puede abrigar la esperanza de que le resulte más fácil comunicarse con su hijo.

Vuelve a entrar en la casa y oye que la señora Ralph llora. Llora y le habla al perro.

—Oh, Bill —solloza—. Lamento haberte ofendido, Bill. Eres tan bueno...

—¡Adiós! —grita Garp desde el pie de la escalera—. Su amigo se fue y yo hago lo mismo.

—¡Mierda! —chilla la señora Ralph—. ¿Cómo puede dejarme así? —sus gemidos crecen; pronto, piensa Garp, el perro empezará a ladrar.

—¿Qué puedo hacer? —inquiere Garp.

—¡Al menos podría quedarse a conversar conmigo! —grita desde arriba la señora Ralph—. ¡Usted es un maldito jodido pasota!

¿Qué querrá decir pasota?, se pregunta Garp mientras avanza escaleras arriba.

—Probablemente pensará que siempre me ocurre esto —dice la señora Ralph, echada como una odalisca encima de la cama de agua: está sentada con las piernas cruzadas, el quimono ajustado y la enorme cabeza de Bill sobre su regazo.

De hecho, eso es lo que Garp piensa, pero mueve la cabeza negativamente.

—No acostumbro a exponerme a la humillación, ¿sabe? Por favor, siéntese —atrae a Garp a la ondulante cama—. En este maldito lecho no hay agua suficiente —explica la señora Ralph—. Mi marido siempre solía llenarla, pero pierde.

—Lo lamento —dice Garp, el consejero matrimonial.

—Espero que nunca abandone a *su* mujer —dice la señora Ralph, coge una de las manos de él y la apoya en su regazo; el perro le lame los dedos—. Es la cosa más inmunda que puede hacer un hombre. Me dijo que había fingido su interés por mí «durante años». Después agregó que prácticamente *cualquier* otra mujer, joven o vieja, era para él más atractiva que yo. Eso no es muy amable, ¿no? —pregunta la señora Ralph a Garp.

—No, no lo es —coincide Garp.

—Por favor, créame, nunca me enredé con nadie hasta que me dejó.

—Le creo.

—Es algo muy duro para la confianza de una mujer en sí misma —declara la señora Ralph—. ¿Por qué no tendría que tratar de pasarlo bien?

—*Tiene* que hacerlo.

—¡Pero soy tan *incompetente* para eso! —confiesa la señora Ralph y se lleva la mano a los ojos, mientras se mece encima de la cama. El perro intenta lamerla, pero Garp lo aparta; el animal cree que Garp quiere jugar y se lanza por encima del regazo de la señora Ralph. Garp le aprieta el morro con demasiada fuerza y la pobre bestia gime y se aparta—. ¡No le haga daño a Bill! —grita la señora Ralph.

—Sólo estaba tratando de ayudarla!

—No me ayuda a *mí* si le hace daño a Bill —afirma la señora Ralph—. ¿Está loco todo el mundo?

Garp se tiende de espaldas encima de la cama y cierra los ojos con fuerza; la cama se balancea como impulsada por suaves olas y Garp gruñe.

—No sé *cómo* ayudarla —admite—. Lamento mucho sus problemas, pero yo no puedo hacer nada, ¿verdad? Si quiere decirme algo, dígalo —aprieta aún más los ojos—, pero nadie puede ayudarla a dejar de sentir como siente.

—Eso no es estimulante para nadie.

Bill jadea junto a la cabeza de Garp. Le lame, con precaución, la oreja. Garp no sabe si se trata del perro o de la señora Ralph. Entonces siente la mano de ella bajo sus pantalones y piensa: Si realmente *no quería* que hiciera eso, ¿por qué me tendí de espaldas en la cama?

—Por favor, no hagas eso —dice.

Ella percibe que evidentemente, él no está interesado, y le suelta. Se echa a su lado y luego se vuelve de espaldas a él. La cama ondea violentamente cuando Bill intenta interponerse entre ambos, pero la señora Ralph le aplica un codazo tan fuerte en las costillas que el perro tose y cambia la cama por el suelo.

—Pobre Bill. Lo siento —la señora Ralph solloza quedamente.

La dura cola de Bill golpea el suelo. La señora Ralph, como si quisiera completar su autohumillación, se tira un pedo. Sus sollozos son uniformes, a la manera de una llovizna capaz de persistir todo el día, piensa Garp. Garp, el consejero matrimonial, se pregunta qué podría brindar un poco de *confianza* a esa mujer.

—Señora Ralph... —dice Garp e inmediatamente desea tragarse sus palabras.

—¿Qué? ¿Cómo ha dicho? —se apoya en los codos y gira la cabeza para mirarla. Sabe que le oyó bien—. ¿Dijo «señora Ralph»? «¡Señora Ralph!» —chilla—. ¡Ni siquiera sabe cómo me llamo!

Garp se sienta en el borde de la cama, aunque tiene ganas de reunirse con Bill en el suelo.

—La encuentro muy atractiva —dice a la señora Ralph en voz baja, aunque está frente a Bill—. Sinceramente.

—Demuéstrelo, maldito embustero. Pruébemelo.

—No puedo demostrárselo, pero no se debe a que no la encuentre atractiva.

—¡Ni siquiera le provoco una erección! —grita la señora Ralph—. Estoy aquí, semidesnuda y, estando a mi lado, en mi maldita cama, ni siquiera tiene una erección respetable.

—Estaba intentando ocultársela.

—Pues lo logró. ¿Cómo me llamo?

Garp siente que jamás se ha dado tanta cuenta de una de sus terribles debilidades: necesita gustar a la gente, necesita que le aprecien. Sabe que a cada palabra está más profundamente metido en dificultades y más profundamente inmerso en una mentira obvia. Ahora sabe qué quiere decir «jodido pasota».

—Su marido debe estar chalado. *A mí* me parece más atractiva que la mayoría de las mujeres.

—Basta, por favor, usted debe de estar enfermo.

Debo estarlo, coincide Garp, pero dice:

—Ha de tener confianza en su sexualidad, créame. Más importante aún: debe desarrollar confianza en sí misma en otros terrenos.

—Nunca hubo otros terrenos —sostiene la señora Ralph—. Nunca nada me calentó tanto como el sexo, y ahora ni siquiera eso.

—Pero usted estudia —tantea Garp.

—Y le aseguro que no se *por qué* —dice la señora Ralph—. ¿A eso se refiere cuando dice que debo desarrollar mi confianza en otros terrenos?

Garp vuelve a apretar los ojos y desea la inconsciencia; cuando oye el oleaje de la cama, percibe el peligro y abre los ojos. La señora Ralph se ha desvestido y está desnuda en la cama. Las suaves olas hacen vibrar su cuerpo, que se enfrenta a Garp como un vigoroso remero anclado en aguas agitadas.

—Muéstreme que la tiene dura y podrá irse. Muéstreme su erección y creeré lo que dice.

Garp intenta imaginar una erección; con el propósito de lograrlo, cierra los ojos y piensa en la otra.

—¡Maldito cabrón! —exclama la señora Ralph.

Pero Garp descubre que ya la tiene levantada: no fue tan difícil como suponía. Abre los ojos y se ve obligado a reconocer que la señora Ralph no carece de encantos. Se baja los pantaloncillos y le muestra su erección. El gesto, en sí mismo, se le levanta más; encuentra que le gusta el vello húmedo y rizado de la señora Garp. Pero ésta no parece decepcionada ni impresionada por la demostración: está resignada a ser rechazada. Se encoge de hombros. Rueda y vuelve su vasta grupa a Garp.

—De acuerdo, lo lograste —le dice—. Gracias. Ahora puedes irte.

Garp siente deseos de tocarla. Incómodo, tiene la certeza de que puede correrse con sólo mirarla. Sale tambaleándose y baja la desordenada escalera. ¿Habrá terminado la masturbación mental de esa mujer, al menos por esa noche?, se pregunta. ¿Está seguro Duncan allí?

Reflexiona sobre la conveniencia de extender su vigilia hasta la reconfortante luz del alba. Pisa la sartén caída, que tintinea contra la cocina. No oye ni un suspiro de la señora Ralp; apenas un gruñido de Bill. Si los chicos se despertaran y necesitaran algo, está convencido de que la señora Ralp no los oiría.

Son las tres y media de la madrugada en la casa, finalmente silenciosa, de la señora Ralph cuando Garp decide limpiar la cocina, matar el tiempo hasta el amanecer. Conocedor de las tareas de un ama de casa, Garp llena de agua el fregadero y empieza a lavar los platos.

Cuando sonó el teléfono, Garp adivinó que era Helen. De pronto se le ocurrieron todas las cosas terribles que ella podía estar pensando.

—Dígame —atendió Garp.

—¿Quieres decirme qué está ocurriendo, por favor?

Garp sabía que Helen había estado despierta mucho tiempo. Eran las cuatro de la mañana.

—No está ocurriendo nada, Helen. Aquí había algunos problemas y no quise dejar a Duncan.

—¿Dónde está esa mujer? —quiso saber Helen.

—En la cama. Se durmió.

—¿A causa *de qué*?

—Había bebido. Con ella estaba un muchacho y me pidió que le echara.

—¿Entonces te quedaste solo con ella?

—No por mucho tiempo. Se quedó dormida.

—Supongo que con ella no te llevaría mucho tiempo —insinuó Helen.

Garp calló. Hacía tiempo que no experimentaba los celos de Helen, pero recordaba perfectamente bien su sorprendente y afilada agudeza.

—No está ocurriendo nada, Helen.

—Dime qué estás haciendo exactamente en este momento.

—Estoy fregando los platos —la oyó respirar prolongada y controladamente.

—No sé por qué continúas en esa casa.

—No quería dejar a Duncan —explicó Garp.

—Creo que tendrías que traerle a casa —sugirió Helen—. Ahora mismo.

—Helen, me he portado bien —incluso a Garp le pareció que esto sonaba a una justificación: sabía que no se había portado del todo bien—. No ha ocurrido nada —agregó, sabiendo que al menos eso era verdad.

—No te preguntaré por qué estás fregando sus mugrientos platos.

—Para pasar el tiempo.

Pero, en realidad, no había pensado hasta ese momento en lo que estaba haciendo y entonces le pareció insensato: aguardar al amanecer, como si los accidentes sólo pudieran ocurrir en la oscuridad.

—Estoy esperando a que Duncan se despierte —afirmó, pero en cuanto lo dijo sintió que tampoco eso tenía sentido.

—¿Por qué no le despiertas? —preguntó Helen.

—Soy muy eficaz fregando platos —Garp trató de introducir alguna frivolidad en la conversación.

—Conozco muy bien todas las cosas en que eres eficaz —dijo Helen, aunque demasiado amargamente para que pareciera broma.

—Si sigues pensando así, enfermarás. Basta, Helen, por favor. No he hecho nada malo —pero Garp tenía memoria de puritano en cuanto a la erección que le había provocado la señora Ralph.

—Ya estoy enferma —protestó Helen, pero su voz se suavizó—. Por favor, vuelve a casa ahora mismo.

—¿Y dejo a Duncan aquí?

—¡En nombre de Dios, despiértalo! ¡O *arrástralo*!

—En seguida estaré contigo. Por favor, no te preocupes, no pienses lo que estás pensando. Te contaré todo lo que ha ocurrido. Probablemente te encantará esta historia —pero sabía que tendría dificultades para contarle *toda* la historia y que tendría que pensar muy cuidadosamente qué fragmentos debían quedar al margen.

—Me siento mejor. Dentro de un rato nos veremos. Por favor, no friegues un solo plato más.

Helen colgó y Garp examinó la cocina. Pensó que su media hora de trabajo no había producido tan considerable diferencia para que la señora Ralph notara que se había iniciado un intento de aproximación al orden.

Garp buscó la ropa de Duncan entre las formidables montañas de prendas esparcidas en la sala. Conocía la ropa de Duncan pero no pudo encontrarla; luego recordó que su hijo, al igual que los hámsters, almacenaba sus cosas en el fondo del saco de dormir y se metía en el nido con ellas. Duncan pesaba alrededor de cuarenta kilos, más el saco, más su mochila, pero Garp estaba convencido de que podría llevarlo a cuestas hasta su casa; Duncan podía volver otro día a buscar su bicicleta. Decidió no despertar al niño dentro de la casa de Ralph. Podía provocar una escena: Duncan se quejaría porque le obligaba a irse. Hasta se podía despertar la señora Ralph.

Entonces Garp pensó en la señora Ralph. Furioso consigo mismo, comprendió que quería echarle una última mirada; su repentina y repetida erección le recordó que deseaba volver a contemplar su sólido cuerpo. Avanzó rápidamente hasta la escalera de atrás. Podría haber rastreado su fétido dormitorio con sólo olfatear.

Miró directamente el pubis de la mujer, su ombligo curiosamente retorcido, sus pezones pequeños (para tan grandes tetas). Antes tendría que haberla mirado a los ojos; si lo hubiera hecho, se habría dado cuenta de que estaba completamente despierta y que le observaba.

—¿Terminaste de fregar los platos? ¿Vienes a despedirte?

—Quería cerciorarme de que estabas bien.

—Puras mentiras. Querías echarme otra mirada.

—Sí —confesó Garp y apartó la vista—. Lo lamento.

—No lo lamentes. Me siento halagada —Garp trató de sonreír—. A cada momento repites «lo lamento». Eres un hombre muy *lamentador*. Excepto con tu mujer —concluyó la señora Ralph—. *A ella* no le dijiste una sola vez que lo lamentas.

Había un teléfono junto a la cama. Garp sintió que nunca había interpretado tan mal el estado de una persona como el de la señora Ralph. De repente, no estaba más borracha que Bill; se le había pasado la borrachera milagrosamente o estaba gozando de esa media hora de lucidez que se da entre el estupor y la resaca, media hora sobre la que Garp había leído, aunque siempre la había considerado un mito. Otra ilusión.

—Me llevo a Duncan a casa —le informó Garp.

Ella asintió:

—En tu lugar, yo haría lo mismo.

Garp luchó contra otro «lo lamento», y lo reprimió después de un breve pero intenso esfuerzo.

—¿Quieres hacerme un favor? —solicitó ella. Garp la miró, pero la señora Ralph ni se inmutó—. No le cuentes a tu mujer *todo* sobre mí, ¿de acuerdo? No me describas como la cochina que soy. Tal vez puedas hacerlo con cierto grado de compasión.

—Siempre tengo buena dosis de compasión —musitó Garp.

—Y también tienes un buen *aparato* —la señora Ralph fijó la mirada en los pantaloncillos de Garp, ahora elevados—. Será mejor que no vuelvas con *eso* a tu casa —Garp no respondió. Garp el puritano sintió que merecía unos cuantos golpes—. Tu mujer te cuida realmente, ¿no? Supongo que no *siempre* te has portado bien. ¿Sabes cómo te habría llamado mi marido? —preguntó—: «castigador de conejitos».

—Tu marido debía de ser un consumado imbécil.

No estaría de más recibir un golpe, aunque fuera débil, pero Garp se sintió muy tonto al haber confundido a esa mujer con una bestia.

La señora Ralph saltó de la cama y se situó frente a él. Sus tetas le tocaron el pecho. Garp temió que su empinado pito la empujara.

—Volverás —afirmó ella—. ¿Quieres apostar algo?

Garp se marchó sin pronunciar palabra.

No estaba a dos manzanas de distancia de la casa de la señora Ralph —Duncan anidaba en el saco de dormir, retorcido sobre el hombro de Garp— cuando el coche-patrulla frenó junto al bordillo y su policíaca luz azul parpadeó sobre él. Le habían *atrapado*. Un furtivo raptor semidesnudo que avanzaba con su bulto de mercancías robadas— y un niño secuestrado.

—¿Qué lleva ahí? —le preguntó uno de los agentes.

En el coche había dos policías y una tercera persona, difícil de distinguir en el asiento trasero.

—A mi hijo.

Los dos policías se apearon del coche.

—¿Adónde le lleva? ¿Se encuentra bien? —el policía enfocó una linterna sobre la cara de Duncan, que todavía intentaba dormir; apretó los ojos para protegerse de la luz.

—Se había quedado a pasar la noche en casa de un amigo —explicó Garp—, pero la cosa no marchó. Me lo llevo a casa.

El policía dirigió el haz de la linterna al cuerpo de Garp, vestido con su atuendo de carreras: pantalones cortos, zapatos con listas, sin camisa.

—¿Lleva documentos?

Garp apoyó a Duncan dentro de su saco en un jardín.

—No, por supuesto. Pero si nos conducen a casa, me identificaré.

Los policías intercambiaron una mirada. Horas atrás los habían llamado a ese barrio, cuando una joven informó que se le había acercado un exhibicionista, al menos en potencia. Posiblemente era un caso de intento de violación. La muchacha había logrado escapar pedaleando a toda velocidad.

—¿Hace mucho que anda por ahí? —preguntó a Garp uno de los policías.

La persona que ocupaba el asiento trasero del coche-patrulla se asomó a la ventanilla para enterarse de qué ocurría. Cuando vio a Garp, lo saludó:

—Hola, hombre, ¿cómo estás?

Duncan empezó a despertarse.

—¿Ralph? —dijo Duncan.

Uno de los policías se arrodilló junto al niño y apuntó a Garp con la linterna.

—¿Es tu padre? —quiso saber.

El niño tenía los ojos desorbitados; paseó la mirada de su padre a los policías, a la luz azul que giraba en el techo del coche-patrulla.

El otro policía se acercó a la persona que ocupaba el asiento trasero. Era el muchacho de la túnica color púrpura. Le apresaron mientras recorrían el vecindario en busca del exhibicionista. El muchacho no había sabido decirles dónde vivía, porque en realidad no vivía en ningún sitio.

—¿Conoces al hombre que está allí con el niño?

—Sí, es un tipo duro.

—Está bien, Duncan. No te asustes. Te estoy llevando a casa —explicó Garp a su hijo.

—¿Este es tu padre, hijo? —preguntó a Duncan un policía.

—Le está asustando —dijo Garp al policía.

—No estoy asustado. ¿Por qué me llevas a casa? —interrogó Duncan a su padre. Parecía que eso era lo que todos querían averiguar.

—La madre de Ralph estaba alterada —respondió Garp.

Abrigó la esperanza de que su respuesta fuera suficiente, pero el amante rechazado lanzó una carcajada desde el coche. El policía de la linterna le enfocó y preguntó a Garp si le conocía. Garp pensó: esto no parece tener fin.

—Me llamo Garp —informó Garp irritado—. T.S. Garp. Estoy casado. Tengo dos hijos. Uno de ellos, éste, llamado Duncan, el mayor, estaba pasando la noche con un amigo. Tuve el presentimiento de que la madre de su amigo era incompetente para cuidar a mi hijo. Fui a la casa y me llevé al niño a la mía. Es decir, todavía estoy tratando de llegar a mi casa. *Ese* joven —Garp señaló al coche-patrulla —estaba de visita con la madre del amigo de mi hijo cuando llegué. La señora quería que el chico se fuera... *ese* chico —aclaró Garp y volvió a señalar al muchacho que ocupaba el asiento trasero del coche—. Y se fue.

—¿Cómo se llama la señora a la que alude? —el policía trataba de escribirlo todo en un gigantesco bloc. Después de un amable silencio, fijó la mirada en Garp.

—Duncan, ¿cuál es el apellido de Ralph? —preguntó Garp a su hijo.

—Bueno, se lo están cambiando. Solía usar el de su padre, pero ahora su madre quiere cambiárselo.

—Sí, pero, ¿cómo se llama el padre?

—Ralph —aseveró Duncan.

Garp cerró los ojos.

—¿Ralph Ralph? —preguntó el policía del bloc.

—No, Duncan, te ruego que pienses. ¿Cuál es el *apellido* de Ralph?

—Me parece que eso es lo que le están cambiando.

—Duncan, ¿cuál es el que tenía ahora? —insistió Garp.

—¿Por qué no se lo preguntas a Ralph? —sugirió Duncan.
Garp sintió deseos de gritar.

—¿Dijo que *su* apellido es Garp? —inquirió uno de los policíuas.

—Sí —admitió Garp.

—¿Y las iniciales son T.S.? —Garp sabía lo que ocurriría después y se sintió hastiado.

—Sí T.S. Sólo T.S.

—¡Tonto Supremo! —gritó el muchacho desde el coche y apoyó la espalda en el asiento, desternillándose de risa.

—¿A qué corresponde la primera inicial, señor Garp? —preguntó uno de los agentes.

—A nada —respondió Garp.

—¿Nada? —insistió el policía.

—Sólo son iniciales. Es todo lo que me dio mi madre.

—¿Entonces su primer nombre es *T*?

—La gente me llama Garp.

—¡Qué historia, hombre! —gritó el chico de la túnica, pero el policía más próximo al coche-patrulla golpeó el techo del vehículo.

—Si vuelves a apoyar tus roñosos pies en el asiento, hijito, te lo haré limpiar a lengüetazos —amenazó el representante del orden.

—¿Garp? —repitió el policía que interrogaba a Garp—. ¡Ya sé quién es usted! —gritó súbitamente; Garp se sintió muy angustiado—. ¡Es el que atrapó al violador del parque!

—Sí —reconoció Garp—. Ese era yo. Pero no ocurrió aquí y fue hace muchos años.

—Lo recuerdo como si fuera ayer —observó el policía.

—¿De qué hablan? —quiso saber el otro agente.

—Tú eres demasiado joven —respondió el anterior—. Este hombre se llama Garp y atrapó al violador de aquel parque... ¿dónde ocurrió? Era un violador de menores. Y ¿qué hacía usted? Quiero decir que recuerdo que era algo extraño, ¿no?

—¿Extraño? —se asombró Garp.

—Para ganarse la vida, quiero decir. ¿Cómo se ganaba la vida?

—Escribiendo.

—Ah, sí... —recordó el policía—. ¿Todavía es escritor?

—Sí —Garp estaba menos seguro de ser consejero matrimonial.

—Bien, es suficiente —dijo el policía, pero algo le fastidiaba; Garp sabía que algo andaba mal.

—Por aquel entonces yo llevaba barba —apuntó voluntariamente Garp.

—¡Claro! —gritó el policía—. ¿Se la afeitó?

—Así es.

Los policías celebraron una conferencia junto al brillo rojo de las luces traseras del coche-patrulla. Decidieron llevar a Garp y a Duncan a su casa, e insistieron en que aquél debía mostrarles algún documento para identificarse.

—No le reconozco como el mismo de las fotografías... sin la barba —explicó el policía de más edad.

—Bueno, ocurrió hace muchos años —dijo Garp con tristeza— y en otra ciudad.

A Garp le preocupaba que el joven de la túnica viera la casa donde vivían. Imaginaba que era capaz de aparecer cualquier día a pedir algo.

—¿Me recuerdas? —preguntó el joven a Duncan.

—Me parece que no —respondió Duncan amablemente.

—Claro, estabas casi dormido —se volvió a Garp—: Eres demasiado severo con los niños, hombre. Los críos siempre hacen bien las cosas. ¿Es hijo único?

—No, tengo otro.

—Hombre, tendrías que tener una docena más. Entonces es posible que no fueras tan severo con éste, ¿comprendes?

Las palabras del joven se le antojaron a Garp como lo que su madre denominaba Teoría Percy Sobre Los Hijos.

—Por la próxima a la izquierda —indicó Garp al conductor—, luego a la derecha. La casa está en la esquina.

El otro policía dio un pirulí a Duncan.

—Muchas gracias —dijo Duncan.

—¿Y yo? —preguntó el joven de la túnica—. A mí me gustan los pirulíes.

El policía le miró fijamente. Cuando el agente volvió la espalda, Duncan le regaló su pirulí al joven: nunca le habían gustado mucho los caramelos.

—Gracias —susurró el muchacho—. ¿Ves, hombre? —dijo a Garp—. Los chavales son maravillosos.

Lo mismo que Helen, pensó Garp, cuando la vio en el hueco de la puerta, con la luz encendida a sus espaldas. Llevaba una bata larga hasta los tobillos, de color azul, con cuello polo; Helen se había subido el cuello como si hiciera frío. Tenía puestas las gafas, por lo que Garp supo que les había visto llegar.

—¡Hombre! —silbó el chico de la túnica y dio un codazo a Garp cuando éste bajó del coche—. ¿Qué tal queda esa encantadora señora cuando se quita las gafas?

—¡Mamá! ¡Nos arrestaron! —gritó Duncan.

El coche-patrulla aguardaba junto al bordillo a que Garp mostrara sus documentos.

—No nos arrestaron, Duncan. Nos trajeron —aclaró Garp—. Todo marcha bien —dijo furioso a Helen.

Garp corrió escaleras arriba para tratar de encontrar su billetero entre la ropa.

—¿Saliste así? —le gritó Helen—. ¿Vestido así?

—La policía creyó que me estaba raptando —apuntó Duncan.

—¿Fueron a la casa? —preguntó Helen al niño.

—No, papá me traía a cuestas. ¡Qué tipo tan raro es papá!

Garp bajó como un trueno las escaleras y volvió a salir.

—Ha sido un caso de confusión de identidad —susurró Garp a Helen—. Debían de estar buscando a otro. Por favor, no te preocupes.

—*No* estoy preocupada —respondió Helen con tono agudo.

Garp mostró sus documentos a los policías.

—Bien, es suficiente —declaró el agente de más edad—. *Sólo* T.S. ¿verdad? Supongo que así es más fácil.

—A veces no.

Cuando el coche de la policía arrancó, el muchacho de la túnica gritó a Garp:

—¡No serías un mal tipo, hombre, si aprendieras a relajarte!

La impresión que tuvo Garp del cuerpo de Helen —esbelto, tenso y tembloroso bajo la bata azul— no le ayudó a relajarse. Duncan estaba plenamente despierto y comunicativo, además de hambriento. Lo mismo le ocurría a Garp. En la cocina, a la penumbra que antecede a la aurora, Helen —con fría expresión— los observó comer. Duncan contó el argumento de un largometraje que habían pasado por televisión; Garp sospechaba que se trataba de dos películas y que Duncan se había quedado dormido antes de que terminara una y había despertado después del comienzo de la otra. Trató de imaginar dónde y cuándo encajaban las actividades de la señora Ralph en las películas de Duncan.

Helen no hizo una sola pregunta. Garp sabía que, en parte, se debía a que no podía decir nada delante de Duncan. Pero en parte, al igual que Garp, ella estaba preparando concienzudamente lo que quería decir. Ambos agradecieron la presencia de Duncan; cuando llegara el momento de poder hablar libremente, la larga espera los habría vuelto más amables, más cuidadosos.

Cuando amaneció no pudieron seguir esperando y empezaron a hablar entre sí a través de Duncan.

—Dile a mamá qué aspecto tenía la cocina. También háblale del perro.

—¿Bill? ¡Eso es! Cuéntale algo del viejo Bill.

—¿Qué llevaba puesto la madre de Ralph? —preguntó Helen a Duncan y sonrió a Garp—. Espero que llevara algo más de ropa que papá.

—¿Qué cenaste? —preguntó Garp a Duncan.

—Los dormitorios, ¿están arriba o abajo? ¿O en ambos pisos?

Garp trató de echar a Helen una mirada significativa: por favor, no empieces. Sentía que ella estaba afilando las viejas armas. Podía recordarle una o dos niñeras por horas si se le ocurría sacárselas de la manga. Si le planteaba alguno de esos nombres, Garp no contaba con ninguno a modo de represalia. A Helen no se le podían recriminar niñeros por horas, todavía. En la mente de Garp, Harrison Fletcher no contaba.

—¿Cuántos teléfonos hay en la casa? —preguntó Helen a Duncan—. ¿Hay uno en la cocina y otro en el dormitorio? ¿O sólo tienen uno en el dormitorio grande?

Cuando finalmente Duncan se fue a su habitación, a Helen y a Garp apenas les quedaba media hora antes de que se despertara Walt. Pero Helen tenía preparados los nombres de sus enemigas. Media hora es mucho tiempo cuando se sabe dónde están, exactamente, las heridas de guerra.

—Te amo tan profundamente y te conozco tan bien... —empezó a decir Helen.

—¿Qué cosas? —preguntó Ceray Dragan.

—Los domingos, por la tarde... o algo... O cuando quieras
algo raro de saber a cerca... mira... la relativa por la...
ayer, no empieza. Sentía que ella estaba arriba en view anna.
Podía echar hacia dos mineros por horas a tal se la olía... es
casi a de la misma... la placidez algo de esos nombres...
Cary no conoce con ninguno... todos de repente... A buena do
si la podían reunir su núñes nos hemos dado la vuelta a mente
de Ceray a través del Elis... La mía estaba.

—¿Cuánto dulzores hay... yo es esa... —preguntó Héctor
Dragan—. ¿Hay uno en la vecina? ¿Cómo en el domingo? ¿O
esto tiene uno en el domingo grande?

Cuando imaginé a Dragan... la forma se había cubierto de luz y
de corp. cosas... y guardaba medio hora antes de que se deponía...
Wait, Paul Telen tenía a preparar dos nombres de sus cuerpos...
ahora fuera es mucho tiempo cuando se sabe donde esta... estar...
marcos... las bandas de guerra.

—Te amo... no profundamente y se conoce o un buen... —empezó a decir Ceray.

Las llamadas telefónicas a altas horas de la noche —esas alarmas en el corazón— asustaron toda la vida a Garp. ¿A quién de los seres queridos le ha ocurrido algo?, gritaba el corazón de Garp al primer timbrazo, ¿a quién ha atropellado un camión, quién se ha ahogado en cerveza o ha aplastado un elefante en tan terrible oscuridad?

Garp temía recibir esas llamadas pasada la medianoche, pero él mismo hizo una —inconscientemente— en cierta ocasión. Aquella noche, Jenny había ido a visitarle a su casa y había contado cómo había muerto Cushie Percy durante un parto. Garp no estaba enterado de ello y, aunque a veces bromeaba con Helen acerca de su antigua pasión por Cushie —y Helen le tomaba el pelo con ella—, la noticia de su *muerte* fue para él como si le faltara de pronto algo. Cushman Percy había sido siempre tan activa —a su lado todo emanaba una cálida y jugosa vida— que su muerte parecía imposible. La noticia de un accidente acaecido a Alice Fletcher no le habría perturbado más; estaba más preparado para que le ocurriera algo a ella. Sabía que, lamentablemente, siempre *deberían* ocurrirle cosas a la Silenciosa Alice.

Garp dio vueltas por la cocina y sin darse cuenta de la hora que era, ni recordar en qué momento abrió otra cerveza, descubrió que había marcado el número de los Percy: el teléfono estaba sonando. Garp imaginó el lento camino que tendría que desandar Fat Stew desde el sueño para atender el teléfono.

—¿A quién llamas a esta hora? —preguntó Helen mientras entraba en la cocina—. ¡Son las dos menos cuarto de la madrugada!

Antes de que Garp tuviera tiempo de colgar, Stewart Percy atendió la llamada.

—Dígame —dijo Fat Stew con tono preocupado y Garp imaginó a la frágil e irresponsable Midge sentada en la cama a su lado, nerviosa como una gallina arrinconada.

—Lamento despertarle. No me di cuenta de que era tan tarde —dijo Garp.

Helen meneó la cabeza y salió bruscamente de la cocina. Apareció Jenny en el hueco de la puerta; su rostro exhibía el tipo de mirada crítica que sólo una madre puede dedicar a su hijo. Una mirada con más decepción que la consabida ira.

—¿Quién demonios habla? —preguntó Stewart Percy.

—Soy Garp, señor —dijo Garp, otra vez un niño que se disculpaba por sus genes.

—¡Carajo! ¿Qué quieres?

Jenny había omitido decirle a Garp que Cushie Percy había muerto *meses* atrás; Garp creía que estaba dando su pésame por un desastre reciente. Vaciló.

—Lo lamento, lo lamento sinceramente —repitió.

—Eso ya lo dijiste, eso ya lo dijiste —se impacientó Stewart.

—Acabo de enterarme y quería transmitirles a usted y a la señora Percy mi pesar. Es posible que a *usted* no se lo haya demostrado, señor, pero realmente quería mucho a...

—¡Cerdo asqueroso! —estalló Stewart Percy—. ¡Jap, hijo de puta! —cortó violentamente la comunicación.

Garp no estaba preparado para tanto odio. Interpretó erróneamente la situación. Transcurrieron años hasta que cayera en la cuenta de las circunstancias de su llamada telefónica. La pobre Pooh Percy —la lela Bainbridge— se lo explicó un día a Jenny. Cuando Garp llamó, hacía tanto tiempo de la muerte de Cushie que Stewart no comprendió que Garp le estaba dando el pésame por su pérdida. La llamada de Garp había llegado la noche de aquel aciago día en que, finalmente, había expirado la negra bestia de Bonkers. Stewart Percy pensó que la llamada de Garp era una broma cruel: falsos pésames por el perro al que Garp siempre había aborrecido.

Ahora, cuando sonó el teléfono, Garp tuvo conciencia del apretón de Helen, que emergió instintivamente de su sueño. Cuando él levantó el auricular, Helen le apretó una pierna entre sus rodillas, como si estuviera sujetando la vida y la seguridad que el cuerpo de Garp significaba para ella. El pensamiento de Garp recorrió todas las posibilidades. Walt dormía. Duncan también, y no estaba en casa de Ralph.

Helen pensó: es mi padre, es su corazón. A veces pensaba: finalmente han encontrado e identificado a mi madre. En un depósito de cadáveres.

Garp pensó: han asesinado a mamá. O la han secuestrado a cambio de un rescate unos hombres que sólo aceptarán la violación pública de cuarenta vírgenes antes de soltar ilesa a la famosa feminista. También exigirán la vida de mis hijos y así sucesivamente.

Era Roberta Muldoon y su voz sólo sirvió para convencer a Garp de que la víctima era Jenny Fields. Pero la víctima era la propia Roberta.

—Me ha dejado —dijo Roberta con la voz quebrada por las lágrimas—. Me ha abandonado. *¡A mí!* ¿Puedes creerlo?

—¡Roberta!

—Nunca supe la mierda que eran los hombres hasta que fui mujer.

—Es Roberta —susurró Garp a Helen, para que pudiera relajarse—. Su amante voló del nido.

Helen suspiró, soltó la pierna de Garp y se giró.

—Ni siquiera te importa, ¿no? —dijo Roberta, enojada.

—Por favor, Roberta...

—Lo siento, pero pensé que era demasiado tarde para llamar a tu madre.

Garp consideró sorprendente semejante lógica, ya que sabía que Jenny se acostaba mucho más tarde que él; pero al mismo tiempo le gustaba mucho Roberta, muchísimo, y sin duda estaba pasando un mal momento.

—Me dijo que no era *lo bastante* mujer, que le confundía sexualmente, ¡que *yo* estaba confundida sexualmente! —chilló Roberta—. ¡Ese *cabrón*! Todo lo que le interesaba era la novedad. Lo hacía para exhibirse delante de sus amigos.

—Estoy seguro de que podrías haberle dado una paliza, Roberta. ¿Por qué no te lo comiste vivo?

—Tú no entiendes nada —dijo Roberta—. Ya no tengo ganas de comerme vivo a nadie. ¡Soy una *mujer*!

—¿Nunca sienten deseos de comerse vivo a alguien las mujeres? —preguntó Garp: Helen se estiró y le pellizcó el pito.

—No sé *qué* sienten las mujeres —gimió Roberta—. Tampoco sé qué *se supone* que sienten. Sólo sé lo que siento *yo*.

—Y, ¿qué sientes tú? —preguntó Garp, sabiendo que ella quería decírselo.

—Siento deseos de comérmelo vivo *ahora* —confesó Roberta—, pero mientras me insultaba me limité a callar y tragar. Incluso lloré. ¡Estuve llorando todo el día! —gritó—. Tuvo la desfachatez de llamarme y decirme que si *todavía* seguía llorando, me estaba engañando a mí misma.

—Que se vaya a la mierda —dijo el consejero matrimonial.

—Lo único que le interesaba era una buena follada. ¿Por qué serán así los hombres?

—Bien...

—Ya sé que *tú* no eres así. Probablemente ni siquiera te resulto atractiva.

—Claro que eres atractiva, Roberta —afirmó Garp.

—Pero no *para ti*. No me engañes. No tengo atractivo sexual, ¿no es cierto?

—Realmente, *para mí* no —confesó Garp—, pero lo tienes para muchos otros hombres. Eres, sin duda alguna, atractiva.

—Bueno, tú eres un buen amigo y eso es más importante. En realidad, a mí tampoco me parece que tengas atractivo sexual.

—Bueno, estás en tu derecho.

—Eres demasiado corto —explicó Roberta—. Me gusta la gente de aspecto *más largo*... me refiero al aspecto sexual. No quiero que te sientas herido.

—No estoy herido y tampoco lo estés tú.

—Por supuesto.

—¿Por qué no me llamas por la mañana? —sugirió Garp—. Te encontrarás mejor.

—No —aseguró Roberta—. Me encontraré *peor*. Y estaré avergonzada por haberte llamado.

—¿Por qué no hablas con tu médico? Me refiero al urólogo, al tipo que te operó... es amigo tuyo, ¿no?

—Me parece que quiere follarme —dijo seriamente Roberta—. Creo que eso es lo que *siempre* quiso. Sospecho que me recomendó la operación sólo porque quería seducirme, pero primero quería hacerme mujer. Son famosos por eso... me lo dijo una amiga.

—Una amiga que está chiflada, Roberta. ¿*Quiénes* son famosos por eso?

—¡Los urólogos! No sé que pensar... ¿No te parece una especialidad horripilante?

Lo *era*, pero Garp no quería enfadar más a Roberta.

—Llama a mamá —dijo casi sin advertirlo Garp—. Ella te animará, pensará en algo.

—Oh, *es* maravillosa —corroboró Roberta—. Siempre piensa en algo, pero tengo miedo de haberme aprovechado demasiado de ella.

—A mamá le encanta ayudar, Roberta —Garp sabía que al menos eso era verdad. Jenny Fields era una mujer que rebosaba compasión y paciencia, y Garp sólo quería dormir—: Una buena partida de frontón puede ser útil, Roberta —sugirió Garp débilmente—. ¿Por qué no vienes a pasar unos días con nosotros para que le demos juntos a la pelota?

Helen se le acercó, frunció el ceño y le mordió un pezón; a Helen le gustaba Roberta, pero en la primera etapa de su transformación sexual sólo hablaba de sí misma.

—Me siento tan *vaciada* —respondió Roberta—. No tengo energía para nada de nada. Ni siquiera sé si podría jugar.

—Tienes que *intentarlo*, Roberta. Tienes que obligarte a hacer algo.

Helen, exasperada con Garp, volvió a alejarse de él. Pero era cariñosa con Garp cuando él atendía esas llamadas tardías; decía que le aterrorizaban y no quería ser la primera en averiguar de qué se trataba. Fue extraño, en consecuencia, que la segunda vez que llamó Roberta Muldoon pocas semanas después, *Helen* atendiera el teléfono. Garp se sorprendió porque el teléfono estaba a su lado y Helen tuvo que estirarse por encima de él para levantar el auricular; de hecho, se lanzó por encima de él y susurró:

—Sí, ¿qué hay?

Cuando oyó la voz de Roberta se apresuró a pasarle el teléfono a Garp: su intención no había sido la de permitirle seguir durmiendo.

Cuando Roberta llamó por tercera vez, Garp percibió una ausencia al coger el auricular. Faltaba algo.

—Hola, Roberta —la saludó.

Faltaba el usual apretón de Helen en su pierna: no estaba. *Helen* no estaba allí, notó. Habló con Roberta en tono tranquilizador, sintió el lado frío del lecho no compartido y observó que eran las dos de la madrugada, la hora predilecta de Roberta. Cuando por fin ésta se decidió a interrumpir la conversación, Garp bajó a buscar a Helen. La encontró en el sofá de la sala, con un vaso de vino a su lado y un manuscrito en el regazo.

—No podía dormir —dijo, pero tenía una mirada... una mirada cuyo recuerdo Garp no logró localizar de inmediato. Aunque Garp creyó reconocerla, también pensó que nunca le había notado esa mirada.

—¿Lees ejercicios? —preguntó.

Helen respondió afirmativamente, pero sólo tenía ante sí un manuscrito. Garp lo levantó.

—Sólo es el trabajo de un alumno —explicó Helen y se estiró para cogerlo.

El alumno se llamaba Michael Milton. Garp leyó un párrafo.

—Parece un cuento —dijo—. No sabía que proponías trabajos de *ficción* a tus alumnos.

—No lo hago, pero a veces me enseñan lo que escriben, de todos modos.

Garp leyó otro párrafo. Pensó que el estilo del autor era pedante y forzado, pero no había errores en la página; al menos sabía escribir.

—Es uno de mis alumnos graduados —dijo Helen—. Es muy inteligente, pero... —se encogió de hombros aunque su gesto contenía la repentina indiferencia burlona de un niño al que se pone en aprietos.

—¿Pero qué? —se interesó Garp y rió de que Helen pudiera ser tan infantil a tan altas horas de la noche.

Helen se quitó las gafas y volvió a dedicarle *esa* mirada, aquella mirada que Garp había descubierto unos minutos antes y no podía localizar. Ansiosa, Helen se apresuró a decir:

—No sé. *Joven*, tal vez. Eso es, joven. Muy inteligente, pero joven.

Garp pasó una página, leyó la mitad de otro párrafo, le devolvió el manuscrito y se encogió de hombros:

—Para mí es pura basura —afirmó.

—No, no es ninguna basura —se rebeló seriamente Helen.

Oh, Helen, la juiciosa profesora, pensó Garp y anunció que se volvía a la cama.

—Yo me quedaré aquí otro rato —le informó Helen.

Luego Garp vio su propia imagen en el espejo del cuarto de baño del piso superior. Identificó la mirada que había visto, extrañamente fuera de lugar, en el rostro de Helen. Era una mirada que Garp reconoció porque la había visto antes... en su propia cara, de vez en cuando, pero nunca en la de Helen. La mirada que Garp reconoció era de *culpabilidad* y le desconcertó. Permaneció mucho tiempo despierto, pero Helen no volvió a la cama. Por la mañana, Garp se sorprendió al descubrir que, aunque sólo había echado un vistazo al manuscrito del estudiante graduado, el nombre de Michael Milton fue lo primero que le vino en mente. Observó con cuidado a Helen, que ahora estaba despierta a su lado.

—Michael Milton —dijo Garp suavemente, no a ella, pero lo bastante alto como para que lo oyera.

Estudió el rostro inmutable de su mujer. O estaba sumida en un ensueño y distante, o no le oyó. De lo contrario, pensó, el nombre de Michael Milton ya ocupaba la mente de ella, de modo que, cuando Garp lo susurró, era el nombre que ella *ya* estaba pronunciando —para sus adentros— y no se dio cuenta de que Garp lo había dicho en voz alta.

Michael Milton, estudiante graduado que asistía al tercer curso de literatura comparada, había obtenido su licenciatura en literatura francesa, en Yale, donde se graduó con calificaciones corrientes; con anterioridad había estudiado en la Steering School, aunque tenía tendencia a menospreciar sus años de preparatoria. En cuanto sabía que *tú* estabas enterado de que era ex alumno de Yale, también tendía a mostrar su menosprecio por esos estudios, pero jamás desdeñaba su Tercer Año en el extranjero, en Francia. A quien escuchara a Michael Milton le resultaba imposible adivinar que había pasado sólo un año en Europa, porque lograba dar la impresión de que había vivido toda su joven vida en Francia. Tenía veinticinco años.

Aunque había estado tan poco tiempo en Europa, parecía haber comprado allí toda la ropa necesaria para el resto de su vida: las chaquetas de mezclilla tenían solapas anchas y puños acampanados; tanto las chaquetas como los pantalones tenían un corte que favorecía las caderas y la cintura; era el tipo de prendas a las que incluso los norteamericanos de los tiempos de Garp en la Steering se referían como «continentales». Los cuellos de las camisas de Michael Milton —que llevaba abiertas (siempre con *dos* botones desabrochados)— eran flojos y anchos, con un toque renacentista, estilo que traicionaba tanto la negligencia como la perfección.

Era tan distinto de Garp como un avestruz de una foca. Cuando iba vestido, el cuerpo de Michael Milton era elegante; desnudo, si se parecía a algún animal, era a una garza real. Delgado y alto, desgarbado, defecto que sus chaquetas de mezclilla, hechas a medida, ocultaban. Su cuerpo era como una percha: ideal para colgar ropa. Desnudo, apenas tenía cuerpo.

Era lo contrario de Garp en casi todos los sentidos, aunque tenía en común con él una enorme confianza en sí mismo; compartía con Garp la virtud —o el vicio— de la arrogancia. A semejanza de Garp, Michael Milton era agresivo en la forma en que sólo pueden serlo quienes creen en sí mismos. Tiempo atrás, habían sido esas mismas características las que habían hecho que Helen se sintiera atraída por Garp.

Ahora estaban allí esas cualidades, con nuevos atavíos; aunque se manifestaban en una forma totalmente diferente, Helen las reconoció. En líneas generales no se sentía atraída por los jóvenes guapos que se vestían y hablaban como si estuvieran hastiados del mundo y se hubieran vuelto sabiamente tristes en Europa cuando, en realidad, habían pasado la mayor parte de sus breves vidas en los asientos traseros de los coches de Connecticut. Pero en su adolescencia, *en líneas generales*, Helen tampoco se había sentido atraída por los luchadores. A Helen le gustaban los hombres seguros de sí mismos siempre que esa confianza no fuera absurdamente inmerecida.

Lo que hizo que Michael Milton se sintiera atraído por Helen era lo mismo que la hacía atractiva para muchos hombres y muy pocas mujeres. En la treintena era una mujer atractiva, no sólo porque era hermosa, sino por su impecable aspecto. Es importante notar que no sólo parecía que se cuidaba a sí misma, sino que tenía buenas razones para hacerlo. Este aspecto aterrador pero atractivo, en el caso de Helen, no era inmerecido. Se trataba de una mujer triunfadora. Parecía estar en tal posesión de su vida que sólo los hombres más seguros de sí mismos podían continuar mirándola si ella le devolvía la mirada. Hasta en las paradas de autobuses era una mujer a la que sólo se miraba hasta que devolvía la mirada.

En los pasillos que conducían al Departamento de Literatura Inglesa, Helen no era una mujer a la que se mirara; todos lo hacían cuando podían, pero furtivamente. Por tanto, no estaba preparada para la prolongada y franca mirada que el joven Michael Milton le dedicó un día. De hecho, fue Helen quien apartó la vista; él se volvió y la observó alejarse pasillo abajo. Dijo a alguien que estaba a su lado, en voz lo suficientemente alta como para que Helen la oyera:

—¿Da clases o *viene* aquí? ¿Qué *hace* aquí?

En el segundo semestre de aquel año, Helen dio un curso titulado «Enfoques de la narrativa»; se trataba de un seminario para graduados y para unos pocos estudiantes adelantados. A Helen le interesaba el desarrollo y la complejidad de la técnica narrativa, haciendo hincapié en el enfoque de la novela moderna. En la primera clase notó la presencia del alumno que parecía mayor que los demás, con un fino y claro bigote y la hermosa camisa con dos botones desabrochados; apartó la mirada de él y distribuyó un cuestionario. Entre las diversas preguntas figuraba una referente a la razón por la que los estudiantes creían estar interesados precisamente en ese curso. En respuesta a esa pregunta, el alumno llamado Michael Milton escribió: «Porque desde la primera vez que la vi quise ser su amante».

Después de la clase, a solas en su despacho, Helen leyó las respuestas a su cuestionario. Creía saber cuál de los estudiantes era Michael Milton; si hubiera sabido que se trataba de otro, de algún muchacho cuya presencia ni siquiera hubiera notado, le habría mostrado el cuestionario y la respuesta a Garp. Este habría exclamado: «¡Preséntame al gran follador!». O: «Presentémosle a Roberta Muldoon». Ambos habrían reído y Garp se habría burlado de ella diciéndole que calentaba a sus alumnos. Si las intenciones del muchacho —fuera quien fuese— hubiesen sido aireadas entre ambos, no habría existido la posibilidad de una relación real; Helen lo sabía. Al no mostrarle el cuestionario a Garp, ya se sintió culpable, pero pensó que, si Michael Milton era quien ella suponía, le gustaría que aquello siguiera un poco más adelante. En aquel momento, en su despacho, Helen no preveía, sinceramente, que seguiría más que *un poco* adelante. ¿Qué daño había en un poco?

Si Harrison Fletcher todavía fuera colega suyo, Helen *le* habría mostrado el cuestionario. Al margen de quién fuera Michael Milton —aunque fuese el muchacho de la mirada perturbadora— le habría planteado la cuestión a Harrison. En el pasado, éste y Helen habían compartido algunos secretos de ese tipo, secretos que siempre ocultaban a Garp y a Alice, secretos permanentes pero inocentes. Helen sabía que compartir con Harrison el interés de Michael Milton por ella hubiese sido otra forma de evitar toda relación real.

Pero no habló de Michael Milton con Garp, y Harrison se había ido a otro sitio a cumplir su contrato. La tinta con que había escrito las respuestas era negra y la caligrafía, del siglo XVIII, el tipo de caligrafía que sólo puede trazarse con una pluma especial; el mensaje escrito de Michael Milton parecía más permanente que la imprenta y Helen lo leyó repetidas veces. Analizó las demás respuestas del cuestionario: fecha de nacimiento, años de estudio, cursos anteriores en el Departamento de Literatura Inglesa o en Literatura Comparada. Sus calificaciones eran buenas. Llamó a dos colegas que habían sido profesores de Michael Milton en cursos del semestre anterior; por ambos supo que aquél era un buen estudiante, arrogante y orgulloso hasta el punto de ser vano. Por ambos supo —aunque no lo dijeron así— que Michael Milton era al mismo tiempo dotado y antipático. Pensó en los botones deliberadamente desabrochados de su camisa (ahora estaba *segura* de que era él) y se imaginó abrochándolos. Pensó en ese bigotito, esa delgada huella sobre su labio superior. Más adelante, Garp comentaría que el bigote de Michael Milton era un insulto al universo del pelo y al universo de los labios; Garp consideraba que apenas era una imitación de bigote y que Michael Milton haría un favor a su cara si se lo afeitara.

Pero a Helen le gustaba el extraño bigotito sobre el labio superior de Michael Milton.

—A ti no te gusta *ningún* bigote —dijo Helen a Garp.

—A mí no me gusta *ese* bigote. No tengo nada contra los bigotes en general —insistió Garp, aunque, en verdad, Helen tenía razón: Garp detestaba todos los bigotes desde su encuentro con Chico Bigotes. Ese le había llevado a odiar para siempre los bigotes.

A Helen también le gustaba el largo de las patillas de Michael Milton, rizadas y rubias; las de Garp terminaban al nivel de sus ojos oscuros, casi en la cima de sus orejas... aunque su pelo era espeso y lanudo, y siempre lo suficientemente largo como para cubrir la oreja que Bonkers se había comido.

Helen también percibió que empezaban a fastidiarle las excentricidades de su marido. Quizá lo percibía más ahora que estaba tan espasmódicamente entregado a su depresión literaria; tal vez cuando escribía, tenía menos tiempo para dedicarlo a las excentricidades. Cualquiera que fuera la razón, las encontraba irritantes. Su travesura en la calzada de acceso a la casa, por ejemplo, la enfurecía y era contradictoria. Para ser alguien que hacía tanta alharaca y se preocupaba tanto por la seguridad de los niños —conductores imprudentes, escapes de gas, etc.—, Garp tenía una forma de entrar a la calzada y al garaje, después de haber oscurecido, que aterrorizaba a Helen.

La calzada giraba bruscamente cuesta arriba tras una larga cuesta abajo. Cuando Garp sabía que los chicos estaban en la cama y dormidos, apagaba el motor y las luces, y subía en punto muerto la oscura calzada; al dejar la cuesta abajo, juntaba impulso suficiente para rodar hasta el pico de la calzada y bajar al garaje. Afirmaba que lo hacía para que el ruido del motor y las luces de los faros no despertaran a los niños. Pero de cualquier manera tenía que poner el coche en marcha para dar la vuelta y llevar a la niñera por horas a su casa; Helen decía que sólo lo hacía para sentir una emoción pueril y peligrosa. Siempre aplastaba los juguetes que habían quedado tirados en la calzada y chocaba contra las bicicletas que no habían sido apoyadas en la pared del fondo del garaje.

En cierta ocasión, una niñera se quejó a Helen y le dijo que detestaba bajar por la calzada con el motor y los faros apagados (*otra* travesura: soltaba el embrague de sopetón y encendía las luces exactamente al llegar al camino).

¿Seré *yo* la insatisfecha?, se preguntó Helen. No había pensado en sí misma como en una insatisfecha hasta que pensó en la insatisfacción de Garp. Y, ¿cuánto hacía, realmente, que le irritaban los hábitos y las costumbres de Garp? Lo ignoraba. Sólo sabía que *había notado* que prácticamente todos sus hábitos le irritaban en el mismo momento en que leyó el cuestionario de Michael Milton.

Helen se dirigía a su despacho, preguntándose qué diría al atrevido y consentido alumno, cuando se quedó con el pomo de la palanca de cambios del Volvo en la mano; el eje desguarnecido le lastimó la muñeca. Lanzó una maldición, desvió y frenó el coche y observó el daño que se habían hecho ella y el engranaje.

Hacía semanas que el pomo se estaba desprendiendo, que la rosca estaba estropeada, y Garp había intentado varias veces pegarlo con cinta adhesiva. Helen se había quejado de ese método de reparación artesanal, pero Garp nunca pretendió poseer habilidades prácticas y el cuidado del coche era una de las responsabilidades domésticas de Helen.

La división del trabajo —aunque largo tiempo atrás acordada— a veces resultaba confusa. Si bien Garp era el «ama de casa», Helen planchaba («porque», decía Garp, «eres *tú* quien no quiere llevar la ropa sin planchar») y se ocupaba del cuidado del coche («porque», decía Garp, «tú eres la que lo conduce a diario y quien mejor sabe cuándo hay que reparar algo»). Helen aceptaba el planchado, pero sentía que Garp tendría que ocuparse del coche. No le gustaba aceptar que la llevaran en la camioneta remolque del taller a la facultad, donde debía sentarse en la grasienta cabina con un joven mecánico que prestaba menos atención de la debida a la conducción. El taller donde reparaban el auto era un lugar amistoso para Helen, pero le disgustaba tener que estar allí por obligación, lo mismo que la comedia de *quién* la llevaría a su trabajo después de dejar el coche, que se había transformado en un absurdo. «¿Quién está libre para llevar a la señora Garp a la universidad?», preguntaba a gritos al jefe de mecánicos, en dirección a la húmeda y aceitosa oscuridad de los fosos. Tres o cuatro muchachos, ansiosos pero mugrientos, arrojaban sus llaves inglesas y tenazas, salían de los fosos como caballos desbocados y se ofrecían voluntariamente a compartir —durante un breve y embriagador momento— la cabina abarrotada de piezas de automóviles, para llevar a su trabajo a la profesora Garp.

Garp comentaba a Helen que, cuando *él* llevaba el coche al taller, los voluntarios eran más bien lentos en aparecer; con frecuencia debía aguardar durante una hora y finalmente engatusar a algún holgazán para que le llevara a casa. Como así perdía su trabajo matinal, decidió que el Volvo era tarea de Helen.

Ambos habían descuidado la reparación del pomo de la palanca de cambios.

—Si tú llamas y pides uno nuevo —le había dicho Helen—, yo llevaré el coche al taller y esperaré a que lo cambien. Pero no quiero dejar el coche todo un día para que pierdan tiempo tratando de reparar *éste* —le había arrojado el pomo a Garp, pero él se dirigió al coche y volvió a pegarlo precariamente a la palanca.

Por alguna razón, pensó Helen, siempre se cae cuando conduzco *yo*; claro que ella lo usaba mucho más que él.

—¡Maldición! —exclamó Helen en voz alta.

Siguió camino a su despacho con la amenazadora palanca desguarnecida. Le dolía la mano cada vez que tenía que cambiar de velocidad y su raspada muñeca dejó caer un poco de sangre en la falda limpia de su traje. Aparcó el coche y se dirigió al edificio de la facultad con el pomo de la palanca en la mano. Pensó en arrojarlo a una alcantarilla, pero observó que tenía unos números grabados; telefonearía al taller desde su despacho y les diría cuáles eran esos números. *Después* podría tirarlo a la basura, o donde se le ocurriera o, pensó, puedo enviárselo a Garp por correo.

En ese estado de ánimo, obsesionada por trivialidades, Helen encontró al joven presumido ganduleando en el vestíbulo, junto a la puerta de su despacho, con los dos botones superiores de su hermosa camisa desabrochados. Notó que los hombros de su chaqueta de *tweed* estaban levemente almohadillados; llevaba el pelo un tanto largo y lacio y uno de los extremos de su bigote —delgado como una navaja— demasiado caído en la comisura de los labios. No sabía si quería amar a ese joven o *perfeccionarlo*.

—Te levantas temprano —dijo mientras le entregaba el pomo a fin de tener la mano libre para abrir la puerta de su despacho.

—¿Se ha hecho daño? —preguntó Michael Milton—. Está sangrando.

Más tarde, Helen pensó que el muchacho había olido la sangre, porque el leve rasguño de su muñeca había dejado de sangrar.

—¿Piensas ser médico? —le preguntó mientras le hacía pasar al despacho.

—*Pensaba* serlo.

—¿Qué te lo impidió? —quiso saber, aún sin mirarle.

Helen empezó a dar vueltas alrededor de su escritorio, a enderezar lo que ya estaba derecho, a ajustar la persiana que habían dejado exactamente como ella quería. Se quitó las gafas de modo que, cuando por fin le miró, lo encontró lejano y borroso.

—La química orgánica —respondió Michael—. Abandoné la carrera. Además, quería vivir en Francia.

—¿Viviste en Francia?

Helen se lo preguntó sabiendo que eso era lo que se suponía debía preguntarle, sabiendo que ésa era una de las cosas que él consideraba importantes en su vida y que no vacilaba en hacerle saber. Hasta lo había incluido en el cuestionario. Helen comprendió inmediatamente que su alumno era *muy* superficial. Abrigaba la esperanza de que tuviera una pizca de inteligencia, pero se sintió curiosamente aliviada por su superficialidad, como si ello le hiciera menos peligroso para ella y le diera algo más de libertad.

Hablaron de Francia, lo que fue muy divertido para Helen, porque habló del país tanto como Michael Milton, aunque jamás había estado en Europa. También le dijo que consideraba que tenía un motivo muy pobre para asistir a su curso.

—¿Un motivo pobre? —recalcó él, sonriente.

—En primer lugar, se trata de una esperanza absolutamente irreal para seguir el curso —afirmó Helen.

—Ah, ¿ya tiene un amante? —inquirió Michael sin dejar de sonreír.

De alguna manera era tan excesivamente frívolo que no se sintió ofendida; no le respondió cáusticamente que era suficiente con un marido, que de todos modos no era asunto suyo, o que ella no pertenecía a su cofradía. Le dijo, en cambio, que para lo que él quería tendría que haberse inscrito como alumno libre. El respondió que no tenía ningún inconveniente en cambiar de moda lidad de estudios. Ella afirmó que no aceptaba nuevos alumnos libres en el segundo semestre.

Helen sabía que no le había desalentado del todo, aunque tampoco se había mostrado demasiado estimulante. Michael Milton habló seriamente con ella durante una hora... acerca del curso de narrativa. Se expresó de manera impresionante con respecto a *Las olas* y a *El manto de Jacob*, de Virginia Woolf, pero no tan bien en lo que se refiere a *Al faro*, y Helen se dio cuenta de que sólo fingía haber leído *La señora Dalloway*. Cuando el muchacho se fue, Helen se vio obligada a coincidir con los dos colegas que anteriormente habían evaluado la personalidad de Michael Milton: tenía mucha labia, era presumido, era superficial, y todas estas características le volvían antipático; pero también poseía cierta agudeza vulnerable —diáfana y brillante—, lo que *también* le volvía antipático. Lo que sus colegas habían pasado por alto era su audaz sonrisa y su forma de llevar la ropa como si estuviese desafiantemente desnudo. Pero los colegas de Helen eran hombres y no cabía esperar que definieran la precisa audacia de la sonrisa de Michael Milton como ella lo hacía. Helen reconoció que era una sonrisa que decía: te conozco y sé todo lo que te gusta. Era una sonrisa irritante pero tentadora: Helen sintió deseos de borrarla de sus labios. Una forma de borrarla —Helen lo sabía— consistiría en demostrarle a Michael Milton que *no* la conocía, que *no* sabía lo que le gustaba.

Pero Helen también sabía que no disponía de muchas formas de demostrárselo.

Cuando arrancó el Volvo para volver a su casa, el desguarnecido extremo de la palanca se le clavó en la muñeca. Sabía exactamente dónde había dejado Michael Milton el pomo de la palanca: en el alféizar de la ventana de encima de la papelera, donde el conserje lo encontraría y probablemente lo arrojaría a la basura. Era como si estuviera destinado a ser desechado, pero Helen recordó que no había telefoneado al taller para indicar los números grabados. Eso significaba que ella —o Garp— tendría que llamar al garaje y tratar de pedir uno nuevo *sin* los malditos números, ni el año, ni el modelo del coche, además de una serie de datos, terminando inevitablemente con un recambio que no correspondía.

Pero Helen decidió que no volvería a buscarlo al despacho y que su mente ya estaba bastante ocupada sin tratar de recordar que debía llamar al conserje y avisarle que no arrojara la pieza a la basura. Además, era probable que ya fuese demasiado tarde.

De todos modos, pensó Helen, no sólo es culpa *mía*. También Garp es responsable. O nadie tiene la culpa. Son cosas que ocurren.

Pero no se sentía *del todo* inocente, todavía no. Cuando Michel Miltoh le dio a leer sus monografías —sus viejos ejercicios de otros cursos—, Helen los aceptó y los leyó, porque al menos ése era un tema legítimo para discutir entre ellos: su trabajo. Cuando él se volvió más osado —y más próximo a ella— y le mostró su obra *creadora*, sus cuentos y sus patéticos poemas dedicados a Francia, Helen todavía creía que sus prolongadas conversaciones se basaban en la relación crítica y constructiva entre un estudiante y su profesora.

Era correcto almorzar juntos: tenían que hablar de su *trabajo*. Quizás ambos sabían que el trabajo no era tan importante. Para Michael Milton era apropiado *cualquier* tema de conversación que justificara estar con Helen. En cuanto a ella, todavía estaba angustiada por la obvia conclusión: el momento en que Michael Milton ya no tuviera trabajos para mostrarle, cuando hubieran consumido todas las monografías que él había tenido tiempo de escribir, cuando hubieran comentado todos los libros que tenían en común. Helen sabía que entonces necesitarían un nuevo tema. También sabía que aquél sólo era *su* problema, que Michael Milton ya tenía la certeza de cuál era el tema inevitable entre ellos. Helen sabía que era presumido y que esperaba con impaciencia a que ella se decidiera; en algunas ocasiones Helen se preguntaba si Michael sería lo bastante audaz como para volver a plantear su respuesta original al cuestionario, pero no lo creía. Probablemente ambos sabían que él no tendría que hacerlo, que el próximo movimiento le correspondía a ella. El le demostraría lo maduro que era siendo paciente. Helen quería, sobre todo, sorprenderle.

Pero entre esos sentimientos, que eran nuevos para ella, había uno que le desagradaba; no estaba acostumbrada a sentirse culpable. Helen Holm siempre sintió que todo lo que hacía era correcto y también respecto a eso tenía que sentirse inocente. Estaba cerca de alcanzar ese estado de gracia, pero no lo había alcanzado; todavía no.

Sería Garp quien le proporcionaría ese indispensable sentimiento. Tal vez presintió que tenía competencia; Garp se había iniciado como escritor en virtud de un sentimiento de competencia y finalmente emergió de su depresión literaria gracias a un sentimiento similar.

Sabía que Helen estaba *leyendo* a otro. No le pasó por la imaginación que ella pensara en algo más que la literatura, pero con los celos típicos del escritor vio que las *palabras* de otro la mantenían despierta hasta altas horas de la noche. Garp había cortejado por primera vez a Helen con «La Pensión Grillparzer». El instinto le dijo que debía volver a hacerle la corte.

Si bien aquél había sido un motivo aceptable para que un joven escritor *se iniciara*, era equívoco para que escribiera ahora, especialmente después de no haberlo hecho durante tanto tiempo. Era posible que se encontrara en una etapa ineludible, en que lo repensaba todo, dejaba que la fuente volviera a llenarse, preparando una obra para el futuro, con un conveniente período de silencio. De alguna manera, el nuevo cuento que escribió para Helen reflejaba las circunstancias forzadas y artificiales de su concepción. El cuento no fue escrito como reacción real a un aspecto visceral de la vida, sino para aliviar las angustias del escritor.

Posiblemente se trataba de un ejercicio necesario para un escritor que no había escrito durante mucho tiempo, pero Helen no se entusiasmó con la urgencia con la que Garp le dio el cuento.

—Por fin he acabado algo —dijo Garp.

Habían terminado de cenar y los chicos dormían; Helen quería acostarse con él, deseaba hacer el amor de manera prolongada y tranquilizante, porque había agotado los escritos de Michael Milton; no tenía nada más de él para leer ni más temas de conversación entre ambos. Helen sabía que no debía mostrar la menor decepción por el original que Garp le entregó, pero la fatiga la superaba y contempló el escrito desde su extremo de la mesa, lleno de platos sucios.

—Fregaré yo solo —se ofreció Garp, despejando el camino para que ella leyera su cuento.

El corazón de Helen zozobró: había leído demasiado. El *sexo*, o al menos el idilio, era el tema al que por fin había llegado: si no se lo daba Garp, lo haría Michael Milton.

—Quiero que me hagas el amor —dijo Helen a Garp, que reunía los platos como un camarero que confía en una buena propina. Se rió de ella.

—Lee el cuento, Helen. *Después* haremos el amor.

Ella se ofendió por el orden de prioridades de Garp. No había punto de comparación entre lo que *escribía* Garp y el trabajo estudiantil de Michael Milton; aunque dotado entre los estudiantes, Helen sabía que Michael Milton sólo sería, durante toda su vida, un *aprendiz* del arte de escribir. La cuestión no era la literatura. La cuestión soy *yo*, pensó Helen; necesito que alguien me preste atención. La forma en que Garp le hacía la corte le resultó repentinamente ofensiva. Cortejar *el tema* era, en algún sentido, la obra de Garp. Ese no es el tema entre nosotros, pensó Helen. A causa de Michael Milton, Helen le llevaba ventaja a Garp en la evaluación de los temas explícitos e implícitos entre las personas. «Si las personas se dijeran lo que piensan...», escribió Jenny Fields, en un desliz ingenuo pero disculpable: tanto Garp como ella sabían cuán difícil era hacerlo.

Garp fregó minuciosamente los platos con el propósito de darle tiempo a ella de leer el cuento. Instintivamente —eficaz profesora—, Helen cogió el lápiz rojo y empezó a leer. No es así como debería leer mi cuento, pensó Garp, yo no soy uno de sus alumnos. Pero siguió fregando serenamente. Observó que ella no interrumpía la lectura en ningún momento.

VIGILANCIA
de T. S. Garp

Cuando corro mis cinco millas diarias, a menudo encuentro a algún automovilista charlatán que disminuye la velocidad a mi lado y me pregunta (desde la seguridad del asiento del conductor): «¿Para qué te estás entrenando?».

Una respiración profunda y regular es el secreto; rara vez me quedo sin aliento, jamás jadeo ni resuello al contestar. «Me mantengo en forma para perseguir coches», suelo responder.

En este punto, las respuestas de los conductores varían; hay índices de estupidez como hay índices de todo lo demás. Naturalmente, nunca comprenden que no me refiero a ellos... no me mantengo en forma para perseguir «sus» vehículos; al menos, no en la carretera. Allí los dejo en paz, aunque a veces creo que «podría» alcanzarlos. Tampoco corro en la carretera, como creen algunos automovilistas, para llamar la atención.

En mi barrio no hay dónde correr. Es necesario dejar los suburbios incluso para ser un corredor de distancias medias. Donde yo vivo hay carteles de stop en los cuatro sentidos de todos los cruces; las manzanas son cortas y las esquinas en ángulo recto resultan duras para la base del dedo gordo. Asimismo, las aceras están amenazadas por perros, engalanadas con juguetes de niños, y son intermitentemente salpicadas por los aspersores de los jardines. Cuando hay un poco de lugar para correr, aparece alguna anciana que ocupa toda la acera y avanza precariamente apoyada en sus muletas o armada de bastones. Si uno tiene conciencia, no puede gritarle «¡abra paso!» a una persona así. Incluso si adelanto a un anciano a distancia prudencial —aunque a mi velocidad habitual—, le alarmo, y no tengo la menor intención de provocar infartos.

De modo que me entreno en la carretera, pero «para» los suburbios. En mi estado, soy más que equiparable a cualquier coche que va a demasiada velocidad en mi vecindario. Siempre que hagan aunque sólo sea un débil alto ante las señales de stop, son incapaces de alcanzar las cincuenta antes de tener que frenar en el cruce siguiente. Siempre los alcanzo. Claro que yo puedo atravesar jardines y pórticos, juegos de columpios y piscinas portátiles para niños; también puedo sortear setos o saltarlos. Y dado que «mi» motor es silencioso —y uniforme, siempre a punto—, oigo si se acercan otros coches; yo no tengo que frenar ante las señales de stop.

Cuando los adelanto, les hago señas para que se detengan; siempre lo hacen. Aunque estoy evidentemente en un estado óptimo para perseguir coches, no es eso lo que intimida a los conductores veloces. No, casi siempre les intimida mi «paternidad», porque casi siempre se trata de jóvenes. Sí, mi paternidad es lo que les modera casi siempre. Lo primero que hago es preguntar, sencilla, audible y ansiosamente:

—¿Ha visto a mis hijos por aquí?

Los veteranos en el exceso de velocidad temen de inmediato haber «atropellado» a mis hijos. Se ponen instantáneamente a la defensiva.

—Tengo dos niños pequeños —les informo.

El tono dramático es deliberado en mi voz, a la cual permito, en esta oración, temblar un poco. Doy la impresión de contener las lágrimas o de experimentar una ira indecible, o de ambas cosas. Quizá creen que estoy persiguiendo a un secuestrador o que sospecho que ellos son violadores de menores.

—¿Qué ha ocurrido? —inquieren invariablemente.

—No ha visto a mis hijos, ¿verdad? —repito—. Un niño que arrastra a una cría menor en un carrito rojo.

Pura ficción, por supuesto. Tengo dos varones y no son tan pequeños: no tienen ningún carrito. En ese momento es posible que estén viendo la televisión o pedaleando en sus bicicletas por el parque, donde no hay peligro, donde no hay autos.

—No —dice el perplejo conductor—. He visto a «algunos» niños. Pero no creo haber visto a «ésos». ¿Por qué?

—Porque casi los mata —acuso.

—¡Si ni siquiera los he visto! —protesta el imprudente.

—¡Porque conduce a demasiada velocidad para poder verlos!

Esto cae sobre ellos como si fuera una prueba de su culpabilidad; siempre pronuncio esta frase como si fuera una prueba concluyente. Y ellos nunca están seguros. He ensayado repetidas veces esta escena. El sudor producido por mi dura etapa mana ahora de mi bigote y de la punta de mi barbilla para caer sobre la puerta del conductor. Saben que sólo un padre que teme auténticamente por sus hijos es capaz de correr tanto, de tener esa mirada de maníaco, de llevar un bigote tan cruel.

—Lo siento —replican por lo general.

—Este barrio está «lleno» de niños —agrego siempre—. Tiene otros lugares para acelerar, ¿verdad? «Por favor», por el bien de los niños, le ruego que no vuelva a correr aquí.

En este punto mi voz nunca es desagradable, sino suplicante. Pero ellos comprenden que, detrás de mis ojos sinceros y húmedos, se oculta un fanático que se contiene.

Por lo general, se trata de un chico joven. Esos muchachos tienen la necesidad de destilar aceite; necesitan correr al frenético ritmo de la música de sus radios. Yo no pretendo cambiar sus costumbres. Sólo espero que lo hagan en otro sitio. Reconozco que la carretera les pertenece; cuando me entreno allí, me limito a mantenerme en mi lugar. Corro por encima de las sustancias caídas en el suave andén, en la arena y la grava calientes, en los cristales de las botellas de cerveza... entre gatos acoplados, aves mutiladas, condones aplastados. Pero en mi barrio el coche no es rey, todavía no.

En general, asimilan la lección.

Después de mi etapa de cinco millas, hago cincuenta y cinco flexiones, un trote de quinientos metros, seguido por cincuenta y cinco sentadas desde la posición de acostado, seguidas por cincuenta y cinco movimientos de cuello. No es que me importe tanto el número cinco sino, simplemente, que el ejercicio enérgico resulta más fácil si uno no tiene que retener demasiados números diferentes. Después de ducharme (alrededor de las cinco), en las últimas horas de la tarde y durante el curso de la noche, me permito beber «cinco» cervezas.

Por la noche no persigo automóviles. Los niños no deben jugar fuera por la noche, ni en mi barrio ni en otros. Me parece que por la noche el coche es el rey de todo el mundo moderno, incluso de los suburbios.

En realidad, de noche rara vez salgo de mi casa, ni permito que los miembros de mi familia se aventuren a hacerlo. Pero en una ocasión salí a investigar un accidente evidente: la oscuridad se vio repentinamente atravesada por la luz de unos faros que apuntaban directamente hacia arriba; el silencio quedó truncado por un chirriar de metales y un crujido de cristales rotos. Sólo a media manzana de distancia, en el oscuro y perfecto centro de mi calle, un Land Rover se encontraba patas arriba y sangraba aceite y gasolina en un charco tan profundo y apacible que vi la luna reflejada en él. El único ruido discernible era el tintín del calor que despedían los tubos calientes y el motor apagado. El Land Rover parecía un tanque que había atravesado un terreno minado. Las enormes protuberancias y roturas del pavimento ponían de relieve que el coche había volcado y rodado repetidas veces hasta llegar allí.

La puerta del lado del conductor sólo podía abrirse levemente, pero lo suficiente como para encender milagrosamente la luz. En la pequeña cabina, todavía detrás del volante —todavía patas arriba y todavía vivo—, había un hombre gordo. Parecía ileso. Apoyaba la coronilla en el techo de la cabina —que naturalmente ahora era el suelo—, pero apenas parecía sensible a ese cambio de perspectiva. Se le veía principalmente desconcertado por la presencia de una gran bola marrón que reposaba junto a su cabeza como si fuera otra cabeza; de hecho, el gordo estaba mejilla a mejilla con esa bola para bolos y tal vez sentía su contacto como podría haber sentido la presencia de la cabeza herida de una amante que antes descansaba sobre su hombro.

¿Eres tú, Roger? —preguntó el hombre.

Yo no sabía si se dirigía a mí o a la bola.

—No soy Roger —respondí por los dos.

—Ese Roger es un imbécil —explicó el gordo—. Nos cambiamos las bolas.

No me pareció probable que el gordo se refiriera a una estrafalaria experiencia sexual y supuse que aludía a una partida de bolos.

—Esta bola es la de Roger —explicó, y señaló la bola marrón apoyada en su mejilla—. Tendría que haberme dado cuenta de que no era la mía porque no cabía en mi bolso. «Mi» bola cabe en el bolso de «cualquiera», pero la de Roger es francamente rara. Estaba tratando de meterla en el bolso cuando el Land Rover se salió del puente.

Aunque sabía que no había ningún puente en mi barrio, traté de imaginarme lo ocurrido. Pero me distrajo el gorgoteo de la gasolina que bajaba como cerveza por la garganta de un hombre sediento.

—Tiene que salir de aquí —dije al bochista invertido.

—Esperaré a Roger —replicó—. Vendrá en seguida.

Y así sucedió. En seguida llegó otro Land Rover, como si fueran una pareja separada en una columna de un ejército en movimiento. El Land Rover de Roger avanzaba con las luces apagadas y no frenó a tiempo; aterrizó encima del Land Rover del jugador de bolos gordo y, juntos, como camiones acoplados, se desplazaron diez metros calle abajo. Me pareció que efectivamente Roger «era» un imbécil, pero me limité a hacerle la esperada pregunta:

—¿Eres tú, Roger?

—Sí.

El palpitante Land Rover de Roger estaba a oscuras y crujía; pequeños fragmentos de su parabrisas, de los faros y de la parrilla cayeron a la calle como ruidosos confites.

—¡Ese «sólo» puede ser Roger! —gruñó el gordo, todavía patas arriba y todavía vivo en su cabina iluminada. Vi que su nariz sangraba ligeramente; me pareció que la bola le había golpeado—. ¡Eres un imbécil, Roger! ¡Tienes mi «bola»!

—En ese caso, alguien tiene la mía —dijo Roger.

—Yo tengo la tuya, imbécil —declaró el gordo.

—Bien, ésa no es toda la respuesta —dijo Roger—. Tienes mi Land Rover —encendió un cigarrillo dentro de la cabina a oscuras: no parecía interesado en salir de los escombros.

—Tendría que bajar y colocar las señales de peligro —sugerí— y ese gordo debería salir de su Land Rover. Hay gasolina por todas partes. Me parece que no debería fumar.

Pero Roger continuó fumando e ignorándome en el cavernoso silencio del segundo Land Rover. El gordo volvió a gritar como si se encontrara inmerso en un sueño que siempre volvía a empezar:

—¿Eres tú, Roger?

Volví a mi casa y llamé a la policía. A la luz del día, jamás habría tolerado en mi barrio semejante atropello, pero los que vuelven de jugar a los bolos con los Land Rover cambiados no son los que habitualmente rebasan la velocidad suburbana y decidí que estaban legítimamente extraviados.

—¿Policía? —pregunté.

Había aprendido ya lo que puede y lo que no puede esperarse de la policía. Sé que, en realidad, no respalda la noción de arresto civil; cuando he llamado para dar información sobre conductores que atraviesan las calles con imprudencia, los resultados han sido decepcionantes. No parecen interesados en conocer los detalles. Me han dicho que hay personas a quienes la policía está interesada en detener, pero yo considero que es fundamentalmente compasiva con los conductores imprudentes y que no sabe apreciar a los ciudadanos que detienen a personas en su nombre.

Informé sobre el lugar del accidente de los jugadores de bolos y, cuando me preguntaron —como siempre lo hacen— quién llamaba, respondí:

—Roger.

Conociendo a la policía, sabía que el resultado sería digno de verse. La policía siempre está más interesada en importunar más a la persona que informa que en molestar a los delincuentes. Cuando llegaron, se dedicaron directamente a buscar a Roger. Los vi discutir debajo de los faroles de la calle, pero sólo oí fragmentos de su conversación.

—El es Roger —repetía el gordo—. Es Roger de la cabeza a los pies.

—No soy el Roger que les llamó, cabrones —dijo Roger a la policía.

—Eso es verdad —confirmó el gordo—. «Este» Roger no llamaría a la policía por nada del mundo.

Después de un rato empezaron a gritar en la oscuridad del suburbio a fin de localizar al otro Roger.

—¿Hay otro Roger por aquí? —gritó uno de los policías.

—¡Roger! —vociferó el gordo.

Pero mi casa a oscuras y las casas a oscuras de mis vecinos guardaron el correspondiente silencio. Yo sabía que, cuando llegara el día, todos se habrían ido. Sólo quedarían sus manchas de aceite y sus cristales rotos.

Aliviado —y como siempre «satisfecho» con la destrucción de vehículos automotores—, los observé casi hasta el amanecer, momento en que finalmente separaron a los *Land Rover* acoplados y los remolcaron. Parecían dos rinocerontes exhaustos a los que habían encontrado fornicando en los suburbios. Roger y el gordo siguieron discutiendo y esgrimiendo sus bolas hasta que se apagaron los faroles de nuestra manzana; entonces, como obedeciendo a una señal, los jugadores de bolos se estrecharon las manos y partieron en distintas direcciones... a pie, como si supieran adónde iban.

Los policías llegaron con su interrogatorio por la mañana, todavía preocupados por la posibilidad de que hubiera otro Roger. Pero por mí no se enteraron de nada, como de nada parecen enterarse cada vez que les informo que hay un transgresor en los alrededores. Suelen decirme: «Si vuelve a ocurrir, no deje de llamarnos».

Afortunadamente, rara vez he necesitado a la policía; por lo general soy eficaz con los infractores sin antecedentes. Sólo una vez he tenido que detener dos veces al mismo conductor. Era un joven arrogante que conducía un camión de fontanero color rojo sangre. Chillonas letras amarillas anunciaban sobre la cabina que prestaba todo tipo de servicios de fontanería:

«O. FECTEAU, PROPIETARIO Y JEFE DE FONTANEROS»

Con quienes transgredían el código de circulación por segunda vez afrontaba la cuestión de manera directa.

—Llamaré a la policía —dije al joven—. También llamaré a tu jefe, el viejo O. Fecteau; tendría que haberle llamado la otra vez.

—Yo soy mi propio patrono —respondió el joven—. Este camión pertenece a «mi» empresa de fontanería. Lárgate.

Comprendí que estaba frente al mismísimo O. Fecteau, un joven cretino y arrogante al que no impresionaba la autoridad.

—En este barrio hay chicos. Dos de ellos son míos.

—Sí, ya me lo dijiste —respondió el fontanero.

Aceleró el motor en punto muerto como si se estuviera aclarando la voz. Había vestigios amenazadores en su expresión, como la sombra de barba pública que dejaba crecer en su joven mentón.

Apoyé las manos en la puerta: una en la manija, otra en la venta-
nilla baja.

—Por favor, no corras aquí —imploré.

—Haré todo lo posible —prometió O. Fecteau.

Tendría que haberle dejado ir en ese momento, pero el fonta-
nero encendió un cigarrillo y me sonrió. En su rostro desaliñado
creí adivinar «toda la impudicia del mundo».

—Si vuelvo a encontrarte conduciendo así, te meteré todas las
herramientas en el culo.

O. Fecteau y yo nos miramos fijamente. Entonces el fontanero
disparó el motor y liberó el embrague; me vi obligado a retroceder
de un salto al bordillo. Vi en la alcantarilla un pequeño camión
de juguete con chasis de metal; le faltaban las ruedas delanteras.
Lo recogí y corrí detrás de O. Fecteau. Cinco manzanas más ade-
lante me encontré lo suficientemente cerca cómo para arrojarle el
juguete, que chocó contra la cabina de su camión; produjo un buen
ruido pero rebotó sin lograr su objetivo. A pesar de ello, O. Fec-
teau clavó los frenos; de la caja del camión cayeron cinco largos
tubos; se abrió la puerta de un cajón metálico que vomitó un des-
tornillador y varios rollos de grueso alambre. El fontanero saltó
de su cabina y dio un portazo; tenía una llave inglesa en la mano.
Comprobé que le gustaba acumular abolladuras en su camión rojo
sangre. Cogí uno de los tubos caídos. Tenía unos cinco pies de
largo e inmediatamente aplasté con él el faro trasero izquierdo del
camión. Hace un tiempo que las cosas me llegan naturalmente de
a cinco. Por ejemplo, la circunferencia de mi pecho (dilatado), en
pulgadas, es cincuenta y cinco.

—Tienes roto un faro trasero —informé al fontanero—. No
deberías seguir en esas condiciones.

—¡Llamaré a la policía para que te detenga, chiflado de mierda! —me amenazó O. Fecteau.

—Este es un arresto civil. Has rebasado el límite de velocidad y estás poniendo en peligro la vida de mis hijos. Iremos
juntos a ver a la policía —introduje el largo tubo por debajo de
la matrícula trasera del camión y la doblé como si fuera una
carta.

—Si vuelves a tocar mi camión, te verás en dificultades —aseguró el fontanero.

Pero, en mis manos, el tubo era liviano como una raqueta, lo
levanté fácilmente y destrocé el otro faro.

—Tú ya estás en dificultades —aclaré a O. Fecteau—. Si alguna vez vuelves a conducir por este barrio, te aconsejo que lo
hagas en primera y llevando el intermitente.

Sabía (mientras orientaba el tubo) que primero tendría que re-
parar el intermitente.

278

En ese momento una viejita salió de su casa para observar la pelea. Me reconoció inmediatamente: había prendido a muchos en su esquina.

—¡Le felicito! —gritó la anciana.

Le sonreí y avanzó tambaleándose en mi dirección; se detuvo y observó su primoroso jardín, donde el camión de juguete llamó su atención. Lo recogió con evidente disgusto y me lo entregó. Puse el juguete, los fragmentos de cristales rotos, del plástico de las luces traseras, y del intermitente en la parte de atrás de la caja del camión. Aquél era un barrio pulcro y me repugna la basura. En la carretera, cuando me entreno, sólo veo basura. También guardé los tubos esparcidos, y con el tubo largo que todavía sostenía en la mano (como la jabalina de un guerrero), barrí el destornillador y los rollos de alambre que habían caído junto al bordillo. O. Fecteau los recogió y los devolvió al cajón de metal. Probablemente es mejor fontanero que conductor, pensé; la llave inglesa parecía encontrarse a gusto en su mano.

—Tendría que avergonzarse —dijo la anciana a O. Fecteau. El fontanero la contempló asombrado.

—Este es uno de los peores —dije.

—¡Un muchacho tan grande! —dijo la viejita al fontanero—. Ya tendría que saber lo que hace.

O. Fecteau volvió al camión, me miró como si quisiera arrojarme la llave inglesa y saltó al interior.

—Conduce con prudencia —le dije.

Cuando le vi dentro de la cabina, introduje el tubo largo en la caja del camión. Después cogí del brazo a la anciana y la ayudé a avanzar por la acera.

Cuando el camión se apartó del bordillo, despidiendo olor a goma chamuscada y ruidos semejantes a huesos desencajados, sentí que la anciana temblaba; me transmitió algo de su temor y comprendí que era peligroso enfurecer a alguien como yo lo había hecho con O. Fecteau. Oí —tal vez a cinco manzanas de distancia— que conducía furiosamente rápido y oré por todos los perros y gatos y niños que podían estar cerca de la calle. Sin duda, pensé, la vida moderna es cinco veces más difícil de lo que solía ser.

Tengo que poner fin a esta cruzada contra los conductores veloces, pensé. Voy demasiado lejos con ellos, pero me alteran tanto con su indiferencia, su forma de vida peligrosa y negligente que los considero directamente amenazadores para mi propia vida y la de mis hijos. Siempre he odiado a los automóviles y a los automovilistas que los conducen estúpidamente. Siento una profunda ira hacia los que corren semejantes riesgos con la vida de otros. ¡Que corran en sus coches... pero en el desierto! ¡No tendríamos que permitir que un arma tan peligrosa anduviera suelta por los *suburbios! ¡Que salten desde aeroplanos, si quieren, pero en el océano! No donde viven mis hijos.*

—¿Qué sería de este barrio sin usted? —me halagó la anciana.

No recuerdo su nombre. Sin mí, pensé, probablemente este barrio sería «pacífico». Probablemente con mayor mortalidad, pero pacífico.

—Todos van a tanta velocidad —se quejó la anciana—. A veces pienso que, si no fuera por usted, se meterían en mi salón.

Pero me sentí incómodo al compartir la angustia de los octogenarios, al percibir que mis temores son más similares a sus seniles preocupaciones que a las angustias normales de los jóvenes de mi edad.

¡Qué vida tan increíblemente tediosa llevo!, pensé mientras acompañaba a la anciana a la puerta de su casa, cuidando de que no pisara las grietas de la acera.

Entonces volvió el fontanero. Creí que la anciana moriría en mis brazos. El camionero pasó como una tromba delante de nosotros, por encima del jardín de la viejita, aplastó un árbol joven y estuvo a punto de volcar cuando hizo un giro en U que arrancó de cuajo un seto de tamaño considerable y levantó trozos de césped del tamaño de un bistec de cinco libras. Huyó por la acera y cayeron una serie de herramientas de la caja del camión cuando las ruedas traseras saltaron en el bordillo. O. Fecteau alcanzó la calle para seguir aterrorizando a mi barrio; vi al violento fontanero saltar otra vez el bordillo en la esquina de Dodge y Furlong, donde raspó la parte trasera de un coche aparcado. Se abrió de golpe el maletero a causa del choque y el automóvil osciló unos segundos.

Ayudé a la temblorosa anciana a entrar en su casa y llamé a la policía... y a mi mujer, para advertirle que no debía dejar salir a los niños por ningún motivo. El fontanero había perdido los estribos. Así ayudo a este vecindario, pensé: vuelvo más locos a los locos.

La anciana se sentó en una silla de Paisley de su embarullado salón con tanto cuidado como si fuera una planta. Cuando O. Fecteau reapareció —esta vez conduciendo a pocos centímetros de la saliente ventana del salón y a través de los lechos de gravilla para los árboles enanos, haciendo sonar la bocina—, la anciana no se movió. Permanecí junto a la puerta, aguardando el último ataque, pero pensé que era más sensato no dejarme ver. Sabía que, si O. Fecteau me veía, intentaría introducir el camión en la casa.

Cuando llegó la policía, el fontanero había volcado su camión en un intento por eludir a una camioneta en el cruce de Cold Hill y North Land. Se había roto la clavícula y estaba sentado en la cabina, erguido, aunque el camión había caído de costado; no lo-

gró salir por la puerta de encima de su cabeza, o no lo había intentado. O. Fecteau parecía sereno: escuchaba la radio.

Desde aquella noche intento provocar menos a los transgresores; si percibo que se ofenden porque los detengo, y que suponen que critico sus viles costumbres, les digo sencillamente que llamaré a la policía y me alejo de inmediato.

El hecho de que O. Fecteau resultara tener un largo historial de reacciones excesivamente violentas ante diversas situaciones sociales, no me autorizó a perdonarme.

—Oye, está muy bien que hayas sacado a ese fontanero del camino —me dijo mi mujer... aunque habitualmente critica que me entrometa en el comportamiento de los demás.

Pero yo sólo podía pensar que había separado a un obrero de sus tornillos y que, si «durante» su estallido de ira, O. Fecteau hubiera matado a un niño, ¿quién habría sido el culpable? En parte, yo, creo.

En mi opinión, en los tiempos modernos, o todo es una cuestión moral o ya no hay cuestiones morales. En nuestros días, o no hay compromisos o sólo hay compromisos. Jamás influenciable, prosigo mi vigilancia. No hay que transigir.

No digas nada, se aconsejó Helen a sí misma. Bésalo, frótate contra su cuerpo, llévalo arriba lo antes posible y habla más tarde sobre ese maldito cuento. Mucho más tarde, se recomendó. Pero sabía que él no se lo permitiría.

Toda la vajilla estaba limpia y Garp se sentó frente a Helen. Ella esbozó su mejor sonrisa y le dijo:

—Quiero que nos acostemos.

—¿No te gustó? —quiso saber él.

—Hablemos en la cama.

—¡Maldición, Helen! —estalló Garp—. Es lo primero que he terminado en mucho tiempo. Quiero saber qué piensas.

Ella se mordió el labio y se quitó las gafas; no había hecho una sola marca con el lápiz rojo.

—Te amo —dijo.

—Sí, sí, yo también te amo —respondió Garp impaciente—, pero podemos *follar* en cualquier momento. ¿Qué hay del *cuento*?

Finalmente, Helen se relajó: sintió que de algún modo él la había liberado. Lo *intenté*, pensó; se sintió profundamente aliviada.

—Al diablo con ese cuento. No, *no* me gustó. Además, no quiero hablar de eso. A ti no te importa considerar lo que *yo* deseo, obviamente. Eres igual que un crío en la mesa... te sirves primero.

—¿No te gustó? —insistió Garp.

—No es muy *malo*; de hecho, no es muy nada. Es una bagatela, una canción ligera. Si te estás precalentando para algo, quisiera ver qué es... cuando lo tengas. Pero debes saber que esto no es nada. Sólo es una catarsis, ¿no? Puedes hacer cosas como ésta con la mano izquierda...

—Es *divertido*, ¿verdad?

—Sí, es *divertido*, como son divertidos los *chistes*. Monotemáticos. Quiero decir, ¿qué *es*? ¿Una parodia de ti mismo? No eres lo bastante viejo y no has escrito lo suficiente como para empezar a burlarte de ti mismo. Sólo te sirve a ti, es una justificación. Y sólo se refiere a ti mismo. Es simpático.

—¿*Simpático*? ¡Cabrona!

—Siempre hablas de la gente que escribe bien pero no tiene nada que decir. Bien, ¿cómo llamas a esto? Indudablemente no es «Grillparzer»; no vale una quinta parte de lo que vale «Grillparzer». No vale la décima parte de aquel cuento —opinó Helen.

—«La Pensión Grillparzer» es la primera obra importante que escribí —explicó Garp—. Esto es algo completamente distinto, es otro tipo de literatura.

—Sí, una trata de algo y la otra no dice nada. Una se refiere a la gente y la otra sólo se refiere a ti. Una contiene misterio y precisión; la otra, sólo agudeza —cuando las facultades críticas de Helen estaban en juego era difícil apartarla de ellas.

—No es justo compararlos. Sé que éste es menos importante.

—Entonces no hablemos más de este asunto.

Garp permaneció ensimismado un minuto.

—Tampoco te gustó *El segundo pedo del cornudo* —dijo por último— y supongo que no te gustará la próxima.

—¿Qué próxima? —inquirió Helen—. ¿Estás escribiendo otra novela?

Garp volvió a ensimismarse, enfurruñado. Helen le odió por hacerle lo que le hacía, pero le deseaba y sabía que también le amaba.

—Por favor —rogó—, vamos a acostarnos.

Pero entonces él vio *su* oportunidad de un poco de crueldad —o un poco de verdad— y la miró con ojos brillantes.

—No digamos una sola palabra más —volvió a implorar Helen—. Acostémonos.

—¿Opinas que «La Pensión Grillparzer» es lo mejor que he escrito, verdad?

Garp ya sabía lo que Helen pensaba de la segunda novela y también sabía que, a pesar del cariño que sentía Helen por *Tardanza,* una primera novela es una primera novela. Sí, ella *pensaba* que «Grillparzer» era lo mejor que había escrito.

282

—Hasta ahora, sí —dijo Helen tiernamente—. Eres un escritor *amoroso*, ya sabes que estoy convencida de ello.

—Supongo que no he estado a la altura de mis posibilidades —afirmó Garp con tono desagradable.

—Lo estarás —la compasión y su amor por él se estaban secando en su voz.

Se miraron fijamente hasta que Helen apartó la mirada. Garp se dirigió a la escalera.

—¿Vienes a la cama? —preguntó.

De espaldas a ella, sus intenciones quedaron ocultas... y también sus sentimientos por ella: ocultos de ella o enterrados en su infernal *obra*.

—Ahora mismo no —contestó Helen.

Garp aguardó un instante al pie de la escalera y preguntó:

—¿Tienes que leer algo?

—No, por el momento he terminado de leer.

Garp subió. Cuando Helen llegó a su lado lo encontró dormido, lo cual la desesperó. Si él hubiera pensado en ella, ¿se habría dormido? Pero, de hecho, él tenía tanto en qué pensar que se había confundido; se había dormido porque estaba desconcertado. Si él hubiese podido centrar sus sentimientos en una sola cuestión, habría estado despierto cuando ella subió. En ese caso se hubieran evitado muchos problemas.

Helen se sentó en la cama junto a él y observó su rostro con más cariño del que creía podía soportar. Vio que tenía una erección tan imponente como si la hubiera estado aguardando; introdujo el pene en su boca y lo chupó suavemente hasta que Garp se corrió.

El se despertó, sorprendido y con expresión culpable cuando pareció darse cuenta de dónde estaba y con quién. Helen, sin embargo, no tenía la menor expresión de culpabilidad: sólo parecía triste. Más tarde, Garp pensaría que era como si Helen hubiera *sabido* que él estaba soñando con la señora Ralph.

Cuando Garp volvió del baño la encontró dormida. Helen se había entregado inmediatamente al sueño. Por fin libre de culpa, Helen se sintió libre de ceder a sus propios sueños. Garp permaneció despierto a su lado, observando la asombrosa inocencia de su expresión... hasta que los chicos la despertaron.

Walt está resfriado

Cuando Walt se acatarraba, Garp dormía mal. Daba la impresión de que trataba de respirar por el niño y por sí mismo. Garp se levantaba en plena noche para besarle y abrazarle; cualquiera que le hubiera visto habría pensado que podía eliminar el resfriado de Walt cogiéndolo él mismo.

—¡Santo Dios! —exclamó Helen—. Sólo es un catarro. Duncan se constipaba durante todo el invierno cuando tenía cinco años.

Cerca de los once años, Duncan parecía haber superado los resfriados; pero a los cinco, Walt padecía uno tras otro... a no ser que se tratara de uno prolongado que iba y volvía. Al llegar los días húmedos de marzo, Garp creyó que la resistencia de Walt había desaparecido; el chico se despertaba —y despertaba a Garp— todas las noches con una tos húmeda y convulsiva. A veces, Garp se dormía escuchando los ruidos del pecho de Walt y se despertaba asustado cuando dejaba de escuchar el latido del corazón del niño, que lo único que había hecho era empujar la pesada cabeza de su padre para poder girarse y dormir más cómodo. Tanto el médico como Helen habían dicho a Garp: «¡Sólo es un resfriado!».

Pero la irregular respiración nocturna de Walt aterrorizaba a Garp y le impedía dormir. Por tanto, en general estaba despierto cuando llamaba Roberta; la angustia de la robusta y poderosa señorita Muldoon ya no asustaba a Garp —se había acostumbrado a esperarla—, pero el impaciente insomnio de éste enardecía a Helen.

«Si volvieras a trabajar en un libro, estarías demasiado fatigado para permanecer despierto casi toda la noche», le había dicho. Era su imaginación lo que le mantenía despierto, afirmó Helen; Garp sabía que, cuando le quedaba mucha imaginación para otras cosas, se le presentaban señales de que no escribía lo suficiente. Por ejemplo, las furiosas rachas de sus sueños: ahora Garp *sólo* soñaba con que le ocurrían horrores a sus hijos.

En uno de esos sueños, ocurría algo horrible mientras Garp leía una revista pornográfica. Observaba la misma fotografía repetidas veces, una fotografía altamente pornográfica. Los luchadores del equipo universitario, con los que Garp practicaba ocasionalmente, utilizaban un vocabulario peculiar para referirse a esas fotografías. Garp observó que ese vocabulario no había cambiado desde su época en la Steering, cuando los luchadores de su equipo hablaban de esas fotografías con el mismo lenguaje. Lo que había cambiado era que esas fotografías estaban mucho más al alcance de la gente, pero los nombres eran los mismos.

La fotografía que Garp contemplaba en el sueño estaba considerada como la primera en el *ranking* de las imágenes pornográficas. A las fotografías de mujeres desnudas se aplicaban nombres según lo que se exponía. Si se veía el vello púbico, pero no las partes sexuales, se denominaba instantánea de felpudo, o felpudo a secas. Si se veían las partes sexuales —a veces parcialmente ocultas por el vello—, se trataba de un castor y un castor era mejor que un felpudo; un castor lo era todo: el vello y las partes pudendas. Si éstas estaban *abiertas*, se llamaba castor *expuesto*. Y si el conjunto *relucía*, en el mundo de la pornografía esa fotografía ocupaba el primer puesto: un castor expuesto y húmedo. La humedad dejaba suponer que la mujer no sólo estaba desnuda, expuesta y abierta, sino también *preparada*.

En su sueño, Garp contemplaba lo que los luchadores denominaban castor expuesto y húmedo, cuando oía gritar a los chicos. No sabía de qué niños se trataba, pero Helen y su madre, Jenny Fields, estaban con ellos; todos bajaban la escalera y pasaban cerca de él, que se esforzaba por ocultarles la fotografía que había estado contemplando. Previamente ellos habían estado arriba y algo espantoso les había despertado; iban camino del sótano, como si éste fuera un refugio antiaéreo. Al pensar en ello, Garp oía el ruido sordo de un bombardeo —veía que se desmenuzaba el yeso de las paredes, que parpadeaban las luces— y comprendía el terror que les amenazaba. Los niños, en fila de a dos, marchaban llorosos detrás de Helen y de Jenny, que les conducían al refugio antiaéreo con severidad de enfermeras. Si miraban a Garp, lo hacían con vaga tristeza y desdén, como si los hubiera abandonado y ahora no pudiera ayudarlos.

¿Se había entretenido en la contemplación de un castor expuesto y húmedo en lugar de vigilar la llegada de los aviones enemigos? Fiel a la naturaleza de los sueños, nunca quedaba clara esta cuestión: la razón por la cual se sentía tan culpable y por la que le miraban como si les hubiera maltratado.

Los últimos de la fila eran Walt y Duncan, que avanzaban cogidos de la mano; el llamado sistema paramilitar de los campamentos de verano parecía, en el sueño de Garp, la reacción natural de los niños ante un desastre. El pequeño Walt lloraba y gritaba, tal como Garp le había oído llorar y gritar cuando le encontraba inmerso en una pesadilla, sin poder despertar. «Tengo una pesadilla», lloriqueaba. Miraba a su padre y gritaba: «¡Estoy teniendo una pesadilla!».

Pero en el sueño de Garp, éste no podía despertar al niño de *esta* pesadilla. Duncan observaba estoicamente a su padre por encima del hombro, con una silenciosa expresión en su hermoso rostro joven de condenado lleno de valor. Duncan parecía haber crecido mucho en los últimos tiempos. Su mirada sería un secreto entre él y Garp: ambos sabían que *no* se trataba de un sueño y que Walt no podía recibir ayuda.

«¡Despiértame!», gritaba Walt en el sueño, pero la larga fila de niños desaparecía en dirección al refugio antiaéreo. Retorciéndose por el apretón de la mano de Duncan —Walt le llegaba a la altura del codo—, el hermano menor volvía a mirar a su padre. «¡Estoy teniendo una *pesadilla*!», chillaba Walt, como si quisiera convencerse a sí mismo. Garp no podía hacer nada, no decía nada, no hacía ningún intento por seguirlos en esos últimos peldaños. Y el yeso que se desprendía lo cubría todo de blanco. Las bombas seguían cayendo.

—«¡Estás teniendo una pesadilla!», gritaba Garp al pequeño Walt. «¡Sólo es una pesadilla!», gritaba, aunque sabía que mentía.

Entonces Helen le atizaba una patada y Garp se despertaba.

Quizás Helen temiera que la desbocada imaginación de Garp se apartara de Walt y cayera sobre ella. Porque, si Garp le hubiera prestado a Helen la mitad de la atención que parecía obligado a prestar a Walt, habría comprendido que ocurría algo.

Helen creía controlar lo que ocurría; al menos había controlado su comienzo (cuando abrió como de costumbre la puerta de su despacho al desgarbado Michael Milton y le invitó a entrar). Una vez dentro, cerró la puerta a espaldas del muchacho y lo besó rápidamente en la boca, apretando su delgado cuello de modo que no pudiera siquiera escapar para cobrar aliento, introduciendo al mismo tiempo una rodilla entre sus piernas; él dio un puntapié a la palera y dejó caer su cuaderno de apuntes.

—No hay nada más que discutir —afirmó Helen cuando le soltó para respirar; pasó su lengua por el labio superior del estudiante, tratando de decidir si le gustaba su bigotito. Decidió que sí o, al menos, que por el momento le gustaba—. Iremos a tu apartamento. A ningún otro sitio.

—Es al otro lado del río —dijo Michael Milton.

—Sé dónde vives. ¿Está limpio?

—Por supuesto. Además, puedes gozar de una hermosa panorámica del río.

—No me interesa el paisaje. Lo quiero limpio.

—Está bastante limpio y puedo dejarlo mejor aún —se jactó Michael.

—Sólo podremos usar tu coche —dijo ella.

—No tengo coche.

—Ya lo sé. Tendrás que conseguir uno.

Ahora él sonrió; le había tomado por sorpresa, pero volvió a sentirse seguro de sí mismo.

—Bueno, no tiene por qué ser *ahora mismo,* ¿no? —frotó su bigotito contra el cuello de Helen y le tocó los pechos.

Helen se liberó de su abrazo.

—Consíguelo cuando quieras. Jamás utilizaremos el mío y nunca me verán paseando contigo por la ciudad ni viajando en autobuses. Si *alguien* se entera de esto, todo habrá terminado, ¿comprendes?

Helen se sentó ante su escritorio y él no se sintió invitado a dar la vuelta al escritorio para tocarla; se sentó en la silla normalmente destinada a los alumnos.

—Comprendo —respondió.

—Amo a mi marido y nunca le haré daño.

Michael Milton sabía que no debía sonreír.

—Compraré un coche de inmediato.

—Limpia tu apartamento o hazlo limpiar —insistió Helen.

—Así será —entonces se atrevió a esbozar una leve sonrisa—. ¿Qué tipo de coche prefieres?

—Eso no me importa —contestó Helen—. Consigue uno que funcione, que no esté siempre en el taller, y que los asientos delanteros no sean separados, que sólo tenga un largo asiento delantero —él pareció más sorprendido y desconcertado que nunca, de modo que ella agregó a modo de explicación—: Quiero poder tumbarme cómodamente a lo largo del asiento. Apoyaré mi cabeza en tu regazo para que nadie me vea sentada a tu lado. ¿Comprendes?

—No te preocupes —Michael Milton volvió a sonreír.

—Esta es una ciudad pequeña. Nadie debe enterarse —dijo Helen.

—No *tan pequeña* —respondió el alumno con tono confiado.

—Todas las ciudades son pequeñas y ésta lo es más de lo que tú crees. ¿Quieres saber algo?

—¿Saber qué?

—Te acuestas con Margie Tallworth. Asiste a mi Lit. Comp. 205; cursa tercer año —prosiguió Helen—. También sales con una alumna *muy* joven... Está en Ing. 150 de Dirkson; me parece que está en primer año, pero ignoro si te has acostado con ella. Si no ha ocurrido, no ha sido porque te faltara la intención de hacerlo. Por lo que sé, no has puesto el dedo encima a ninguna de tus condiscípulas posgraduadas, hasta hoy. Pero sin duda omito a alguna, o alguna *ha sido* omitida.

Michael Milton se sintió tímido y orgulloso al mismo tiempo, y se le escapó tan enteramente el dominio habitual de su expresión que a Helen no le gustó lo que vio en su rostro y apartó la mirada.

—*Así* de pequeña es esta ciudad... y todas las demás. Si me tienes a mí, no podrás tener a las otras. Sé lo que son capaces de notar las jovencitas y conozco su vocación de chismosas.

—Sí —Michael Milton parecía dispuesto a tomar notas.

De repente Helen se acordó de algo y pareció momentáneamente sobresaltada.

—¿Tienes permiso de conducir? —preguntó.

—¡Claro que sí!

Ambos rieron y Helen volvió a relajarse, pero, cuando él dio la vuelta al escritorio para besarla, movió la cabeza negativamente y le hizo señas de que retrocediera.

—Jamás me tocarás aquí. En este despacho no habrá nada íntimo. Nunca cierro la puerta con llave. Ni siquiera me gusta que esté cerrada. Por favor, ábrela.

Michael Milton obedeció:

Consiguió un coche, un inmenso Buick Roadmaster, una ranchera del viejo estilo, con tablillas de auténtica madera a los costados. Era un Buick Dynaflow 1951, cargado y brillante de cromo anterior a la guerra de Corea, y roble puro. Pesaba casi tres toneladas. Contenía ocho litros de aceite y setenta de gasolina. Su precio original era de dos mil ochocientos cincuenta dólares, aunque Michael Milton pagó por él menos de seiscientos.

—Es un ocho cilindros de transmisión directa, dos mil doscientos centímetros cúbicos, máxima potencia, con un carburador Carter de una sola entrada —dijo el vendedor a Michael—. Está en buenas condiciones.

Tenía el opaco y poco llamativo color de la sangre coagulada, medía más de un metro ochenta de ancho, y casi seis de largo. El asiento delantero era tan largo y profundo que Helen podía tenderse casi sin doblar las rodillas... y sin tener que apoyar la cabeza en el regazo de Michael Milton, aunque lo hacía.

No apoyaba la cabeza en su regazo porque *tuviera* que *hacerlo*; le gustaba la visión del tablero y el viejo olor a cuero del descomunal asiento. Apoyaba la cabeza en su regazo porque le gustaba sentir cómo la pierna de Michael se tensaba y relajaba al mover lentamente el muslo para pasar del freno al acelerador. Era un regazo sereno para apoyar la cabeza, porque el coche no tenía pedal de embrague; el conductor sólo necesitaba mover una pierna, y sólo esporádicamente. En previsión de esos momentos, Michael Milton llevaba el cambio suelto en el bolsillo izquierdo, de modo que la piel de la mejilla de Helen sólo sentía la apenas perceptible suavidad de sus pantalones de pana... y a veces ella notaba su erección creciente bajo la oreja o el pelo de la nuca.

En algunas ocasiones, Helen imaginaba que se llevaba el pene de Michael Milton a la boca mientras cruzaban la ciudad en el enorme coche, con su parrilla de cromo abierta como la boca de un pez, con las palabras *Buick Eight* al biés entre los dientes. Pero Helen sabía que eso no sería prudente por razones de seguridad.

El primer indicio de que toda aquella cuestión podía no ser prudente por cuestiones de seguridad surgió cuando Margie Tallworth abandonó Lit. Comp. 205, sin ni siquiera dejar una nota explicativa referente a que no le gustaba el curso, por ejemplo. Helen temió que no fuera el curso lo que no le había gustado a Margie y llamó a la joven Tallworth a su despacho para pedirle una explicación.

Margie Tallworth, alumna de tercer año, conocía lo suficiente la facultad para saber que no tenía por qué dar explicaciones; hasta determinado momento de cualquier semestre, los alumnos tenían derecho a dejar cualquier curso sin permiso del instructor.

—¿Tengo que tener un motivo? —preguntó la chica a Helen en tono hosco.

—No, no estás obligada a tenerlo. Pero si tuvieras alguna razón, me gustaría conocerla.

—No tengo por qué tener ninguna razón —aseguró Margie Tallworth.

Mantuvo la mirada de Helen más tiempo que la mayoría de los estudiantes; a continuación se levantó con el propósito de irse. Era bonita y menuda, e iba bastante bien vestida tratándose de una alumna, pensó Helen. Si había alguna relación entre la ex novia de Michael Milton y su presente elección, sólo parecía ser la de que le gustaban las mujeres bien vestidas.

—Lamento que no haya ido bien —comentó Helen sinceramente, sin dejar de preguntarse qué podía saber realmente la muchacha.

Lo sabe, pensó Helen, e inmediatamente acusó a Michael.

—Ya lo has soplado —le dijo fríamente, porque *podía* hablarle fríamente... por teléfono—. ¿*Cómo* dejaste a Margie Tallworth?

—Muy delicadamente —replicó Michael con tono de suficiencia—. Pero romper con alguien significa romper, por diversas que sean las formas de hacerlo.

Helen no sabía apreciar que Michael intentara enseñarle algo... excepto sexualmente, en ese sentido era condescendiente con él, que parecía necesitar ser dominador en ese terreno. Para ella era diferente y realmente no le importaba. Michael a veces era rudo, pensaba Helen, pero nunca peligroso, y si ella se resistía con firmeza a algo, él no seguía presionándola. Una vez había tenido que decirle: «¡No! Eso no me gusta y no lo haré». Pero había agregado: «Por favor», porque no estaba *tan* segura de él. Michael no había insistido; había sido enérgico con ella, pero de otra manera... de una manera que a ella le caía bien. Resultaba excitante no poder confiar completamente en él. Pero no confiar en que guardaba silencio era otra cuestión; si descubría que había hablado de ella, pondría punto final a su relación.

—No le conté nada —insistió Michael—. Le dije: «Margie, lo nuestro ha terminado», o algo parecido. Ni siquiera le dije que había otra mujer y puedes tener la *certeza* de que no te mencioné.

—Pero probablemente te oyó hablar de mí con anterioridad. Antes de que empezáramos, quiero decir.

—De todos modos, nunca le gustó tu curso —afirmó Michael—. Hablamos de eso una vez.

—¿Que nunca le gustó el curso? —preguntó Helen auténticamente sorprendida.

—No es muy inteligente —dijo Michael con impaciencia.

—Será mejor que no esté enterada. Quiero decir que será mejor que lo averigües.

Pero Michael no pudo averiguar nada: Margie Tallworth se negó a hablar con él. Michael intentó decirle, por teléfono, que todo se debía a que una antigua novia había vuelto a él... una novia de otra ciudad; a su llegada no tenía dónde estar y una cosa había conducido a la otra. Pero Margie Tallworth había colgado el teléfono antes de que él pudiera terminar de pulir la historia.

Helen fumaba un poco más que de costumbre. Estudió ansiosa a su marido durante unos días y en cierta ocasión se sintió realmente culpable cuando le hizo el amor a Garp; se sintió culpable de hacerle el amor, no porque lo deseara, sino para tranquilizarle en el hipotético caso de que él hubiera pensado que algo andaba mal.

El no había pensado demasiado. Mejor dicho, había pensado, pero sólo una vez, en los morados de las nalgas de Helen; aunque fuerte, Garp era un hombre muy suave con su mujer y sus hijos. También conocía el aspecto de los morados producidos por huellas de dedos, ya que practicaba lucha libre. Uno o dos días más tarde notó las mismas marcas en la parte de atrás de los brazos de Duncan —exactamente en el punto donde lo apretaba cuando luchaba con él— y llegó a la conclusión de que apretaba más de lo que creía a la gente que amaba. Dedujo que los morados de Helen también eran obra suya.

Era un hombre demasiado engreído para sentir celos con facilidad. El nombre que había pronunciado una mañana se le había escapado. No había más escritos de Michael Milton en la casa que mantuvieran despierta a Helen por las noches. De hecho, cada vez se acostaba más temprano: necesitaba descansar.

Helen llegó a experimentar cariño por el puntiagudo eje desguarnecido de la palanca de cambios del Volvo; su pinchazo contra su muñeca, al atardecer, cuando conducía camino de su casa desde el despacho, resultaba tranquilizador, y a menudo lo apretaba hasta que sentía que sólo estaba a un pelo de distancia de la presión necesaria para desgarrarle la piel. Se le llenaban los ojos de lágrimas, lo que le hacía sentirse limpia otra vez al llegar a casa, cuando los chicos la saludaban con la mano y le gritaban desde la ventana donde estaba el televisor; cuando Garp anunciaba qué les había preparado para cenar, cuando Helen entraba en la cocina.

La posibilidad de que Margie Tallworth supiera algo había asustado a Helen, porque, aunque le había dicho a Michael —y se había prometido a sí misma— que todo concluiría en el instante mismo en que alguien se enterara, Helen ahora sabía que sería más difícil de lo que al principio había imaginado. Abrazó a Garp en la cocina y abrigó la esperanza de que Margie Tallworth siguiera en la ignorancia.

Margie Tallworth *era* ignorante, aunque no ignoraba la relación de Michael Milton con Helen. Ignoraba muchas cosas, pero sabía eso. Era importante en el sentido de que creía que su frívolo enamoramiento de Michael «superaba» —como decía ella— «lo sexual»; al mismo tiempo, Helen suponía que sólo se estaba divirtiendo con Michael. Dicho sea en honor de la verdad, Margie Tallworth se había *revolcado* —como decía ella— en «lo sexual»; de hecho, es difícil saber qué había en su relación con Michael. Pero no se equivocaba del todo al suponer que también de eso se trataba la relación de Helen con Michael Milton. Margie Tallworth ignoraba muchas cosas por suponer demasiado; pero en este caso había supuesto correctamente.

Cuando aún Michael Milton y Helen sólo hablaban del «trabajo» de aquél, Margie suponía —ya entonces— que follaban. Margie Tallworth no creía que hubiera otro tipo de relación posible con Michael Milton. En este sentido, no era ignorante. Es posible que conociera el tipo de relación que Helen tenía con Michael antes de que lo supiera la propia Helen.

Y a través del espejo del lavabo para mujeres del cuarto piso del edificio de Inglés y Literatura, a Margie Tallworth le resultaba posible divisar el parabrisas ahumado del Buick de tres toneladas que salía del aparcamiento como el ataúd de un rey. Margie podía ver las esbeltas piernas de la señora Garp extendidas en el asiento delantero. Era una forma peculiar de viajar en coche, salvo cuando se hace con el amigo más íntimo.

Margie conocía las costumbres de los dos mejor de lo que comprendía las propias; daba largas caminatas con el propósito de tratar de olvidar a Michael Milton y de familiarizarse con los alrededores de la casa de Helen. En breve se familiarizó con los hábitos del marido de aquélla, ya que sus costumbres eran mucho más constantes que las de *cualquiera*: recorría de un lado para otro todas las habitaciones, por las mañanas; probablemente estaba en paro. Eso encajaba en las suposiciones de Margie Tallworth relativas al cornudo: un hombre que ha perdido su trabajo. A mediodía salía como una tromba por la puerta, vestido de deportista, y empezaba a correr; kilómetros más tarde volvía y leía su correspondencia, que casi siempre llegaba mientras él no estaba. Entonces volvía a recorrer toda la casa; se desvestía prenda a prenda camino de la ducha y era lento para vestirse después del baño. Un solo detalle no encajaba en su imagen del cornudo: Garp tenía un cuerpo estupendo. ¿Por qué pasaba tanto tiempo en la cocina? Margie supuso que quizás era un cocinero en paro.

Entonces sus hijos volvían a casa y destrozaban el blando corazoncito de Margie Tallworth. Parecía muy bueno cuando jugaba con los niños, lo que también encajaba en las suposiciones de Margie con respecto a un cornudo; alguien que se divierte ingenuamente con sus hijos mientras *aplanan* a su mujer. «Aplanar» era también una palabra que usaban los luchadores y que también habían usado en los tiempos de la Steering sangre y azul. Siempre había alguno que se jactaba de aplanar a un castor húmedo y expuesto.

Así, un día, cuando Garp salió como un rayo por la puerta, en ropa deportiva, Margie Tallworth sólo aguardó el tiempo necesario para que empezara a correr; entonces subió al porche de la casa de los Garp llevando una nota perfumada que intentaba dejar en su buzón. Había pensado concienzudamente que él tendría tiempo de leerla y (esperanzadamente) de recuperarse antes de que sus hijos volvieran al hogar. Suponía que así era cómo se encajaban semejantes noticias: ¡súbitamente! Después de leerla habría un razonable período de recuperación para prepararse y recibir a los niños. He aquí otro caso de algo que Margie Tallworth ignoraba.

La nota misma le había planteado dificultades, pues no era muy hábil con las palabras. No estaba intencionadamente perfumada, sino que, sencillamente, todos los papeles de Margie Tallworth llevaban perfume; si hubiera pensado en ello, habría comprendido que el perfume no era adecuado para semejante nota, pero ésa era otra de las cuestiones que ignoraba. Hasta sus papeles de la universidad estaban perfumados; cuando Helen había leído el primer ensayo de Margie Tallwroth para Lit. Comp. 205, se había encogido por el *aroma*.

La nota de Margie a Garp decía:

«Su mujer "tiene relaciones" con Michael Milton».

Margie Tallworth llegaría a ser el tipo de persona que dice que alguien «pasó a mejor vida» en lugar de decir que ha muerto. Así, había intentado ser delicada al decir que Helen «tenía relaciones» con Michael Milton. Tenía la nota de dulce aroma en la mano y permanecía inmóvil en el porche de la casa de los Garp cuando empezó a llover.

Nada hacía volver a Garp de una carrera más de prisa que la lluvia. Detestaba que se le humedecieran los zapatos de carreras. Podía correr con frío y con nieve, pero, cuando empezaba a llover, Garp volvía de inmediato a la casa, sudado, y cocinaba durante una hora con un humor de perros. Luego se ponía una gabardina, cogía el autobús hasta el gimnasio y llegaba a tiempo para practicar lucha libre. En el camino recogía a Walt en la guardería y le llevaba con él al gimnasio; al llegar allí llamaba a su casa para comprobar si Duncan había vuelto de la escuela. A veces, si la comida se estaba cociendo, le daba algunas instrucciones culinarias, pero generalmente se limitaba a advertirle que no debía salir en bicicleta y le hacía un interrogatorio acerca de números de teléfono de urgencia: ¿recordaba los números que debía marcar en caso de incendio, de explosión, de robo a mano armada, de accidentes callejeros?

Entonces luchaba, y después de la práctica se metía en la ducha con Walt; cuando volvía a telefonear a su casa, Helen ya se encontraba allí y podía ir a buscarle.

En consecuencia, a Garp no le gustaba la lluvia; aunque le encantaba luchar, la lluvia complicaba sus sencillos planes. Y Margie Tallworth no estaba preparada para verle aparecer a sus espaldas, repentinamente, jadeante y enojado, en el vestíbulo de su casa.

—¡Aaah! —gritó.

Margie apretó firmemente su nota perfumada como si fuera la arteria principal de un animal cuya sangre deseara restañar.

—Hola —dijo Garp.

La chica le pareció una niñera por horas. Garp había perdido ya, tiempo atrás, la costumbre de tratar a las niñeras y le sonrió con franca curiosidad, eso fue todo.

—Aaa —repitió Margie Tallworth: no podía hablar.

Garp observó el mensaje arrugado que sostenía en la mano; la muchacha cerró los ojos y le extendió la nota como quien arrima la mano al fuego.

Si bien al principio Garp creía que se trataba de una de las alumnas de Helen que buscaba algo, luego pensó algo distinto. Se dio cuenta de que no podía hablar y de su extrema timidez al extenderle la nota. La experiencia de Garp con mujeres mudas que entregaban notas tímidamente se limitaba a las ellenjamesianas, y ahogó una momentánea llamarada de ira: otra mutilada se presentaba en su casa. ¿O había llegado a modo de señuelo para el recluido hijo de la exultante Jenny Fields?

«Hola. Me llamo Margie. Soy una ellenjamesiana»,

diría su estúpida nota.

«¿Sabes qué es una ellenjamesiana?»

Después te enterarías, pensó Garp, de que se habían organizado como esos religiosos chiflados que llevan sus virtuosos panfletos sobre Jesús casa por casa. Se sintió enfermo al pensar que las ellenjamesianas reclutaban chicas tan jóvenes como ésa; pensó que aquélla era demasiado joven para decidir si quería o no tener lengua el resto de su vida. Sacudió la cabeza y rechazó la nota.

—Sí, sí, ya lo sé. ¿Y qué? —dijo Garp.

La pobre Margie Tallworth no estaba preparada para eso. Había llegado como un ángel vengador —¡qué carga tan pesada era la del cumplimiento del deber!—, a llevar la mala nueva que era irrenunciable transmitir. ¡Pero él ya lo sabía! ¡Y ni siquiera le importaba!

Apretó firmemente la nota con ambas manos contra su bonito y tembloroso pecho, con tanta fuerza que la mayor parte del perfume se evaporó y una oleada de su aroma juvenil llegó a Garp, que la contemplaba fijamente.

—He dicho «¿y qué?» —prosiguió Garp—. ¿De verdad esperas que sienta respeto por alguien que se corta la lengua?

Margie se esforzó por decir algo.

—¿Qué? —logró decir.

Ahora estaba asustada. *Ahora* comprendía por qué el pobre hombre recorría la casa todo el día en vez de trabajar: estaba loco.

Garp había escuchado claramente la palabra; no era un «aaah» bloqueado, ni siquiera un «aaa»... no era la emisión de una lengua amputada. Era una palabra completa.

—¿Qué? —dijo Garp.

—¿Qué? —repitió Margie.

Garp miró la nota que ella apretaba contra el pecho.

—¿Puedes *hablar*?

—Por supuesto —gruñó Margie.

—¿Qué es *eso*? —Garp señaló la nota.

Pero ahora ella le tenía miedo: un cornudo chalado. Dios sabe lo que era capaz de hacer. Matar niños, o asesinarla; parecía lo bastante fuerte como para hacer papilla a Michael Milton con un solo brazo. Y cualquier hombre parece peligroso cuando te interroga. Margie retrocedió.

—¡Espera! —gritó Garp—. ¿Es para mí esa nota? ¿Qué es eso? ¿Es para Helen? ¿Quién eres?

Margie Tallworth meneó la cabeza.

—Es un error —susurró.

Cuando se volvió para huir, chocó con el cartero, empapado por la lluvia, haciendo caer su bolsa y esparciendo las cartas, y al retroceder chocó con Garp. A éste se le presentó la visión de Duna, el oso senil, que había acorralado a un cartero en una escalera de Viena... y había sido desterrado para siempre. Pero todo lo que le ocurrió a Margie Tallworth fue que cayó al suelo; se le rompieron las medias y se despellejó una rodilla.

El cartero, que creyó haber llegado en un momento inoportuno, buscó la correspondencia de Garp entre las cartas caídas, pero a éste ahora sólo le interesaba el mensaje que la lacrimosa muchacha tenía para él.

—¿De qué se trata? —preguntó amablemente.

Garp intentó ayudarla a ponerse de pie, pero ella decidió quedarse donde estaba. Siguió sollozando.

—Lo siento —dijo Margie Tallworth.

La muchacha había perdido el valor; se había quedado un minuto de más con Garp, y ahora creía que le *gustaba*, le resultaba difícil imaginarse dándole la mala nueva.

—No estás malherida, pero entraré a buscar algo para limpiarte.

Garp entró en la casa a buscar antiséptico y tiritas, pero ella aprovechó la oportunidad para desaparecer. No era capaz de transmitirle la noticia, pero tampoco podía ocultársela. Le dejó la nota. El cartero la observó cojear calle abajo, en dirección a la esquina de la parada de autobuses; por un instante se preguntó en qué andarían los Garp. También parecían recibir más correspondencia que cualquier familia normal.

Claro que Garp escribía infinitas cartas que el pobre John Wolf, su editor, se esforzaba por contestar. También llegaban ejemplares de libros para hacer una recensión; Garp se los pasaba a Helen, que al menos los leía. Estaban las revistas de Helen; a Garp le parecían excesivas. Estaban las dos únicas revistas de las que Garp era suscriptor: «Gourmet» y «Noticias de la lucha amateur». Estaban, por supuesto, las cuentas. Y con bastante frecuencia cartas de Jenny, que era todo lo que escribía en esos tiempos. Y, de vez en cuando, una misiva breve y cariñosa de Ernie Holm.

Ahora, entre la correspondencia habitual había una nota perfumada y húmeda de lágrimas. Garp dejó la botella de antiséptico y las tiritas. No se molestó en buscar a la chica. Cogió la nota arrugada y pensó que sabía, más o menos, de qué se trataba.

Se preguntó por qué no lo había pensado antes, ya que había tantos detalles que lo indicaban; ahora que se le ocurría, supuso que lo había pensado antes, aunque no tan conscientemente. El cuidadoso estiramiento de la nota —para que no se rompiera— produjo sonidos crujientes como el otoño, aunque todo lo que rodeaba a Garp era un frío marzo en que la tierra herida se ablandaba en barro. La pequeña esquela chasqueó como huesos al abrirse. Junto con el perfume que destilaba, Garp imaginó oír el agudo chillido de la chica: «¿Qué?».

Garp sabía «qué», lo que ignoraba era «con quién»... aquel nombre que había atravesado su mente una mañana y luego se había esfumado. Naturalmente, la nota contenía el nombre: Michael Milton. A Garp le sonó como el tipo especial de un nuevo sorbete de la heladería a la que llevaba a los chicos. Los vendían con nombres como Remolino de fresas, Crocanti de chocolate, Despiste Mocha y Michael Milton. Era un nombre *repugnante,* un sabor que Garp paladeó. Avanzó con paso lento hasta la alcantarilla, rompió en mil pedazos la oliente nota y los introdujo a través de la reja. Luego entró en la casa y buscó ese nombre en un listín telefónico. Lo leyó infinitas veces.

Ahora le parecía que Helen había «tenido relaciones» con alguien durante largo tiempo; también le pareció saberlo desde hacía tiempo. ¡Pero qué *nombre*! ¡Michael Milton! Se lo habían presentado en una fiesta. Entonces Garp le había dicho a Helen que Michael Milton era un «amanerado» y habían discutido sobre su bigotito. ¡Michael Milton! Garp leyó tantas veces el nombre, que seguía inmerso en la guía cuando Duncan volvió de la escuela y pensó que su padre recorría una vez más el listín en busca de personajes de ficción.

—¿Todavía no fuiste a buscar a Walt? —quiso saber Duncan.

Garp lo había olvidado. Y Walt está resfriado, pensó. El chico no tendría que estar esperándome con semejante resfriado.

—Vayamos juntos a buscarle —propuso Garp a Duncan.

Con gran sorpresa de su hijo, Garp arrojó el listín al cubo de la basura.

Anduvieron hasta la parada del autobús. Garp conservaba sus ropas de atletismo y seguía lloviendo. A Duncan también le resultó extraña la vestimenta de su padre para la ocasión, pero no lo mencionó.

—Hoy marqué dos tantos —comentó Duncan. Por algún motivo, en la escuela de Duncan sólo jugaban a fútbol: otoño, invierno y primavera. Era una escuela pequeña, pero la razón por la que practicaban únicamente ese deporte era otra, aunque Garp la había olvidado. De todos modos, sabía que no estaba de acuerdo con esa razón—. Dos tantos —repitió Duncan.

—Estupendo —dijo Garp.

—Uno fue de cabeza.

—¿De cabeza? Estupendo.

—Ralph me hizo un pase perfecto —agregó Duncan.

—Eso también es estupendo. Y bueno para Ralph.

Garp apoyó un brazo en el hombro de su hijo, pero sabía que le molestaría si intentaba besarle; quien me permite que lo bese es Walt, pensó Garp. Entonces pensó en besar a Helen y estuvo a punto de bajar a la calle a la llegada del autobús.

—¡Papá! —exclamó Duncan.

Una vez en el autobús, el niño preguntó a su padre.

—¿Te sientes bien?

—Por supuesto.

—Creí que estarías en la sala de lucha —dijo Duncan—. Está lloviendo.

Desde el parvulario de Walt se divisaba el otro lado del río y Garp trató de localizar la posición exacta de la casa de Michael Milton, cuyo domicilio se había aprendido de memoria de tanto leerlo en el listín telefónico.

—¿Dónde estuviste? —se quejó Walt y tosió; le chorreaba la nariz y se sentía con fiebre. Siempre que llovía abrigaba la esperanza de practicar la lucha.

—¿Por qué no vamos *todos* a la sala de lucha, ya que estamos en el centro? —propuso Duncan.

La propuesta era lógica, pero Garp se negó y afirmó que no quería luchar.

—¿Por qué no? —quiso saber Duncan.

—Porque tiene puesta la ropa de correr, papanatas —explicó Walt.

—Cierra la boca, Walt —ordenó el hermano mayor.

Estuvieron a punto de reñir en el autobús, hasta que Garp intervino. Walt está enfermo, razonó Garp, y reñir puede ser malo para su catarro.

—No estoy enfermo —dijo Walt.

—Sí, lo estás —afirmó Garp.

—Sí, lo estás —se mofó Duncan.

—Cierra la boca, Duncan —ordenó el padre.

—¡Hombre, qué humor! —exclamó Duncan.

Garp sintió deseos de besarle, de asegurarle que, en realidad, no estaba de mal humor, pero sabía que un beso molestaría a Duncan, de modo que besó a Walt.

298

—¡Papá! —protestó Walt—. Estás todo mojado y sudado.

—Porque tiene puesta la ropa de correr, papanatas —dijo Duncan.

—Me ha llamado papanatas —se quejó Walt a Garp.

—Lo he oído —observó Garp.

—No soy un papanatas —afirmó Walt.

—Sí, lo eres —insistió Duncan.

—Cerrad el pico —ordenó Garp.

—Papá está de un humor estupendo, ¿verdad Walt? —preguntó Duncan a su hermano.

—¡Vaya si lo está! —exclamó Walt.

Decidieron mofarse de su padre en lugar de pelear entre sí hasta que el autobús los dejó a pocas travesías de su casa, bajo el creciente aguacero. Formaban un empapado trío cuando todavía estaban a una manzana de distancia de la casa y un coche que iba a demasiada velocidad frenó de improviso a su lado; después de algunos esfuerzos, alguien logró bajar la ventanilla y en el interior lleno de vapor Garp divisó el ajado y brillante rostro de la señora Ralph, quien les sonrió.

—¿Has visto a Ralph? —preguntó a Duncan.

—No.

—El muy imbécil no sabe resguardarse de la lluvia —comentó la señora Ralph—. Me parece que *tú* tampoco —dijo dulcemente a Garp.

La mujer siguió sonriendo a Garp y él intentó actuar recíprocamente, pero no pudo hacerlo ni supo qué decir. Sospechó que debía dominar muy mal su expresión, porque de lo contrario la señora Ralph no habría dejado escapar la oportunidad de seguir burlándose de él bajo la lluvia. En cambio pareció repentinamente impresionada por la fantasmal sonrisa que logró esbozar Garp y volvió a subir la ventanilla.

—Adiós —dijo y se alejó lentamente.

—Adiós —murmuró Garp.

Admiraba a la mujer; pensó que quizás incluso superaría finalmente *este* horror y que *vería* a la señora Ralph.

Cuando llegaron a casa, dio a Walt un baño caliente y se metió en la bañera con él... excusa que a menudo aprovechaba para luchar con su pequeño cuerpo. Duncan era ya demasiado grande para que Garp cupiera con él en la bañera.

—¿Qué hay para cenar? —gritó Duncan desde el piso de abajo.

Garp se dio cuenta de que había olvidado todo lo referente a la cena.

—Me olvidé de la cena —gritó Garp desde arriba.

—¿Te *olvidaste*? —preguntó Walt, pero Garp le hundió y le hizo cosquillas; Walt se defendió como pudo, le devolvió las cosquillas y olvidó el asunto.

—¿Te olvidaste de *la cena*? —volvió a gritar Duncan desde abajo.

Garp decidió no salir de la bañera. Siguió agregando agua caliente: estimó que el vapor sería bueno para los pulmones de Walt. Trataría de mantenerlo en el baño tanto tiempo como Walt jugara contento. Seguían juntos en la bañera cuando Helen volvió.

—Papá se olvidó de la cena —le informó Duncan inmediatamente.

—¿Se olvidó de la cena? —preguntó Helen asombrada.

—Olvidó todo lo referente a la cena —aclaró Duncan.

—¿Donde está —preguntó Helen.

—Bañándose con Walt. Hace *horas* que están en el baño.

—¡Santo Dios! Tal vez se han ahogado.

—¿No te encantaría? —gritó Garp desde el baño.

—Está de un humor insufrible —dijo Duncan a su madre y rió.

—Ya lo veo.

Helen apoyó suavemente una mano en el hombro de Duncan, cuidándose de no hacerle saber que, en realidad, necesitaba apoyarse. De repente se sintió insegura de su equilibrio. Paralizada al pie de la escalera, gritó a Garp:

—¿Has pasado un mal día?

Pero Garp se introdujo bajo el agua; era un gesto de control, porque sentía un profundo odio por ella y no quería que Walt lo percibiera.

No hubo respuesta y Helen se agarró aún más al hombro de Duncan. Por favor, *delante de los niños no*, pensó. Para ella era una situación nueva —encontrarse en posición defensiva en una contienda con Garp— y tuvo miedo.

—¿Quieres que suba? —preguntó.

Tampoco recibió respuesta: Garp era capaz de contener la respiración mucho tiempo. Walt gritó:

—¡Papá está sumergido!

—Papá es tan *raro* —comentó Duncan.

Garp levantó la cabeza en busca de aire precisamente cuando Walt volvió a gritar:

—¡Está conteniendo la respiración!

Eso espero, pensó Helen. No sabía qué hacer y no podía moverse.

Aproximadamente un minuto después, Garp susurró a Walt:

—Dile que *sigo* bajo el agua, ¿quieres, Walt?

Walt pareció pensar que se trataba de una broma diabólicamente inteligente y gritó a Helen:

—¡Papá *sigue* sumergido!

—¡Vaya! —exclamó Duncan—. Tendríamos que cronometrarlo. Debe de estar batiendo un récord.

Pero entonces a Helen le acometió el pánico. Duncan se libró de su mano —empezó a subir la escalera para comprobar con sus propios ojos la hazaña— y Helen sintió que sus pies eran de plomo.

—¡*Aún* está bajo el agua! —chilló Walt.

Sin embargo, Garp le estaba secando con una toalla y ya había empezado a vaciar la bañera; permanecieron desnudos en la alfombra del baño, junto al espejo grande. Cuando Duncan entró en el cuarto de baño, Garp se llevó un dedo a los labios en señal de que guardara silencio.

—Ahora repetidlo *al unísono* —susurró Garp—. Cuando diga tres, gritad «¡sigue sumergido!» Uno, dos, tres.

—¡Sigue sumergido! —gritaron juntos Duncan y Walt.

Helen sintió que *sus* pulmones estallaban. Percibió que un grito escapaba de su garganta, pero no surgió ningún sonido. Corrió escaleras arriba pensando que sólo su marido podía haber urdido semejante ignominia a modo de desquite: *ahogarse* delante de sus hijos y dejar que ella les explicara por qué lo había hecho.

Entró llorando en el cuarto de baño y sorprendió de tal manera a Duncan y a Walt que tuvo que recuperarse casi inmediatamente... con el propósito de no aterrorizarlos. Garp estaba desnudo delante del espejo, secándose lentamente las separaciones de los dedos de los pies y observándola de la forma que ella recordaba que Ernie Holm había enseñado a mirarse a los luchadores en las aperturas de los encuentros.

—Llegas demasiado tarde —dijo Garp—, ya me he muerto. Pero es conmovedor y un tanto sorprendente comprobar que *te importa.*

—¿No prefieres que hablemos de esto más tarde? —inquirió Helen esperanzada... y sonriente, como si la broma hubiera sido buena.

—¡Te hemos engañado! —dijo Walt y pellizcó la cadera a Helen.

—Si te hubiéramos hecho eso a *ti* —dijo Duncan a su padre—, nos habrías mandado al cuerno.

—Los chicos no han comido —observó Helen.

—Nadie ha comido —comentó Garp—. Salvo que tú lo hayas hecho.

—Yo puedo esperar —dijo Helen.

—Yo también —replicó Garp.

—Prepararé algo para los chicos —se ofreció Helen mientras empujaba a Walt fuera del cuarto de baño—. Tiene que haber huevos y cereales.

—¿Para *cenar*? —protestó Duncan—. No me parece una cena que valga la pena.

—Me olvidé, Duncan —se disculpó Garp.

—Yo quiero tostadas —dijo Walt.

—También puedes comer tostadas —aceptó Helen.

—¿Estás segura de que puedes hacerte cargo de la comida? —preguntó Garp a Helen.

Ella le sonrió.

—Hasta *yo* puedo hacer tostadas —intervino Duncan—. Y creo que incluso *Walt* es capaz de mezclar cereales.

—Los huevos son un tanto complicados —opinó Helen tratando de tomárselo a broma.

Garp siguió secándose las separaciones de los dedos de los pies. Cuando los chicos salieron del cuarto de baño, Helen volvió a asomar la cabeza.

—Lo siento, te amo —dijo, pero Garp no levantó la vista de su deliberada operación con la toalla—. No quise herirte —continuó Helen—. ¿Cómo lo descubriste? *Nunca* dejé de pensar en ti. ¿Fue esa chica? —susurró Helen, pero Garp siguió prestando toda su atención a sus pies.

Cuando Helen terminó de disponer la comida para los chicos en sus platos (¡como si fueran animalitos *domésticos*!, pensaría tiempo después), subió al encuentro de Garp. Este seguía frente al espejo, desnudo, sentado en el borde de la bañera.

—No significa nada, nunca te quitó nada a ti —declaró Helen—. Ahora todo ha terminado, de verdad.

—¿Desde cuándo? —quiso saber Garp.

—Desde este mismo momento. Sólo tengo que decírselo.

—No se lo digas. Deja que lo adivine.

—No puedo hacer eso —afirmó Helen.

—¡Mi huevo tiene cáscara! —gritó Walt desde abajo.

—¡Mi tostada está quemada! —se quejó Duncan.

Los chicos estaban conspirando para interrumpir el diálogo de sus padres, tuvieran conciencia de ello o no. Los niños, pensó Garp, tienen instinto para separar a sus padres cuando éstos deben ser separados.

—¡Cómetela! —gritó Helen—. No está tan mal.

Intentó tocar a Garp, pero él la eludió y salió del cuarto de baño; empezó a vestirse.

—¡Comed eso y os llevaré al cine! —gritó Garp a los niños.

—¿Para qué quieres hacer eso? —preguntó Helen.

—No pienso estar aquí contigo. Saldremos. Llama a ese tonto amanerado y despídete de él.

—Querrá verme —objetó Helen con tono apagado.

La realidad de que todo hubiera terminado, ahora que Garp lo sabía, operaba en ella como si fuera novocaína. Si, al principio, se había sensibilizado por la magnitud del dolor de Garp, ahora sus sentimientos por él disminuyeron levemente y empezó a pensar otra vez en sí misma.

—Dile que se trague sus propósitos. No lo verás. No más folladas, Helen. Limítate a decirle adiós. Por teléfono.

—Nadie habló de follar —respondió Helen.

—Por teléfono —insistió Garp—. Yo me llevaré a los chicos. Iremos al cine. Te ruego que termines con él antes de que volvamos. No volverás a verle.

—No, te lo prometo. Pero *tendría* que verlo una sola vez más... para decírselo.

—Supongo que crees que has llevado esto muy decentemente. —dijo Garp.

Hasta cierto punto, eso era lo que Helen creía, pero no abrió la boca. Sabía que no había perdido de vista a Garp ni a los niños durante su aventura; ahora se sentía justificada en llevarlo a *su* manera.

—Tendríamos que hablar de esto después —dijo ella—. Después será posible alguna perspectiva.

El la habría golpeado si los chicos no hubieran entrado por sorpresa en la habitación.

—Uno, dos, tres —entonó Duncan.

—¡El cereal está rancio! —dijeron a coro Duncan y Walt.

—Por favor, chicos. Vuestro padre y yo estamos en medio de una pequeña discusión. Volved abajo.

Los niños la contemplaron fijamente.

—Por favor —les pidió Garp.

Garp se volvió para que no le vieran llorar, pero probablemente Duncan se dio cuenta y, sin duda alguna, Helen lo sabía. Posiblemente Walt ni se enteró.

—¿Una discusión? —preguntó Walt.

—Vamos —le dijo Duncan y le cogió la mano, para sacarlo del dormitorio—. Ven, Walt, si no llegaremos tarde al cine.

—¡El cine! —se entusiasmó Walt.

Con espantoso horror, Garp reconoció la salida de los niños: Duncan conducía a Walt escaleras abajo; el pequeño se volvía y le miraba. Walt intentó saludar con la mano, pero Duncan tiró de él. Desaparecieron en el refugio antiaéreo. Garp ocultó su rostro en la ropa y lloró desconsoladamente. Cuando Helen le tocó, dijo:

—No me toques.

Siguió llorando. Helen cerró la puerta del dormitorio.

—No, por favor —rogó Helen—. El no merece esto, no significaba *nada*. Sólo gocé con él —trató de explicarle.

Pero Garp sacudió la cabeza violentamente y le arrojó los pantalones a la cara.

Todavía estaba a medio vestir, situación que quizá fuera, comprendió Helen, la más desamparada para los hombres: cuando no están vestidos ni desnudos. Una mujer a medio vestir parecía tener cierto poder, pero un hombre no era tan apuesto como cuando estaba desnudo ni tan seguro de sí mismo como cuando iba vestido.

—Por favor, vístete —susurró y le alcanzó los pantalones. Garp los cogió, se los puso y siguió llorando—. Haré lo que tú digas.

—¿No volverás a verle?

—No, ni una sola vez. Nunca.

—Walt está resfriado —dijo Garp—. Ni siquiera tendría que salir, pero no está mal que vea una película. Y no volveremos tarde —agregó—. Ve a ver si está bien abrigado.

Ella obedeció.

Garp abrió el cajón superior de la cómoda de Helen, donde ella guardaba su ropa interior, y lo sacó de su sitio. Hundió la cara en la maravillosa sedosidad y el aroma de sus prendas, como un oso que se agarra a un enorme comedero con sus patas delanteras y luego se hunde en él. Cuando Helen volvió al dormitorio y lo encontró así, Garp sintió lo mismo que si le hubiera descubierto masturbándose. Incómodo, apoyó el cajón en sus rodillas y lo rompió: toda la ropa interior de Helen salió volando. Garp levantó el cajón roto por encima de su cabeza y lo apoyó en el borde de la cómoda; el cajón sonó como el espinazo roto de un animal. Helen salió corriendo y Garp terminó de vestirse.

Cuando bajó observó el plato de Duncan casi vacío y la cena intacta en el plato de Walt y en diversas partes de la mesa y del suelo.

—Walt, si no comes crecerás como un *amanerado*.

—No pienso crecer —afirmó Walt.

La respuesta estremeció a Garp, que observó sorprendido a su hijo.

—*Nunca* digas eso.

—No *quiero* crecer —confirmó Walt.

—Ah, comprendo —se tranquilizó Garp—. ¿Quieres decir que te gusta ser chico?

—Sí.

—Walt es *tan* raro... —comentó Duncan.

—Sí, lo eres.

—Meteos en el coche y dejad de pelear —dijo Garp.

—*Vosotros* estábais peleando —dijo Duncan cautelosamente; nadie reaccionó y Duncan empujó a Walt para que saliera de la cocina—. Vamos.

—¡Sí, vamos al cine!

Los niños salieron y Garp dijo a Helen:

—No debe venir aquí bajo ningún pretexto. Si entra en esta casa, no saldrá vivo. Y tú no debes salir. Bajo ningún pretexto. Por favor —agregó y tuvo que volverse.

—Oh, querido...

—¡Es un tipo tan *cretino*! —gruñó Garp.

—Nunca podría ser alguien como *tú* , ¿no comprendes? *Sólo* podía ser alguien distinto a ti.

Garp pensó en las niñeras por horas, en Alice Fletcher, en su inexplicable atracción por la señora Ralph y comprendió lo que ella quería decir; salió de la cocina. Afuera llovía y ya estaba oscuro; probablemente la nieve se convertiría en escarcha. El barro de la calzada estaba húmedo pero firme. Giró con el coche; luego, por costumbre, enfiló hasta el extremo de la calzada y apagó el motor y las luces. El Volvo traqueteó, pero Garp conocía de memoria la oscura curva de la calzada. Los chicos se estremecieron por el sonido de la gravilla y del resbaladizo barro en la creciente oscuridad; cuando soltó el embrague en el extremo de la calzada y encendió súbitamente las luces, le aclamaron.

—¿Qué película iremos a ver? —preguntó Duncan.

—La que queráis.

Fueron al centro para ver los carteles. El interior del coche estaba frío y húmedo y Walt tosió; el parabrisas se empañaba, lo que hacía difícil distinguir los títulos de películas que pasaban en los cines. Walt y Duncan continuaban peleando por el derecho a permanecer en el hueco de separación de los asientos delanteros; por alguna razón, para ellos ése había sido siempre el lugar predilecto del asiento trasero, y siempre habían peleado por ocuparlo, de pie o arrodillados, empujándose y golpeando el codo de Garp cada vez que éste usaba la palanca de cambios.

—Fuera de ahí los dos —ordenó Garp.

—Es el único lugar desde el que es posible ver —protestó Duncan.

—Yo soy el único que tiene que ver —dijo Garp—. Y este descongelante es una *porquería* —añadió—. Es una porquería, es tan malo que nadie tiene la posibilidad de ver nada por el parabrisas, de todos modos.

—¿Por qué no escribes a la Volvo? —sugirió Duncan.

Garp trató de imaginar una carta a Suecia acerca de los inconvenientes del sistema de descongelamiento, pero no logró sustentar la idea por mucho tiempo. En el suelo, en la parte de atrás, Duncan se arrodilló sobre un pie de Walt y le empujó hasta echarle del hueco entre los dos asientos; Walt gritó y tosió.

—Yo estaba primero —dijo Duncan.

Garp cambió la velocidad bruscamente y la punta desguarnecida de la palanca de cambios le rasguñó la mano.

—¿Ves esto, Duncan? —inquirió Garp furioso—. ¿Ves esta palanca de cambios? Es como una *lanza*. ¿Quieres caerte encima si tengo que frenar de repente?

—¿Por qué no la haces arreglar? —inquirió Duncan.

—¡Apártate de ese maldito hueco entre los asientos, Duncan! —chilló Garp.

—Ese eje está así desde hace meses —insistió Duncan.

—Durante *semanas,* tal vez —le corrigió Garp.

—Si es peligroso, tendrías que hacerlo arreglar —repitió Duncan.

—Eso es cosa de tu madre.

—Ella dice que te corresponde a ti, papá —intervino Walt.

—¿Cómo va la tos, Walt? —quiso saber Garp.

Walt tosió. El húmedo estertor de su pequeño pecho parecía excesivo para el niño.

—¡Jesús! —esclamó Duncan.

—Es una barbaridad, Walt —observó Garp.

—*Yo* no tengo la culpa —gimió Walt.

—Claro que no —lo tranquilizó su padre.

—Sí, la tiene —se entrometió Duncan—. Walt se pasa la mitad de su vida en los *charcos.*

—¡Mentira! —vociferó Walt.

—Busca una película que parezca interesante, Duncan —propuso Garp.

—Si no me arrodillo entre los asientos, no veo nada.

Dieron unas vueltas. Todos los cines estaban en la misma manzana pero debieron pasar varias veces para decidirse por una película, y luego unas cuantas veces más para encontrar lugar donde aparcar.

Los niños escogieron el único cine en que había cola para ver la película, cola que se extendía desde abajo de la marquesina y a lo *largo* de la acera, salpicada ahora por una helada llovizna. Garp puso su chaqueta sobre la cabeza de Walt y el niño parecía un pordiosero mal vestido, un empapado enano que esperaba despertar compasión aprovechando la inclemencia del tiempo. En seguida pisó un charco y se mojó los pies; Garp le alzó y auscultó su pecho. Parecía que Garp pensaba que el agua de los zapatos húmedos de Walt gotearía inmediatamente en sus pequeños pulmones.

—Eres tan *raro,* papá —comentó Duncan otra vez.

Walt vio un coche extraño y lo señaló. El automóvil avanzaba rápidamente calle abajo; al salpicar los charcos, arrojaba sobre sí mismo el reflejo de las luces de neón, un descomunal coche oscuro del color de la sangre coagulada; tenía tablillas de madera en los costados, que brillaban claramente bajo las farolas de la calle. Las tablillas parecían las costillas del largo e iluminado esqueleto de un enorme pez que se desliza bajo la luz de la luna.

—¡Mirad ese coche! —gritó Walt entusiasmado.

—Es un coche *fúnebre* —afirmó Duncan.

—No, Duncan —intervinó Garp—. Es un viejo Buick. De antes de que tú nacieras.

El Buick que Duncan confundió con un coche fúnebre iba camino de casa de Garp, aunque Helen había hecho todo lo posible por impedir que Michael Milton fuera a su casa.

—*No puedo* verte —le dijo Helen cuando le llamó—. Es así de sencillo. Todo ha terminado, tal como te dije que ocurriría si él se enteraba. No quiero herirle más de lo que ya lo he hecho.

—¿Y yo? —dijo Michael Milton.

—Lo siento. Pero tú lo sabías. Ambos lo sabíamos.

—Necesito *verte*. ¿Mañana?

Pero Helen le explicó que Garp había llevado a los chicos al cine con el único propósito de que se despidieran.

—Iré a verte —afirmó Michael.

—No, aquí no.

—Entonces saldremos a dar una vuelta.

—Tampoco puedo salir —dijo Helen.

—Vengo en seguida —Michael Milton colgó el teléfono.

Helen miró la hora. Calculó que todo andaría bien si lograba que se marchara rápido. Las películas duraban como mínimo una hora y media. Decidió que no le haría entrar en casa... bajo ningún pretexto. Esperó a ver las luces de los faros en la calzada y, cuando el Buick frenó —exactamente frente al garaje, como un inmenso barco que echa anclas en un oscuro embarcadero—, salió corriendo de la casa y se lanzó contra la puerta del conductor antes de que Michael tuviera tiempo de abrirla.

La lluvia se estaba convirtiendo en aguanieve semiblanda a los pies de Helen y las heladas gotas se endurecían al caer, punzantes al chocar contra su cuello desnudo, cuando se inclinó para hablar con él a través de la ventanilla baja.

Lo primero que hizo Michael Milton fue besarla. Ella intentó picotearle la mejilla pero él volvió la cara y violentamente introdujo su lengua en la boca de Helen. Esta rememoró el dormitorio del apartamento de su alumno, la reproducción, tamaño cartel, de encima de su cama: *Simbad el Marino*, de Paul Klee. Supuso que así era cómo él se veía a sí mismo: un pintoresco aventurero, pero sensible a las bellezas de Europa.

Helen se apartó de él y sintió que la fría lluvia le empapaba la blusa.

—No podemos *separarnos* —dijo Milton en tono desdichado.

Helen no pudo distinguir si la lluvia atravesaba la ventanilla abierta o si eran lágrimas las gotas que cubrían el rostro de Michael. Observó sorprendida que se había afeitado el bigote, y su labio superior se parecía lejanamente al labio sin desarrollar de un niño, con gesto de hacer pucheros como el de Walt, que en él quedaba encantador, pensó Helen; pero ésa no era la idea que tenía de los labios de un amante.

—¿Qué hiciste con tu bigote?

—Pensé que no te gustaba. Lo hice por ti.

—Pero me *gustaba* —Helen se estremeció bajo la fría lluvia.

—Por favor, entra —la invitó Michael.

Helen meneó la cabeza; tenía la blusa pegada a la piel fría y la larga falda de pana pesaba una enormidad; sus botas altas resbalaron en la cada vez más endurecida nevisca.

—No te llevaré a ningún sitio —prometió Michael—. Nos quedaremos sentados aquí, en el coche. No podemos *separarnos* —repitió.

—Sabíamos que tendríamos que hacerlo. Sabíamos que era algo perecedero —le recordó Helen.

Michael Milton hundió la cabeza contra el aro de la bocina, que no sonó por estar desconectado el encendido. La lluvia comenzó a golpetear contra los cristales de las ventanillas; el coche empezó a revestirse lentamente de hielo.

—Por favor, entra —gimió Michael Milton—. No pienso moverme de aquí —agregó enérgicamente—. No le tengo miedo. No tengo por qué hacer lo que él diga.

—Es también lo que *yo* digo —aclaró Helen—. Tienes que irte.

—No me iré. Conozco a tu marido. Sé todo lo que hay que saber sobre él.

Nunca habían hablado de Garp: Helen lo había prohibido. Ignoraba lo que Michael Milton quería decir.

—Es un escritor de segunda fila —opinó Michael descaradamente.

Helen pareció sorprendida; por lo que sabía, Michael Milton no había leído a Garp. En cierta ocasión le había comentado que nunca leía obras de autores vivos; pretendía evaluar la perspectiva que, según decía, sólo podía adquirirse cuando un escritor llevaba muerto mucho tiempo. Afortunadamente, pensó Helen. Garp no sabía *esto* sobre él... lo que indudablemente se habría sumado a su desprecio por el joven. Ahora sirvió para agregar algo a la decepción de Helen por el pobre Michael.

—Mi marido es muy buen escritor —dijo suavemente y un escalofrío la acometió con tanta fuerza que sus brazos cruzados se abrieron y tuvo que volver a apretarlos contra su pecho.

—No es un autor de talla —declaró Michael—. Lo dijo Higgins. Tendrías que saber cómo consideran a tu marido en el Departamento.

Helen sabía que Higgins era un colega singularmente excéntrico y fastidioso, que lograba ser al mismo tiempo un insufrible gilipollas cuya charla provocaba sueño. Helen no consideraba que Higgins fuera representativo del Departamento con la salvedad de que, al igual que muchos de sus colegas más inseguros, habitualmente cotilleaba con los posgraduados acerca de sus compañeros de Departamento; de esta forma desesperada, quizás, Higgins creía ganar la confianza de los estudiantes.

—No estaba enterada de que *consideraban* a Garp en el Departamento, en un sentido u otro —señaló Helen fríamente—. La mayoría de los profesores no lee nada demasiado contemporáneo.

—Los que lo hacen afirman que es de segunda fila —concluyó Michael Milton.

Su postura combativa y patética no inclinó el corazón de Helen en su favor: ésta se volvió para entrar en la casa.

—¡No pienso irme! —gritó Michael Milton—. Le obligaré a enfrentarse a lo nuestro. ¡Ahora mismo! El no puede indicarnos lo que tenemos que hacer.

—Soy *yo* quien lo dice, Michael.

Michael volvió a apoyarse en la bocina y empezó a llorar. Ella se acercó y le tocó el hombro a través de la ventanilla.

—Me sentaré a tu lado un minuto. Pero *debes* prometerme que te irás. No quiero que él o mis hijos vean esto.

Michael se lo prometió.

—Dame las llaves —dijo Helen.

La mirada de funesto dolor —porque Helen no confiaba en él— la conmovió profundamente. Pero guardó las llaves en el bolsillo de su falda y dio la vuelta hasta el asiento del acompañante. Subió al coche. Michael subió su ventanilla y permanecieron sentados, sin tocarse; las ventanillas se empañaron y el coche crujió bajo un manto de hielo.

Entonces él se derrumbó por completo y le dijo que para él ella significaba más que toda Francia, y ella sabía muy bien lo que Francia significaba para él, naturalmente. Le abrazó, entonces, y pensó, temerosa, en cuánto tiempo había pasado o estaba pasando. Aunque no fuera un largometraje, todavía debía de faltar una buena media hora o cuarenta y cinco minutos; pero Michael Milton no parecía ni remotamente cerca de marcharse. Le besó intensamente, con la esperanza de que eso ayudaría, pero él empezó a acariciar sus húmedos y fríos pechos. Helen se sintió tan congelada con él como se había sentido a la intemperie, bajo la espesa aguanieve. Pero se dejó acariciar.

—Querido Michael... —dijo, sin dejar de pensar un solo instante.

—¿Cómo es posible que esto termine?

Pero Helen había terminado ya; ahora sólo pensaba en la forma de que terminara *él*. Le irguió contra el respaldo y se extendió a lo largo del asiento; tiró de la falda para cubrirse las rodillas y apoyó la cabeza en su regazo.

—Por favor, *recuerda* —dijo Helen—. Por favor inténtalo. Esto era lo más hermoso para mí... que tú me condujeras en el coche cuando yo sabía adónde nos dirigíamos. ¿No puedes ser feliz... recordándolo?

Michael permaneció rígido detrás del volante, haciendo fuerza con ambas manos, los muslos tensos bajo la cabeza de Helen, su creciente erección contra la oreja de ella.

—Por favor, trata de dejar las cosas así, Michael —rogó Helen con ternura.

Permanecieron así un instante, imaginando que el viejo Buick los llevaba otra vez al apartamento de Michael. Pero éste no era capaz de sustentarse con la imaginación. Apoyó una mano en la nuca de Helen y la agarró con firmeza; con la otra mano se abrió la bragueta.

—¡Michael! —protestó Helen violentamente.

—Siempre dijiste que deseabas hacerlo —le recordó.

—Lo nuestro ha *concluido* Michael.

—Todavía no, aún no ha concluido.

El pene de Michael chocó con su frente y le rozó las pestañas; Helen lo reconoció como el Michael de siempre... el Michael del apartamento, el Michael a quien en ciertas ocasiones le gustaba tratarla con cierta *fuerza*. Ahora no le gustó. Pero si me resisto, pensó, habrá una escena. Sólo tuvo que imaginar a *Garp* como parte de la escena para convencerse de que debía evitar *cualquier* escena, a cualquier precio.

—No seas necio, no te transformes en una picha, Michael. No lo estropees.

—Siempre dijiste que querías hacerlo —insistió—. Pero afirmabas que no era prudente por razones de seguridad. Bien, ahora es prudente. El coche ni siquiera está en movimiento. Ahora no puede producirse ningún accidente.

Extrañamente, comprendió Helen, de pronto él le facilitaba las cosas. Ya no se preocupó por dejarlo amablemente; le agradeció mentalmente que la hubiera ayudado a descubrir sus preferencias tan enérgicamente. Sus preferencias —se sintió enormemente aliviada al saberlo— eran Garp y sus hijos. Walt no tendría que estar afuera con este tiempo, pensó estremecida. Y para ella, Garp era *más grande* que todos sus colegas menores y alumnos posgraduados juntos.

Michael Milton había permitido que lo viera en una situación que chocó a Helen como una vulgaridad necesaria. *Chúpasela*, pensó con violencia, métete su pene en la boca y *luego* se irá. Pensó amargamente que los hombres, después de eyacular eran rápidos en renunciar a sus exigencias. Y por su breve experiencia en el apartamento de Michael Milton, Helen sabía que no llevaría mucho tiempo.

El tiempo también fue un factor importante en su decisión; faltaban como mínimo veinte minutos incluso para terminar de ver la película más corta que hubieran elegido. Concentró su mente en lo que estaba haciendo como lo habría hecho si se tratara de la última tarea restante de un trabajo complicado, que podía haber terminado mejor, pero también peor; se sintió levemente orgullosa de haberse demostrado, al menos a sí misma, que su familia era su gran prioridad. Incluso Garp podría apreciarlo, pensó; pero algún día, no inmediatamente.

Estaba tan convencida de ello que apenas notó que Michael Milton liberaba su nuca y apoyaba ambas manos en el volante, como si realmente estuviera pilotando la experiencia. Que crea lo que quiera, pensó. Ella pensaba en su familia y no percibió que la nevisca era ahora casi tan dura como el granizo; golpeteaba el Buick como incontables golpes de martillo en pequeños clavos. Tampoco percibió que el viejo coche crujía y chasqueaba bajo su creciente tumba de hielo.

Y no oyó que sonaba el teléfono en su cálido hogar. El tiempo era demasiado inclemente y había otras interferencias entre su casa y el lugar donde estaba tendida.

La película era estúpida. Típica del gusto de los niños, pensó Garp; típica del gusto de una ciudad universitaria. Típica de todo el país. ¡Típica del mundo entero! Garp se indignó desde el fondo de su alma y prestó más atención a la laboriosa respiración de Walt, a los espesos arroyuelos de mocos que colgaban de su minúscula nariz.

—Ten cuidado de no ahogarte con esas palomitas de maíz —susurró.

—No me ahogaré —aseguró Walt sin apartar la vista de la gigantesca pantalla.

—No puedes *respirar* muy bien, de modo que no te lleves demasiadas a la boca. Podrías inhalarlas. Y es evidente que no puedes respirar por la nariz —volvió a secarle los mocos—. Sopla.

311

Walt sopló.

—¿No es fenomenal? —susurró Duncan.

Garp sintió calientes los mocos de Walt; este chico debe de tener cerca de cuarenta grados de temperatura, pensó. Miró a Duncan.

—Sí, es algo fenomenal, Duncan —dijo Garp refiriéndose al catarro de su hijo menor, aunque Duncan se refería a la película.

—Tendrías que relajarte, papá —sugirió Duncan y meneó la cabeza.

Tendría, pensó Garp, pero no puedo. Pensó en Walt y en su perfecto y pequeño trasero, y en sus pequeñas y fuertes piernas, y en la dulzura del olor de su sudor cuando había estado corriendo y en su pelo húmedo detrás de las orejas. Un cuerpo tan perfecto no tendría que enfermar, pensó. Tendría que haber dejado que saliera Helen con esta noche de perros; tendría que haberla hecho llamar a ese cretino desde su despacho para decirle que se metiera el pito en el culo, pensó. O en un enchufe conectado y que se lo exprimiera.

Tendría que haber llamado a ese guapito, pensó. Tendría que haberle visitado en plena noche. Cuando Garp subió por el pasillo para ver si había teléfono en el vestíbulo, oyó que Walt seguía tosiendo.

Si todavía no se ha puesto en contacto con él, pensó Garp, le diré que deje de intentarlo, le diré que ahora es *mi* turno. Estaba en ese punto de sus sentimientos hacia Helen en que se sentía traicionado pero al mismo tiempo sinceramente amado e importante para ella; no había tenido tiempo suficiente de pensar *cuán* traicionado se sentía, ni cuánto, francamente, ella había estado tratando de no apartarle de su mente. Era un punto delicado, entre odiarla y amarla terriblemente... Además, no carecía de comprensión hacia cualquier cosa que ella deseara; al fin y al cabo, sabía que él también era débil. Llegó a parecerle injusto que Helen —que siempre había tenido buenas intenciones— hubiese sido descubierta de esa manera; era una buena mujer y merecía mejor suerte. Pero cuando Helen no respondió a la llamada telefónica, el delicado punto de los sentimientos de Garp hacia ella se quebró repentinamente. Sólo sintió ira, y sólo traición.

Zorra, pensó. El teléfono siguió sonando.

Salió a encontrarse con él. ¡O lo están haciendo allí! Los oyó decir: «¡Por última vez!». Ese insignificante insecto con sus pretenciosos cuentos acerca de las relaciones frágiles que *casi* transcurrían en restaurantes europeos mal iluminados. «Quizás alguien se ponía un guante que no correspondía y el momento se perdía para siempre; había uno en que una mujer decidía que *no* porque la camisa del hombre era muy ceñida en el cuello.»

¡Cómo podía Helen haber leído semejante bazofia! ¿Y cómo *podía* haber tocado su fatuo cuerpo de lechugino?

—Pero falta más de la mitad de la película —protestó Duncan—. Van a batirse en duelo.

Yo quiero ver el duelo —dijo Walt—. ¿Qué es un duelo?

—Nos vamos —decidió Garp.

—¡No! —dijo Duncan.

—Walt está enfermo —musitó Garp—. No tendría que estar aquí.

—No estoy enfermo —protestó Walt.

—No está *tan* enfermo —opinó Duncan.

—Levantad los traseros de los asientos —ordenó Garp.

Tuvo que levantar a Duncan por la pechera de la camisa, lo que hizo que Walt se levantara instantáneamente y ocupara la delantera en el pasillo. Duncan los siguió, refunfuñando.

—¿Qué es un *duelo*? —preguntó Walt a Duncan.

—Es algo fantástico. Ahora nunca tendrás la posibilidad de verlo.

—Basta, Duncan —dijo Garp—. No seas malo.

—El malo eres tú —se rebeló Duncan.

—Sí, papá —agregó Walt.

El Volvo estaba envuelto en hielo, solidificado en el parabrisas; Garp supuso que habría raspadores y cepillos rompenieve, además de otros utensilios útiles para el caso en el maletero. Pero el invierno había desgastado gran parte del equipo o los chicos habían jugado con él y lo habrían perdido. Pero de todos modos Garp no pensaba tomarse el tiempo necesario para limpiar el parabrisas.

—¿Cómo haces para ver? —quiso saber Duncan.

—Vivo aquí, no necesito ver.

Pero de hecho tuvo que bajar la ventanilla de su lado y exponer su rostro al aguanieve dura como el granizo; condujo todo el tiempo en esa posición.

—Hace mucho frío —Walt se estremeció—. ¡Cierra la ventanilla!

—Necesito que esté abierta para poder ver —dijo Garp.

—Creí que tú no necesitabas ver —repuso con ironía Duncan.

—¡Tengo mucho frío! —Walt tosió dramáticamente.

Pero a juicio de Garp, todo lo que ocurría era por culpa de Helen. Ella era la responsable de que Walt tuviera frío o de que su catarro empeorara. Ella era la culpable. En cuanto a la decepción que había provocado a Duncan al cogerle imperdonablemente de la camisa en el cine para levantarlo del asiento: ella era la culpable. ¡La muy zorra, con su estúpido amante!

313

Pero en ese momento sus ojos se llenaron de lágrimas por el viento frío y la nevisca y pensó cuánto amaba a Helen; decidió que *jamás* volvería a serle infiel, que nunca la heriría de ese modo, que se lo prometería.

En ese mismo momento Helen tuvo buena conciencia. Su amor por Garp era infinito. Sintió que Michael Milton estaba a punto de correrse: mostraba las señales conocidas. El ángulo de inclinación de la cintura, el esfuerzo del músculo —tan poco útil para otras actividades—, del interior del muslo. Casi ha concluido, pensó Helen. Su nariz tocó el frío metal de la hebilla del cinturón de Michael y la parte de atrás de su cabeza chocó contra la parte anterior del volante, que Michael Milton agarró como si esperara que el Buick de tres toneladas alzara repentinamente el vuelo.

Garp alcanzó la parte baja de la calzada de su casa a unos sesenta kilómetros por hora. Atravesó la cuesta abajo en tercera y aceleró al dejarla; vio que la calzada estaba cubierta de aguanieve congelada y por un instante se preocupó pensando que el Volvo podía resbalar en la breve cuesta arriba. Mantuvo el coche embragado hasta que sintió que se asentaba bien en el suelo; movió la palanca de cambio a punto muerto... un segundo antes de apagar el motor y los faros.

Subieron bajo la espesa lluvia. La sensación era la misma que experimentaron cuando un avión corre antes de abandonar la pista. Los chicos gritaron, exaltados. Garp sintió que le rozaban el codo y se empujaban para ganar la posición favorita en el hueco de separación de los asientos delanteros.

—¿Cómo lo haces para ver *ahora*? —preguntó Duncan.

—No necesita ver —afirmó Walt.

La voz de Walt contenía un estremecimiento que convenció a Garp de que el niño necesitaba tranquilizarse a sí mismo.

—Conozco esta calzada de memoria —aseguró Garp.

—¡Es como estar sumergido! —aseguró Garp.

—¡Es como un sueño! —dijo Walt y buscó la mano de su hermano.

El mundo según Marco Aurelio

Así, una vez más, Jenny Fields volvió a ser enfermera; después de tantos años de uniforme blanco asistiendo al movimiento femenino, Jenny estaba adecuadamente vestida para cumplir su papel. La familia Garp se mudó a la finca de los Fields, en Dog's Head Harbor, por sugerencia de Jenny. Allí había habitaciones para que estuvieran cómodos y bien atendidos, además del murmullo terapéutico de las olas del mar que avanzaban y retrocedían, limpiándolo todo.

Duncan Garp asociaría toda su vida los rumores del mar con la convalecencia. Su abuela le cambiaba el vendaje; había una especie de irrigación de la marea en la cavidad donde anteriormente se encontraba el ojo derecho de Duncan. Su padre y su madre no podían soportar la vista de ese boquete vacío, pero Jenny era veterana en el tratamiento de heridas hasta su desaparición. Fue con su abuela, Jenny Fields, con quien Duncan vería su primer ojo de vidrio.

—¿Ves? —dijo Jenny—. Es grande y pardo, no tan hermoso como tu ojo izquierdo, pero siempre debes asegurarte de que las chicas vean primero el tuyo.

Pensó que lo que había dicho no era una expresión muy feminista, pero Jenny siempre insistía en que era, primero y principalmente, una enfermera.

El ojo derecho de Duncan se vació cuando el niño cayó hacia adelante entre los asientos delanteros; la punta desguarnecida del eje de la palanca de cambios fue lo primero que interceptó su caída. El brazo derecho de Garp, que se extendió hacia el hueco de separación de los asientos, llegó demasiado tarde; Duncan pasó por debajo, vaciándose el ojo derecho y rompiéndose tres dedos de la mano derecha, que se trabó en el mecanismo de liberación del cinturón de seguridad.

Según todos los cálculos, el Volvo no podía ir a más de cuarenta —como máximo cincuenta— kilómetros por hora, pero el choque fue brutal. El Buick de tres toneladas no cedió un centímetro al coche de Garp. En el interior del Volvo, los chicos parecieron huevos sin huevera —sueltos en la bolsa de la compra— en el momento del choque. Incluso en el interior del Buick la sacudida fue sorprendentemente feroz.

La cabeza de Helen cayó hacia adelante, evitando apenas la barra de la dirección, que le golpeó la nuca. La mayoría de los hijos de luchadores tienen cuellos resistentes, por lo cual el de Helen no se rompió... aunque tuvo que usar una abrazadera durante casi seis semanas y la espalda le molestaría el resto de su vida. Se rompió la clavícula derecha, tal vez por el rodillazo de Michael Milton, y se aplastó el puente de la nariz —nueve puntos— probablemente a causa de la hebilla del cinturón de aquél. La boca de Helen se cerró con tanta fuerza que se rompió los dientes y necesitó dos puntos en la lengua.

Al principio creyó que se había mordido y arrancado la lengua porque la sintió flotar en su boca llena de sangre; pero le dolía tanto la cabeza que no se atrevió a abrir la boca hasta que tuvo que respirar; además, no podía mover el brazo izquierdo. Escupió lo que creía era su lengua en la palma de su mano izquierda. No era su lengua, por supuesto. Era el equivalente de las tres cuartas partes del pene de Michael Milton.

El cálido baño de sangre en su rostro supo a gasolina en el paladar de Helen; empezó a chillar, no por su seguridad, sino por la de Garp y los niños. Sabía qué era lo que había chocado contra el Buick. Se esforzó por separarse del regazo de Michael Milton porque tenía que comprobar qué le había ocurrido a su familia. Dejó lo que creía era su lengua en el suelo del Buick y con su brazo izquierdo sano dio un *puñetazo* a Michael Milton, cuyo regazo la aplastaba contra la barra de la dirección. Sólo entonces oyó otros gritos por encima de los suyos. Michael Milton gritaba, naturalmente, pero Helen únicamente podía oír los ruidos que provenían de más allá, del Volvo. Tuvo la certeza de que era Duncan quien gritaba y con su brazo izquierdo se abrió camino a través del sangrante regazo de Michael Milton hasta la manivela de la puerta. Cuando ésta se abrió, empujó a Michael fuera del Buick: se sentía increíblemente fuerte. Michael no corrigió su posición encorvada y sentada; cayó de lado sobre la congelada nevisca como si continuara en el asiento del conductor, aunque aullaba y sangraba como un buey.

Cuando se encendió la luz de la puerta del descomunal Buick, Garp logró divisar tenuemente la sangre derramada en el Volvo, el rostro chorreante de Duncan, hendido por su atroz vagido. Garp también empezó a aullar, pero su aullido no sonó más fuerte que un gemido; su extraño sonido lo asustó tanto que intentó hablar suavemente con Duncan. En ese momento se dio cuenta de que no podía hablar.

Cuando Garp extendió el brazo para interceptar la caída de Duncan, hizo un giro casi completo en el asiento y su cara golpeó el volante con fuerza suficiente como para romperle la mandíbula y mutilarle la lengua (doce puntos). Durante las largas semanas de restablecimiento de Garp en Dog's Head Harbor, fue una suerte para Jenny haber adquirido tanta experiencia con las ellen-jamesianas, porque a su hijo le cerraron la boca con alambres y sólo podía dirigirle mensajes por escrito. A veces, a máquina, escribía páginas y páginas que Jenny leía en voz alta a Duncan, debido a que —aunque sabía leer— el niño tenía instrucciones de no esforzar más de lo necesario el ojo sano. Con el tiempo, ese ojo compensaría la pérdida del otro, pero Garp tenía que transmitir muchas cosas inmediatas y no tenía forma de decirlas. Cuando comprendió que su madre estaba compilando sus observaciones —las dirigidas a Duncan y a Helen (a quien también escribía páginas y páginas)— Garp rugió su protesta a través de los alambres, tratando de mantener inmóvil la lengua dolorida. Y Jenny Fields, como buena enfermera que era, le trasladó sabiamente a una habitación individual.

—Este es el Hospital de Dog's Head Harbor —comentó una vez Helen.

Aunque Helen estaba en condiciones de hablar, decía muy poco: no tenía páginas y páginas para decir. Pasó la mayor parte de su convalecencia en la habitación de Duncan, leyéndole, porque era mucho mejor lectora que Jenny, y su lengua sólo tenía dos puntos. Durante el período de recuperación, Jenny podía atender a Garp mejor que Helen.

A menudo, Helen y Duncan se sentaban juntos en el dormitorio del niño. Duncan tenía una buena visión unilateral del mar, que observaba todo el día como si él mismo fuera una cámara. Acostumbrarse a tener un solo ojo es parecido a acostumbrarse a ver el mundo a través de una cámara; existen similitudes en la profundidad de campo y en los problemas de enfoque. Cuando Duncan pareció preparado para descubrirlo, Helen le compró una cámara, una Reflex de una sola lente: era la que tenía más sentido para Duncan.

Más tarde, Duncan Garp recordaría que fue durante ese período cuando se le ocurrió por primera vez la idea de ser un artista, un pintor, un fotógrafo; tenía casi once años. Aunque había sido deportista, su único ojo le colocaría (como a su padre) definitivamente en contra de los deportes que se practican con pelotas. Incluso correr, decía, quedaba descartado por la falta de visión periférica; Duncan afirmaba que eso le había vuelto torpe. El hecho de que a Duncan no le interesara luchar se sumó a la tristeza de Garp. Duncan hablaba en términos de cámara fotográfica y dijo a su padre que uno de sus problemas con la profundidad de campo radicaba en la imposibilidad de saber a qué distancia se encontraba la colchoneta.

—Cuando lucho, siento lo mismo que si bajara una escalera en la oscuridad —explicó a Garp—, no sé cuándo llego al pie hasta que lo *siento*.

Naturalmente, Garp llegó a la conclusión de que el accidente había vuelto inseguro a Duncan para los deportes, pero Helen ya le había explicado que Duncan siempre había manifestado cierta timidez, cierta reserva... aunque era bueno para los deportes y evidentemente coordinaba bien, siempre había tenido una tendencia a no participar. Al menos, no tan enérgicamente como Walt, que era intrépido y que entregaba confiadamente su cuerpo a cada nueva circunstancia con gracia y temeridad. Walt, afirmaba Helen, era el auténtico deportista. Después de un tiempo, Garp supuso que Helen tenía razón.

—Tú sabes muy bien que con frecuencia Helen tiene razón —dijo una noche Jenny a Garp, en Dog's Head Harbor.

Las circunstancias de la observación podrían haber sido cualesquiera, pero de hecho ocurrió poco después del accidente, porque Duncan tenía su propia habitación, Helen tenía su propia habitación y Garp tenía su propia habitación y así sucesivamente.

A menudo Helen tiene razón, le había dicho su madre, pero Garp pareció irritarse y le escribió una nota:

«Esta vez no, mamá»,

decía la nota refiriéndose —quizás— a Michael Milton. Refiriéndose a toda la cuestión.

No fue expresamente a causa de Michael Milton por lo que Helen renunció. La acogida del gran hospital —tal como Garp y Helen consideraban la finca— de Jenny junto al mar era una forma de dejar la indeseada familiaridad de su hogar y de aquella acera.

En el código ético de la facultad, se consideraba la «inmoralidad» motivo suficiente como para revocar un contrato, aunque nunca se planteaba; por lo general, acostarse con los alumnos no se enjuiciaba tan duramente. Podía ser una razón encubierta para no contratar a un miembro de la facultad, pero rara vez lo era para rescindir un contrato firmado.

Helen pudo haber supuesto que arrancar las tres cuartas partes del pene de un alumno ocupaba un puesto bastante elevado en la escala de abusos concebibles para con los estudiantes. Acostarse con ellos era algo que ocurría, sencillamente, aunque no se estimulaba; había formas mucho peores de valorar las condiciones de los alumnos y clasificarlos para toda la vida. Pero la amputación de sus genitales era indudablemente grave, incluso para los malos alumnos, y Helen debió de sentirse inclinada a castigarse a sí misma. Como corolario, se negó el placer de continuar en la tarea para la cual estaba tan bien preparada y se distanció de la seducción que los libros y su discusión siempre habían ejercido sobre ella. En los años siguientes, Helen se ahorraría considerables desdichas negándose a sentirse culpable; en los años siguientes, toda la cuestión de Michael Milton la pondría más a menudo furiosa que triste, porque era lo bastante fuerte como para considerarse una buena mujer —y lo era— sometida a sufrir de manera desproporcionada por una indiscreción trivial.

Pero al menos durante un tiempo, Helen se dedicó a curarse a sí misma y a su familia. Como nunca había tenido madre y tenía muy pocas posibilidades de pensar en Jenny Fields en ese sentido, Helen se sometió a ese período de hospitalización en Dog's Head Harbor. Se serenaba atendiendo a Duncan y abrigaba la esperanza de que Jenny cuidaría bien de Garp.

El aura de hospital no era nueva para Garp, cuyas tempranas experiencias —con el temor, con los sueños, con el sexo— habían tenido lugar en la atmósfera de la enfermería de la Steering School. Se adaptó. Le ayudó el hecho de tener que escribir lo que quería decir, porque le volvió cuidadoso; le obligaba a reconsiderar muchas de las cosas que *pensaba* que quería decir. Cuando las veía escritas —sus pensamientos en carne viva—, comprendía que no podía o no debía decirlas; cuando las revisaba, comprendía mejor y las rompía. Escribió una nota para Helen que decía:

«Las tres cuartas partes no es suficiente».

La rompió y la tiró a la basura. Luego escribió otra que *sí* le entregó:

«No te culpo».

Más tarde, escribió otra:

«Tampoco me culpo yo»,

decía la nota.

«Sólo de esta forma podemos ser sanos otra vez»,

escribió Garp a su madre.

Y Jenny Fields recorría, vestida de blanco, la casa húmeda y salobre, de habitación en habitación, con su estilo de enfermera y las notas de Garp, que eran los únicos escritos que podía soportar.

Naturalmente, la casa de Dog's Head Harbor se utilizaba para muchos tipos de restablecimientos. Las mujeres heridas que seguían a Jenny se reponían allí; aquellas habitaciones con olor a mar contenían muchas historias de tristeza superada. Entre otras, la tristeza de Roberta Muldoon, que había vivido con Jenny durante los períodos más difíciles de su transformación sexual. En realidad, Roberta había fracasado en vivir sola —y en vivir con una serie de hombres— y volvió a instalarse en Dog's Head Harbor cuando lo hicieron los Garp.

Cuando la primavera avanzó y la cavidad que había sido el ojo derecho de Duncan cicatrizó lentamente haciéndose menos vulnerable a los granos de arena, Roberta empezó a llevar a Duncan a la playa. Fue en la playa donde Duncan descubrió su problema de profundidad de campo en relación con una pelota, porque Roberta Muldoon intentó jugar con él y pronto le golpeó la cara con la pelota. Abandonaron el juego y Roberta entretuvo a Duncan dibujando en la arena todos los movimientos que solía hacer como lateral de los Eagles de Filadelfia; se centró en la parte del ataque de los Eagles que le concernía cuando era Robert Muldoon —el n.º 90— y revivió para Duncan sus pases bajos ocasionales, sus pelotas caídas, sus penalizaciones por fuera de juego, sus golpes más intencionados.

—Fue contra los Cowboys —explicó a Duncan—. Jugábamos en Dallas y ese reptil al que la afición llamaba Ocho Pelotas se acercó por mi costado ciego... —Roberta observó al niño que tenía un costado ciego para toda la vida y cambió hábilmente de tema.

Con Garp, el tema de Roberta eran los peliagudos detalles de su transformación sexual, pues Garp parecía interesado en ello y Roberta sabía que probablemente le gustaría oír hablar de un problema tan profundamente distante del propio.

—Siempre supe que tendría que haber sido una niña —dijo a Garp—. Soñaba con que un hombre me hacía el amor, pero en los sueños yo era siempre mujer; *nunca* era un hombre al que otro hombre le hacía el amor.

Había más que un matiz de disgusto en las referencias de Roberta a los homosexuales y a Garp le pareció extraño que la gente que estaba a punto de tomar una decisión que la relegaría firmemente y para siempre en una minoría fuese posiblemente menos tolerante de lo que imaginamos con respecto a las demás minorías. Roberta también se mostraba intransigente cuando se quejaba de las otras mujeres con problemas que iban a buscar consuelo en Dog's Head Harbor con Jenny Fields.

—Esas malditas lesbianas —dijo Roberta a Garp—. Están tratando de hacer de tu madre algo que ella no es.

—A veces creo que precisamente para eso sirve mamá... —bromeó Garp—. Hace feliz a la gente haciéndole creer que es algo que no es.

—También intentaron confundirme a mí —prosiguió Roberta—. Cuando me estaba preparando para la operación, trataron de disuadirme. «Hazte gay. Si deseas a los hombres, consíguelos tal como eres. Si te transformas en mujer, se aprovecharán de ti», me dijeron. Eran unas cobardes —concluyó Roberta, aunque Garp sabía que, lamentablemente, se habían aprovechado de ella repetidas veces.

La vehemencia de Roberta no era exclusiva; Garp se preguntaba cómo era posible que *todas* esas otras mujeres que estaban en la casa de su madre y a su cuidado, fueran víctimas de la intolerancia, cuando la mayoría de las que conocía parecían especialmente intolerantes entre sí. Era una especie de lucha cuerpo a cuerpo que para Garp no tenía sentido y se maravillaba de que su madre lo resolviera todo tan bien, logrando mantenerlas felices y sin que se arrancaran los pelos. Garp sabía que *Robert* Muldoon había pasado antes de operarse varios meses al límite de la desesperación. Salía por las mañanas vestido como Robert Muldoon y compraba ropa de mujer; casi nadie sabía que estaba pagando su transformación sexual con los honorarios que cobraba por las conferencias que daba en clubs de muchachos y de hombres. Por las noches, en Dog's Head Harbor, Robert Muldoon pasaba sus nuevos modelos para Jenny y las criticonas que compartían la casa. Cuando los estrógenos empezaron a agrandar los pechos y a modificar las formas del ex lateral, Robert renunció al circuito de conferencias; salía de Dog's Head Harbor con hombrunos trajes de mujer y pelucas de estilo conservador; trató de *ser* Roberta mucho antes de la intervención quirúrgica. Clínicamente, ahora Roberta tenía los mismos genitales e iguales órganos urológicos que la mayoría de las mujeres.

—Naturalmente, no puedo concebir —comentó a Garp—. No ovulo ni menstrúo —lo mismo que millones de mujeres, la había tranquilizado Jenny Fields en su momento—. ¿Quieres saber qué más me dijo tu madre cuando volví a casa al salir del hospital? —preguntó Roberta a Garp.

Garp movió la cabeza negativamente. Comprendió que, para Roberta, «casa» significaba Dog's Head Harbor.

—Me dijo que sexualmente yo era menos ambigua que la mayoría de las personas que conocía. Y yo realmente necesitaba que me dijera eso, porque estaba obligada a usar constantemente ese espantoso dilatador para que mi vagina no se cerrara, y que me hacía sentir como una *máquina*.

«Mi vieja y bienhechora mamá»,

garabateó Garp.

—En lo que tú *escribes* hay tanta compasión por la gente... —dijo Roberta de repente—. Pero no encuentro la misma compasión en ti, en tu vida real.

Era lo mismo de lo que siempre le había acusado Jenny. Sin embargo, Garp sentía que ahora era más compasivo. Con la mandíbula cerrada por medio de alambres, con su mujer con el brazo en cabestrillo todo el día —y con Duncan que sólo tenía intacta la mitad de su hermoso rostro—, Garp se sentía más generoso hacia el resto de esas mujeres infelices que deambulaban por Dog's Head Harbor.

Aquélla era una ciudad veraniega. Fuera de temporada, la mansión de guijarros blanqueados, con sus pórticos y buhardillas, era la única vivienda habitada junto a las dunas de color gris verdoso y a la blanquecina playa del final de Ocean Lane. De vez en cuando, un perro olisqueaba los maderos de color hueso que había dejado la marea, y, de vez en cuando, los jubilados que vivían algunas millas tierra adentro —en sus antiguas casas de verano— recorrían la playa en busca de conchas y caparazones. En verano había enjambres de perros, niños y criados en la playa, y siempre una o dos barcas de colores brillantes en el puerto. Pero cuando los Garp se instalaron con Jenny, la línea de la costa parecía abandonada. La playa, atestada de desechos arrastrados por las mareas altas del invierno, estaba desierta. El océano Atlántico, a lo largo de abril y mayo, tenía el color lívido de un morado... como el del puente de la nariz de Helen.

Fuera de temporada, las visitantes de la villa eran rápidamente reconocidas como mujeres perdidas en busca de la famosa enfermera Jenny Fields. En verano, esas mujeres pasaban a menudo un día entero en Dog's Head Harbor tratando de encontrar a alguien que supiera dónde vivía Jenny. Pero todos los residentes permanentes de Dog's Head Harbor lo sabían: «La última casa al final de Ocean Lane», decían a las muchachas y mujeres lesionadas que pedían orientación. «Es grande como un hotel, encanto. No puedes confundirte.»

En algunas ocasiones, las buscadoras andaban penosamente por la playa y contemplaban la casa largo rato antes de reunir el valor necesario para averiguar si Jenny se encontraba allí; a veces Garp las veía, a solas o de a dos o tres, en las dunas, vigilando la casa como si estuvieran tratando de leer en sus paredes el grado de comprensión que encontrarían en su interior. Si había más de una, conferenciaban en la playa; una de ellas era elegida para llamar a la puerta, mientras las otras permanecían en cuclillas en las dunas, como perros a los que se ordena esperar hasta que se los llame.

Helen le compró a Duncan un catalejo, y desde su habitación con vista al mar, el niño espiaba a las trémulas visitantes y a menudo anunciaba su presencia horas antes de que llamaran a la puerta. «Alguien para la abuela», decía. Enfocaba, siempre enfocaba: «Tiene unos veinticuatro años. O catorce, quizá. Lleva una mochila azul. A su lado hay una naranja, pero me parece que no piensa comérsela. Hay alguien con ella, pero no le veo la cara. Está echada; no, está vomitando. No, lleva una especie de máscara. Probablemente es la madre de la otra... no, su hermana. O sólo una amiga.»

«Ahora se está comiendo la naranja. No parece estar muy sabrosa», informaba Duncan. Roberta miraba y a veces también lo hacía Helen. A menudo era Garp quien atendía la puerta. «Sí, es mi madre», decía, «pero ahora salió a hacer la compra. Pasa, si quieres esperarla.» Garp sonreía, aunque en ningún momento dejaba de escudriñar a la recién llegada con tanto cuidado como los jubilados recorrían la playa en búsqueda de conchas. Y antes de que su mandíbula se curara y su mutilada lengua volviera a unirse, Garp atendía la puerta pertrechado de una buena provisión de papel para sus notas. Muchas de las visitantes no se sorprendían en lo más mínimo de que les extendieran notas, ya que también ésa era su única forma de comunicación.

«Hola, me llamo Beth. Soy una ellenjamesiana.»

A su vez, Garp respondía con la siguiente nota:

«Hola, me llamo Garp. Tengo rota la mandíbula».

Garp sonreía y entregaba una segunda nota, según lo que correspondiera. Una de las tarjetas decía:

«Hay un hermoso fuego en el hornillo de leña de la cocina. Gira a la izquierda».

La otra nota decía:

«No te preocupes. Mi madre volverá en seguida. Hay otras mujeres aquí. ¿Quieres verlas?».

En ese período, Garp se decidió a llevar nuevamente chaqueta, no por nostalgia de su época en la Steering ni en Viena —e indudablemente no por la necesidad de ir bien vestido en Dog's Head Harbor, donde Roberta parecía ser la única mujer que se preocupaba por su atuendo, sino sólo porque necesitaba bolsillos para guardar las notas.

Intentó correr en la playa, pero tuvo que renunciar; los movimientos bruscos hacían vibrar su mandíbula y chocar la lengua contra los dientes. Pero caminaba kilómetros y kilómetros por la arena. Volvía de una de sus caminatas el día en que el coche patrulla llevó a un joven a la casa de Jenny; los policías le ayudaron a subir al gran vestíbulo principal cogiéndole de los brazos.

—¿Señor Garp? —preguntó uno de los policías.

Para caminar, Garp llevaba su equipo de carreras y, en consecuencia, no llevaba ninguna nota encima, pero movió la cabeza afirmativamente: sí, era el señor Garp.

—¿Conoce a este joven? —inquirió el policía.

—Claro que me conoce —intervino el joven—. Los polis no le creen a nadie. No saben *relajarse*.

Era el joven de la túnica púrpura, el que Garp había escoltado desde el dormitorio de la señora Ralph, hecho que le parecía que había ocurrido hacía muchos años. Consideró la idea de no reconocerle, pero volvió a mover la cabeza afirmativamente.

—Este chico no tiene un céntimo —explicó el policía—. No vive por aquí y no tiene trabajo. No asiste a ninguna escuela y, cuando llamamos a sus padres, nos respondieron que ni siquiera sabían dónde estaba… y no parecieron muy interesados en encontrarle. Pero él dice que se quedará con usted, y que usted hablará a su favor.

Naturalmente Garp no podía hablar. Señaló sus alambres e imitó el acto de escribir una nota sobre la palma de la mano.

—¿Cuándo te colocaron los alambres? —preguntó el muchacho—. A la mayoría de personas se los ponen de niños. Son los de aspecto más delirante que he visto en mi vida.

Garp escribió una nota en el dorso de un formulario de infracción de tráfico que le proporcionó el policía.

«Sí, asumo la responsabilidad de este muchacho. Pero no puedo hablar a su favor porque tengo la mandíbula rota.»

El joven leyó la nota por encima del hombro del policía.

—¿Cómo quedó el otro? —preguntó sonriente.

Perdió las tres cuartas partes de la polla, pensó Garp, pero no lo escribió en el formulario de infracción de tránsito ni en ningún otro sitio. Nunca.

El chico había leído las novelas de Garp en la cárcel.

—Ignoraba que eras el autor de esos libros —dijo—, de lo contrario no habría sido tan irrespetuoso.

Se llamaba Randy y se había convertido en un apasionado admirador de Garp. Este estaba convencido de que la corriente principal de sus admiradores estaba compuesta por niños desamparados, chicos solitarios, adultos retrasados, chiflados y, sólo excepcionalmente, por ciudadanos no marcados por un gusto pervertido. Pero Randy se había acercado a Garp como si éste ahora fuera el único gurú que mereciera obediencia. De acuerdo con el espíritu del hogar de su madre en Dog's Head Harbor, Garp no podía rechazarle.

Roberta Muldoon asumió la tarea de informar a Randy sobre el accidente ocurrido a Garp y a su familia.

—¿Quién es esa fornida y encantadora muchacha? —susurró Randy a Garp con reverencial respeto.

«¿No la reconoces?»,

escribió Garp.

«Era el lateral de los Eagles de Filadelfia.»

Pero ni siquiera la aspereza de Garp podía enturbiar el vivaz entusiasmo de Randy; no de inmediato, al menos. El muchacho entretenía a Duncan durante horas enteras.

«Dios sabe cómo»,

se quejó Garp a Helen.

«Probablemente le cuenta a Duncan todas sus experiencias con drogas.»

—Ese muchacho no anda metido en nada de eso —le aseguró Helen—. Tu madre se lo preguntó.

«Entonces, le cuenta a Duncan la exaltadora historia de sus antecedentes delictivos»,

escribió Garp.

—Randy quiere ser escritor —dijo Helen.

«¡Todo el mundo quiere ser escritor!»,

escribió Garp. Pero no era verdad. *El* no quería ser escritor, ya no. Cuando intentaba escribir, sólo se le ocurrían los temas más mortales. Sabía que tenía que olvidarlo, que no debía alimentarlo con el recuerdo ni exagerar su horror mediante el arte. Eso era locura, pero siempre que pensaba en escribir, el único tema que se le aparecía con toda su impudicia eran sus frescos charcos viscerales y su hedor a muerte. De modo que no escribía; ahora ni siquiera lo intentaba.

Finalmente, Randy se fue. Aunque Duncan lamentó su partida, Garp se sintió aliviado; no mostró a nadie la nota que le dejó Randy:

«Nunca seré tan bueno como tú en nada. Aunque esto es verdad, podrías haber sido un poco más generoso y no habértela machacado tanto».

De modo que no soy lo bastante bondadoso, pensó Garp. ¿Y qué más? Echó a la basura la nota de Randy.

Cuando le quitaron los alambres y ya no tuvo la lengua en carne viva, Garp volvió a correr. A medida que avanzaba la primavera, Helen se dedicó a nadar. Le habían dicho que ese ejercicio era bueno para restablecer la flexibilidad muscular y reforzar la clavícula, que todavía le dolía, especialmente en las brazadas. A Garp le parecía que nadaba kilómetros y kilómetros: hasta alta mar y después paralelamente a la costa. Ella decía que iba tan lejos porque allí las aguas estaban más calmadas; cerca de la orilla interferían las olas. Pero Garp se preocupaba. A veces, él y Duncan la vigilaban con el catalejo. ¿Qué voy a hacer si ocurre algo?, se preguntaba Garp: era un mal nadador.

—Mamá es muy buena nadadora —le aseguraba Duncan, que también se estaba convirtiendo en un gran nadador.

—Se aleja demasiado —insistía Garp.

Con la llegada de los veraneantes, la familia Garp empezó a practicar sus ejercicios en forma menos ostentosa; sólo jugaban en la playa o en el mar a primeras horas de la mañana. En los momentos multitudinarios de los días de verano y por la noche temprano, observaban al mundo desde los sombreados pórticos de la casa de Jenny Fields; preferían protegerse en la fresca casona.

Garp mejoró. Empezó a escribir, al principio con tiento: largos esbozos argumentales y especulaciones acerca de sus personajes. Evitaba los personajes principales; al menos creía que eran los personajes principales: un marido, una esposa, un hijo. En cambio concentró su atención en un detective ajeno a la familia. Garp sabía el terror que podía acechar en el corazón de su libro y quizá por esa razón se aproximaba a él a través de un personaje tan distante de su angustia personal como permanece un inspector de policía distante del crimen. ¿Qué puedo *yo* escribir acerca de un inspector de policía?, pensó, y en consecuencia transformó al inspector en alguien a quien incluso él podía comprender. Entonces, Garp se acercó al meollo de la historia.

A Duncan le quitaron el vendaje de la cavidad del ojo. El chico empezó a utilizar un parche negro, casi elegante contra su cutis bronceado por el sol. Garp cobró aliento y empezó a escribir una novela.

El mundo según Bensenhaver se inició a finales del verano de la convalecencia de Garp. Aproximadamente en la misma época, Michael Milton fue dado de alta en un hospital, del que salió andando encorvado y con expresión desconsolada. Debido a una infección como consecuencia de un drenaje inadecuado —agravado por un problema urológico corriente—, le extrajeron el cuarto restante de su pene en una operación. Garp nunca lo supo y, a esas alturas, tampoco se habría alegrado.

Helen sabía que Garp había vuelto a escribir.

—No lo leeré —le dijo—. Ni una sola palabra. Sé que tienes que escribirlo, pero no quiero verlo. No quiero herirte, pero tienes que comprenderme. *Yo* tengo que olvidarlo; si *tú* tienes que escribirlo, que Dios te ayude. La gente sepulta estas cosas de diversas maneras.

—No es exactamente sobre «eso» —explicó Garp—. Yo no escribo literatura autobiográfica.

—Lo sé, pero tampoco lo leeré.

—Claro, comprendo —reconoció Garp.

Siempre había sabido que escribir era un acto solitario. No era fácil comprender que un acto solitario se volviera tan solitario. Pero sabía que Jenny lo leería: era dura como una roca. Jenny vigilaba su restablecimiento y atendía a las nuevas pacientes que entraban y salían.

Una de ellas era una desagradable jovencita llamada Laurel, que cometió el error de quejarse de Duncan una mañana, mientras desayunaban.

—¿No puedo dormir en otra parte de la casa? —preguntó a Jenny—. Ese chico horripilante, con el catalejo, la cámara y un parche, es como si fuera un jodido pirata que me espía. Hasta a los niños les gusta manosearme con los ojos, incluso con un solo ojo.

Garp se había caído al correr por la playa bajo la luz tenue del alba; se había vuelto a herir la mandíbula y le habían colocado otra vez los alambres. No tenía a mano notas para lo que quería decir a esa chica, pero garabateó una de prisa en su servilleta.

«La jodida serás tú»,

escribió y arrojó la servilleta a la cara de la sorprendida muchacha.

—¿Ves? —comentó la joven a Jenny—. Éste es el tipo de actitud del que debo alejarme. Siempre me persigue algún *hombre*, algún asqueroso me amenaza con la violencia de su gran polla. ¿Quién la necesita? Quiero decir, especialmente *aquí*, ¿quién la necesita? ¿O acaso vine aquí para encontrar otra vez lo mismo?

«¡Que te jodan a muerte!»,

decía la siguiente nota de Garp, pero Jenny se llevó a la muchacha consigo y le contó la historia del parche de Duncan, y de su catalejo, y de su cámara. Durante los últimos días de su estancia en Dog's Head Harbor, la muchacha evitó a Garp.

Fueron muy pocos días, hasta que alguien fue a buscarla: un coche deportivo con matrícula de Nueva York y un hombre que *parecía* un asqueroso, alguien que realmente había amenazado a la pobre Laurel «con la violencia de su gran polla».

¡Eh, consoladores! —gritó el conductor a Garp y a Roberta, que estaban sentados en el columpio del pórtico, como anticuados amantes—. ¿Es aquí el burdel donde retienen a Laurel?

—No la «retenemos», exactamente —respondió Roberta.

—Tú cierra el pico, tortillera —dijo el neoyorquino.

El hombre subió al vestíbulo. Dejó el motor del coche en marcha. Llevaba botas de cowboy y pantalones verdes de ante con los bajos acampanados. Era alto y fornido, aunque no tan alto y fornido como Roberta Muldoon.

—No soy tortillera —masculló Roberta.

—Bueno, tampoco eres una vestal. ¿Dónde carajo está Laurel?

Llevaba una camiseta de color naranja, con brillantes letras verdes entre los pezones:

¡DESNUDAME!

Garp buscó un lápiz en sus bolsillos para garabatear una nota, pero todo lo que encontró fueron las tarjetas de siempre: frases hechas que no parecían aplicarse a tan grosero personaje.

—¿Te espera Laurel? —preguntó Roberta Muldoon al recién llegado.

Garp sabía que Roberta volvía a padecer de un problema de identidad sexual: provocaba al intruso con la esperanza de sentirse justificada para romperle la crisma. Pero Garp tuvo la impresión de que el hombre no sería fácil presa en las manos de Roberta. Tanto estrógeno había alterado algo más que las formas de Roberta, pensó Garp; había restado músculos al ex Robert Muldoon hasta el punto que Roberta parecía olvidarlo.

—Ojo, encantos —dijo el tipo a Garp y a Roberta—. Si Laurel no desprende su culito de aquí, limpiaré la casa de arriba abajo. ¿Qué clase de antro es éste? Todo el mundo lo ha oído nombrar. No tuve ninguna dificultad en averiguar dónde se había metido. Todas las golfas de Nueva York conocen esta guarida.

Roberta sonrió. Empezó a balancearse en la hamaca con tanta violencia que mareó a Garp. Este hurgó en sus bolsillos a ritmo frenético, descartando nota tras nota, todas inservibles para la ocasión.

—Oíd, payasos. Sé cuál es el tipo de duchas vaginales que usan aquí. La gran orgía lesbiana, ¿no? —el chulo neoyorquino pisó el borde de la hamaca con su bota de cowboy y la puso otra vez en movimiento—. ¿Y *tú* a qué juegas? —preguntó a Garp—. ¿Eres el *hombre* de la casa? ¿O el eunuco de la corte?

Garp le entregó una nota:

«Hay un hermoso fuego en el hornillo de leña de la cocina. Gira a la izquierda».

Pero corría agosto: la nota no servía.

—¿Qué es esta mierda? —preguntó el tipo.

Entonces Garp le entregó otra nota y guardó la anterior en su bolsillo.

«No te preocupes. Mi madre volverá en seguida. Hay otras mujeres aquí. ¿Quieres verlas?»

—¡Fóllate a tu madre! —el tipo se dirigió a la cancela—. ¡Laurel! —gritó— ¿Estás aquí? ¡Zorrita!

Pero en el umbral encontró a Jenny Fields.

—Hola —le saludó Jenny.

—Sé quién eres *tú*. Reconozco ese uniforme. Mi Laurel no es tu tipo, encanto; a ella *le gusta* follar.

—Pero quizás no contigo —replicó Jenny Fields.

Cualquier grosería que el hombre de la camiseta con el reclamo de «¡DESNUDAME!» pensara decirle a Jenny Fields no llegó a pronunciarse. Roberta Muldoon desde atrás le hizo una llave de tenaza a la altura de las rodillas. Fue una flagrante infracción, merecedora de un penalty a quince metros en los tiempos en que Roberta era lateral de los Eagles de Filadelfia. El asombrado individuo chocó con tanta fuerza contra los tablones grises de la tumbona que los floreros colgados se balancearon de un lado para otro. Intentó levantarse, pero no lo logró. Parecía sufrir una lesión en la rodilla, corriente en el fútbol; de hecho, el mismo tipo de lesión por la cual esa llave se castiga con un penalty. El tipo no era tan valiente como para intentar nuevos abusos con nadie; permaneció tendido con una serena expresión de luna llena en la cara, levemente pálida a causa del dolor.

—Fuiste demasiado dura, Roberta —comentó Jenny.

—Iré a buscar a Laurel —dijo Roberta tímidamente y entró en la casa.

Garp y Jenny sabían que, en el fondo de su corazón, Roberta era más femenina que nadie, pero en el interior de su cuerpo era una roca muy curtida.

Garp había encontrado otra nota y la dejó caer encima del pecho del neoyorquino, exactamente encima del «¡DESNUDAME!». Era una tarjeta de la que Garp tenía muchas copias.

«Hola, me llamo Garp. Tengo rota la mandíbula».

—Yo me llamo Harold. Lamento lo de tu mandíbula —dijo el neoyorquino.

Garp encontró un lápiz y escribió otra nota:

«Lamento lo de tu rodilla, Harold».

Entonces llegó Laurel.

—¡Nene! —exclamó la muchacha—. ¡Me *encontraste*!

—No creo estar en condiciones de conducir ese jodido coche —declaró Harold.

En Ocean Lane, el coche deportivo seguía ronroneando como un animal interesado en tragar arena.

—Puedo conducir *yo*, nene —se ofreció Laurel—. Nunca me lo permitiste.

—Ahora te lo permitiré, créeme —gruñó Harold.

—¡Oh, nene! —suspiró Laurel.

Roberta y Garp arrastraron a Harold hasta el coche.

—Creo que necesito realmente a Laurel —les confió Harold—. ¡Jodidos asientos delanteros separados! —se quejó cuando hubieron logrado meterlo, a duras penas, en el coche: Harold era demasiado voluminoso.

A Garp le pareció que hacía años que no se encontraba tan cerca de un automóvil. Roberta apoyó una mano en su hombro, pero él se alejo.

—Creo que Harold me necesita —dijo Laurel a Jenny Fields y se encogió de hombros.

—Pero, ¿por qué *ella* le necesita a *él* —preguntó Jenny Fields a nadie en particular mientras el coche se alejaba.

Garp había desaparecido. Roberta, castigándose por su feminidad momentáneamente perdida, fue a buscar a Duncan para hacerle de madre.

Helen hablaba por teléfono con Harrison y Alice Fletcher, que querían visitarlos. Eso puede ayudar, pensó Helen. Tenía razón, y eso —volver a tener razón en algo— tenía que acrecentar su confianza en sí misma.

Los Fletcher pasaron una semana con ellos. Ahora Duncan tenía a un compañero de juegos, aunque no tuviera su edad ni su sexo; al menos era otra criatura que conocía la historia de su ojo y Duncan perdió casi toda su timidez con respecto a su parche. Cuando los Fletcher se fueron, se mostró más dispuesto a ir solo a la playa, incluso en las horas del día en que podía encontrar a otros niños, que naturalmente le harían preguntas y le gastarían bromas.

Harrison fue, como antes, un interlocutor válido para Helen. A Harrison podía contarle cosas acerca de Michael Milton que eran demasiado crudas para decírselas a Garp y que, sin embargo, tenía la necesidad de expresar. También necesitaba hablar sobre las angustias en torno a su matrimonio y de la forma en que ella asumía el accidente, tan distinta de la de Garp. Harrison le sugirió que tuviera otro hijo. Quédate embarazada, le aconsejó. Helen le confió que ya no tomaba la píldora, pero no le dijo que Garp no se acostaba con ella después de lo ocurrido. En realidad, no era necesario que se lo contara a Harrison: él observó que tenían dormitorios separados.

Alice estimuló a Garp a abandonar las estúpidas notas. Podía hablar, si lo intentaba y si no era tan vanidoso como para emitir los sonidos que producía. Si *ella* podía hablar, indudablemente él podría escupir las palabras, razonó Alice, a pesar de los alambres, de la lengua delicada y todo lo demás; al menos podía intentarlo.

—Alish —dijo Garp.

—Zí —dijo Alice—. Azí me llamo. ¿Cómo te llamaz tú?

—Arp —logró decir Garp.

Jenny Fields, que en ese momento pasaba, cual sombra blanca, hacia otra habitación, se estremeció como un fantasma y siguió su camino.

—Lo esho de menosh —confesó Garp a Alice.

—Lo echaz de menoz, por zupuezto —dijo Alice y le abrazó porque él lloraba.

Tiempo después de la partida de los Fletcher, Helen entró una noche en el dormitorio de Garp. No se sorprendió al encontrarle despierto, ya que también él había oído lo mismo que ella. Por esa razón Helen no había logrado dormir.

Alguien, una de las recién llegadas de Jenny —una nueva huésped—, se estaba bañando. Primero, los Garp habían oído que se llenaba la bañera, luego el hundimiento del cuerpo en el agua y ahora las salpicaduras y los ruidos de la espuma. Incluso llegaba hasta ellos un apagado canto o tarareo.

Recordaron, naturalmente, los años en que Walt se bañaba al alcance de sus oídos, la forma en que prestaban atención a cualquier sonido revelador, o al ruido más aterrador: la falta de ruido. entonces gritaban: «¿Walt?». Y Walt respondía: «¿Qué?». Y ellos decían: «Nada, queríamos saber cómo estás». Querían asegurarse de que no había resbalado y se había ahogado.

A Walt le gustaba hundir las orejas en el agua y escuchar el sonido que producían sus dedos al ascender por las paredes de la bañera; con frecuencia no oía que Garp y Helen le llamaban. Levantaba la vista sorprendido cuando repentinamente veía sus rostros ansiosos encima de él, asomados al borde de la bañera. «Estoy bien», decía y se sentaba.

—*Responde*, por Dios, Walt —decía Garp—. Cuando te llamamos, por favor responde.

—No te oí —decía Walt.

—Entonces mantén la cabeza fuera del agua —decía Helen.

—¿Y entonces cómo lo hago para lavarme la cabeza? —preguntó Walt.

—Esa es una forma repugnante de lavarse la cabeza, Walt —decía Garp—. Llámame. Yo te la lavaré.

—De acuerdo —aceptaba Walt.

Cuando lo dejaban en paz, volvía a sumergir la cabeza y a prestar atención al mundo desde esa posición.

Helen y Garp estaban tendidos en la estrecha cama de él, en uno de los dormitorios de huéspedes de una de las buhardillas de Dog's Head Harbor. La casa tenía tantos cuartos de baño que ni siquiera podían saber de cuál provenían los ruidos, pero igualmente prestaban atención.

—Me parece que es una mujer —dijo Helen.

—¿Aquí? *Claro* que es una mujer.

—Al principio creí que se trataba de un niño —dijo Helen.

—Lo sé —dijo Garp.

—Supongo que por el tarareo. ¿Recuerdas que solía hablar solo?

—Lo recuerdo —dijo Garp.

Se abrazaron en la cama que siempre estaba un poco húmeda por su cercanía al mar y por las ventanas todo el día abiertas y por las cancelas que se mecían.

—Quiero tener otro hijo —dijo Helen.

—De acuerdo —dijo Garp.

—Lo antes posible —dijo Helen.

—De inmediato. Por supuesto.

—Si es una niña, la llamaremos Jenny —dijo Helen—, por tu madre.

—Bueno —dijo Garp.

—Si es un varón, no sé...

—Pero no Walt —dijo Garp.

—De acuerdo —dijo Helen.

—*Nunca* más otro Walt. Aunque sé que alguna gente hace eso.

—Yo no quisiera —dijo Helen.

—Si es un varón, otro nombre —dijo Garp.

—Espero que sea una niña.

—No me importaría.

—Claro. En realidad, a mí tampoco —dijo Helen.

—Lo siento —dijo Garp y la abrazó.

—No, *yo* lo siento —dijo ella.

—No, *yo* lo siento —dijo Garp.

—*Yo* —dijo Helen.

—*Yo* —dijo él.

Hicieron el amor minuciosa y exhaustivamente. Helen imaginó que era Roberta Muldoon recién operada, estrenando una vagina nueva. Garp trató de no imaginar nada.

Siempre que Garp empezaba a imaginar, sólo veía el Volvo ensangrentado. Adentro los gritos de Duncan y afuera los de Helen y alguien más. Se retorció para deshacerse del volante y se arrodilló en el asiento; cogió la cara de Duncan en sus manos, pero la sangre seguía manando y Garp no lograba descubrir las heridas.

—Estás bien —susurró a Duncan—. No digas nada, te pondrás bien.

Pero, como se le había partido la lengua, no surgieron palabras de su garganta, de no ser un suave rocío. Duncan siguió gritando, lo mismo que Helen, y alguien gruñía como un perro con una pesadilla. ¿Pero qué oyó Garp que le asustó tanto? ¿Qué *más* oyó?

—Todo está bien, Duncan, créeme —susurró de modo indescifrable—. Te pondrás bien.

Limpió la sangre del cuello de su hijo con la mano y comprobó que no tenía ninguna herida. Limpió también sus sienes y comprobó que no estaban lastimadas. Atizó una patada a la puerta del lado del volante hasta abrirla, para asegurarse; se encendió la luz y vio que Duncan movía uno de sus ojos. Aunque el ojo pedía ayuda, Garp vio que el ojo veía. Volvió a limpiar la sangre con la mano, pero no pudo encontrar el otro ojo de Duncan.

—Todo está bien —susurró, pero Duncan chillaba cada vez más fuerte.

Por encima del hombro de su padre, Duncan había visto a su madre junto a la puerta abierta del Volvo. Su hendida nariz chorreaba sangre, tenía la lengua partida y se sostenía el brazo derecho como si lo tuviera roto a la altura del hombro. Pero fue el *terror* de su expresión lo que asustó a Duncan. Garp se volvió y la vio. Algo más le asustó.

No eran los gritos de Helen, no eran los gritos de Duncan. Y Garp sabía que Michael Milton —que estaba rugiendo— podía rugir hasta reventar. Pero por lo que a él le importaba era otra cosa. Era la ausencia de ruido. Era *ningún* sonido.

—¿Dónde está Walt? —preguntó Helen tratando de ver en el interior del Volvo. Dejó de gritar.

—¡Walt! —gritó Garp y contuvo el aliento.

Duncan dejó de gritar. No oyeron nada. Y Garp sabía que Walt tenía un catarro que se oía desde la habitación contigua; hasta a dos habitaciones de distancia podía oírse el húmedo estertor del pecho del niño.

—¡Walt! —gritaron los tres.

Helen y Garp se contaron, tiempo después, que en aquel momento imaginaron a Walt con las orejas sumergidas, escuchando atentamente el golpeteo de sus dedos en las paredes de la bañera.

—Todavía le veo —susurró Helen más tarde.

—Siempre —dijo Garp—. Lo sé.

—Me basta con cerrar los ojos —dijo Helen.

—Lo sé —respondió Garp.

Pero Duncan lo expresó mejor. Duncan dijo que a veces le parecía que el ojo que le faltaba no había desaparecido por completo.

—A veces me parece que veo con él —dijo Duncan—. Pero es como un recuerdo, no es real lo que veo.

—Tal vez se ha convertido en el ojo con el que ves tus sueños —sugirió Garp.

—Algo así. Pero parece tan real...

—Es tu ojo *imaginario* —dijo Garp—. Eso puede ser muy real.

—Es el ojo con el que todavía puedo ver a Walt —explicó Duncan—. ¿Comprendes?

—Comprendo.

Los hijos de la mayoría de los luchadores tienen cuellos resistentes, pero no todos los hijos de los luchadores tienen el cuello lo bastante resistente.

Ahora Garp parecía tener una reserva infinita de bondad con Duncan y Helen; durante un año les habló suavemente; durante un año no se impacientó con ellos. Ellos debieron de impacientarse con su delicadeza. Jenny Fields observó que los tres estuvieron un año para empezar a cuidarse entre sí.

Durante aquel año, se preguntó Jenny, ¿qué hicieron con los *demás* sentimientos que poseen los seres humanos? Helen los ocultaba: era muy fuerte. Duncan sólo los veía con el ojo que le faltaba. ¿Y Garp? Era fuerte, pero no tanto: escribió una novela titulada *El mundo según Bensenhaver*, en la cual fluyeron todos sus *demás* sentimientos.

Cuando John Wolf, el editor de Garp, leyó el primer capítulo de *El mundo según Besenhaver*, escribió a Jenny Fields:

«¿Qué demonios está ocurriendo aquí? Tengo la impresión de que la aflicción de Garp ha vuelto perverso su corazón».

Pero T. S. Garp se sintió guiado por un impulso tan antiguo como la concepción de Marco Aurelio, quien había tenido la sabiduría y la necesidad de advertir que «en la vida de un hombre, su época es un momento; su juicio, el débil resplandor de una vela de sebo».

El mundo según Bensenhaver

Hope Standish estaba en su casa, con su hijo Nicky, cuando Oren Rath entró en la cocina. Hope secaba los platos y de inmediato vio el largo cuchillo de pescador —conocido como destripador-escamador—, cuya delgada hoja tenía un borde afilado y otro dentado. Nicky aún no había cumplido tres años; todavía comía sentado en una silla alta y estaba desayunando cuando Oren Rath se le acercó por detrás y apoyó en su garganta el canto dentado del cuchillo de pescador.

—Deja esos platos —ordenó el recién llegado.

La señora Standish obedeció. Nicky hizo gluglú al extraño: el cuchillo sólo significaba un cosquilleo bajo su barbilla.

—¿Qué quieres? —preguntó Hope—. Te daré todo lo que quieras.

—Te aseguro que lo harás —afirmó Oren Rath—. ¿Cómo te llamas?

—Hope.

—Mi nombre es Oren.

—Es un nombre muy bonito —dijo Hope.

Nicky no podía volverse en la silla alta para mirar al desconocido que le hacía cosquillas en el cuello. Tenía los dedos húmedos de cereales y, cuando estiró una mano para buscar la de Oren Rath, éste se colocó a un lado de la silla alta y, con el fino borde afilado de la hoja del cuchillo de pescador, rozó apenas un moflete del niño. Hizo un rápido corte, como si estuviera dibujando el contorno de su pómulo. Luego retrocedió para observar el sorprendido rostro de Nicky y su expresión al llorar; apareció en su mejilla un delgado hilo de sangre, similar a una puntada de bolsillo. Parecía que al niño le había brotado, repentinamente una agalla.

—Hablo en serio —dijo Oren Rath; Hope empezó a avanzar hacia Nicky, pero Rath le hizo señas de que retrocediera—. No te necesita. Además, no le gusta la papilla de cereales. Quiere una galleta.

Nicky se desgañitaba.

—Se ahogará si sigue llorando —dijo Hope.

—¿Quieres discutir conmigo? ¿Quieres hablar de ahogos? Le cortaré el pico y se lo meteré en la garganta... si quieres hablar de ahogos.

Hope le dio a Nicky una tostada y el niño dejó de llorar.

—¿Ves? —dijo Oren Rath. Levantó la silla alta y la apretó contra su pecho—. Ahora iremos al dormitorio —hizo una seña a Hope con la cabeza y agregó—: Tú primero.

Fueron juntos al vestíbulo. La familia Standish vivía en un chalé; ambos habían coincidido en que, para un bebé, ese tipo de vivienda era más seguro en caso de incendio. Hope entró en el dormitorio y Oren Rath bajó la silla alta con Nicky; la dejó junto a la puerta del dormitorio, del lado del vestíbulo. Nicky casi había dejado de sangrar; apenas había unas gotas de sangre en su mejilla. Oren Rath lo limpió con la mano y luego se secó la sangre en los pantalones. A continuación entró en el dormitorio. Cuando cerró la puerta, Nicky empezó a llorar.

—Por favor —rogó Hope—. Podría ahogarse. Además, hay que bajarle de esa silla alta... Puede volcar... No le gusta estar solo.

Oren Rath se acercó a la mesilla de noche y cortó el cable del teléfono con su cuchillo de pescador, con la misma facilidad que si hubiera partido una pera por la mitad.

—Tú no quieres discutir conmigo —dijo.

Hope se sentó en la cama. Nicky lloraba, aunque no histéricamente; le pareció que en cualquier momento se serenaría. Ella también se puso a llorar.

—Desnúdate —ordenó Oren.

La ayudó a desvestirse. Era alto y tenía el pelo rubio rojizo, tan lacio y pegado a la cabeza como hierbas altas abatidas por una inundación. Olía a forraje seco y Hope recordó la furgoneta de color turquesa que había visto en la calzada inmediatamente antes de que Oren apareciera en la cocina.

—¡Hasta tienes alfombra en el dormitorio! —exclamó el muchacho.

Oren era delgado pero musculoso; sus manos eran grandes y torpes, como las patas de un cachorro que llegará a convertirse en un perro enorme. Su cuerpo parecía casi imberbe, pero era tan pálido y tan rubio que no era fácil distinguir el vello en su piel.

—¿Conoces a mi marido? —preguntó Hope.

—Sé cuándo está en casa y cuándo no —replicó Rath—. Escucha —dijo súbitamente; Hope contuvo el aliento—. ¿Oyes? A tu crío ni siquiera le importa.

Nicky emitía vocales y parloteaba con su tostada al otro lado de la puerta. Hope empezó a llorar con fuerza. Cuando Oren Rath la tocó —torpe y ligeramente—, ella pensó que estaba tan seca que no se dilataría siquiera lo suficiente para que él introdujera uno de sus asquerosos dedos.

—Por favor, espera —le dijo.

—No discutas conmigo.

—No, quiero decir que puedo ayudarte —Hope quería que él la penetrara y saliera de su interior lo antes posible: pensaba en Nicky, que seguía sentado en la silla alta, en el vestíbulo—. Digo que puedo contribuir a que sea mejor —concluyó con tono poco convincente: no sabía cómo decir lo que estaba pensando.

Oren Rath cogió de tal manera uno de sus pechos, que Hope supo que jamás antes había tocado un pecho de mujer; sus manos estaban tan frías que ella se encogió. En su torpeza, Oren le golpeó la boca con la cabeza.

—No discutas —gruñó.

—¡Hope! —gritó alguien.

Ambos oyeron la voz y quedaron paralizados. Oren Rath contempló boquiabierto el cable cortado del teléfono.

—¿Hope?

Era Margot, una vecina y amiga de Hope. Oren Rath apoyó la hoja plana y fría de su cuchillo en un pezón de Hope.

—Entrará directamente aquí —susurró Hope—. Es una íntima amiga mía.

¡Santo Dios, Nicky! —oyeron que decía Margot—. Ya veo que estás comiendo por toda la casa. ¿Se está vistiendo tu mamá?

—Tendré que follaros a las dos y mataros a todos —murmuró Oren Rath.

Hope le hizo una llave de tijera con las piernas en la cintura y se lo acercó, con cuchillo y todo, a su pecho.

—¡Margot! —gritó—. ¡Coge a Nicky y corre! ¡Por favor! —chilló—. ¡Aquí hay un loco que piensa matarnos a todos! ¡Llévate a Nicky, llévate a Nicky!

Oren Rath permaneció rígido contra ella, como si fuera la primera vez que le abrazaban. No luchó ni usó el cuchillo. Ambos permanecieron inmóviles y escucharon a Margot, que arrastró a Nicky con su silla por el vestíbulo y salió por la puerta de la cocina. Una de las patas de la silla alta chocó contra la nevera, pero Margot no se detuvo a sacar a Nicky de la silla hasta que estuvo a media manzana de distancia calle abajo, abriendo de una patada la puerta de su casa.

—No me mates —susurró Hope—. Vete inmediatamente y podrás escapar. Margot telefoneará a la policía ahora mismo.

—Vístete —ordenó Oren Rath—. Todavía no te he tenido y voy a tenerte —al golpearla con la coronilla le había partido el labio contra los dientes y la había hecho sangrar—. Hablo en serio —repitió, aunque ahora un tanto indeciso.

Oren tenía los huesos tan ásperos y carentes de gracia como los de un ternero joven. La obligó a ponerse el vestido sin ropa interior y la empujó descalza por el vestíbulo; llevaba sus propias botas bajo un brazo. Hasta que estuvo sentada a su lado en la furgoneta, Hope no se dio cuenta de que él se había puesto una de las camisas de franela de su marido.

—Probablemente Margot ha tomado nota del número de matrícula de esta furgoneta —le dijo.

Hope movió el espejo retrovisor para poder verse; se tocó ligeramente el labio partido con el cuello ancho y suelto de su vestido. Oren Rath la golpeó en la oreja y la obligó a apartar la cabeza de la portezuela de la furgoneta.

—Necesito ese espejo para ver. Si no quieres que te haga daño, no fastidies.

Oren se había llevado el sostén de Hope y lo empleó para atarle las muñecas a los gruesos y oxidados goznes de la puerta de la guantera, que quedó abierta. Conducía como si no tuviera especial prisa en salir de la población. No parecía impacientarse cuando le detuvo un semáforo cerca de la universidad. Siguió con la mirada a todos los peatones que cruzaban; meneaba la cabeza y hacía chasquear la lengua cada vez que le llamaba la atención la forma de vestir de algún estudiante. Desde su asiento, Hope divisó la ventana del despacho de su marido, pero ignoraba si en ese momento estaría allí, o dando una clase.

De hecho, él estaba en su despacho del cuarto piso. Dorsey Standish se asomó a la ventana y vio el cambio de luces; ahora le tocaba el turno al tráfico rodado y la multitud de estudiantes quedó por un momento frenada ante los pasos para peatones. A Dorsey Standish le gustaba observar el tráfico. En una ciudad universitaria hay muchos coches extranjeros y llamativos, pero en esa población contrastaban con los vehículos de los naturales del lugar: camionetas y furgonetas de los agricultores, transportadores de cerdos y ganado con tablillas a los costados, estrafalarias máquinas cosechadoras, todos ellos embarrados en granjas y caminos comarcales. Standish no entendía nada de granjas, pero le fascinaban los animales y las máquinas, especialmente aquellos peligrosos y desconcertantes vehículos. Pasó uno con una rampa de bajada —¿para qué?— y un enrejado de cables que sostenía o llevaba suspendido algo pesado. A Standish le gustaba tratar de imaginar cómo funcionaba todo.

A sus pies avanzó una chillona furgoneta color turquesa: sus parachoques estaban llenos de abolladuras y su parrilla, golpeada y negra de moscas aplastadas y —pensó Standish— de cabezas de pájaros empotradas. En la cabina, junto al conductor, Dorsey Standish creyó ver a una mujer guapa, algo de su pelo y su perfil *le recordaron a Hope, y le llamó la atención su vestido por ser un color que a su mujer le gustaba llevar. Pero estaba en un cuarto piso; la furgoneta pasó y la ventanilla trasera de la cabina estaba tan llena de barro que no pudo ver nada más. Por otro lado, debía ir ya a su clase de las nueve y media. Dorsey Standish decidió que no era probable que una mujer que viajaba en un vehículo tan horrible fuese guapa.*

—Seguro que tu marido se pasa el tiempo cepillándose a las alumnas —dijo Oren Rath.

La manaza de Oren que sostenía el cuchillo estaba apoyada en el regazo de Hope.

—No, creo que no —respondió Hope.

—¡Mierda, tú no sabes nada. Te follaré tan bien que no querrás que te suelte.

—No me importa lo que hagas. Ya no puedes hacerle daño a mi hijo.

—Puedo hacerte cosas a ti —afirmó Oren Rath—. Muchas cosas.

—Sí, hablas en serio —se mofó Hope.

Pasaban junto a campos de labranza. Rath no abrió la boca durante un rato. Luego dijo:

—No estoy tan loco como crees.

—No creo que estés loco —mintió Hope—. Sólo creo que eres un chico tonto y calentón que nunca ha follado.

En ese momento, Oren Rath debió de sentir que la ventaja del terror se le escapaba de las manos. Hope estaba buscando cualquier tipo de ventaja, pero ignoraba si Oren Rath era lo bastante cuerdo como para ser humillado.

Abandonaron el camino comarcal y subieron por una larga calzada de tierra en dirección a una granja cuyas ventanas estaban oscurecidas por aislamientos de material plástico; el mugriento terreno estaba sembrado de piezas de tractores y otros trastos de metal. En el buzón había escrito: R, R, W, E & O. RATH.

Aquellos Rath no eran parientes de los famosos fabricantes de salchichas Rath, pero parecían ser criadores de cerdos. Hope vio una serie de cobertizos grises e inclinados, con los tejados desvencijados. En la rampa contigua al establo pardo había una cerda a punto de parir, tendida de costado, que respiraba con dificultad; junto al animal se hallaban dos hombres que parecieron a Hope mutantes de la misma especie que había producido a Oren Rath.

—Ahora quiero la camioneta negra —les dijo Oren—. Están buscando esta furgoneta.

Usó diestramente el cuchillo para cortar el sostén que sujetaba las muñecas de Hope a la guantera.

—Mierda —dijo uno de los hombres.

El otro se encogió de hombros; tenía una mancha roja en la cara... una especie de marca de nacimiento del color y la protuberancia de una frambuesa. Así le llamaba su familia: Raspberry*. Afortunadamente, Hope no lo sabía.

Los hombres no miraron a Oren ni a Hope. La cerda que respiraba pesadamente quebrantó la calma del corral con un ondulante pedo.

—Mierda, ya empezó otra vez —dijo el hombre que no tenía marca de nacimiento.

Salvo por sus ojos, la cara del que había hablado era más o menos normal. Se llamaba Weldon. Raspberry Rath leyó la etiqueta de un frasco marrón que extendió en dirección al animal como si le ofreciera un trago:

—Dice que puede producir excesivos gases y flatulencias.

—No dice nada acerca de hacer producir a una cerda como ésta —comentó Weldon.

—Necesito la camioneta negra —repitió Oren.

—Las llaves están puestas, Oren —dijo Weldon Rath—. Si crees que puedes arreglártelas solo...

Oren Rath empujó a Hope hacia la camioneta negra. Raspberry sostenía el frasco de medicina porcina y observó a Hope cuando ella dijo:

—Me está raptando. Quiere violarme. La policía nos está pisando los talones.

Raspberry no dejó de mirar a Hope, pero Weldon se volvió hacia Oren.

—Espero que no estés haciendo algo demasiado estúpido —dijo Weldon.

—No —respondió Oren.

Los dos hombres volvieron a dedicar toda su atención a la cerda.

—Esperaré una hora y le daré otro trago —dijo Raspberry—. ¿No hemos visto bastantes veces al veterinario esta semana? —rascó el cogote manchado de barro de la cerda con la bota; la bestia se tiró otro pedo.

Oren llevó a Hope detrás del establo, donde se desbordaban granos del silo. Algunos cerditos, apenas mayores que gatos, jugaban encima. Se dispersaron cuando puso en marcha la camioneta negra. Hope empezó a llorar.

—¿Me soltarás?

—Todavía no te he tenido —respondió Oren.

Hope sentía frío en los pies desnudos y negros de estiércol primaveral.

* Raspberry significa frambuesa. (N. de la T.)

—Me duelen los pies. ¿Adónde vamos? —quiso saber.

En la parte de atrás de la camioneta había visto una vieja manta sucia y salpicada de paja. Imaginó que iría allí: a los maizales, luego sería echada en el esponjoso terreno primaveral... y cuando todo hubiese terminado, tuviera cortada la garganta y hubiera sido destripada con el cuchillo de pescador, la envolvería en la manta que ahora era un rígido bulto en el suelo del camión, como si cubriera a algún animal que hubiera nacido muerto.

—Tengo que encontrar un buen lugar para tenerte —explicó Oren Rath—. Te hubiera tenido en casa, pero entonces me habrían obligado a compartirte.

Hope Standish intentó descifrar la extraña maquinaria de Oren Rath. No funcionaba como los seres humanos a los que ella estaba acostumbrada.

—Está mal lo que haces —dijo.

—No, no está mal —opinó Oren—. No.

—Vas a violarme —prosiguió Hope—. Eso está mal.

—Sólo quiero tenerte.

Esta vez Oren no se había molestado en atarla a la guantera: ella no tenía adónde huir. Sólo avanzaban a lo largo de kilométricas parcelas de caminos comarcales, desviándose levemente hacia el oeste en pequeños cuadrados, a la manera en que avanzan los caballos en el tablero de ajedrez: un cuadrado adelante, dos de costado, uno de costado, dos adelante. A Hope le pareció un despropósito, pero luego se preguntó si no se debería a que él conocía tan bien los caminos que sabía cómo cubrir una distancia considerable sin atravesar ninguna población. Sólo vieron los postes indicadores de poblaciones, y aunque no podían estar a más de cincuenta kilómetros de la universidad, Hope no reconoció ninguno de los nombres: Coldwater, Hills, Fields, Plainview*. Quizá no sean poblaciones, pensó Hope, sino sólo burdas descripciones para los del lugar, letreros que identificaban sus tierras, como si no conocieran las sencillas palabras que designaban las cosas que veían todos los días.

—No tienes ningún derecho a hacerme esto —dijo Hope.

—Mierda.

Oren pisó violentamente los frenos y Hope cayó hacia adelante, golpeándose contra el sólido tablero de la camioneta. Su frente rebotó en el parabrisas y se aplastó el dorso de la mano contra la nariz. Sintió que algo, un pequeño músculo o un hueso muy liviano, cedía en su pecho. Entonces él apretó el acelerador y volvió a arrojarla contra el asiento.

—No me gusta discutir.

_____
* Literalmente: Aguafría, Cerros, Prados, Los llanos. (N. de la T.)

A Hope le sangraba la nariz; se sujetó la cabeza con ambas manos y la inclinó hacia adelante: la sangre cayó sobre sus muslos. Aspiró suavemente por la nariz; chorreó sangre sobre su labio superior y sobre sus dientes se formó una película. Echó la cabeza hacia atrás para saborearla. Por alguna razón, eso la calmó, la ayudó a pensar. Sabía que en la frente tenía un chichón que se volvía rápidamente azul, hinchándose bajo su suave piel. Cuando se llevó la mano a la cara y tocó el bulto, Oren Rath la miró y lanzó una carcajada. Hope le escupió: una delgada flema teñida de rosa por la sangre. El escupitajo alcanzó a Oren en la mejilla y descendió hasta el cuello de la camisa de franela de Dorsey Standish. La mano del muchacho, chata y ancha como la suela de una bota, le agarró la cabellera. Ella le apretó el antebrazo con ambas manos, se llevó la muñeca a la boca y le mordió en la parte suave, donde no siempre crece vello, y donde se encuentran los conductos azules que acarrean la sangre.

Quería matarle de esa manera absurda, pero apenas tuvo tiempo de arañarle la piel. El brazo de Oren era tan fuerte que con un solo movimiento la golpeó y cruzó el cuerpo de ella sobre su regazo. Empujó la nuca de Hope contra el volante —el bocinazo vibró en el interior de su cabeza— y le rompió la nariz con el canto de la mano izquierda. Después, Oren volvió esa mano al volante. Le sujetó la cabeza con la mano derecha, sosteniéndole la cara contra su vientre; cuando sintió que ella dejaba de luchar, permitió que apoyara la cabeza en su muslo. Le cubrió ligeramente la oreja con la mano, como si quisiera retener el sonido de la bocina en su cerebro. Hope cerró los ojos, transida de dolor por la nariz rota.

Oren giró varias veces a la izquierda y algunas a la derecha. A cada giro, Hope sabía que habían avanzado un kilómetro y medio. Ahora él le cubría la nuca con la mano. De nuevo pudo oír; advirtió que los dedos de él se introducían en su cabellera. Tenía entumecida la parte anterior de la cara.

—No quiero matarte —dijo Oren.

—No lo hagas, entonces —sugirió Hope.

—Tengo que hacerlo. Después de que lo hagamos, tendré que matarte.

Las palabras de Oren la afectaron como el sabor de su propia sangre. Hope sabía que él no quería discutir. Comprendió que ella había perdido un tanto: su violación. La violaría. Entonces ella tenía que considerar que ya lo había hecho. Lo que ahora importaba era vivir; sabía que eso significaba sobrevivirle. Sabía que eso significaba lograr que le capturasen o que le mataran, o matarle.

Hope sintió contra su mejilla las monedas sueltas en el bolsillo de Oren; sus tejanos eran blandos y estaban pegajosos de polvo y *grasa de máquinas. Se le hundió la hebilla del cinturón en la frente; sus labios tocaron el cuero aceitado del cinturón. Hope sabía que el cuchillo estaba en el interior de una funda. ¿Pero dónde estaba la funda? No la veía y no se atrevía a buscarla con las manos. Repentinamente vio que el pene de Oren se endurecía ante sus ojos. Entonces se sintió —realmente por primera vez— casi paralizada, aterrorizada e incapaz de ayudarse a sí misma, de decidir los pasos que debía dar. Una vez más, fue Oren Rath quien la ayudó.*

—Considéralo así —le dijo—. El crío se salvó. Ya sabes que también pensaba matarlo.

La lógica de la peculiar versión de la cordura de Oren Rath lo hizo todo más claro para Hope; oyó los motores de otros coches. No había muchos, pero no transcurrirían muchos minutos sin que pasara alguno. Lamentó no estar en condiciones de ver, pero sabía que no estaban tan aislados como antes. Ahora, pensó, antes de que llegue al sitio al que vamos, si es que sabe a dónde nos dirigimos. Le parecía que lo sabía. Al menos, antes de que salga de este camino, antes de que me encuentre otra vez en un descampado.

Oren Rath se movió: su erección le incomodaba. El rostro cálido de Hope sobre su regazo, la mano de él en el pelo de ella, le excitaban. Ahora, pensó Hope. Movió lentamente su mejilla contra el muslo de Oren, y él la dejó hacer. Movió toda la cara contra su regazo como si estuviera tratando de ponerse más cómoda, contra una almohada, contra su polla, sabía Hope. Se movió hasta que la protuberancia que ocultaban sus inmundos pantalones se elevó incólume junto a su rostro. Pero podía alcanzarla con su respiración; el miembro estaba cerca de su boca y Hope empezó a echarle el aliento. Le dolía demasiado respirar por la nariz. Dibujó con sus labios un beso en forma de O, se concentró en la respiración y, muy suavemente, sopló.

—Oh, Nicky, pensó. Y Dorsey. Su marido. Abrigó la esperanza de volver a verlos. A Oren Rath le entregó su cálido y atento aliento. En él centró un único y frío pensamiento: te atraparé, hijo de puta.

Era evidente que la vida sexual de Oren Rath no había incluido previamente sutilezas tales como la respiración bien orientada de Hope. Oren trató de apoyar otra vez la cabeza de ella sobre su regazo para volver a tener contacto con su cálido rostro, pero al mismo tiempo no quería alterar su delicada respiración. Lo que ella hacía le provocaba el deseo de más contacto, pero le resultaba atroz imaginar la pérdida del contacto que ahora tenía. Em-

pezó a retorcerse. Hope no se apresuró. Fueron los movimientos de Oren los que finalmente acercaron el bulto cubierto de fétido tejido a sus labios. Hope cerró entonces sus labios pero no movió la boca. Oren Rath sólo sintió que una brisa caliente atravesaba la burda trama de sus tejanos y gruñó. Se aproximó un coche y los adelantó; Oren corrigió la dirección de la camioneta. Se dio cuenta de que empezaba a zigzaguear por el centro del camino.

—¿Qué estás haciendo? —preguntó a Hope.

Ella aplicó muy delicadamente sus dientes a la tela hinchada. Oren levantó la rodilla, apretó el freno, la cabeza de Hope se movió y su nariz le dolió. Metió la mano entre la cara de ella y su regazo. Ella creyó que quería hacerle daño, pero él sólo estaba luchando con la cremallera.

—He visto fotos de esto —dijo Oren.

—Déjame a mí —dijo Hope.

Hope tuvo que levantarse un poco para abrirle la bragueta. Quería ver dónde estaban; seguían en el campo, por supuesto, pero el camino estaba señalizado con rayas pintadas. Hope le sacó el pene de los pantalones y se lo llevó a la boca sin mirar a Oren.

—Mierda —dijo él.

Hope sintió náuseas y temió que iba a vomitar. Entonces se llevó el pene a la parte interior de la mejilla, donde sabía que podía tardar mucho tiempo. El permaneció tan rígidamente inmóvil —aunque tembloroso— que ella supo que ya había superado incluso sus experiencias imaginarias. Eso serenó a Hope, le dio confianza y sentido del tiempo. Siguió adelante muy lentamente, prestando atención al ruido de otros vehículos. Se dio cuenta de que él había disminuido la velocidad. A la primera señal de que él pensaba abandonar ese camino, Hope tendría que alterar los planes. Se preguntó si podría mordérsela y arrancársela de un mordisco. Pero consideró que probablemente no podría, al menos no con la suficiente rapidez.

Entonces pasaron dos camiones a su lado, uno inmediatamente detrás de otro; Hope creyó oír a distancia la bocina de otro coche. Empezó a trabajar más rápidamente: él elevó el regazo. A Hope le pareció que ahora Oren había acelerado la marcha. Pasó otro coche, escalofriantemente cerca, pensó Hope. El bocinazo los aturdió.

—¡Hijo de puta! —gritó Oren Rath al otro conductor.

Oren empezó a agitarse en el asiento, lastimando aún más la nariz de Hope. Pero ahora ella tenía que procurar no hacerle daño: tenía la intención de herirle definitivamente. Hazle perder la cabeza, se estimuló Hope.

De pronto se oyó el ruido de la gravilla que salpicaba contra la parte inferior de la camioneta. Hope cerró la boca alrededor *del pene de Oren. Pero no estaban chocando ni apartándose del camino; él frenó bruscamente y se desvió a un costado. El camión se detuvo. Oren apoyó las manos a ambos lados del rostro de Hope, sus muslos se endurecieron y la golpearon en la mandíbula. Estoy a punto de ahogarme, pensó Hope; pero él le levantó la cara, apartándola de su regazo.*

—¡No! ¡No! —gritó Oren; un camión que pasó desparramando pequeños guijarros a su paso ahogó sus palabras—. No tengo puesta la cosa —agregó—. Si tienes gérmenes, me los pegarás.

Hope se apoyó en sus rodillas; tenía los labios doloridos y calientes y le palpitaba la nariz. Oren pensaba ponerse un condón, pero cuando lo arrancó de su envoltorio de papel de estaño, lo contempló como si no fuera lo que esperaba ver, como si creyera que tenían que ser de color verde brillante, como si no supiera cómo ponérselo.

—Quítate el vestido —ordenó.

Ahora le incomodaba que ella le mirara. Hope vio los maizales a ambos costados del camino y la parte de atrás de un cartel a pocos metros de distancia. Pero no había casas, ni postes indicadores, ni cruces de caminos. No se acercaba ningún automóvil ni ningún camión. Creyó que su corazón dejaría de latir.

Oren Rath se quitó la camisa del marido de Hope y la arrojó por la ventanilla: Hope la vio aletear sobre el camino. Oren se quitó las botas con la ayuda del pedal del freno y golpeó con sus pálidas y angostas rodillas el volante.

—¡Apártate! —le gritó.

Hope estaba apretada contra la puerta del lado del acompañante. Pero sabía que —aunque lograra salir— no podría correr más que él. Iba descalza... y los pies de Oren parecían tener la dura suela de las patas de los perros.

Oren tenía algún problema con los pantalones; con los labios sostuvo el condón arrollado. De pronto quedó desnudo, lanzó sus pantalones en cualquier dirección y se colocó la goma como si su pene no fuera más sensible que la correosa cola de una tortuga. Hope intentaba desabrocharse el vestido mientras sus ojos volvían a llenársele de lágrimas, aunque luchó para que eso no ocurriera. Repentinamente, Oren cogió el vestido y empezó a tirar de él por encima de la cabeza de Hope; se le atascó en los brazos. Le unió dolorosamente los codos en la espalda.

Oren era demasiado alto para extenderse en la cabina. Era necesario abrir la portezuela. Hope trató de tirar de la manecilla que tenía cerca pero él le mordió el cuello.

—¡No! —aulló Oren.

Oren cambió los pies de posición —Hope vio que le sangraba la espinilla, que se había cortado con el borde de la bocina— y sus duros talones golpearon la manecilla de la puerta del lado del conductor. Abrió la portezuela con una embestida de ambos pies. Hope vio la mancha gris del camino por encima de su hombro, sus largos tobillos asomados a la banda de la circulación, pero en ese momento no había tráfico. A Hope le dolía la cabeza, aplastada contra la portezuela. Tuvo que retorcerse para quedar debajo de él y sus movimientos provocaron en Hope un ruido ininteligible. La mujer sintió que el pene cubierto de goma se deslizaba por su vientre. Luego todo el cuerpo de Oren vibró y le mordió ferozmente en el hombro. ¡Se había corrido!

—¡Mierda! —protestó—. ¡Ya lo hice!

—No —dijo Hope y le abrazó—. No, puedes hacer más —sabía que, si lo daba por hecho, la mataría—. Mucho más —susurró en su oído, que olía a polvo.

Tenía que humedecerse los dedos para lubricar la vagina. Dios, pensó, nunca lograré que me penetre, pero cuando buscó el miembro de Oren con la mano, se dio cuenta de que el condón era del tipo lubricado.

—¡Oh! —exclamó Oren, tendido encima de ella; pareció sorprenderse al encontrarse donde ella lo había introducido, como si en realidad no supiera qué había allí—. ¡Oh! —repitió.

Y ahora ¿qué?, se preguntó Hope. Contuvo el aliento. Un automóvil, un destello rojo, pasó como una ráfaga junto a la puerta abierta, sonó la bocina y se oyeron unas burlonas risotadas apagadas que se alejaron de ellos. Claro, pensó Hope, parecemos dos granjeros que follan a un costado del camino; probablemente ocurre a menudo. Nadie se detendrá, pensó, salvo la policía. Imaginó que por encima del hombro de Rath aparecía el moreno rostro de un agente de la policía montada para ponerles una multa. «En la vía pública no, compañero», diría. Y cuando ella gritara: «¡Violación! ¡Me está violando», el policía guiñaría un ojo a Oren Rath.

El aturdido Oren parecía bastante cauto en la penetración. Si acaba de eyacular, pensó Hope, ¿con cuánto tiempo cuento hasta que vuelva a correrse? Pero él le parecía más un macho cabrío que un ser humano y el gorgoteo infantil de su garganta, caliente junto a la oreja de Hope, pareció a ésta el último sonido que oiría en su vida.

Observó todo lo que le fue posible distinguir. Las llaves que colgaban del encendido del coche estaban lejos de su alcance. Además, ¿qué podía hacer con un manojo de llaves? Le dolía la espalda y apoyó la mano contra el tablero con la intención de equilibrar su peso; el movimiento excitó a Oren y le hizo gruñir.

—No te muevas —dijo Oren y ella obedeció—. ¡Oh! —exclamó con tono aprobador—. Esto es realmente bueno. Te mataré deprisa. Ni siquiera te enterarás. Sigue así y te mataré buenamente.

La mano de Hope rozó un botón de metal, liso y redondo; sus dedos lo tocaron y ni siquiera tuvo que apartar la cara de Oren y mirarlo para saber de qué se trataba. Abrió la guantera. Lo apretó. La puerta de resorte cayó pesadamente en su mano. Lanzó un prolongado y audible «¡Aaahhh!» con el fin de ocultar el ruido de los objetos que revolvía en la guantera. Su mano tocó un paño que le llenó los dedos de polvo. Había un carrete de alambre, algo agudo pero demasiado pequeño, tornillos y clavos, un perno, quizás un gozne. Nada que le fuera útil. Palpar la guantera le produjo dolor en el brazo y dejó caer la mano al piso de la cabina. Cuando pasó otro camión —silbidos y bocinazos, y ni señales de disminuir la marcha para echar un vistazo—, empezó a llorar.

—Tengo que matarte —gimió Rath.

—¿Has hecho esto antes? —preguntó Hope.

—Seguro —la penetró aún más, estúpidamente, como si sus brutales movimientos pudieran impresionarla.

—¿Y también las mataste?

La mano de Hope, ahora sin propósito fijo, jugueteó con algo, una especie de tela en el suelo de la cabina.

—Eran animales —admitió Oren—. Pero también tuve que matarlos.

Hope sintió que se mareaba y sus dedos agarraron lo que habían encontrado en el piso de la cabina... una vieja chaqueta o algo así.

—¿Cerdas? —le preguntó.

—¡Cerdas! —se mofó Oren—. Mierda, nadie se folla una cerda —Hope pensó que probablemente alguien lo hacía—. Eran ovejas. Y una ternera.

Pero Hope sabía que todo era inútil e irremediable. Sintió que él se contraía en su interior, y pensó que lo único que lograba era distraerle. Ahogó su sollozo que le pareció haría estallar su cabeza si lo dejaba escapar.

—Por favor, trata de ser bueno conmigo.

—No hables —dijo Oren—. Múevete como antes.

Ella se movió, pero aparentemente no en la forma que él deseaba.

—¡No! —gritó Oren y le hundió los dedos en las costillas; ella intentó moverse de otro modo—. Sí —aceptó él mientras la penetraba, ahora resuelto, mecánica y torpemente.

—¡Oh, Dios! pensó Hope. ¡Oh, Nicky! ¡Oh, Dorsey! Luego comprendió qué tenía en la mano: los pantalones de Oren. Los dedos de Hope, repentinamente sabios como los de un lector de Braile, localizaron la cremallera y siguieron avanzando; palparon las monedas del bolsillo y recorrieron el ancho cinturón.

—Sí, sí, sí —insistió Oren Rath.

Ovejas, y una ternera, pensó Hope.

—¡Oh, por favor, *concéntrate!* —se gritó en voz alta a sí misma.

—¡No hables! —ordenó Oren Rath.

Pero ahora Hope lo había encontrado: la larga y dura funda de cuero. Este es el gancho, le informaron sus dedos, y éste es el pequeño cierre de metal. Y ésta —¡oh, sí!— es la cabeza de la cosa, el mango de hueso del cuchillo de pescador que Oren había usado para herir a su hijo.

El corte de Nicky no era grave. En realidad, todos estaban tratando de descubrir cómo se lo había hecho. Nicky todavía no sabía hablar. Le encantaba mirarse al espejo la delgada raja de medialuna que ya se había cerrado.

Margot, la vecina, había considerado aconsejable llamar también a un doctor, al encontrar sangre en el babero del niño. La policía había encontrado más sangre en el dormitorio: una sola gota sobre la colcha de color blanco cremoso. Estaban desconcertados; no habían encontrado huellas de violencia y Margot había observado la salida de la señora Standish. Le había parecido que estaba perfectamente bien. La sangre pertenecía al labio partido de Hope —cuando Oren Rath la había golpeado con la cabeza—, pero ellos no podían saberlo. A Margot se le ocurrió que podía tratarse de una cuestión de tipo sexual, pero insistió en que no lo estaba sugiriendo. Dorsey Standish estaba demasiado alejado para que se le ocurriera nada. La policía no creía que hubiera habido tiempo para consumar actos sexuales. El médico sabía que el corte de Nicky no tenía ninguna relación con un golpe, ni siquiera con una caída.

—¿Una navaja? —sugirió—. O un cuchillo muy afilado.

El inspector de policía —hombre rollizo y de cutis encarnado, a un año de la jubilación—encontró el cordón del teléfono cortado en el dormitorio.

—Un cuchillo —dijo—. Un cuchillo afilado y pesado.

Se llamaba Arden Bensenhaver y en otros tiempos había sido subjefe de policía de Toledo, Ohio, pero la superioridad había juzgado que sus métodos eran poco ortodoxos. Señaló la mejilla de Nicky:

—Es una herida de cuchillo, de serranil —hizo una demostración del movimiento correspondiente a la muñeca—. Pero por aquí no se ven muchos serraniles —aclaró Bensenhaver—. Es una herida producida por un cuchillo parecido a un serranil, pero probablemente se trate de alguna especie de cuchillo de caza o de pesca.

Margot había descrito a Oren Rath como a un joven granjero que había llegado en una furgoneta, aclarando que el color del vehículo revelaba la contradictoria influencia de la ciudad y la universidad entre los campesinos: turquesa. Dorsey Standish ni siquiera relacionó ese dato con la furgoneta del mismo color que había visto pasar, ni con la mujer que iba en la cabina y le había recordado a Hope. En realidad, no comprendía nada.

—¿Dejaron alguna nota? —preguntó. Arden Bensenhaver le miró fijamente; el doctor clavó la vista en el suelo—. Me refiero a un rescate —explicó Standish.

Era un pragmático y buscaba una comprensión objetiva. Alguien, pensó, había dicho rapto: ¿no pedían rescate en los casos de rapto?

—No hay ninguna nota, señor Standish —dijo Bensenhaver—. No tiene las características de ese tipo de cosas.

—Estaban en el dormitorio cuando encontré a Nicky al otro lado de la puerta —intervino Margot—. Pero estaba perfectamente bien cuando se fue, Dorsey. La vi.

No le habían hablado a Standish de las bragas de Hope, tiradas en el suelo del dormitorio; no lograron encontrar el sostén haciendo juego. Margot había informado a Arden Bensenhaver que la señora Standish era una mujer que habitualmente usaba sostén. También sabían que se había ido descalza. Además, Margot había reconocido la camisa de Dorsey. Sólo había leído parte de la matrícula; era una placa comercial del Estado y los dos primeros números indicaban que pertenecía al distrito, pero no los había visto todos. La matrícula trasera estaba salpicada de barro y a la furgoneta le faltaba la matrícula delantera.

—Los encontraremos —afirmó Arden Bensenhaver—. No hay muchas furgonetas color turquesa por aquí. Probablemente los muchachos del sheriff del distrito la conocen.

—Nicky, ¿qué ocurrió? —preguntó Dorsey Standish al crío, mientras le sentaba en su regazo—. ¿Qué le pasó a mamá? —el niño señaló la ventana—. ¿De modo que pensaba violarla? —preguntó Dorsey Standish en general.

Respondió Margot.

—Dorsey, espera a que lo sepamos.

—¿Esperar?

—Discúlpeme la pregunta, pero... ¿su mujer se veía con alguien? —inquirió Arden Bensenhaver—. Espero que me comprenda.

Standish se quedó mudo ante la pregunta, pero pareció reflexionar concienzudamente.

—No, decididamente no —replicó Margot.

—Se lo he preguntado al señor Standish —aclaró Bensenhaver.

—¡Santo Dios! —exclamó Margot.

—No, no lo creo —dijo Standish al inspector.

—Claro que no, Dorsey —dijo Margot—. Llevemos a Nicky a dar un paseo.

Margot era una mujer activa y práctica con la cual Hope simpatizaba. Entraba y salía de la casa cinco veces al día y siempre se encontraba a punto de terminar algo. Dos veces por año hacía desconectar y volver a conectar su teléfono: era lo mismo que dejar de fumar para algunas personas. Margot tenía hijos, pero eran mayores —estaban en la escuela todo el día— y con frecuencia cuidaba a Nicky para que Hope pudiera hacer algo sola. Dorsey Standish no hacía caso alguno a Margot; aunque sabía que era una persona buena y generosa, esas cualidades no llamaban especialmente su atención. Ahora se daba cuenta de que Margot tampoco era especialmente atractiva. No tenía atractivo sexual, pensó, y surgió en él un amargo sentimiento: pensó que nunca nadie trataría de violar a Margot, y en cambio cualquiera podía ver que Hope era una mujer hermosa. Cualquiera podía desearla.

En ese sentido, Dorsey Standish se equivocaba; ignoraba lo primero que hay que saber en lo que respecta a las violaciones: la víctima apenas importa. En un momento u otro, hay gente que trata de coaccionar sexualmente a casi todo lo imaginable: niños muy pequeños, personas muy ancianas, incluso muertos; también a animales.

El inspector Arden Bensenhaver —que entendía mucho de violaciones— anunció que tenía que proseguir su trabajo.

Bensenhaver se sintió mejor rodeado de espacios abiertos. En su primer trabajo le habían destinado a un coche patrulla que hacía la ronda nocturna en la antigua Ruta 2 entre Sandusky y Toledo. En verano era un camino salpicado de cervecerías y pequeños carteles de fabricación casera que prometían ¡BOLOS! ¡BILLARES! ¡PESCADO AHUMADO! y ¡CARNADAS VIVAS! Arden Bensenhaver conducía lentamente por Sandusky Bay junto a Lake Erie en dirección a Toledo, aguardando a que los coches llenos de adolescentes y pescadores borrachos jugaran con él al gato y al ratón en el oscuro camino de dos pistas. Más tarde, cuando era ya subjefe de policía de Toledo, Bensenhaver conducía de día, por ese inofensivo tramo del camino. Las tiendas que vendían carnadas, las cervecerías y los servicios de comidas rápidas parecían demasiado expuestos a la luz del día. Era lo mismo que observar a un otrora temido matón desnudarse para una pelea; veías su grueso cuello, el pecho apretado, los brazos sin muñecas... y luego, cuando se quitaba la última prenda, su triste y desvalida barriga.

Arden Bensenhaver odiaba la noche. Su principal petición al Gobierno Municipal de Toledo consistía en una mejor iluminación para los sábados por la noche. Toledo era una ciudad de trabajadores, y Bensenhaver estaba convencido de que, si la ciudad se iluminaba brillantemente los sábados por la noche, se suprimiría la mitad de las cuchilladas y mutilaciones, de los abusos físicos en general. Pero Toledo no había comprendido claramente su idea. Toledo estaba tan poco interesada en las ideas de Arden Bensenhaver como en poner en tela de juicio sus métodos.

Ahora Bensenhaver se relajó, por fin al aire libre. Tenía del peligroso mundo la perspectiva que siempre había deseado tener: recorría la tierra plana y abierta en un helicóptero: desde arriba era un observador imparcial que contempla su reino limitado y bien iluminado. El delegado del distrito le dijo:

—En los alrededores sólo hay una furgoneta color turquesa. Es propiedad de los condenados Rath.

—¿Rath? —preguntó Bensenhaver.

—Son toda una familia —explicó el delegado—. Detesto ir allí.

—¿Por qué? —inquirió Bensenhaver.

Bensenhaver le miró: un hombre joven, mofletudo y de ojos pequeños, pero agradable; por debajo de su ajustado sombrero asomaba su largo pelo, que casi le tocaba los hombros. Bensenhaver pensó en los jugadores de fútbol a los que les sobresalía el pelo por debajo de los cascos; algunos podrían trenzárselos, pensó. Se alegró al recordar que pronto se jubilaría; no podía comprender por qué había tanta gente que quería tener ese aspecto.

—¿Raros? —preguntó.

Todos emplean el mismo vocabulario, pensó. Sólo empleaban cuatro o cinco palabras para designar a casi todo.

—Bueno, la semana pasada yo recibí una queja acerca del más jóven —dijo el delegado.

Bensenhaver observó el uso casual del yo en recibí una queja, cuando de hecho el inspector sabía muy bien que el sheriff, o su oficina, habrían recibido la queja, y que aquél probablemente había considerado que la cuestión era lo bastante sencilla como para enviar a ese joven delegado a investigar. Pero por qué me asignaron una persona tan joven para esta cuestión, se preguntó Bensenhaver.

—El hermano más jóven se llama Oren —comentó el delegado—. Todos tienen nombres raros.

—¿A qué se refería la queja? —quiso saber Bensenhaver.

Sus ojos siguieron una larga calzada de tierra que desembocaba en lo que parecía ser una caprichosa disposición de establos y cobertizos, uno de los cuales, sabía, albergaba la granja principal, donde vivían personas. Pero Arden Bensenhaver no logró deducir cuál sería. Todos los edificios le parecieron inservibles, incluso para animales.

—Bueno... —dijo el delegado—, ese chico Oren anduvo revolcándose con un perro.

—¿Revolcándose? —preguntó Bensenhaver pacientemente: esa expresión puede significar algo, pensó.

—Bueno... los dueños del perro pensaron que Oren estaba tratando de follárselo.

—¿Y era así?

—Probablemente —reconoció el delegado—, pero yo no podía saberlo. Cuando llegué, Oren no estaba... y el perro parecía encontrarse bien. Quiero decir que yo no podía saber si el perro había sido follado.

—¡Tendrías que habérselo preguntado! —intervino el piloto del helicóptero, un chico, comprendió Bensenhaver, incluso más joven que el delegado: hasta éste le miraba con desdén.

—Es uno de esos listillos que nos da la Guardia Nacional —susurró el delegado a Bensenhaver.

Pero en ese momento Bensenhaver divisó la furgoneta turquesa. Estaba aparcada al aire libre, junto a un cobertizo blanco. No habían hecho ingún intento para ocultarla.

De un largo corral salieron unos cerdos que dieron vueltas de un lado a otro, enloquecidos por el estruendo del helicóptero suspendido sobre sus cabezas. Dos hombres flacos, vestidos con monos, se encontraban agachados sobre una cerda tendida a los pies de la rampa de un establo. Levantaron la vista hacia el helicóptero y se cubrieron la cara para protegerse del polvo que levantaba.

—No tan cerca. Baja en la hierba —ordenó Bensenhaver al piloto—. Estás asustando a los animales.

—No veo a Oren ni al viejo —informó el delegado—. Hay otros Rath, además de esos dos.

—Pregunta a esos dos dónde está Oren —dijo Bensenhaver—. Quiero echar un vistazo a esa furgoneta.

Obviamente, los hombres conocían al delegado; apenas le miraron cuando se acercó. Pero observaron a Bensenhaver —con su sombrío traje y su corbata parda —que atravesó el corral en dirección a la furgoneta turquesa. Arden Bensenhaver no los miró pero los vio. Son imbéciles, pensó. Bensenhaver había visto todo tipo de hombres malvados en Toledo: viciosos, hombres injustificablemente coléricos, hombres peligrosos, ladrones cobardes, hombres que mataban por dinero, y hombres que mataban por impulsos sexuales. Pero Bensenhaver nunca había visto una corrupción tan saludable como la que creyó ver en los rostros de Weldon y Raspberry Rath. Se estremeció. Consideró que era necesario encontrar rápidamente a la señora Standish.

Ignoraba qué buscaba cuando abrió la portezuela de la furgoneta turquesa, pero sabía cómo despejar una incógnita. Lo vio inmediatamente —era fácil: el sostén rasgado, un fragmento todavía atado al gozne de la puerta de la guantera, los otros dos pedazos en el suelo. No había sangre; el sostén era de un suave color beige natural; muy elegante, pensó Arden Bensenhaver. El carecía de estilo, pero había visto muertos de todas clases y podía reconocer el estilo de una persona por su ropa. Guardó los sedosos fragmentos del sostén en un puño y metió ambas manos en los flojos bolsillos estirados de la chaqueta de su traje. Volvió a cruzar el granero para dirigirse al delegado, que conversaba con los hermanos Rath.

—No han visto al chico en todo el día —dijo el delegado a Bensenhaver—. Dicen que a veces Oren pasa la noche fuera.

—Pregúntale quién fue el último que condujo esa furgoneta —Bensenhaver no miró a los Rath: los trataba como si no tuvieran la posibilidad de entenderse directamente con él y debieran hacerlo por intermedio del delegado.

—Ya se lo pregunté. Dicen que no se acuerdan.

—Pregúntale cuándo fue la última vez que una mujer joven y bonita subió a esa furgoneta.

El delegado no tuvo tiempo de hacerlo; Weldon Rath lanzó una carcajada. Bensenhaver agradeció que el que tenía en la cara una mancha que parecía de vino mantuviera la boca cerrada.

—¡Mierda! —rió Weldon—. Por aquí no hay ninguna mujer joven y bonita; ninguna mujer joven y bonita apoyó nunca su trasero en esa furgoneta.

—Dile que es un mentiroso —dijo Bensenhaver al delegado.

—Eres un mentiroso, Weldon —dijo el delegado.

—Mierda, ¿quién es él para venir aquí a decirnos algo?

Arden Bensenhaver sacó del bolsillo los tres fragmentos del sostén. Observó a la cerda tendida junto a los hombres; vio un ojo asustado que parecía mirar a todos simultáneamente, y era difícil saber dónde miraba el otro ojo.

—¿Es un macho o una hembra? —inquirió Bensenhaver.

Los Rath rieron.

—Cualquiera se da cuenta de que es una cerda —se mofó Raspberry.

—¿Alguna vez les cortáis los cojones a los cerdos machos? —preguntó Bensenhaver—. ¿Lo hacéis vosotros mismos o lo encargáis a otros?

—Los capamos nosotros mismos —dijo Weldon; él mismo parecía un cerdo, con las salvajes matas de pelo que le asomaban por las orejas—. Sabemos todo lo que hay que saber sobre la castración. No es nada.

—Bien —dijo Bensenhaver mientras levantaba el sostén para que lo vieran los Rath y el delegado—. Bien, eso es exactamente lo que dispone la nueva ley... en los casos de delitos sexuales —ni el delegado ni los Rath abrieron la boca—. Cualquier delito sexual se castiga ahora con la castración. Si te follas a quien no debes o si contribuyes a que alguien folle a quien no debe, por ejemplo no ayudándonos a impedirlo, podemos castrarte.

Weldon Rath miró a su hermano Raspberry, que parecía perplejo. Pero Weldon sonrió impúdicamente a Bensenhaver y dijo:

—¿Lo hacen ustedes mismos o se lo encargan a otros? —le dio un codazo a su hermano.

Raspberry intentó sonreír, ladeando su marca de nacimiento. Pero el rostro de Bensenhaver era inexpresivo mientras daba vueltas al sostén en las manos.

—No lo hacemos nosotros por supuesto. Ahora existe todo un equipo nuevo para esto. Lo hace la Guardia Nacional. Por eso vinimos en su helicóptero. Os llevaremos directamente al hospital de la Guardia Nacional y os traeremos de vuelta. No es nada, como ya sabéis.

—Nuestra familia es numerosa —apuntó Raspberry Rath—. Somos muchos hermanos. No podemos saber quién usa la furgoneta.

—¿Hay otro vehículo? —preguntó Bensenhaver al delegado—. No me lo dijiste.

—Sí, es negro. Lo había olvidado —dijo el delegado—. También tienen uno negro —los Rath asintieron.

—¿Dónde está? —la voz de Bensenhaver sonó contenida pero tensa.

Los hermanos intercambiaron una mirada. Weldon dijo:

—Hace rato que no lo veo.

—Tal vez lo tenga Oren —intervino Raspberry.

—Tal vez se la llevó nuestro padre —dijo Weldon.

—No podemos seguir perdiendo tiempo con esta mierda —dijo Bensenhaver al delegado con tono agrio—. Averigüemos cuánto pesan y luego veamos si el piloto puede llevarlos —el delegado, pensó Bensenhaver, es casi tan imbécil como los hermanos—. ¡Vamos! —dijo al delegado. Luego se volvió impaciente hacia Weldon Rath—: ¿Nombre?

—Weldon.

—¿Peso?

—¿Peso? —se asombró Weldon.

—¿Cuánto pesas? —insistió Bensenhaver—. Si hemos de meteros en el helicóptero, tenemos que saber cuánto pesáis.

—Noventa y pico —dijo Weldon.

—¿Y tú? —preguntó Bensenhaver al más joven.

—Más de noventa y cinco —replicó—. Me llamo Raspberry.

Bensenhaver cerró los ojos.

—Eso hace ciento ochenta y pico —dijo al delegado—. Ve a preguntarle al piloto si puede llevar ese peso.

—No pensará llevarnos ahora a algún sitio, ¿verdad? —preguntó Weldon.

—Sólo os llevaremos al hospital de la Guardia Nacional —explicó Bensenhaver—. Después, si encontramos a la mujer y está bien, os traeremos de vuelta.

—Pero si no está bien, podremos tener un abogado, ¿no? —quiso saber Raspberry—. Uno de esos señores que trabajan en los tribunales, ¿no?

—¿Si quién no está bien? —preguntó Bensenhaver a Raspberry.

—Bueno, esa mujer que están buscando.

—Si no está bien, ya os tendremos en el hospital y podremos practicar la castración y enviaros de regreso el mismo día. De esto entendéis más que yo —reconoció—. Yo nunca vi cómo lo hacen, pero no lleva mucho tiempo, ¿no? Tampoco se sangra demasiado, ¿verdad?

—¡Pero existen tribunales y abogados! —insistió Raspberry.

—Claro que sí, cierra el pico —ordenó Weldon.

—No, ya no existen tribunales para estos casos... de acuerdo con la nueva ley —aclaró Bensenhaver—. Los delitos sexuales son algo especial y con las nuevas máquinas es tan fácil castrar a aguien, que es lo que tiene más sentido.

—¡Sí! —gritó el delegado desde el helicóptero—. El peso está bien. Podemos llevarlos.

—¡Mierda! —exclamó Raspberry.

—Cierra el pico —repitió Weldon.

—¡No me cortarán mis cojones! —gritó Raspberry a su hermano—. ¡Ni siquiera llegué a tenerla!

Weldon dio un golpe tan fuerte a Raspberry en el estómago que el hermano menor cayó de lado y aterrizó encima de la cerda postrada. Esta se retorció, sus cortas patas sufrieron un espasmo y evacuó repentinamente, aunque no se movió. Raspberry permaneció jadeante junto a los hediondos excrementos de la cerda, y Arden Bensenhaver trató de dar un rodillazo a Weldon en los cojones. Pero éste reaccionó rápidamente: cogió la rodilla de Bensenhaver y lo empujó hacia atrás, encima de Raspberry y de la pobre cerda.

—¡Maldita sea! —protestó Bensenhaver.

El delegado sacó su arma e hizo un disparo al aire. Weldon cayó de rodillas y se tapó los oídos.

—¿Se encuentra bien inspector? —preguntó el delegado.

—Sí, naturalmente —Bensenhaver se sentó entre la cerda y Raspberry. Comprendió, sin la menor vergüenza, que sentía más o menos lo mismo hacia ambos—. Raspberry —dijo (el nombre mismo le obligó a cerrar los ojos)—, si quieres conservar tus cojones, dinos dónde está la mujer —la marca de nacimiento parpadeó ante Bensenhaver como si fuera un cartel de neón.

—No abras la boca, Raspberry —ordenó Weldon.

—Si éste vuelve a abrir el pico, dispárale a los cojones aquí mismo y nos ahorraremos el viaje —ordenó Bensenhaver al delegado, con la esperanza de que éste no fuera tan estúpido de hacerlo.

—Se la llevó Oren —dijo Rapsberry—. Con la camioneta negra.

—¿Adónde la llevó?

—No lo sé. A dar un paseo —respondió Raspberry.

—¿Estaba bien cuando se marchó de aquí?

—Supongo que sí. Me parece que Oren todavía no le había hecho daño. Ni siquiera creo que ya la hubiera tenido.

—¿Por qué? —preguntó Bensenhaver.

—Si ya la hubiera tenido, ¿para qué querría conservarla?

Bensenhaver volvió a cerrar los ojos y se puso de pie.

—Averigua cuánto tiempo hace de esto —dijo al delegado—. Después estropea la furgoneta turquesa para que no puedan usarla. Luego mete tu trasero en el helicóptero.

—¿A ellos los dejamos aquí? —quiso saber el delegado.

—Sin duda. Habrá mucho tiempo por delante para cortarles los cojones.

Arden Bensenhaver hizo que el piloto enviara un mensaje informando que el nombre del secuestrador era Oren Rath, el cual conducía una camioneta negra, no turquesa. El mensaje se cruzó con otro: un soldado del Estado había recibido un informe según el cual un hombre que iba solo en una camioneta negra avanzaba peligrosamente, entrando y saliendo de su banda, «con aspecto de borracho, o drogado, o algo más». El soldado no le había seguido en aquel momento porque se suponía que debía ocuparse de una furgoneta turquesa. Naturalmente, Arden Bensenhaver no podía saber que el hombre de la camioneta negra no estaba solo, que Hope Standish iba tumbada en el asiento delantero, con la cabeza apoyada en su regazo. La noticia sólo sirvió para que Bensenhaver volviera a estremecerse: si Rath iba solo, ya le había hecho algo a la mujer. Por encima del estruendo del helicóptero, Bensenhaver gritó al delegado que se diera prisa —que ahora buscaban una camioneta negra que había sido vista por última vez en la carretera de circunvalación que corta el sistema de caminos comarcales cercanos a la población llamada Sweet Wells.

—¿La conoces? —preguntó Bensenhaver.

—Sí —replicó el delegado.

Estaban otra vez en el aire y a sus pies los cerdos volvían a mostrar pánico. La pobre cerda enferma sobre la que había caído Raspberry seguía tendida, tan quieta como a su llegada. Pero los hermanos Rath peleaban —al parecer violentamente— y cuanto más se elevaba y se alejaba de ellos el helicóptero, más retornaba el mundo a su nivel de sensatez con el que Arden Bensenhaver estaba de acuerdo. Sólo cuando las minúsculas figuras en lucha —abajo y al Este— fueron miniaturas para él, y estuvo lejos de su sangre y sus temores, el delegado dijo que creía que Raspberry era capaz de derrotar a Weldon, si no se asustaba. Bensenhaver rio con su inexpresiva risa de Toledo.

—Son animales, —opinó Bensenhaver, y el delegado, a pesar de toda la crueldad y el cinismo del joven que había en él, pareció impresionado—. Si ambos se mataran mutuamente, piensa en la comida que otros seres humanos podrían aprovechar.

El delegado captó que la mentira de Bensenhaver acerca de la nueva ley —la castración instantánea para los delitos sexuales— era algo más que una ficción traída de los pelos: Bensenhaver, aunque evidentemente sabía que ésa no era la ley, consideraba que así debería de ser. Aquél era uno de los métodos que Arden Bensenhaver empleaba en Toledo.

—¡Esa pobre mujer! —se lamentó Bensenhaver mientras arrugaba los fragmentos del sostén entre sus venosas manos—. ¿Cuántos años tiene ese Oren? —preguntó al delegado.

—Dieciséis, quizá diecisiete. Casi un niño —el delegado tenía como mínimo veinticuatro.

—Si es lo bastante mayor para tener una erección —comentó Bensenhaver—, es lo bastante mayor para que se la corten.

Pero, ¿qué debo cortar? ¿Por dónde puedo cortar?, se preguntó Hope, con el largo y delgado cuchillo de pescador en la mano. Su pulso palpitaba en la palma de su mano, pero a Hope le parecía que el cuchillo tenía un latido propio. Muy lentamente elevó la mano hasta la cadera, por encima del borde del desvencijado asiento, desde donde podía vislumbrar la hoja. ¿Tendré que utilizar el borde dentado o el que parece tan afilado? ¿Cómo se mata a un hombre con esto? A lo largo del sudoroso trasero de Oren Rath, aquel cuchillo era en su mano un milagro frío y distante. ¿Lo corto o se lo hundo? Lamentó no saberlo. Las dos manos ardientes de Oren estaban bajo las nalgas de Hope, elevándola y sacudiéndola. La barbilla del muchacho se hundió en el hueco cercano a la clavícula de la mujer como una pesada piedra. Entonces

Hope sintió que él retiraba una de sus manos de debajo de ella y que sus dedos tanteaban el piso de la cabina hasta rozar la mano que sostenía el cuchillo.

—¡Muévete! —ordenó Oren—. ¡Muévete ahora!

Hope trató de arquear la espalda pero no pudo; intentó retorcer las caderas, pero no pudo. Le sintió empujar a su ritmo peculiar, tratando de encontrar aquél que le haría correrse. La mano que tenía bajo el cuerpo de ella se extendió por debajo de su cintura y con la otra buscó a tientas en el suelo.

Entonces ella comprendió: Oren buscaba el cuchillo. Cuando sus dedos encontraran la funda vacía, Hope estaría perdida.

—¡Aaahhh! —gimió Oren.

Rápido, pensó Hope. ¿Entre las costillas? ¿De costado —y deslizando el cuchillo hacia arriba —o directamente hacia abajo, con la mayor fuerza posible, entre las aletas de los hombros, llegando al pulmón por la espalda, hasta sentir que la punta rozaba su propio pecho? Blandió el brazo en el aire, por encima de la espalda arqueada de Oren. Vio el destello de la hoja aceitada... y la mano de él, que repentinamente se elevó y arrojó los pantalones vacíos sobre el volante.

Oren intentó separarse de ella, pero la mitad inferior de su cuerpo estaba atrapada por el ritmo largamente buscado; sus caderas temblaban en pequeños espasmos que parecía no poder controlar, mientras su pecho se elevaba, separándose del de ella, y sus manos le empujaban firmemente los hombros. Los pulgares de Oren reptaron hasta su garganta.

—¿Y mi cuchillo? —preguntó.

Movió la cabeza hacia atrás y hacia adelante; miró a sus espaldas y hacia arriba. Le levantó el mentón con los pulgares, mientras ella trataba de ocultar la garganta.

Con una toma de tijera, Hope rodeó el pálido trasero del muchacho. Oren no pudo interrumpir su vaivén, aunque el cerebro debió de advertirle que ahora había otra cosa que corría más prisa.

—¿Y mi cuchillo? —insistió.

Ella se asomó por encima del hombro de Oren y (más rápido de lo que ella misma lo vio ocurrir) deslizó el borde delgado de la hoja a través de su garganta. Por espacio de un segundo no logró detectar ninguna herida. Sólo se dio cuenta de que el peso de él la ahogaba. Entonces una de las manos de Oren soltó su cuello y fue en busca del propio. Tapó el tajo que ella esperaba ver. Pero en seguida divisó la oscura sangre que chorreaba entre los apretados dedos de Oren. El apartó la mano —ahora buscaba la de ella, la que sostenía el cuchillo— y de su garganta apuñalada brotó una burbuja. Hope oyó un sonido similar al que produce alguien que intenta absorber el fondo de una bebida con una pa-

jita astillada. Nuevamente pudo respirar. ¿Dónde están sus manos?, se preguntó. De pronto parecieron revolotear a su lado, sobre el asiento, y lanzarse como aves asustadas a su espalda.

Hope hundió la hoja en el cuerpo de Oren, inmediatamente por encima de la cintura, pensando que quizás había encontrado un riñón, porque la hoja entró y salió con absoluta facilidad. Oren Rath apoyó su mejilla contra la de ella como si fuera un niño. Habría gritado, naturalmente, pero su primera cuchillada le había atravesado limpiamente la tráquea y las cuerdas vocales.

Hope intentó elevar el cuchillo, pero encontró una costilla, o algo difícil; se vio obligada a tantear hasta que, insatisfecha, sacó el cuchillo después de hundirlo sólo unos pocos centímetros. Ahora, él se apoyaba pesadamente en ella, como si quisiera cobrar impulso para separarse. Su cuerpo enviaba señales de desesperación a sí mismo, pero las señales no llegaban al punto de destino. Oren se alzó contra el respaldo del asiento, pero no logró mantener alta la cabeza y su pene, todavía en movimiento, seguía adherido a Hope. Ella aprovechó la oportunidad para volver a clavar el cuchillo. El arma se hundió en su estómago, de costado, y avanzó en línea recta hasta pocos centímetros de su ombligo, cuando encontró una fuerte resistencia y su cuerpo volvió a caer encima de ella, aplastándole la muñeca. Pero eso era fácil. Ella retorció la mano y liberó el resbaladizo cuchillo. Algo que tenía que ver con las tripas de Oren se relajó. Hope se sintió sobrecogida por la humedad y el olor. Dejó caer el cuchillo en el suelo de la cabina.

Oren Rath se estaba vaciando a chorros, a litros. Ahora su cuerpo parecía más liviano encima del de Hope. Tenían los cuerpos tan resbaladizos que Hope logró separarse de él con facilidad. Le empujó de espaldas y se agachó en el encharcado piso de la camioneta, al lado de él. El pelo de Hope estaba pesado de sangre: la garganta de Oren lo había regado. Cuando parpadeó, se le pegaron las pestañas a las mejillas. Una de las manos de Oren se retorció y Hope la palmeó.

—Basta —dijo Hope mientras una de las rodillas de Oren se elevaba y volvía a caer—. Basta, ahora basta —se refería al corazón de Oren, a su vida.

No le miró a la cara. Contra la oscura barba que cubría su cuerpo, el blando y translúcido condón envolvía su pene encogido como un líquido congelado ajeno a la materia humana de la sangre y de las tripas. Hope recordó un zoológico y el salivazo de un camello en su jersey de color escarlata.

Se contrajeron los testículos de Oren. Hope se enfureció.

—Basta —siseó: los testículos eran pequeños, redondos y apretados; en ese instante se aflojaron—. Por favor, basta —susurró—. Por favor, muere.

Oyó un ínfimo suspiro, como si alguien hubiera dejado escapar tan poco aire que no valía la pena recuperarlo. Pero Hope permaneció un rato agachada a su lado, sintiendo los latidos de su propio corazón y confundiendo su pulso con el de él. Luego se dio cuenta de que había muerto bastante rápido.

Por la puerta abierta de la camioneta, los blancos pies limpios de Oren Rath —exangües los dedos— apuntaban hacia lo alto bajo la luz del sol. En el interior de la cabina, también bañada por el sol, se coagulaba la sangre. Todo se cuajaba. Hope Standish sintió que el vello de sus brazos se ponía rígido y le tiraba de la piel a medida que ésta se secaba. Todo lo que era resbaladizo se convertía en pegajoso.

Tengo que vestirme, pensó Hope. Pero algo parecía fallar en las condiciones atmosféricas.

A través de las ventanillas, Hope veía el sol, como una lámpara cuya luz atraviesa las aspas de un ventilador puesto a toda velocidad. La gravilla del costado del camino se elevaba en pequeños remolinos; los cascos y rastrojos secos del cereal del año anterior giraban contra el chato suelo desnudo como si soplara un viento incontenible —pero no con la orientación usual: este viento parecía soplar directamente hacia abajo. ¡Y qué clamor! Era como chocar con la estela que deja un camión que avanza a alta velocidad. Pero no había tráfico en el camino.

Es un tornado, pensó Hope. Odiaba el Medio Oeste, con su extraño tiempo; dado que provenía del Este, podía comprender un huracán. ¡Pero un tornado! Nunca había visto un tornado, pero los pronósticos meteorológicos siempre estaban plagados de «atención a los tornados». Siempre se había preguntado a qué debía prestarse atención. A esto, supuso... a este torbellino que la rodeaba. A estos terrones que volaban, al sol color pardo.

Estaba tan furiosa que golpeó la fría y viscosa nalga de Oren Rath. Después de haber vivido esto, ¡ahora también tengo que soportar un tornado! El ruido le pareció el de un tren que pasaba por encima de la camioneta. Hope imaginó el embudo en descenso y otros camiones y coches ya atrapados en él. Oyó que sus motores seguían funcionando. Entró arena por la puerta abierta y se adhirió a su cuerpo pegajoso; buscó a tientas el vestido y descubrió los agujeros vacíos para los brazos, donde antes estaban las mangas; tendría que arreglarse así.

Pero para ponérselo debería salir de la camioneta. No había lugar para moverse junto a Rath y su sangre derramada, ahora moteada por la arenilla del borde del camino. Y afuera, no abrigó la menor duda, su vestido le sería arrancado de las manos y, desnuda, sería absorbida en dirección al cielo.

—No lo lamento —susurró—. ¡No lo lamento! —chilló y volvió a golpear el cadáver de Rath.

Entonces una voz, una terrible voz —alta como el más alto de los altavoces— la estremeció en el interior de la cabina.

—¡SI ESTAS AHI DENTRO, SAL! ¡APOYA LAS MANOS EN LA CABEZA Y SAL! ¡SUBE A LA PARTE DE ATRAS DE LA CAMIONETA Y TIENDETE!

Estoy realmente muerta, pensó Hope. Ya llegué al cielo y ésta es la voz de Dios. No era una mujer religiosa y la voz le pareció adecuada: si Dios existía, su voz tenía que ser intimidadora, emitida a través de un altavoz.

—¡SAL AHORA! —dijo Dios—. HAZLO AHORA MISMO.

¿Por qué no?, pensó Hope. ¿Qué puedes hacerme? La violación era un ultraje que ni siquiera Dios podía comprender.

En el interior del helicóptero, sacudiéndose por encima de la camioneta negra, Arden Bensenhaver chillaba en el megáfono. Tenía la certeza de que la señora Standish estaba muerta. No podía distinguir el sexo de los pies que asomaban por la portezuela abierta de la cabina, pero esos pies no se habían movido durante el descenso del helicóptero, y se los veía tan desnudos y desprovistos de todo color bajo la luz del sol que Bensenhaver tuvo la seguridad de que eran pies muertos. El hecho de que el muerto pudiera ser Oren Rath no pasó por la imaginación del delegado ni de Bensenhaver.

Pero Bensenhaver no comprendía por qué Rath había abandonado la camioneta después de perpetrar sus viles actos, por lo que ordenó al piloto que mantuviera el helicóptero inmediatamente encima del vehículo.

—Si sigue allí con ella —dijo Bensenhaver al delegado—, tal vez logremos matarle de miedo.

Cuando Hope Standish pasó rozando los pies rígidos y se acurrucó junto a la cabina, tratando de proteger sus ojos de la arena, Arden Bensenhaver notó que sus dedos soltaban el disparador del megáfono. Hope trató de cubrirse el rostro con el vestido roto, pero éste se le arrolló alrededor de la cabeza; avanzó a tientas junto a la camioneta en dirección a la puerta trasera, agachada contra la punzante grava que se adhería a los sitios de su cuerpo donde la sangre no se había terminado de secar.

—¡Es la mujer —exclamó el delegado.

—¡Retrocede! —indicó Besenhaver al piloto.

—¿Qué le ocurrió? —inquirió el delegado, aterrorizado.

Besenhaver le alcanzó bruscamente el megáfono.

—Aléjate —ordenó al piloto—. Deja esto al otro lado del camino.

Hope percibió que el viento cambiaba de dirección y que el clamor del embudo del tornado pasaba por encima de su cabeza. Se arrodilló junto al camino. Su incontrolable vestido se serenó en sus manos. Se lo llevó a la boca porque el polvo la ahogaba.

Se acercó un coche, pero Hope no se dio cuenta. El conductor pasó por la pista correcta, la camioneta negra a un lado del camino, a su derecha; en ese momento el helicóptero aterrizaba fuera del camino, a su izquierda. La ensangrentada y suplicante mujer, desnuda y cubierta de polvo y arena, no lo vio pasar a su lado. El conductor tuvo la visión de un ángel que regresara del infierno. Su reacción fue tan retardada, que se encontraba cien metros más allá de todo lo que había visto cuando intentó, súbitamente, dar media vuelta y volver sin disminuir la velocidad. Las ruedas delanteras alcanzaron el blando andén y el coche se deslizó hacia el otro lado de la cuneta, hasta el blando estiércol primaveral de un campo de judías arado, donde el auto se hundió hasta los parachoques; no logró abrir la portezuela. Bajó la ventanilla y se asomó al fango, en dirección al camino como un hombre que ha estado pacíficamente sentado en un muelle que de pronto se libera de la playa y deriva hacia alta mar.

—¡Socorro! —gritó el conductor.

La visión de la mujer le había aterrorizado de tal modo que temió pudiera haber apariciones similares en las cercanías, o que lo que le había producido ese aspecto pudiera andar a la caza de otra víctima.

—¡Demonios! —dijo Arden Bensenhaver al piloto—. Tendrás que ir a ver si ese idiota se encuentra bien. ¿Por qué permiten que cualquiera conduzca un coche? —Bensenhaver y el delegado bajaron del helicóptero y pisaron el mismo estiércol exuberante que había atrapado al conductor—. ¡Maldición!

—¡Virgen Santa! —protestó el delegado.

Hope Standish los miró por primera vez desde el otro lado del camino. Dos hombres maldicientes avanzaban hacia ella por un campo embarrado. Las hélices del helicóptero giraban cada vez más lentamente. También vio a un hombre estúpidamente asomado a la ventanilla de su coche, aunque parecía más distante. Hope se puso el vestido. Uno de los agujeros del brazo —donde antes estaba cosida la manga— se había desgarrado, y Hope tuvo que sujetar un trozo de tela con el codo para que el pecho no le quedara al descubierto. Sólo en ese momento se dio cuenta de cuánto le dolían los hombros y el cuello.

Arden Bensenhaver, sin aliento y empapado de barro hasta las rodillas, apareció repentinamente frente a Hope. El fango hacia que sus pantalones se pegaran a las piernas, de modo que a Hope le pareció un anciano con calzones.

—¿Señora Standish? —ella le volvió la espalda para ocultar el rostro y asintió—. Tanta sangre... —prosiguió Bensenhaver con tono de impotencia—. Lamento que hayamos tardado tanto. ¿Está herida?

Ella se volvió y le miró fijamente. Bensenhaver observó la hinchazón alrededor de los ojos, la nariz rota y el bulto azul sobre la frente.

—En su mayor parte es sangre de él —explicó—. Pero fui violada. Me violó —dijo a Bensenhaver.

Bensenhaver sacó su pañuelo; parecía a punto de limpiarle el rostro con él, en la actitud de quien limpia la boca de un niño, pero se desanimó al comprender que secar la cara de esa mujer sería una tarea ciclópea y abandonó el pañuelo.

—Lo siento, lo siento —repitió—. Llegamos lo antes posible. Vimos a su bebé y está muy bien —la tranquilizó Bensenhaver.

—Tuve que ponerme su pene en la boca —Bensenhaver cerró los ojos—. Después me folló y me folló y me folló. Luego pensaba matarme... me dijo que lo haría. Tuve que matarle. ¡Y no lo lamento!

—Claro que no —respondió Bensenhaver—. Y no tiene por qué lamentarlo, señora Standish. Estoy seguro de que hizo lo mejor.

Ella movió la cabeza afirmativamente y se miró los pies. Extendió una mano hacia Bensenhaver y él la dejó que se apoyara, aunque Hope era algo más alta que Bensenhaver y con el propósito de apoyar la cabeza en su hombro tuvo que encogerse.

Entonces Bensenhaver notó la presencia del delegado; éste se había acercado a la cabina para mirar a Oren Rath y había llenado con su vomitera toda la parte anterior de la camioneta, frente al piloto que ayudaba a cruzar el camino al conductor del coche atascado. El delegado, con el rostro del mismo color exangüe de los pies de Oren Rath iluminados por el sol, imploraba a Bensenhaver que se acercara. Pero éste quería tranquilizar a la señora Standish de todas las formas posibles.

—¿De modo que lo mató después de que él la violó, cuando estaba relajado y no le prestaba atención? —preguntó.

—No, durante —susurró Hope junto al cuello del inspector. El desagradable hedor de su piel llegó a Bensenhaver, que no apartó la cara para poder oírla.

—¿Quiere decir mientras la estaba violando, señora Standish?

—Sí —respondió ella en un susurro—. Aún me estaba penetrando cuando encontré su cuchillo. Estaba en sus pantalones, en el suelo de la cabina, e iba a usarlo sobre mí cuando concluyera, por lo que tuve que hacerlo.

—Naturalmente. No tiene importancia.

Bensenhaver se refería a que ella tendría que haberle matado de cualquier modo... aun cuando Oren no hubiera pensado matarla. Para Arden Bensenhaver no había ningún delito más grave que la violación, ni siquiera el asesinato, excepto, quizás el asesinato de un niño. Pero de eso entendía menos: no tenía hijos.

Llevaba siete meses de matrimonio cuando habían violado a su esposa embarazada en una lavandería, mientras él la esperaba en el coche. Lo habían hecho tres chicos. Habían abierto la puerta de resortes de una de las grandes secadoras, la habían sentado encima y habían empujado su cabeza hacia el tibio interior de la máquina, donde ella sólo podía gritar a las sordas sábanas y fundas, y oír el eco y el rebote de su propia voz alrededor del enorme tambor de metal. También sus brazos estaban en la secadora, de modo que no podía hacer nada. Sus pies no llegaban al suelo. La puerta de resortes la sacudió debajo de los tres, aunque probablemente trató de no moverse. Por supuesto, los muchachos no tenían la menor idea de que estaban violando a la mujer del subjefe de policía. Y toda la iluminación posible en el centro de Toledo los sábados por la noche no la habría salvado.

Los Bensenhaver eran una pareja madrugadora. Todavía eran jóvenes y llevaban juntos la ropa sucia a la lavandería los lunes por la mañana, antes de desayunar; durante el ciclo de lavado leían los periódicos. Después metían la ropa en la secadora y volvían a su casa para desayunar. La señora Bensenhaver la recogía mientras iba al cuartelillo del centro con su marido. El la aguardaba en el coche mientras ella entraba a retirarla; a veces alguien la había sacado de la secadora en tanto ellos desayunaban, en cuyo caso la señora Bensenhaver la ponía a secar nuevamente durante unos minutos. En esas ocasiones, Bensenhaver la esperaba en el coche. Les gustaba ir a la lavandería a primera hora de la mañana porque pocas veces había más clientes a esa hora.

Sólo cuando Bensenhaver vio salir a los tres chicos empezó a preocuparse por la tardanza de su esposa en recoger la ropa seca. Pero no lleva demasiado tiempo violar a alguien, incluso tres veces. Bensenhaver entró en la lavandería, donde vio las piernas de su mujer asomando fuera de la secadora; se le habían caído los zapatos. Aquéllos no eran los primeros pies muertos que veía Bensenhaver, pero eran muy importantes para él.

Ella se había asfixiado en su propia ropa limpia —o había vomitado y se había ahogado—, pero los tres chicos no habían tenido la intención de matarla. Aquello había sido accidental y en el juicio se había hablado mucho sobre la naturaleza no premeditada de la muerte de la señora Bensenhaver. El abogado defensor insistió en que los chicos «sólo habían planeado violarla, no matarla». Y la frase «sólo violarla» —como la tan trillada de «afortunada-

mente sólo fue violada, es una suerte que no la hayan matado» —
espantaba a Arden Bensenhaver.

—Está bien que le haya matado —susurró Bensenhaver a
Hope Standish—. Nosotros no habríamos podido hacer nada —le
confió—. Nada de lo que merecía. La felicito. La felicito.

*Hope había esperado otro tipo de pesquisa policial, una inves-
tigación más crítica, al menos un policía más suspicaz, indudablemente un hombre muy distinto a Arden Bensenhaver. Por un lado
estaba muy agradecida de que Bensenhaver fuese un anciano
—evidentemente en la sesentena—, una especie de tío o alguien
aún más remoto sexualmente: un abuelo. Afirmó que se sentía mejor, que estaba muy bien; cuando se irguió y se apartó de él, vio
que le había manchado el cuello de la camisa y la mejilla, pero
Bensenhaver no se había dado cuenta o no le importaba.*

—De acuerdo, muéstremelo —dijo Bensenhaver al delegado,
pero volvió a sonreír cordialmente a Hope.

El delegado le condujo hasta la cabina abierta de la camioneta.

—¡Santo Dios! —decía el conductor del coche atascado—.
¿Qué es eso? Mire, me parece que es el hígado. ¿No es ése el aspecto que suele tener el hígado?

*El piloto observaba con mudo asombro; Bensenhaver cogió a
ambos hombres por las hombreras y los alejó rudamente. Se dirigieron a la parte trasera de la camioneta, donde Hope se estaba
reponiendo, pero Bensenhaver les advirtió.*

—Manteneos lejos de la señora Standish. Manteneos lejos de
la camioneta. Comunica nuestra posición por radio —ordenó al
piloto—. Necesitarán una ambulancia o algo similar. Llevaremos
a la señora Standish con nosotros.

—Para él necesitarán una bolsa de plástico —el delegado señaló a Oren Rath—. Está esparcido por todas partes.

—Lo veo con mis propios ojos —dijo Arden Bensenhaver,
mientras se asomaba al interior de la cabina y silbaba admirativa-
mente.

—¿Lo estaba haciendo...? —empezó a preguntar el delegado,
pero Bensenhaver le interrumpió.

—Ya está bien.

*Bensenhaver apoyó la mano en un repugnante revoltijo que
había junto al pedal del acelerador, pero no pareció importarle.
Buscaba el cuchillo en el suelo de la cabina, del lado del acompañante. Lo levantó con el pañuelo; lo observó atentamente y se lo
guardó en el bolsillo envuelto en el pañuelo.*

—Oiga —dijo el delegado con tono conspirador—. ¿Alguna
vez oyó hablar de un violador que usara condón?

—No es corriente —respondió Bensenhaver—, pero tampoco
insólito.

—A mí me parece extraño —comentó el delegado.

El delegado observó sorprendido cómo Bensenhaver cogía el profiláctico hábilmente por debajo del bulto y lo arrimaba, sin derramar una gota, a la luz. La bolsa era tan grande como una pelota de tenis. No había perdido una sola gota. Estaba lleno de sangre.

Bensenhaver pareció satisfecho; hizo un nudo al condón, como si se tratara de un globo y lo arrojó a tanta distancia en el campo de judías que cayó fuera del alcance de la vista.

—No quiero que nadie sugiera que podría no haber sido una violación —explicó amablemente Bensenhaver al delegado—. ¿Comprendes?

No aguardó la respuesta del delegado; se acercó a la parte posterior de la camioneta con el propósito de acompañar a la señora Standish.

—¿Cuántos años tenía... ese muchacho? —preguntó Hope al inspector.

—Bastantes —replicó Bensenhaver—. Veinticinco o veintiséis —agregó: no quería que nada afectara la supervivencia de Hope, especialmente a sus propios ojos.

Bensenhaver hizo una seña al piloto para que ayudara a la señora Standish a subir al helicóptero. Luego se acercó a ultimar detalles con el delegado.

—Tú te quedas aquí con el cadáver y ese pésimo conductor.

—No soy un mal conductor —gimió el automovilista—. Si usted hubiera visto a esa señora allí... en el camino...

—Y no permitas que nadie se acerque a la camioneta —concluyó Bensenhaver.

Abandonada en el camino estaba la camisa del señor Standish; Bensenhaver la recogió y se acercó corriendo al helicóptero con su inevitable estilo de hombre entrado en carnes. Los dos que quedaban en tierra observaron a Besenhaver subir al helicóptero. El aparato cobró altura. El débil sol primaveral pareció marcharse con el helicóptero, repentinamente sintieron frío y pensaron que no tenían dónde protegerse, indudablemente no en la camioneta, y sentarse en el coche del conductor significaba cruzar el campo de estiércol. Se acercaron a la camioneta, bajaron la puerta trasera y se sentaron encima.

—¿Llamará a una grúa el inspector para que se lleve mi coche? —preguntó el conductor.

—Probablemente lo olvidará.

El delegado estaba pensando en Bensenhaver; le admiraba pero le temía y también consideraba que no se podía confiar plenamente en él. Estaban las cuestiones de la ortodoxia, si de eso se trataba, que el delegado no había tenido en cuenta. Principalmente, el delegado ahora tenía muchas cosas en que pensar a la vez.

El conductor se paseaba de un lado para otro de la caja de la camioneta, lo que irritó al delegado, porque sacudía la valla trasera en la que estaba sentado. El conductor eludía la manta roñosa que seguía hecha un amasijo en el rincón cercano a la cabina; limpió un fragmento de la polvorienta y sucia ventanilla trasera para poder ver, en el interior de la cabina, el rígido y destripado cuerpo de Oren Rath. Ahora se había secado toda la sangre y a través de la sucia ventanilla trasera, el cadáver le pareció similar —en color y brillo— a una berenjena. Volvió a sentarse en la puerta, junto al delegado, que se levantó, subió a la caja y se asomó a la ventanilla trasera para observar el cuerpo apuñalado.

—¿Quiere que le diga una cosa? —dijo el conductor—. Aunque estaba toda sucia y desarreglada, se notaba que es una mujer muy guapa.

—Sí, así es —coincidió el delegado.

Ahora el conductor se paseaba por la parte de atrás de la camioneta con el delegado, de modo que éste volvió a sentarse en la valla trasera.

—No se enoje —rogó el conductor.

—No estoy enojado —respondió el delegado.

—No quise decir que simpatice con alguien que quisiera violarla —aclaró el conductor.

—Sé muy bien lo que no quiso decir.

El delegado sabía muy bien que él estaba por encima de esas cuestiones, pero la simpleza del conductor le obligó a adoptar lo que imaginaba era la actitud despectiva de Bensenhaver hacia él.

—Usted ve muchas de estas cosas, ¿no? —preguntó el conductor—. Me refiero a violaciones y asesinatos.

—Bastantes —respondió el delegado con solemne autosuficiencia.

De hecho, antes nunca había visto una violación ni un asesinato, y comprendió que incluso ahora no los había visto con sus propios ojos, sino que había vivido toda la aventura a través de los de Arden Bensenhaver. Había visto la violación y el asesinato según Bensenhaver, pensó. El delegado se sintió muy confundido; buscaba algún punto de vista propio.

—Yo he visto algo en el servicio —comentó el conductor mientras volvía a asomarse a la ventanilla trasera—, pero nada semejante.

El delegado no pudo responder.

—Supongo que esto es parecido a la guerra... y estar aquí es como permanecer en un mal hospital de campaña —dijo el conductor minutos después.

El delegado se preguntó si debía permitir que ese imbécil mirara el cadáver de Rath, si tenía o no importancia, y para quién.

Indudablemente a Rath no le importaría. Pero, ¿y a su irreal familia? ¿Y a él mismo? El no lo sabía. ¿Pondría objeciones Bensenhaver?

—¿No le molesta que le haga una pregunta personal? —preguntó el conductor—. ¿No se enojará, verdad?

—Adelante —le invitó el delegado.

—Bueno... ¿qué ocurrió con el condón?

—¿Qué condón?

El delegado podía tener algunas dudas con respecto a la cordura de Bensenhaver, pero en este caso estaba seguro de que el inspector tenía razón. En el mundo según Bensenhaver, ningún detalle trivial debía atenuar el ultraje que es una violación.

En ese momento, Hope Standish se sentía por fin a salvo en el mundo de Bensenhaver. Flotaba y vibraba a su lado, sobre las tierras de labranza, haciendo esfuerzos por no marearse. Volvía a notar características de su cuerpo: se olió y se tocó todos los puntos doloridos. De hecho se sentía profundamente asqueada, pero allí estaba ese cordial policía que la admiraba, cuyo corazón se había conmovido por su violento éxito.

—¿Es usted casado, señor Bensenhaver? —preguntó Hope.

—Sí, señora Standish.

—Usted ha sido maravillosamente amable, pero me parece que voy a vomitar.

—Me hago cargo —Bensenhaver cogió una bolsa de papel encerado que estaba a sus pies. Era la bolsa del almuerzo del piloto; había unas patatas fritas en el fondo y la grasa había vuelto transparente la bolsa de papel. Bensenhaver vio su propia mano a través de las patatas fritas y del fondo de la bolsa—. Aquí tiene. Adelante.

Hope ya tenía arcadas; cogió la bolsa y volvió la cabeza. La bolsa no le pareció lo suficientemente grande para contener toda la vileza que estaba segura guardaba en su interior. Sintió la firme y pesada mano de Bensenhaver en su espalda. Con la otra mano, el inspector le apartó un mechón de pelo de la cara.

—Muy bien —la estimuló—, déjelo salir, sáquelo todo y se sentirá mucho mejor.

Hope recordó que siempre que Nicky se mareaba, ella le decía esas mismas palabras. Se maravilló de que Bensenhaver pudiera incluso convertir su vómito en una victoria, pero se sintió mucho mejor; el rítmico balanceo era para ella tan tranquilizante como las manos secas y serenas de ese hombre que le sostenía la cabeza y le palmeaba la espalda. Cuando la bolsa se llenó y desbordó, Bensenhaver dijo:

—¡De buena nos libramos, señora Standish! Ya no necesita la bolsa. Este helicóptero pertenece a la Guardia Nacional. ¡Dejemos

que lo limpie la Guardia Nacional! Al fin y al cabo, ¿para qué está la Guardia Nacional?

El piloto siguió atento a lo suyo, con expresión inmutable.

—¡Qué día ha pasado, señora Standish! —prosiguió Bensenhaver—. Su marido se sentirá muy orgulloso de usted.

Pero Bensenhaver consideró que sería mejor asegurarse; sería mejor que conversara con el marido. Arden Bensenhaver sabía por experiencia que los maridos y otras personas no siempre aceptan como corresponde las violaciones...

El primer asesinato

«¿Qué significa "Este es el primer capítulo"?», escribió John Wolf a Garp. «¿Cómo puede haber más *de esto*? ¡Ya es demasiado tal como está! ¿Qué posibilidad tienes de seguir adelante?»

«Pues sigue», contestó Garp por escrito. «Ya verás.»

—No *quiero* verlo —dijo John Wolf a Garp por teléfono—. Te ruego que abandones. Al menos déjalo de lado por ahora. ¿Por qué no viajas? Sería bueno para ti... y para Helen, estoy seguro. Además Duncan ya está en condiciones de viajar, ¿no?

Pero Garp no sólo insistió en que *El mundo según Bensenhaver* sería una novela; se emperró en que John Wolf tratara de vender el primer capítulo a una revista. Garp nunca había tenido agente literario; John Wolf había sido el primero en leer sus escritos y se ocupaba de todos sus asuntos, lo mismo que de los de Jenny Fields.

—¿*Venderlo*? —se sorprendió John Wolf.

—Sí, venderlo —dijo Garp—. Promoción anticipada de la novela.

—Eso había ocurrido con las dos novelas anteriores de Garp: habían vendido extractos de las mismas a revistas. Pero John Wolf intentó convencer a Garp de que *ese* capítulo era, primero, impublicable y, segundo la peor publicidad posible, si es que alguien era tonto y lo publicaba. Recordó a Garp que como escritor su reputación era «limitada, pero seria», que sus dos primeras novelas habían sido dignamente criticadas, que le habían proporcionado algunos seguidores respetables y un público «limitado, pero serio». Garp respondió que *odiaba* la reputación «limitada, pero seria», aunque comprendía que le entusiasmara a John Wolf.

—Prefiero ser rico y ajeno a la *preocupación* acerca de lo que los idiotas llaman «serio» —concluyó Garp, aunque... ¿quién puede librarse de semejante preocupación?

Garp sentía realmente que podía comprar una especie de aislamiento del terrible mundo real. Imaginaba una especie de fortín donde él, Duncan y Helen (y un nuevo bebé) podrían vivir sin ser molestados, incluso intocados por lo que él llamaba «el resto de la vida».

—¿De qué estás hablando? —le preguntó John Wolf.

Helen le preguntó lo mismo. También Jenny. Pero a Jenny Fields le *gustaba* el primer capítulo de *El mundo según Bensenhaver*. Consideraba que mantenía el orden de todas las prioridades... que sabía quién era la heroína en semejante situación, que expresaba correctamente el ultraje, que volvía grotesca, de manera convincente, la vileza de la *lujuria*. De hecho, la simpatía de Jenny por el primer capítulo resultó más problemática para Garp que las críticas de John Wolf. Garp dudaba, por encima de todas las cosas, del juicio literario de su madre.

—Santo Dios, basta con leer *su* libro —dijo repetidas veces a Helen, pero ésta, tal como había prometido, no se dejó engatusar: no leería la nueva novela de Garp, ni una sola palabra.

—¿Por qué de pronto quiere ser *rico*? —preguntó John Wolf a Helen—. ¿Qué significa todo esto?

—Lo ignoro. Me parece que cree que eso le protegerá, lo mismo que a todos nosotros.

—Protegeros ¿de *qué*? —insistió John Wolf—. ¿De *quién*?

—Tendrás que esperar a leer toda la novela —dijo Garp a su editor—. Todo negocio es una mierda. Intento enfocar este libro como un negocio y así quiero que lo trates tú. No me interesa que te *guste*, me interesa que lo *vendas*.

—Yo no soy un editor vulgar —afirmó John Wolf—. Y tampoco tú eres un escritor vulgar. Lamento tener que recordártelo.

Garp había herido los sentimientos de John Wolf y éste estaba furioso con él por pretender hablar acerca de un negocio que el editor conocía mucho mejor que Garp. Pero sabía que Garp había atravesado un mal momento, sabía que era un buen escritor que escribiría más y (pensaba) mejores libros, y quería continuar publicándolos.

—Todo negocio es una mierda —repitió Garp—. Si consideras que la obra es vulgar, evidentemente no tendrás *ningún* problema en venderla.

—Las cosas no funcionan sólo de ese modo —explicó John Wolf con tono apesadumbrado—. Nadie sabe qué es lo que hace que un libro se venda.

—Eso ya lo he oído —dijo Garp.

—No tienes ningún derecho a hablarme así. Soy tu amigo.

Garp sabía que eso era verdad, de modo que colgó el teléfono, abandonó la correspondencia y concluyó *El mundo según Bensenhaver* dos semanas antes de que Helen diera a luz —con la única ayuda de Jenny— a su tercer hijo: una niña, que ahorró a Helen y a Garp el problema de tener que elegir un nombre de varón que no se pareciera en nada al de Walt. La hija se llamó Jenny Garp, que era el nombre que hubiera llevado Jenny Fields si hubiese tenido a Garp de una manera más de acuerdo con las costumbres.

Jenny estaba encantada de tener a alguien que, al menos en parte, llevara su nombre.

—Pero surgirán confusiones —advirtió— con dos Jenny en el mismo sitio.

—Yo siempre te he llamado mamá —le recordó Garp.

No recordó a su madre que una diseñadora de modas había dado ya su nombre a un vestido. El atuendo fue popular en Nueva York durante un año: un uniforme blanco de enfermera, con un corazón rojo brillante cosido sobre el pecho izquierdo. Un JENNY FIELDS ORIGINAL, llevaba impreso el corazón.

Cuando nació Jenny Garp, Helen no dijo nada; estaba agradecida; sintió por primera vez, desde el accidente, que se había librado del demente pesar que la había aniquilado con la pérdida de Walt.

El mundo según Bensenhaver, que supuso para Garp la liberación de la misma demencia, estaba en Nueva York, donde John Wolf la leyó repetidas veces. Había concertado la publicación del primer capítulo en una revista pornográfica de tan repugnante crudeza que tuvo la certeza de que hasta Garp se convencería de cuál sería el destino del libro. La revista se llamaba «Instantáneas del chumino», y estaba precisamente llena de eso, de esos castores húmedos y expuestos de la infancia de Garp, entre las páginas de su relato de violenta violación y clara venganza. Al principio, Garp acusó a John Wolff de haber vendido deliberadamente el capítulo a esa revista, de ni siquiera haberlo intentado con otra de más categoría. Pero Wolf le aseguró que había probado suerte con todas y que aquélla era la última de la lista y que todas las demás habían interpretado el relato de Garp de la misma manera. Violencia y sexo sensacionalistas y escalofriantes, sin ningún valor aprovechable.

—No se trata de eso —afirmó Garp—. Ya verás.

Pero Garp reflexionaba a menudo en el primer capítulo de *El mundo según Bensenhaver,* que había sido publicado en «Instantáneas del chumino». Se preguntaba si alguien lo habría leído. Si alguien que compraba ese tipo de revistas alguna vez se interesaba por las palabras.

«Tal vez lean algunos de los cuentos después de masturbarse con las fotos», escribió Garp a John Wolff. Se preguntó si ése sería un buen estado de ánimo para la lectura: después de la masturbación, el lector estaba, como mínimo, relajado, posiblemente solo («un buen estado de ánimo para leer», escribió Garp a John

Wolf). Pero tal vez el lector también se sintiera culpable, y humillado, y sobrecogedoramente responsable (ése no era un estado de ánimo *tan* bueno para leer, pensó Garp). En realidad, sabía que no era un buen estado de ánimo para *escribir*.

El mundo según Besenhaver trata del imposible deseo del marido, Dorsey Standish, de proteger a su mujer y su hijo del mundo brutal; así, Arden Bensenhaver (a quien han obligado a retirarse de la policía por repetidas faltas a la ortodoxia en sus métodos de detención) es contratado para vivir como un familiar más, pero armado, en la casa de la familia Standish, convirtiéndose en el adorable guardaespaldas familiar a quien Hope debe finalmente rechazar. Aunque lo peor del mundo real ha caído sobre Hope, es su marido quien más *teme* al mundo. Después de que Hope insiste en que Bensenhaver no siga viviendo con ellos, Standish continúa sustentando al viejo policía como a una especie de ángel de la guarda. Paga a Bensenhaver para seguir al hijo, Nicky, pero el policía es un reservado y curioso tipo de perro guardián, sujeto al influjo de sus propios recuerdos; gradualmente va pareciéndose más a una amenaza para los Standish que a un protector. Se le describe como a «un acechador en el último rayo de la luz… un ejecutor jubilado, apenas vivo al filo de la oscuridad».

Hope contrarresta la ansiedad de su marido insistiendo en que deben tener otro hijo. El niño nace, pero Standish parece destinado a crear un monstruo de paranoia tras otro; ahora, más tranquilo en cuanto a posibles agresiones a su mujer y a sus hijos, empieza a sospechar que Hope tiene una aventura. Lentamente comprende que eso le heriría más que si fuera violada (otra vez). Entonces duda de su amor por ella y duda de sí mismo; lleno de remordimiento, ruega a Bensenhaver que espíe a Hope y compruebe si ella le es fiel. Pero Arden Bensenhaver ya no permite que las inquietudes de Dorsey trabajen a su favor. Argumenta que fue contratado para proteger a la familia Standish del mundo exterior, no para restringir las libres elecciones de los miembros de la familia para vivir como desean. Sin el apoyo de Bensenhaver, Dorsey Standish es víctima del pánico. Una noche deja la casa (y los hijos) sin protección para ir a espiar a su mujer. Ausente Dorsey, el hijo menor se atraganta con un chiclé de Nicky y muere asfixiado.

La culpa abunda. En la obra de Garp, siempre abunda la culpa. También en el caso de Hope, porque era verdad que vivía una aventura (aunque, ¿quién puede culparla?). Bensenhaver, morbosamente responsable, sufre un ataque. Parcialmente paralizado, vuelve a instalarse en casa de los Standish: Dorsey se siente responsable de él. Hope insiste en que tengan *otro* hijo, pero los acontecimientos han vuelto a Standish decididamente estéril. Consiente en que Hope estimule a su amante pero sólo a «fecundarla», como dice él. (Paradójicamente, ésa fue la *única* parte de la novela que Jenny Fields catalogó de «inverosímil».)

Una vez más, Dorsey Standish busca «una situación controlada... más similar a un experimento de laboratorio de la vida que a la vida misma», escribió Garp. Hope no puede adaptarse a semejante acuerdo clínico; emocionalmente, tiene un amante o no lo tiene. Obstinado en que los amantes se reúnan con el único propósito de «fecundar» a Hope, Dorsey intenta controlar los lugares, el número y la duración de sus encuentros. Al sospechar que Hope se encuentra clandestinamente con su amante —además de hacerlo de acuerdo con el plan—, Standish alerta al senil Bensenhaver sobre la existencia de un merodeador, un secuestrador y violador en potencia, cuya presencia en el barrio ya ha sido detectada.

No satisfecho aún, Dorsey Standish se dedica a aparecer por sorpresa en su propia casa (a las horas en que menos se le espera); jamás descubre a Hope en nada, pero Bensenhaver —armado y senil— le atrapa a él. Arden Bensenhaver, astuto inválido, es sorprendentemente móvil y silencioso en su silla de ruedas; sigue siendo poco ortodoxo en sus métodos de detención. De hecho, Bensenhaver dispara a Dorsey Standish con una escopeta de calibre 12 a una distancia inferior a dos metros. Dorsey se había escondido en el armario de cedro del piso superior y, tambaleando entre los zapatos de su mujer, aguardaba a que ésta hiciera una llamada telefónica desde el dormitorio, que él podría oír desde su escondite. Naturalmente, merecía ser alcanzado por un disparo.

La herida es mortal. Arden Bensenhaver, loco de atar, es alejado del lugar. Hope está embarazada de su amante. Cuando el niño nace, Nicky —que ahora tiene doce años— se siente aliviado de la sobreprotección familiar. Desaparece la terrible ansiedad de Dorsey Standish, que ha sido tan agobiadora para todos ellos. Hope y sus hijos siguen viviendo, y hasta se ocupan alegremente de los violentos desvaríos del viejo Bensenhaver, demasiado duro para morir, que desde su silla de ruedas prosigue con sus versiones del mundo de pesadilla en un asilo de ancianos dementes y peligrosos. Por fin pertenece al lugar en que se encuentra. Hope y sus hijos le visitan con frecuencia, no meramente por bondad —son bondadosos—, sino también para recordarse a sí mismos su preciosa cordura. La resistencia de Hope y la supervivencia de sus dos hijos vuelven tolerables y finalmente cómicas para ella las baladronadas del anciano.

A propósito, aquel peculiar asilo de ancianos dementes y peligrosos, tiene un sorprendente parecido con el hospital de Jenny

Fields para mujeres con problemas en Dog's Head Harbor. No es que «el mundo según Bensenhaver» fuera *equivocado*, o mal interpretado, sino desproporcionado con respecto a la necesidad que del placer sensual tiene el mundo, y a la necesidad y capacidad efusiva del mundo. Además, Dorsey Standish tampoco es «fiel al mundo»; es demasiado vulnerable en la forma *delicada* en que ama a su mujer y a sus hijos; se le considera, junto con Bensenhaver, como «no bien adaptado a la vida en este planeta», donde cuenta la inmunidad.

Hope —y sus hijos, espera el lector— puede tener mejores oportunidades. De algún modo, la novela expresa implícitamente que las mujeres están mejor dotadas que los hombres para resistir al miedo y a la brutalidad, y para reprimir la ansiedad de sentir cuán vulnerables somos para aquellos a quienes amamos. A Hope se la presenta como una poderosa superviviente del mundo de un hombre débil.

En Nueva York, John Wolf abrigaba la esperanza de que el crudo realismo del lenguaje de Garp y la intensidad de sus personajes rescatara a la novela del mero folletín melodramático. Pero, pensaba Wolf, podríamos darle el título de *Ansiedad de la vida*, sería una serie fantástica para la televisión diurna, pensaba, si se adaptaba adecuadamente para espectadores inválidos, ancianos y niños en edad preescolar. John Wolf llegó a la conclusión de que *El mundo según Bensenhaver*, pese al «crudo realismo del lenguaje de Garp», etcétera, etcétera, era un folletín melodramático que merecía la clasificación de «no apto para menores».

Mucho después —por supuesto— hasta Garp estaría de acuerdo: era su peor obra. «Pero el jodido mundo nunca reconoció el mérito de las dos primeras», escribió a John Wolf. «El mundo estaba en deuda conmigo.» Garp sentía que era así como casi siempre mandaba el mundo. John Wolf tenía una preocupación más esencial: se preguntaba si se justificaba la edición de la obra. En los casos de libros que no coincidían en absoluto con su gusto, John Wolf tenía un sistema que rara vez le fallaba. En la editorial, le envidiaban por su acierto en los libros destinados a ser populares. Cuando afirmaba que un libro sería popular —que no es lo mismo que decir si era bueno o malo—, casi siempre acertaba. Naturalmente, había muchos libros que eran populares sin que él lo hubiera pronosticado, pero nunca se dio el caso de un libro que él creyera que iba a ser popular y no lo fuera.

Nadie sabía cómo lo lograba.

La primera vez lo consiguió en el caso de Jenny Fields, y desde entonces lo había hecho cada año o cada dos años en ciertos libros sorprendentes.

En la editorial trabajaba una mujer que, en cierta ocasión, le había comentado que nunca leía un libro que no le hiciera sentir sueño y ganas de cerrarlo. Era un desafío para John Wolf —que adoraba la lectura—, que pasó muchos años dándole a esa mujer obras, buenas y malas, para leer: todos los libros eran iguales para ella en el sentido de que le provocaban sueño. No le gustaba leer, sencillamente, le confesó a John Woolf, pero éste no renunció. Jamás nadie en la editorial pidió a esa mujer que leyera algo; en realidad, jamás le pidieron su opinión sobre *nada*. La mujer se movía junto a los libros desparramados por toda la editorial como si se tratara de ceniceros y ella no fumara. Era una de las mujeres de la limpieza. Todos los días vaciaba las papeleras y limpiaba todos los despachos cuando el personal se marchaba por la noche. Pasaba la aspiradora a las alfombras de los pasillos todos los lunes; quitaba el polvo de las vitrinas exhibidoras todos los martes, y de los escritorios de las secretarias los miércoles; fregaba los lavabos los jueves y echaba ambientador en aerosol los viernes, con el propósito de que toda la editorial —explicaba John Wolf— contara con todo el fin de semana para hacer acopio de buen olor para la siguiente. John Wolf la había observado durante años y nunca le había visto hojear un solo libro.

A pesar de que, cuando hablablan de libros, ella le decía cuán desagradables le resultaban, John Wolf siguió sirviéndose de ella para probar los libros de los que no estaba demasiado seguro y también aquéllos de los cuales estaba *muy* seguro. La mujer era coherente en su rechazo por los libros y John Wolf casi había abandonado la batalla cuando le entregó el original de *Sexualmente sospechosa*, la autobiografía de Jenny Fields.

La mujer de la limpieza lo leyó en un santiamén y, cuando la obra se publicó, pidió a John Wolf que le regalara un ejemplar para poder leerlo varias veces.

A partir de entonces, John Wolf buscaba escrupulosamente su opinión. Nunca le decepcionó. No le gustaban la mayoría de los libros, pero, cuando le gustaba algo, para John Wolf significaba que casi todo el mundo podría leerlo.

Casi maquinalmente, John Wolf entregó *El mundo según Bensenhaver* a la mujer de la limpieza. Luego se fue a pasar el fin de semana a su casa y lo pensó mejor; trató de telefonearla para decirle que ni siquiera intentara leerlo. Recordó el primer capítulo y no quería ofender a la mujer, que era abuela de alguien y (naturalmente) madre de alguien, y que no estaba enterada de que le *pagaban* para leer todo el material que John Wolf ponía en sus manos. Sólo éste sabía que su salario era excesivo para una mujer de la limpieza. Ella creía que *todas* las mujeres de la limpieza eficaces estaban bien pagadas, y que así *tenía* que ser.

Se llamaba Jillsy Sloper, y John Wolf se asombró de que en el listín telefónico de Nueva York no figurara ningún Sloper, J. Aparentemente, a Jillsy no le gustaban las llamadas telefónicas más que los libros. John Wolf tomó nota de que debía disculparse con ella a primera hora de la mañana del lunes. Pasó el resto de un desdichado fin de semana tratando de ensayar cómo le diría exactamente a T. S. Garp que creía que por su propio interés —e indudablemente por el de la editorial—, NO debía publicar *El mundo según Bensenhaver*. Fue un fin de semana conflictivo para John Wolf, porque le gustaba Garp y creía en él, y también sabía que no contaba con amigos que le aconsejaran para que no se perjudicara a sí mismo, que es uno de los valiosos motivos por los que están los amigos. Sólo tenía a Alice Fletcher, tan enamorada de Garp que adoraría indiscriminadamente cualquier cosa que él musitara o sobre la cual guardara silencio. Y a Roberta Muldoon, cuyo gusto literario —sospechaba John Wolf— era más reciente y embarazoso (si es que existía) que su sexo adoptado. Helen no lo leería. Y Jenny Fields, John Wolf lo sabía, no estaba predispuesta hacia su hijo como suelen estarlo las madres; había demostrado su dudoso gusto en el *disgusto* mostrado por algunas de las mejores páginas escritas por Garp. John Wolf sabía que el problema con Jenny consistía en el tema. Para Jenny Fields, un libro que *trataba* de un tema importante, era un libro importante. Y Jenny Fields pensaba que la nueva novela de Garp trataba de las estúpidas ansiedades masculinas que se pide a las mujeres soporten y resistan. A Jenny jamás le importaba cómo estaba escrito un libro.

Este era un dato que interesaba a John Wolf para la publicación del libro. Si a Jenny Fields le gustaba *El mundo según Bensenhaver*, al menos era un libro polémico en potencia. Pero John Wolf sabía —al igual que Garp— que la posición de Jenny como figura política se debía principalmente a un confuso malentendido generalizado sobre su persona.

Wolf pensó y pensó todo el fin de semana y olvidó por completo pedirle disculpas a Jillsy Sloper el lunes a primera hora de la mañana. De pronto encontró a Jillsy frente a él, con los ojos enrojecidos y temblando como una arcilla, como las páginas del original de *El mundo según Bensenhaver* firmemente sujetas por sus bastas manos pardas.

—¡Señó! —exclamó Jillsy mientras ponía los ojos en blanco y sacudía el manuscrito.

¡Oh, Jillsy! —dijo John Wolf—. Lo siento mucho.

—¡Señó! —cacareó Jillsy—. Jamás pasé un fin de semana más espantoso. *No* dormí, *no* comí, *no* fui al cementerio a visitar a mi familia y a mis amigos.

Las costumbres de los fines de semana de Jillsy Sloper parecieron estrañas a John Wolf, pero no dijo nada; se limitó a escucharla como la había escuchado durante más de doce años.

—Este hombre está *loco* —farfulló Jillsy—. Ninguna persona cuerda escribió jamás un libro como éste.

—No tendría que habérselo dado, Jillsy. Tendría que haber recordado ese primer capítulo.

—El *primer* capítulo no está tan mal. Ese primer capítulo no es *nada*. El que me cogió es el capítulo diecinueve. ¡Señó, Señó! —repitió Jillsy.

—¿Quiere decir que leyó diecinueve capítulos? —se sorprendió John Wolf.

—Sólo me dio diecinueve. ¡Jesú! ¡Señó! ¿Hay *otro* capítulo? ¿Lo hace *seguir*?

—No, no —aclaró John Wolf—. Ese es el final. Eso es todo.

—Eso suponía —opinó Jillsy—. No queda nada con qué seguir. Mete a ese viejo loco en el sitio al que pertenece, por fin... y le levanta la tapa de los sesos al loco del marido. Y si quiere conocer mi opinión, es el *único* estado en que merece estar la cabeza de ese hombre: reventada.

—¿Lo *leyó*? —insistió John Wolf.

—¡Señó! —chilló Jillsy—. Una creía que fue a *él* a quien violaron, porque machacaba y machacaba con el asunto. Si quiere conocer mi opinión, eso es muy de hombres: en un minuto te violan y al minuto siguiente se preocupan pensando a quién se la *entregas* por tu propia voluntad. No es asunto de *ellos*... ninguna de las dos cosas, ¿no? —preguntó Jillsy.

—No estoy seguro —dijo, perplejo, John Wolf desde su escritorio—. En una palabra, el libro no le gustó.

—¿Si me *gustó*? —chilló Jillsy—. No tiene nada para gustar.

—Pero usted lo *leyó*. ¿Por qué lo hizo?

—¡Señó! —dijo Jillsy con tono lastimero, como si se condoliera de que John Wolf fuera tan irremediablemente estúpido—. A veces me pregunto si usted entiende algo de todos estos libros que hace —meneó la cabeza—. A veces me pregunto por qué es *usted* quien hace los libros y *yo* la que limpia los lavabos. Salvo que yo prefiero limpiar los lavabos a leer la mayoría de sus libros. ¡Señó, Señó!

—Si no le gustó, ¿por qué lo leyó, Jillsy? —volvió a preguntarle John Wolf.

—Por la misma razón por la que leo cualquier otra cosa. Para saber qué *ocurre* —John Wolf la miró fijamente—. En la mayoría de los libros una *sabe* que no ocurrirá nada. ¡Señó, *una* lo sabe! En otros libros una sabe *qué* ocurrirá, de modo que no necesita leerlo. Pero *este* libro —concluyó Jillsy—, este libro es tan *enfermo* que *una* sabe que va a ocurrir algo, pero no puede imaginar *qué*. Es necesario estar enfermo para imaginar qué ocurre en *este* libro.

—¿Entonces lo leyó para saber qué ocurre?

—No hay ninguna otra razón para leer un libro, ¿no? —Jillsy Sloper apoyó pesadamente (porque era voluminoso) el original sobre el escritorio de John Wolf y levantó el largo cable de prolongación (de la aspiradora) que todos los lunes llevaba como un cinturón alrededor de su ancha cintura—. Cuando sea un libro —dijo señalando el original—, me gustaría tener uno. Si le parece bien —agregó.

—¿Usted quiere tener ese libro? —preguntó, azorado, John Wolf.

—Si no le parece mal.

—Ahora que sabe lo que ocurre, ¿para qué querría volver a leerlo?

—Bueno... —Jillsy parecía confundida; John Wolf nunca la había visto así antes, sino más bien adormilada—. Bueno... podría *prestarlo*. Podría haber alguien a quien conozco que necesita que le recuerde cómo son los hombres de este mundo.

—¿Usted no volvería a leerlo?

—Bueno... creo que no *todo*. Al menos no de una sola vez y también en seguida —Jillsy seguía confudida—. Bueno... —dijo tímidamente—, me parece que quiero decir que tiene *partes* que no me molestaría leer otra vez.

—¿Por qué? —quiso saber John Wolf.

—¡Señó! —dijo Jillsy con tono de hastío, como si finalmente se hubiera impacientado con él—. Parece tan *verdadero* —canturreó, pronunciando la palabra *verdadero* como el grito de un somormujo sobre un lago, por la noche.

—Parece tan verdadero... —repitió John Wolf.

—Señó, ¿usted no *sabe* que es así? —preguntó Jillsy—. Si usted no sabe cuando un libro es *verdadero* —volvió a canturrear Jillsy—, *tendríamos* que cambiar de trabajo, realmente —ahora rió, empuñando el sólido enchufe de tres puntas de la aspiradora, como si fuera un revólver—. Me pregunto, señor Wolf —dijo dulcemente—, si usted sabe cuándo un lavabo está limpio —se asomó a la papelera—. O cuando una papelera está vacía. Un libro parece verdadero cuando parece verdadero —concluyó impaciente—. Un libro es verdadero cuando usted puede decir: «¡Sí! Así es cómo se *comporta* siempre la maldita gente». *Entonces* usted sabe que es verdadero.

Jillsy se inclinó sobre la papelera y cogió el único fragmento de papel apoyado en el fondo; lo guardó en su delantal. Era la primera página desechada de la carta que John Wolf había intentado elaborar para Garp.

Meses más tarde, cuando había ya que imprimir *El mundo según Bensenhaver*, Garp se quejó a John Wolf de que no tenía a quién dedicárselo. No lo haría *a la memoria de* Walt, porque Garp detestaba ese tipo de expresión: «esa barata capitalización», como decía, «de las desventuras autobiográficas, con la intención de inducir al lector a pensar que eres un *escritor* más serio de lo que eres». Tampoco dedicaría un libro a su madre porque odiaba, como decía, «la forma en que todos cabalgaban sobre el nombre de Jenny Fields». Por supuesto, ni pensar en Helen, y Garp sentía con cierta vergüenza que no podía dedicar a Duncan un libro que no le permitiría leer. El chico no tenía edad suficiente. Como padre sentía cierto disgusto por escribir algo cuya lectura debería prohibir a sus propios hijos.

Sabía que los Fletcher se sentirían incómodos con un libro dedicado a ellos como pareja, y dedicarlo sólo a Alice podía ser ofensivo para Harry.

—A *mí* no —dijo John Wolf—. Este, no.

—No estaba pensando en ti —mintió Garp.

—¿Qué me dices de Roberta Muldoon? —sugirió John Wolf.

—El libro no tiene absolutamente nada que ver con Roberta —dijo Garp, aunque sabía que, al menos, Roberta no pondría objeciones a que se lo dedicara.

¡Qué extraño resulta escribir un libro que en realidad a nadie le gustaría que le dedicaran!

—Tal vez lo dedique a las ellenjamesianas —dijo Garp con amargura.

—¡Ni te molestes! —opinó John Wolf—. Sería una estupidez.

Garp se sintió empantanado.

«¿A la señora Ralph?»,

pensó. Pero seguía ignorando su nombre. Estaba el padre de Helen —su antiguo entrenador de lucha libre, Ernie Holm—, pero éste no comprendería el gesto: ni siquiera le gustaría el libro. En realidad, Garp abrigaba la esperanza de que Ernie no lo leyera. ¡Qué extraño resulta escribir un libro que uno abriga la esperanza de que alguien no lea!

«A Fat Stew»,

pensó.

«Para Michael Milton
En recuerdo de Bonkers.»

Abandonó: no podía pensar en nadie más.

—Yo conozco a alguien —insinuó John Wolf—. Podría preguntarle si no le molesta.

—Muy estimulante —dijo Garp.

Pero John Wolf pensaba en Jillsy Sloper, la persona que era responsable, él lo sabía, de que se publicara el libro de Garp.

—Se trata de una mujer muy especial a quien le *encantó* el libro. Comentó que era muy «verdadero».

Garp se interesó.

—Le di el original para que lo leyera un fin de semana —explicó John Wolf— y no pudo interrumpir la lectura.

—¿Por qué se lo diste a leer? —quiso saber Garp.

—Me pareció la persona *acertada* —dijo John Wolf: un buen editor no comparte sus secretos con nadie.

—Bien, de acuerdo. Parece *desnudo* sin dedicatoria. Dile que le estaré agradecido. ¿Es una amiga *íntima*?

El editor guiñó un ojo a Garp y éste hizo un gesto comprensivo.

—¿Qué significa eso? —preguntó Jillsy Sloper con tono suspicaz—. ¿Qué significa que quiere «dedicarme» ese terrible libro?

—Significa que su opinión fue muy valiosa para él —dijo John Wolf—. Considera que el libro fue escrito prácticamente pensando en usted.

—¡Señó! —exclamó Jillsy—. ¿Pensando en mí? ¿Qué significa *eso*?

—Yo le conté la forma en que usted respondió al libro y supongo que piensa que usted es el público perfecto.

—¿El público perfecto? ¡Señó! ¿No *está* loco?

—No tiene a quién dedicárselo —reconoció John Wolf.

—¿Es algo así como si necesitara un testigo para su boda? —inquirió Jillsy Sloper.

—Algo así —conjeturó John Wolf.

—¿No significa que yo *apruebo* el libro? —quiso saber Jillsy.

—¡Señor, no! —respondió John Wolf.

—¡Señó, no! ¿No? —preguntó Jillsy.

—Nadie la culpará de nada de lo que contenga el libro, si a eso se refiere.

—Bueno —aceptó Jillsy.

John Wolf mostró a Jillsy el lugar donde aparecería la dedicatoria; también le enseñó otras dedicatorias, de otros libros. Todas le parecieron hermosas a Jillsy Sloper y asintió con la cabeza, gradualmente complacida con la idea.

—Algo más —dijo Jillsy—. No tendré que *conocerle* ni nada de eso, ¿no?

—¡Señor, no! —John Wolf suspiró aliviado.

Sólo faltaba un atisbo de genialidad para lanzar *El mundo según Bensenhaver* a la misteriosa media luz en que por un tiempo brillan, en algunas ocasiones, libros «serios» que, asimismo, llegan a ser «populares». John Wolf era un hombre inteligente y cínico. Sabía que todo lo que hay que saber acerca de las morbosas asociaciones autobiográficas que hacen que los feroces lectores de chismorreos se interesen por una obra novelesca.

Años más tarde, Helen observaría que el éxito de *El mundo según Benserhaver* se basaba por entero en la sobrecubierta. John Wolf tenía la costumbre de dejar que Garp escribiera sus propias solapas, pero las descripciones de éste sobre su propio libro fueron tan pesadas y taciturnas que en este caso decidió tomarlas a su cargo; se dedicó directamente al equívoco núcleo de la cuestión.

«*El mundo según Bensenhaver*», se decía en la solapa, «trata de un hombre que tiene tanto pánico de que le ocurran cosas malas a sus seres queridos que termina por crear una atmósfera de tal tensión que es casi inevitable que ocurra algo malo. Y ocurre.»

«T. S. Garp», proseguía la solapa, «es el único hijo de la famosa feminista Jenny Fields.» John Wolf se estremeció levemente cuando vio impresas estas palabras, porque aunque él la había escrito y aunque sabía muy bien *por qué* lo había hecho, también sabía que se trataba de un dato que Garp no quería que se mencionara en relación con su propia obra. «T. S. Garp también es padre», se informaba en la solapa, y John Wolf meneó la cabeza de vergüenza al releer la basura que había elaborado. «Es un padre que recientemente ha sufrido la trágica pérdida de un hijo de cinco años. De la angustia que soporta un padre como consecuencia de un accidente emerge esta atormentada novela...», etcétera, etcétera.

En opinión de Garp, aquélla era la razón más barata para leer un libro. Siempre afirmaba que lo que más detestaba que le preguntaran acerca de su obra era en qué medida era «verdadera», qué proporción se basaba en la «experiencia personal». *Verdadera* no en el buen sentido de Jillsy Sloper, sino verdadera refiriéndose a «la vida real». Por lo general, con gran paciencia y dominio de sí mismo, Garp decía que la base autobiográfica —si existía— era el nivel menos interesante para leer una novela. Siempre insistía en que el arte de novelar consistía en el acto de *imaginar* fidedignamente que era, al igual que cualquier arte, un proceso de selección. Los recuerdos y las historias personales —«todos los traumas de nuestras inmemorables vidas»— eran modelos sospechosos para la novela. «La novela tiene que ser mejor que la vida», escribió Garp. Y detestaba coherentemente lo que llamaba «el falso recorrido del infortunio personal»; había escritores cuyas obras eran «importantes» porque en su vida había ocurrido algo importante. Escribió que la *peor* razón para que algo ocurriera en una novela era que hubiera ocurrido realmente. «!*Todo* ha ocurrido realmente, alguna vez!», rabiaba. «La única razón para que algo ocurra es que sea perfecto que ocurra en *ese* momento».

—Dime *cualquier* cosa que te haya ocurrido a ti —dijo en cierta ocasión a una entrevistadora— y yo lo mejoraré. Puedo mostrar los detalles mejor que como ocurrieron.

La entrevistadora, una divorciada con cuatro hijos, uno de los cuales se estaba muriendo de cáncer, le clavó la mirada con incredulidad. Garp comprendió su insuperable desdicha y la tremenda importancia que todo eso tenía para ella y agregó, cordialmente:

—Si es triste, incluso si es *muy* triste, puedo hacer un relato más triste aún.

Pero vio en la expresión de la entrevistadora que nunca le creería; ni siquiera tomó nota de sus palabras: nunca formarían parte de su entrevista.

Y John Wolf lo sabía: una de las primeras cosas que *necesitan* saber los lectores es todo lo referente a la *vida* de un escritor. John Wolf escribió a Garp: «Para la mayoría de la gente, que tiene una imaginación limitada, la idea de mejorar la realidad son puras pamplinas». En la contraportada de *El mundo según Bensenhaver*, John Wolf creó un sentido artificial de la importancia de Garp («el único hijo de la famosa feminista Jenny Fields») y una compasión sentimental por la experiencia personal del autor («la trágica pérdida de un hijo de cinco años»). El hecho de que ambos fragmentos de información fuesen prácticamente de poca importancia con respecto al *arte* de la novela de Garp, no preocupó demasiado a John Wolf. Garp había herido a su editor con toda su palabrería acerca de que prefería la riqueza a la seriedad.

«No es tu mejor obra», escribió John Wolf a Garp cuando le envió las galeradas para que las corrigiera. «Algún día también lo comprenderás tú. Pero *será* tu obra más espectacular: espera y verás. Todavía no puedes imaginar cuánto llegarás a detestar muchas de las razones de tu éxito, por lo que te aconsejo abandones el país algunos meses. Te aconsejo que sólo leas las críticas que *yo* te envíe. Y cuando se desinfle —porque todo se desinfla— puedes volver y recaudar tu considerable sorpresa en el banco.

También puedes sustentar la esperanza de que la popularidad de *Bensenhaver* sea lo bastante amplia para hacer que la gente lea tus dos primeras novelas, por las cuales *mereces* ser más conocido.

»Dile a Helen que *lo lamento*, Garp, pero considero que tienes que saberlo: siempre he velado por tus intereses. Si quieres *vender* este libro, lo venderemos. "Todo negocio es una mierda", Garp. *Te* estoy citando».

La carta desconcertó a Garp; naturalmente, John Wolf no le había mostrado la sobrecubierta.

«¿Por qué lo lamentas?», contestó Garp por carta. «No llores: véndela»

—Todo negocio es una mierda —repitió Wolf.

—Lo sé, lo sé —dijo Garp.

—Sigue mi consejo —insistió Wolf.

—Me *gusta* leer las críticas —protestó Garp.

—No, no te gustará leer éstas —repitió John Wolf—. Sal de viaje. Por favor.

Después, John Wolf envió una copia de la sobrecubierta a Jenny Fields. Le pidió reserva y su ayuda para lograr que Garp saliera del país.

—Abandona el país —dijo Jenny Fields a su hijo—. Es lo mejor que puedes hacer por ti y por tu familia.

Helen se mostró francamente entusiasmada con la idea: nunca había ido al extranjero. Duncan había leído el primer cuento de su padre, «La Pensión Grillparzer», y quería ir a Viena.

—Viena no es *realmente* así —dijo Garp a Duncan.

Pero le conmovía que al chico le gustara su viejo relato. A él también le gustaba. De hecho, estaba empezando a desear que todos sus escritos le gustaran aunque sólo fuera la mitad que aquél.

—Con un nuevo bebé, ¿por qué ir a Europa? —se quejó Garp—. Es muy complicado. Los pasaportes... y Bebé Jenny necesitará montones de inyecciones o cosas parecidas.

—Tú necesitarás unas cuantas inyecciones —dijo Jenny Fields—. La niña no planteará dificultades.

—¿No quieres volver a ver Viena? —preguntó Helen a Garp.

—¡Imagínalo, la escena de tus viejos crímenes! —dijo John Wolf con entusiasmo.

—¿Viejos crímenes? —murmuró Garp—. No sé...

—Por favor, papá —insistió Duncan.

Garp no podía resistirse a un deseo de Duncan: accedió.

Helen se alegró e incluso echó un vistazo a las galeradas de *El mundo según Bensenhaver*, aunque un vistazo rápido y nervioso, sin la menor intención de seguir leyendo. Lo primero que vio fue la dedicatoria.

«Para Jillsy Sloper».

—¿Quién es Jillsy Sloper? —preguntó a Garp.

—Realmente, no lo sé —Helen frunció el ceño—. No, *realmente* —repitió Garp—. Es alguna de las amiguitas de John; le comentó que le encantó la novela, que no pudo dejarla en toda la noche. Supongo que Wolf lo interpretó como un presagio. Sea como fuere, *él* lo sugirió. A mí me pareció bien.

—Hummm —fue todo el comentario de Helen y dejó de lado las galeradas.

Ambos imaginaron en silencio a la amiga de John Wolf. Este se había divorciado antes de que le conocieran; aunque los Garp llegaron a conocer a algunos de los hijos mayores de Wolf, nunca habían visto a su primera y única esposa. Había un número moderado de amigas, todas elegantes y esculturales mujeres atractivas —todas más jóvenes que John Wolf. Algunas trabajaban en el mundo editorial, pero la mayoría de ellas eran jóvenes con divorcios propios y dinero propio, siempre con dinero, o con *aire* de tenerlo. Garp recordaba a la mayoría por sus exquisitos perfumes y por el sabor del lápiz labial y la cualidad táctil y brillante de sus ropas.

Garp y Helen no podían imaginar ni remotamente a Jillsy Sloper, hija de una blanca y un cuarterón —lo que la convertía en una ochavona. Su piel era de un tono pardo cetrino, similar a una tabla de pino ligeramente teñida. Su pelo lacio, corto y de color negro azabache, comenzaba a encanecer en el flequillo, toscamente cortado por encima de su lustrosa y arrugada frente. Era baja y de brazos largos; le faltaba el anular de la mano izquierda. A juzgar por la profunda cicatriz de su mejilla derecha, cabía imaginar que había perdido el dedo en la misma batalla, a consecuencia de la misma arma —quizás durante un matrimonio desafortunado, porque indudablemente su matrimonio, que nunca mencionaba, había sido desafortunado.

Tenía unos cuarenta y cinco años y representaba sesenta. Poseía el tronco de una perdiguera de Labrador a punto de tener cachorros y siempre arrastraba los pies, fuera a donde fuese, porque sus pies representaban un tormento. Pocos años después, llevaría tanto tiempo ignorando el bulto que sentía en su pecho, que sólo ella podía sentir, que moriría innecesariamente de un cáncer.

Su teléfono no figuraba en el listín (como había descubierto John Wolf) sólo porque cada tantos meses su ex marido solía amenazarla de muerte y se había hartado de oírle; la única razón por la que tenía teléfono era que sus hijos necesitaban tener un sitio al que llamarla con cobro revertido para poder pedirle que les enviara dinero.

Pero Helen y Garp, cuando imaginaron a Jilly Sloper, no vieron a nadie cuya imagen se aproximara a la de aquella triste y esforzada ochavona.

—John Wolf parece estar haciendo todo lo relativo a este libro, excepto escribirlo —comentó Helen.

—Ojalá lo hubiera escrito él —dijo repentinamente Garp.

Garp había vuelto a leer la novela y ahora le carcomía la duda. En «La Pensión Grillparzer» pensó Garp, había alguna certeza en cuanto a cómo se comportaba el mundo. En *El mundo según Bensenhaver*, Garp percibió menos certeza —señal de que estaba madurando, por supuesto— pero sabía que los artistas también deben *mejorar*.

Con Bebé Jenny y el tuerto Duncan, Garp y Helen salieron de Nueva Inglaterra en un fresco día de agosto con destino a Europa, momento en que la mayoría de los viajeros transatlánticos emprendían la ruta contraria.

—¿Por qué no esperar hasta después del Día de Acción de Gracias? —había sugerido Ernie Holm.

Pero *El mundo según Bensenhaver* aparecía en octubre. John Wolf había recibido variadas respuestas sobre las pruebas sin corregir que había hecho circular durante el verano; todas eran entusiastas: entusiásticamente halagadoras o entusiásticamente condenatorias.

Le había resultado difícil evitar que Garp viera los ejemplares anticipados del libro definitivo —la sobrecubierta, por ejemplo. Pero el entusiasmo del propio Garp por el libro había sido tan esporádico y generalmente mustio que John Wolf había logrado eludirlo.

Ahora Garp estaba exaltado con el viaje y hablaba de otros libros que pensaba escribir. («Buena señal», había dicho John Wolf a Helen.)

Jenny y Roberta llevaron a los Garp en coche a Boston, desde donde éstos viajarían en avión a Nueva York.

—No os preocupéis por el avión —dijo Jenny—. No se caerá.

—¡Caray, mamá! —exclamó Garp—. ¿Qué sabes tú de aviones? Siempre se están viniendo abajo.

—Mantén los brazos en constante movimiento, como si fueran alas —aconsejó Roberta a Duncan.

—No le asustes, Roberta —rogó Helen.

—No estoy asustado —afirmó Duncan.

—Si tu padre no deja de *hablar*, no puedes caer —agregó Jenny.

—Si no deja de hablar —intervino Helen, jamás *aterrizaremos*.

Todos comprendieron que Garp se sentía profundamente herido.

—Si no me dejáis en paz me tiraré pedos durante todo el viaje y se producirá una gran explosión —amenazó Garp.

—Escribe a menudo —pidió Jenny.

Recordando al viejo y querido Tinch, y su anterior viaje a Europa, Garp dijo a su madre:

—Esta vez ab-ab-absorberé todo lo que pueda, mamá. No escribiré una sola lí-lí-línea.

Ambos rieron y Jenny Fields hasta lloró un poco, aunque sólo Garp lo notó; besó a su madre. Roberta, cuya transformación sexual la había convertido en una besadora incansable, besó varias veces a todos.

—¡Caray, Roberta! —protestó Garp.

—Cuidaré de esa vieja muchacha mientras no estéis —prometió Roberta y apoyó su gigantesco brazo en un hombro de Jenny, que parecía menuda y repentinamente encanecida a su lado.

—No necesito que nadie me cuide —afirmó Jenny Fields.

—Es mamá quien cuida a todos los demás —corrigió Garp.

Helen abrazó a Jenny, porque sabía que eso era auténtico y le iba. Desde el avión, Garp y Duncan vieron a Jenny y Roberta saludándolos con las manos desde la plataforma de despedida. Se habían producido algunos cambios de asientos, porque Duncan quería ocupar una ventanilla del lado izquierdo de la nave.

—El lado derecho es igual —dijo una azafata.

—No cuando te falta el ojo derecho —respondió Duncan amablemente. Garp admiró a su hijo por ser tan valiente consigo mismo.

Helen y Bebé Jenny se sentaron al otro lado del pasillo.

—¿Ves a la abuela? —preguntó Helen a Duncan.

—Sí.

Aunque la plataforma de despedida desbordaba de personas que querían ver el despegue, Jenny Fields —como siempre— se destacaba por su uniforme blanco, aunque era baja.

—¿Por qué la abuela parece tan alta? —preguntó Duncan a Garp.

Así era: la cabeza y los hombros de Jenny Fields asomaban por encima de la muchedumbre. Garp se dio cuenta de que Roberta había alzado a su madre como si fuera un niño.

—¡Ah, la levanta Roberta! —gritó Duncan.

Garp vio a su madre levantada en el aire para decirle adiós, a salvo en los brazos del ex lateral; la tímida y confiada sonrisa de Jenny le conmovió y la saludó desde el otro lado de la ventanilla, aunque sabía que su madre no podía ver el interior del avión desde donde estaba. Por primera vez le pareció vieja; apartó la mirada y la fijó al otro lado del pasillo, donde estaba Helen con su nuevo bebé.

—Allá vamos —dijo Helen.

Helen y Garp se cogieron de la mano a través del pasillo cuando el avión despegó porque, como Garp sabía, a Helen le aterraba volar.

En Nueva York, John Wolf les aposentó en su piso; asignó a Garp, Helen y Bebé Jenny su propio dormitorio y se ofreció generosamente a compartir con Duncan la habitación de huéspedes.

Los adultos cenaron tarde y bebieron mucho coñac. Garp habló a John Wolf de las tres novelas que pensaba escribir.

—La primera se titula *Las ilusiones de mi padre*. Se refiere a un padre idealista que tiene muchos hijos. Inventa pequeñas utopías en las cuales crecen inmersos sus hijos, y a medida que crecen se transforman en fundadores de pequeñas universidades. Pero todos se van a pique: las universidades y los hijos. El padre no deja de intentar pronunciar un discurso en las Naciones Unidas, de donde siempre le expulsan; se trata del mismo discurso, que repasa y corrige. Luego intenta dirigir un hospital gratuito, que resulta un desastre. Más adelante trata de instituir un sistema de transporte gratuito a través de toda la nación. Entretanto, su mujer se divorcia de él y sus hijos siguen creciendo, y volviéndose desdichados, o jodidos... o perfectamente normales, ya se sabe. Lo único que los hijos tienen en común son los espantosos recuerdos de las utopías entre las cuales su padre intentó que crecieran. Finalmente, el padre se convierte en gobernador de Vermont.

—¿Vermont? —preguntó John Wolf.

—Sí, Vermont —respondió Garp—. Llega a ser gobernador de Vermont, pero en realidad se imagina a sí mismo como a un rey. Más utopía, como ves.

—*¡El rey de Vermont!* —dijo John Wolf—. Ese título me parece mejor.

—No, no —insistió Garp—. Este es otro libro. No guardan relación entre sí. La segunda novela, después de *Las ilusiones de mi padre*, se llamará *La muerte de Vermont*.

—¿El mismo reparto? —se interesó Helen.

—No, no, nada de eso —explicó Garp—. Es otra historia. Trata de la muerte de Vermont.

—Bueno, a mí me gusta que algo sea lo que dice que es —opinó John Wolf.

—Un año, la primavera no llega —dijo Garp.

—De cualquier modo, la primavera nunca llega a Vermont —acotó Helen.

—No, no —Garp frunció el entrecejo—. Ese año tampoco llega el verano. El invierno no cesa. Un día hace calor y aparecen los capullos. Quizás en mayo. Un día de mayo hay capullos en los árboles, al día siguiente hay hojas y al siguiente todas se mustian. Ya es otoño. Las hojas se caen de los árboles.

—Una breve temporada de hojarasca —apuntó Helen.

—Muy curioso, pero eso es lo que ocurre —continuó Garp—. Otra vez es invierno; será invierno definitivamente.

—¿Muere la gente? —quiso saber John Wolf.

—No estoy muy seguro de lo que le ocurre a la gente —respondió Garp—. Naturalmente, algunos abandonan Vermont.

—No es mala idea —dijo Helen.

—Algunos se quedan, algunos mueren. Tal vez todos mueren —reflexionó Garp.

—¿Qué significa eso? —inquirió John Wolf.

—Lo sabré cuando llegue a esa parte —dijo Garp.

Helen rió.

—¿Y después de eso viene la *tercera novela*? —preguntó John Wolf.

—Se titula *La conspiración contra el gigante* —anunció Garp.

—Ese es el título de un poema de Wallace Stevens —observó Helen.

—Sí, así es —dijo Garp y les recitó el poema.

LA CONSPIRACION CONTRA EL GIGANTE

Primera muchacha
Cuando llegue el campesino gruñendo
y azuzando su jaca
correré delante de él,
esparciendo afables olores
de geranios y flores no olidas.
Eso le contendrá.

Segunda muchacha
Correré delante de él,
aleteando vestidos esmaltados de colores
pequeños como huevas de peces.
Las hebras
le confundirán.

Tercera muchacha
¡Oh, la... *le pauvre*!
Correré delante de él
con un intrigante jadeo.
Entonces prestará atención.
Susurraré

392

celestiales sonidos labiales en un mundo gutural.
Eso le aniquilará.

—¡Qué poema tan bello! —comentó Helen.

—La novela se divide en tres partes —dijo Garp.

—¿Muchacha primera, Muchacha segunda y Muchacha tercera? —quiso saber John Wolf.

—¿Y *es* aniquilado el gigante? —preguntó Helen.

—Siempre —dijo Garp.

—¿Es un gigante *real* en la novela? —preguntó John Wolf.

—Todavía no lo sé —dijo Garp.

—¿Eres *tú*? —preguntó Helen.

—Espero que no —dijo Garp.

—Yo también —coincidió Helen.

—Escribe esa novela primero —propuso John Wolf.

—No, que sea la última —sugirió Helen.

—A mí me parece que lo lógico es escribir en último lugar
La muerte de Vermont —sugirió John Wolf.

—No, creo que la última tiene que ser *La conspiración contra
el gigante* —dijo Garp.

—Espera a escribirla después de mi muerte —insinuó Helen.

Sus palabras suscitaron la hilaridad general.

—Pero sólo has mencionado tres —dijo John Wolf—. ¿Y después? ¿Qué ocurre después de esas tres?

—Muero —dijo Garp—. En total serán seis novelas, lo que
me parece suficiente.

Todos volvieron a reír.

—¿Y también sabes *cómo* mueres? —inquirió John Wolf.

—Dejemos esto —pidió Helen a todos en general, y dijo a
Garp—: Si dices «en un avión», jamás te lo perdonaré —en el
trasfondo del levemente embriagado tono de la voz de Helen,
John Wolf percibió cierta gravedad.

—Será mejor que os acostéis —dijo el editor mientras estiraba
las piernas—. Así viajaréis descansados.

—¿No os interesa saber cómo muero? —preguntó Garp.

No le respondieron.

—Me mato —dijo Garp de buen humor—. Con el propósito
de quedar firmemente consagrado, me parece un acto casi necesario. Lo digo *de verdad*. De acuerdo con las tendencias actuales,
coincidiréis conmigo que ésta es una de las formas de reconocer
la seriedad de un autor. Puesto que el *arte* de escribir no siempre
pone de relieve la seriedad del escritor, en algunas ocasiones es
necesario revelar la profundidad de la propia angustia por otros
medios. Suicidarte parece significar que, al fin y al cabo, eras serio. Es *verdadero* —pero el sarcasmo de Garp sonó de manera

chocante y Helen suspiró; John Wolf volvió a estirar las piernas—. Y a partir de entonces —concluyó Garp—, queda súbitamente al descubierto la seriedad de su obra, allí donde antes no se había percibido.

A menudo Garp había observado, irritado, que ésa sería su última obligación como padre y proveedor, y le gustaba citar ejemplos de escritores mediocres que eran adorados y leídos con gran avidez *en virtud* de sus suicidios. De aquellos escritores suicidas a quienes también él —en algunos casos— admiraba sinceramente, Garp sólo esperaba que en el momento del paso decisivo, por lo menos algunos de ellos hubieran reconocido ese aspecto feliz de su desesperada decisión. Sabía perfectamente bien que la gente que realmente se suicidaba no convertía su suicidio en un acto romántico; *ellos* no respetaban la «seriedad» que supuestamente el «acto prestaría a su obra —una costumbre nauseabunda en el mundo de la literatura, pensaba Garp. Entre los lectores y los críticos.

Garp también sabía que *él* no era un suicida; por alguna razón lo sabía con menos certeza después del accidente de Walt, pero lo sabía. Se encontraba a tanta distancia del suicidio como de la violación: no podía imaginarse a sí mismo haciendo una cosa así. Pero le gustaba imaginar al escritor suicida sonriendo ante su lograda diablura, mientras una vez más leía y revisaba el último mensaje que dejaría: una doliente nota desesperada, convenientemente carente de humor. A Garp le gustaba imaginar ese momento, con amargura: cuando la nota suicida quedara cabalmente perfecta, el escritor cogería el arma, el veneno, la zambullida... riendo espectralmente, con plena conciencia de que, por fin, obtendría lo mejor de los lectores y de los críticos. Una de las notas que imaginaba, decía: «Idiotas: he sido mal interpretado por vosotros por última vez».

—Esa idea es perniciosa —dijo Helen.

—La muerte perfecta del escritor —sentenció Garp.

—Es tarde —intervino John Wolf—. Recordad que mañana debéis volar.

En la habitación de huéspedes, donde John Wolf quería dormir, encontró a Duncan Garp del todo despierto.

—¿Excitado por el viaje, Duncan?

—Mi padre ya ha estado en Europa —respondió el muchacho—. Pero *yo* no.

—Lo sé.

—¿Ganará mucho dinero mi padre?

—Eso espero —respondió el editor.

—En realidad no lo necesitamos, porque mi abuela tiene muchísimo —dijo Duncan.

—Pero es bueno tener dinero propio —comentó John Wolf.

—¿Por qué?

—Bueno... es hermoso ser famoso.

—¿Crees que será famoso mi padre?

—Eso creo.

—Mi abuela ya es famosa.

—Lo sé.

—Me parece que no le gusta.

—¿Por qué? —preguntó John Wolf.

—Demasiadas personas extrañas alrededor. Eso es lo que dice la abuela. La he oído. «Demasiadas personas extrañas en esta casa».

—Bien, probablemente tu papá no será famoso de la misma *manera* que tu abuela.

—¿Cuántas maneras distintas existen de ser famoso?

John Wolf exhaló una larga bocanada de aire contenido. Entonces comenzó a hablarle a Duncan Garp de las diferencias entre los libros muy populares y los que simplemente tienen éxito. Habló de libros políticos, de libros polémicos y de obras de ficción. Expuso a Duncan los puntos más delicados de la función del editor; de hecho, Duncan concedió el beneficio de sus opiniones personales con más soltura que con Garp. En realidad, a Garp no le interesaban. A Duncan tampoco. Este no recordaría *uno solo* de los puntos más delicados: se quedó dormido en cuanto John Wolf empezó a hablar.

Era el tono de voz de John Wolf lo que encantaba a Duncan. El relato prolongado, las explicaciones lentas. Era la voz de Roberta Muldoon —de Jenny Fields, de su madre, de Garp —contándole cuentos por la noche en la casa de Dog's Head Harbor, haciéndole dormir tan profundamente que no tenía pesadillas. Duncan se había acostumbrado a ese tono de voz y no habría podido dormirse sin él en Nueva York.

Por la mañana, Garp y Helen se sorprendieron ante el armario de John Wolf. Vieron un hermoso salto de cama que pertenecía, sin duda alguna, a una de las últimas y elegantes mujeres de John Wolf —alguien que no había sido invitada a pasar la noche anterior en la casa. Había unos treinta trajes oscuros, todos a rayas, todos elegantes, y todos inservibles para Garp, porque los pantalones le venían unos ocho centímetros demasiado largos. Garp eligió uno que le gustaba para desayunar, y se arremangó los bajos.

—¡Caray, tienes montones de trajes! —dijo Garp a John Wolf.

—Quédate con uno. Llévate dos o tres. El que tienes puesto...

—Es demasiado largo —Garp levantó un pie.

—Hazlo acortar —sugirió John Wolf.

—Tú no tienes ningún traje —recordó Helen a Garp.

Garp decidió que le gustaba tanto el que se había puesto que lo llevaría puesto al aeropuerto, con los bajos prendidos con alfileres.

—¡Demonios! —exclamó Helen.

—Me da un poco de vergüenza que me vean contigo —confesó John Wolf, pero los llevó al aeropuerto.

En realidad, se estaba asegurando de que dejaban el país.

—Ah, respecto a tu libro —dijo a Garp en el coche—, olvidé darte un ejemplar.

—Sí, me di cuenta —dijo Garp.

—Te lo enviaré.

—Ni siquiera he visto la sobrecubierta —dijo el autor.

—En la contraportada aparece una fotografía tuya —explicó John Wolf—. Es vieja... estoy seguro de que la conoces.

—¿Y en la portada? —quiso saber Garp.

—Bueno, el título —respondió John Wolf.

—¿Realmente? Pensé que podías haber decidido quitar el título.

—Sólo el título sobre una especie de fotografía —aclaró John Wolf.

—«Una especie de fotografía...» —dijo Garp—. ¿Qué clase de fotografía?

—Tal vez tenga una en la cartera. Lo miraré en el aeropuerto.

Wolf se mostraba cauteloso; ya había insinuado que consideraba que *El mundo según Bensenhaver* era «un folletín melodramático que sería clasificado como "no apto para menores"». Garp no se había molestado. «Te aseguro que está fantásticamente bien *escrito*», había dicho Wolf, «pero no deja de ser un melodrama; de alguna manera es *demasiado*». Garp había suspirado. «De alguna manera», había argumentado Garp, «la *vida* es demasiado. *La vida* es un folletín melodramático no apto para menores, John».

En la cartera de mano de John Wolf había un recorte de la portada de *El mundo según Bensenhaver*, donde faltaba la fotografía de la contraportada y, naturalmente, las solapas. John Wolf pensaba entregarle el recorte a Garp instantes antes de despedirse. El recorte de la portada estaba dentro de un sobre herméticamente cerrado, que a su vez estaba guardado en otro sobre herméticamente cerrado. John Wolf estaba prácticamente seguro de que Garp no lograría sacarlo y mirarlo hasta encontrarse a buen recaudo en el avión.

Cuando Garp hubiese llegado a Europa, John Wolf le enviaría el resto de la portada de *El mundo según Bensenhaver*. Wolf tenía la certeza de que Garp no se pondría lo bastante furioso como para coger el primer avión de regreso.

—Este avión es más grande que el otro —observó Duncan desde su asiento del lado izquierdo, junto a la ventanilla, cerca del ala.

—Tiene que ser más grande porque cruzará el océano —explicó su padre.

—Te ruego que no vuelvas a mencionar eso —pidió Helen.

Al otro lado del pasillo de donde se encontraban Duncan y Garp, una azafata preparaba un estrafalario asiento para Bebé Jenny, que colgaba del asiento inmediatamente anterior a Helen, como si fuera el bebé de otra personas o una india pequeñita.

—John Wolf dijo que serías rico y famoso —dijo Duncan a Garp.

—Hummm.

Garp estaba absorbido por el tedioso proceso de abrir los sobres que le había dado John Wolf: no le resultó nada fácil.

—¿Lo serás? —insistió Duncan.

—Eso *espero*.

Por último, Garp logró ver la cubierta de *El mundo según Bensenhaver*. No supo si fue la repentina y evidente ingravidez de la enorme nave al levantar el vuelo lo que le produjo un escalofrío, o si fue la fotografía.

Ampliada en blanco y negro, con granos gruesos como copos de nieve, aparecía la fotografía de una ambulancia que descargaba frente a un hospital. La abatida expresión de inutilidad de los rostros grises de los enfermeros señalaba el hecho de que no era necesario apresurarse. El cuerpo tapado por la sábana era pequeño y estaba completamente cubierto. La fotografía contenía la temible condición de la entrada de cualquier hospital por la puerta de URGENCIAS. *Era* cualquier hospital y cualquier ambulancia y cualquier cuerpo pequeño que llega demasiado tarde.

Una especie de húmedo plastificado daba brillo a la fotografía que, con su aspecto granulado y el hecho de que el accidente parecía haber ocurrido en una noche lluviosa... la convertía en una fotografía de *cualquier* muerte pequeña, en cualquier lugar, en cualquier momento. Naturalmente, sólo recordó a Garp la gris desesperación de sus rostros a la vista de Walt desnucado.

En la cubierta de *El mundo según Bensenhaver* —folletín melodramático —destacaba una morbosa advertencia: se trataba del relato de un desastre. La cubierta apelaba a la barata pero inmediata atención. La cubierta prometía una repentina y nauseabunda tristeza. Garp sabía que el libro la proporcionaría.

Si en aquel momento pudiera haber leído la inscripción que, en la solapa se hacía de su vida y su novela, habría cogido el siguiente avión de regreso a Nueva York al aterrizar a Europa. Pero tendría tiempo de resignarse a ese tipo de publicidad, tal como John Wolf había planeado. Cuando Garp leyó las solapas, había asimilado ya la horrible fotografía de la cubierta.

Helen jamás la asimilaría y jamás se lo perdonaría a John Wolf. Tampoco le perdonaría la fotografía de Garp de la contraportada. Era una fotografía tomada varios años antes del accidente, en la cual aparecía Garp con Duncan y Walt. Helen la había sacado y Garp se la había enviado a John Wolf a modo de tarjeta de Navidad. Garp estaba en un muelle de Maine. Sólo llevaba puesto un bañador y se le veía en un excelente estado físico. Lo estaba. Duncan se encontraba detrás, con su delgado brazo apoyado en el hombro de su padre; también llevaba bañador y estaba muy bronceado; llevaba una gorra blanca de marinero airosamente inclinada sobre su cabeza. Sonreía a la cámara, a la que contemplaba con sus hermosos ojos.

Walt estaba sentado en el regazo de Garp. Como acababa de salir del agua aparecía liso y brillante como un cachorro de foca; Garp intentaba arroparle y calentarle con una toalla, y Walt se retorcía entre sus brazos. Loco de contento, su rostro oval de payaso también sonreía a la cámara... a su madre que tomaba la fotografía.

Cuando Garp miró esa fotografía, sintió el húmedo y frío cuerpo de Walt cada vez más cálido y seco contra el suyo.

Debajo de la fotografía, el subtítulo apelaba a uno de los instintos menos nobles de los seres humanos.

T. S. GARP CON SUS HIJOS (ANTES DEL ACCIDENTE)

Estaba implícito que, si leías el libro, te enterarías de *qué* accidente se trataba. Naturalmente, no era así. En realidad *El mundo según Bensenhaver* no te diría nada de aquel accidente, aunque justo es decir que los accidentes desempeñan un importante papel en la novela. Lo único que en realidad sabías acerca del accidente al que se aludía debajo de la fotografía, estaba contenido en la basura que John Wolf escribió en la solapa. Pero, aún así, aquella fotografía de un padre con su hijo condenado, tenía algo que *prendía*.

La gente acudió en tropel a comprar la obra del afligido hijo de Jenny Fields.

En el avión que le llevaba a Europa, Garp sólo contaba con la fotografía de la ambulancia para dejar correr su imaginación. Incluso a semejante altitud, logró imaginar a la gente acudiendo en tropel a comprar el libro. Se sintió disgustado con la gente que él imaginaba que compraba el libro; también se sintió disgustado por haber escrito el tipo de libro capaz de atraer a la gente en tropel.

Los «tropeles» de cualquier cosa —pero especialmente de personas— no eran reconfortantes para T. S. Garp. Desde el avión deseó más aislamiento e intimidad —para sí mismo y para su familia— de los que jamás volvería a gozar.

—¿Qué haremos con tanto dinero? —preguntó Duncan de pronto.

—¿Tanto dinero? —se sorprendió Garp.

—Cuando seas rico y famoso. ¿Qué haremos?

—Nos divertiremos mucho —respondió Garp.

Pero el único y bello ojo de su hijo le observó dubitativamente.

—Volaremos a una altitud de treinta y cinco mil pies —dijo el piloto.

—¡Jolines! —exclamó Duncan.

Garp buscó la mano de su mujer al otro lado del corredor. Un gordo bajaba inseguro por el pasillo, en dirección al lavabo: Garp y Helen sólo pudieron mirarse y transmitirse una especie de contacto de mano a mano a través de los ojos.

Con el ojo de la mente, Garp vio a su madre, Jenny Fields, toda vestida de blanco, levantada hacia el cielo por la imponente Roberta Muldoon. Ignoraba qué significaba, pero la imagen de Jenny Fields elevada por encima de una multitud le estremeció de la misma forma que la ambulancia en la tapa de *El mundo según Bensenhaver*. Empezó a conversar con Duncan, de nada.

A Duncan se le ocurrió hablar de Walt y de la corriente submarina —una famosa anécdota familiar. Desde que Duncan tenía memoria, los Garp habían ido todos los veranos a Dog's Head Harbor, New Hampshire, donde los kilómetros de playa frente a la finca de Jenny Fields eran asolados por una temible corriente submarina. Cuando Walt tuvo edad suficiente para aventurarse cerca del agua, Duncan le dijo —como Helen y Garp le habían dicho a él durante años—: «Cuidado con la corriente submarina». Walt retrocedió, respetuoso. Durante tres veranos, Walt fue puesto en guardia respecto a la corriente submarina. Duncan recordaba todas las frases.

«Hoy la corriente submarina está mala.»

«Hoy la corriente submarina está fuerte.»

«Hoy la corriente submarina está *malvada*.» Malvada era una palabra importante en New Hampshire que no sólo se aplicaba a la corriente submarina.

Durante años, Walt se cuidó de ella. Desde la primera vez, en que había preguntado qué podía hacerle, sólo le habían dicho que podía tragarle. «Podía absorberte, tragarte y arrastrarte mar adentro».

Era el cuarto verano de Walt en Dog's Head Harbor, recordó Duncan, cuando Garp, Helen y él vieron a Walt que observaba el mar. La espuma de la rompiente le llegaba a los tobillos y contempló las olas sin dar un solo paso durante largo tiempo. La familia se acercó a la orilla para conversar con él.

—¿Qué estás haciendo, Walt? —preguntó Helen.

—¿Qué miras, papanatas? —preguntó Duncan.

—Estoy tratando de ver el Sapo Sumergido* —respondió Walt.

—¿El qué? —inquirió Garp.

—El Sapo Sumergido —replicó el niño—. Estoy tratando de *verlo*. ¿Cómo es de *grande*?

Garp, Helen y Duncan contuvieron la respiración; comprendieron que durante todos esos años, Walt había temido a un gigantesco *sapo*, que acechaba mar adentro para absorberle, tragarle y arrastrarle. El terrible Sapo Sumergido.

Garp trató de imaginarlo con su hijo. ¿Saldría alguna vez a la superficie? ¿Flotaría? ¿O permanecería siempre sumergido, viscoso y abotargado, y siempre a la espera de los tobillos que su pegajosa lengua pudiera enlazar? El vil Sapo Sumergido.

Entre Helen y Garp, Sapo Sumergido se convirtió en una expresión que designaba la ansiedad. Mucho después de que Walt hubiese comprendido de qué clase de monstruo se trataba («Corriente submarina, papanatas, no Sapo Sumergido», se había burlado Duncan), Garp y Helen evocaban a la bestia como una forma de referirse a su propia sensación de peligro. Cuando el tráfico era pesado, cuando el camino estaba cubierto de hielo —cuando la depresión apareció, de la noche a la mañana—, se decían: «Hoy el Sapo Sumergido está fuerte».

—¿Recuerdas que Walt preguntó si era verde o marrón? —dijo Duncan en el avión.

Garp y Duncan rieron. Pero no era verde ni marrón, pensó Garp. Era yo. Era Helen. Era el color del mal tiempo. Era del tamaño de un automóvil.

En Viena, Garp sintió que el Sapo Sumergido estaba fuerte. Helen no pareció sentirlo y Duncan, como correspondía a un chico de once años, pasaba de una sensación a otra. El retorno a la ciudad, para Garp, fue como el retorno a la Steering School. Las calles, los edificios, incluso las pinturas de los museos, eran

---

* En inglés, corriente submarina y Sapo Sumergico suenan prácticamente igual: *undertow* y *Under Toad*. (N. de la T.)

como sus antiguos profesores envejecidos: apenas los reconoció y ellos no le conocían. Helen y Duncan lo vieron todo. Garp se contentaba callejeando con Bebé Jenny; durante el largo y tibio otoño la paseó en un cochecillo tan barroco como la ciudad misma. Sonreía a todas las ancianas dicharacheras que se asomaban al cochecillo y admiraban a su nuevo bebé. Los vieneses parecían bien alimentados y satisfechos, con lujos que parecieron nuevos a Garp; la ciudad estaba a muchos años de la ocupación rusa, del recuerdo de la guerra, de los restos de las ruinas. Si Viena había estado agonizante, o —durante su estancia con su madre— muerta, ahora Garp sintió que algo nuevo, aunque consuetudinario, había crecido en el lugar de la antigua ciudad.

Al mismo tiempo, a Garp le gustaba mostrar la ciudad a Duncan y a Helen. Disfrutaba con el recorrido de su historia personal, mezclado con el de la guía histórica de Viena.

—Aquí se plantó Hitler cuando dirigió su primer discurso a la ciudad. Aquí solía hacer yo las compras, los sábados por la mañana. Este es el distrito cuarto, zona de ocupación rusa; allí está la famosa Karlskirche, el Alto y el Bajo Belvedere. Entre la Prinz-Eugen-Strasse, a vuestra izquierda, y la Argentinierstrasse se encuentra la callejuela donde mamá y yo...

Alquilaron habitaciones en una primorosa pensión del distrito cuarto. Pensaron en inscribir a Duncan en una escuela, pero eso los obligaría a un largo recorrido en coche o en *strassenbahn* todas las mañanas y, en realidad, no pensaban quedarse siquiera seis meses. Imaginaban vagamente las Navidades en Dog's Head Harbor, con Jenny, con Roberta, con Ernie Holm.

Por fin, John Wolf envió el libro, con cubiertas y solapas. La sensación que tuvo Garp del Sapo Sumergido fue insoportable durante unos cuantos días y luego la bestia empezó a cocear en la profundidad, por debajo de la superficie. Después parecía desaparecer. Garp logró elaborar una mesurada carta a su editor, en la cual le expresaba que se sentía personalmente herido, aunque comprendía que todo se había hecho con la mejor intención y con sentido comercial, pero... etcétera, etcétera. ¿Podía enojarse realmente Garp con Wolf? Él había proporcionado el material; Wolf se había limitado a aprovecharlo.

Garp supo por su madre que las primeras críticas no fueron «buenas», pero Jenny —por consejo de John Wolf— no incluyó ninguna en su carta. John Wolf recortó la primera de carácter constructivo entre las importantes críticas neoyorquinas: «Por fin, el movimiento feminista ha mostrado decisiva influencia sobre un significativo escritor del sexo masculino», decía la crítica, cuya autora era una profesora adjunta de estudios femeninos de alguna universidad. Continuaba diciendo que *El mundo según*

Bensenhaver era «el primer estudio profundo, hecho por un hombre, sobre la presión neurótica peculiarmente *masculina* que muchas mujeres deben aguantar». Y así sucesivamente.

—¡Caray! —se quejó Garp—. Suena como si yo hubiera escrito una *tesis*. ¡Es una *novela*, es un *relato*, y lo inventé!

—Bueno, parece que a ella le *gustó* —dijo Helen.

—No es la novela lo que le gustó, es otra cosa.

Pero la crítica contribuyó a difundir el rumor de que *El mundo según Bensenhaver* era «una novela feminista».

«Al igual que yo», escribió Jenny Fields a su hijo, «parece que te beneficiarás de uno de los tantos malentendidos populares de nuestros días.»

Otros críticos catalogaron al libro de «paranoide, demente y plagado de violencia y escenas sexuales gratuitas». Nadie mostró a Garp esas críticas, aunque probablemente tampoco perjudicaron las ventas.

Otro crítico reconocía que Garp era un escritor serio, cuyas «tendencias se han desbordado por la exageración barroca». John Wolf no pudo resistir la tentación de enviársela a Garp, probablemente porque estaba de acuerdo con ella.

Jenny informó que se estaba «comprometiendo» con la vida política de New Hampshire.

«La nueva carrera por el gobierno de Nueva Hampshire ocupa todo nuestro tiempo», escribió Roberta Muldoon.

«¿Cómo puede alguien entregar todo su tiempo a conquistar el gobierno de New Hampshire?», le contestó Garp a vuelta de correo.

Según parece, estaba en juego una cuestión feminista planteada por algunos desatinos y delitos inadmisibles de los que se vanagloriaba el gobernador en ejercicio. La administración se jactaba de haberle negado el aborto a una niña violada de catorce años, con el propósito de frenar así la ola de degeneración que afectaba a toda la nación. El gobernador *era* un auténtico imbécil reaccionario y altanero. Entre otras cosas, parecía creer que ni el Estado ni el Gobierno Federal debían ayudar a los pobres, principalmente debido a que el gobernador de New Hampshire consideraba que la condición de pobre era un castigo merecido —el fallo justo y moral de un Ser Superior. El gobernador en ejercicio era repugnante y listo; la sensación de que New Hampshire corría peligro de ser víctima de *equipos* de divorciadas neoyorquinas.

Supuestamente, las divorciadas de Nueva York se dirigían en tropel a New Hampshire. Tenían la intención de convertir a las mujeres del lugar en lesbianas o, como mínimo, de estimularlas a ser infieles a sus maridos; sus intenciones, también incluían a los demás hombres casados y a los estudiantes de secundaria de

New Hampshire. Evidentemente, las divorciadas neoyorquinas representaban una extendida promiscuidad, el socialismo, las demandas por alimentos y algo a lo que la prensa de New Hampshire se refería amenazantemente como «Grupo de Vida Femenina».

Uno de los centros de ese supuesto «Grupo de Vida Femenina» era Dog's Head Harbor, «la guarida de la radical feminista Jenny Fields».

También se había producido un amplio incremento, decía el gobernador, de las enfermedades venéreas —«un problema conocido entre liberadas y liberadoras». Era un mentiroso de órdago. Obviamente, el candidato de la oposición era una mujer. Jenny, Roberta y (escribió Jenny) «equipos de divorciadas de Nueva York» dirigían su campaña.

Por alguna razón, en el único periódico de New Hampshire que tenía difusión en todo el estado, se refirieron a la «degenerada» novela de Garp como a la «Nueva Biblia Feminista».

«Un violento himno a la depravación moral y el peligro sexual de nuestra época», escribió un crítico de la Costa Oeste.

«Una dolorosa protesta contra la violencia y el combate sexual de nuestra era que avanza a tientas», decía un periódico de otra localidad.

Agradara o disgustara, la novela fue principalmente considerada como *noticia*. Una de las formas en que las novelas alcanzan el éxito consiste en que el asunto se parezca a alguna versión de la noticia. Eso es lo que le ocurrió a *El mundo según Bensenhaver*; al igual que el estúpido gobernador de New Hampshire, el libro de Garp se convirtió en noticia.

«New Hampshire es una apartada región de infame vida política», escribió Garp a su madre. «Te ruego por Dios que no te comprometas.»

«Eso es lo que siempre dices», escribió Jenny. «Cuando regreses, serás famoso. Entonces veremos si *tú* logras no comprometerte.»

«Mírame a mí», le contestó Garp. «Nada más fácil».

Su atención a la correspondencia intercontinental había distraído momentáneamente a Garp de su sensación del pavoroso y letal Sapo Sumergido, pero ahora Helen le dijo que ella también detectaba su presencia.

—Volvamos —sugirió Helen—. Lo hemos pasado muy bien.

Recibieron un telegrama de John Wolf: «No te muevas de donde estás. La gente acude en masa a comprar tu libro».

Roberta envió a Garp una camiseta que llevaba estampado ese texto en el pecho:

LAS DIVORCIADAS DE NUEVA YORK SON BUENAS
PARA NEW HAMPSHIRE

—¡Dios mío! —dijo Garp a Helen—. Si hemos de volver, esperemos al menos a que pase esta insensata elección.

Así se perdió, afortunadamente, la «opinión feminista disidente» de *El mundo según Bensenhaver*, publicado en una popular revista. La novela, decía la crítica, «sustenta tenazmente la noción de discriminación por mor del sexo de que las mujeres son, principalmente, una colección de orificios y una presa aceptable de los machos depredadores... T. S. Garp prolonga la demencial mitología masculina: el hombre bueno es el guardaespaldas de su familia, la mujer buena jamás permite de buen grado que otro hombre penetre su entrada literal o figurada».

Hasta Jenny Fields fue conquistada con halagos para «criticar» la novela de su hijo y es una suerte que Garp tampoco viera esa crítica. Jenny afirmaba que, aunque se trataba de la mejor novela de su hijo —dado que era el tema más serio que hasta entonces había afrontado—, era una obra «estropeada por repetidas obsesiones masculinas, que pueden resultar tediosas para las lectoras del sexo femenino». No obstante, decía Jenny, su hijo era un buen escritor, todavía muy joven, que sólo podía mejorar. «Su corazón», concluía, «está donde corresponde.»

Si Garp hubiera leído eso, se habría quedado mucho más tiempo en Viena. Pero prepararon el retorno. Como de costumbre, la ansiedad apresuró los planes de Garp. Una noche, Duncan no había regresado del parque antes de oscurecer y Garp salió corriendo a buscarle, mientras le gritaba a Helen que aquélla era la última señal: debían marcharse lo antes posible. La vida urbana en general volvía muy temeroso a Garp con respecto a Duncan.

Garp corrió por la Prinz-Eugen-Strasse hacia el Monumento a los Caídos de la Schwarzenbergplatz. Cerca había una pastelería y a Duncan le gustaban las pastas, aunque Garp le había advertido insistentemente que eso malograba su cena.

—¡Duncan! —gritaba mientras corría.

Su voz, al chocar contra los sólidos edificios de piedra, rebotaba hacia él como si fuera un eructo del Sapo Sumergido, la inmunda y verrugosa bestia cuya viscosa cercanía sentía en el aliento.

Pero Duncan mordisqueaba dichoso una *grillparzertorte* en la pastelería.

—Cada día oscurece más temprano —se quejó—. No es *tan* tarde.

Garp tuvo que reconocer que era verdad. Volvieron andando. El Sapo Sumergido desapareció en una callejuela oscura o no estaba interesado en Duncan, pensó Garp. Creyó sentir el tirón de la marea en sus propios tobillos, pero fue una sensación fugaz.

El teléfono, aquel viejo grito de alarma —un guerrero de guardia, apuñalado y gimiente— sorprendió a la pensión donde vivían y llevó a la temblorosa patrona, como un fantasma, a sus habitaciones.

—*Bitte, bitte* —rogó.

Con breves empujones exaltados intentó expresar que la llamada provenía de Estados Unidos.

Era cerca de las dos de la madrugada, la calefacción estaba apagada y Garp tembló de frío a sus espaldas mientras bajaban por el pasillo. «La alfombra del vestíbulo era delgada», rememoró, «del color de una sombra.» Había escrito esa frase años atrás. Paseó la mirada en busca del resto del reparto: el cantante húngaro, el hombre que sólo podía caminar con las manos, el oso condenado, y todos los miembros del triste circo de la muerte que había imaginado.

Pero no estaban; sólo el delgado cuerpo erguido de la anciana le guiaba: su forma de llevar la espalda era artificiosa, como si intentara corregir una joroba. No había fotografías de equipos de carreras de patinaje en las paredes, ninguna bicicleta de una rueda aparcada junto a la puerta del W.C. Mientras bajaba la escalera y entraba en una sala con una intensa luz colgante, como un quirófano instalado de prisa en una ciudad sitiada, Garp sintió que seguía al Angel de la Muerte, a la comadrona del Sapo Sumergido, cuyo penetrante olor olisqueó en el auricular del teléfono.

—¡Diga! —susurró.

Por un instante se sintió aliviado al oír la voz de Roberta Muldoon: otro rechazo sexual, quizá se trataba de eso. O tal vez una puesta al día de las elecciones gubernamentales de New Hampshire. Garp observó el viejo rostro inquisitivo de la dueña de la pensión y se dio cuenta de que ella no se había tomado el tiempo necesario para ponerse la dentadura postiza; tenía las mejillas hundidas en la boca, la carne suelta colgaba por debajo de su quijada... toda su cara estaba tan floja como la de un esqueleto. La habitación destilaba olor a sapo.

—No quería que lo vieras en el noticiario —decía Roberta—. Si es que ahí lo pasan por la televisión... pero no estaba segura. Tampoco sé si lo publicarán los diarios de Viena. Pero no quería que lo supieras así.

—¿Quién ganó? —preguntó Garp con tono frívolo, aunque tenía la certeza de que esa llamada tenía muy poco que ver con el nuevo o el viejo gobernador de New Hampshire.

—Le *dispararon*... a tu madre —dijo Roberta—. La mataron, Garp. Un hijo de puta le disparó con un rifle de cazar ciervos.

—¿Quién? —murmuró Garp.

—¡Un *hombre*! —gimió Roberta. Era el peor término que logró encontrar: *un hombre*—. Un hombre que odiaba a las mujeres. Era un cazador —Roberta sollozó—. Se había abierto la temporada de caza, o estaba casi abierta, y nadie encontró nada raro en un hombre con un rifle. Le disparó.

—¿Murió?

—La cogí antes de que cayera —gritó Roberta—. No llegó a tocar el suelo, Garp. No pronunció una sola palabra. No supo lo que ocurrió, Garp, estoy segura.

—¿Han detenido a ese hombre?

—Alguien le disparó o se disparó a sí mismo.

—¿Ha muerto? —preguntó Garp.

—Sí, el hijo de puta también ha muerto.

—¿Estás sola, Roberta? —quiso saber Garp.

—No —Roberta seguía llorando—. Somos muchas. Estamos en *tu* casa.

Garp imaginó a las gimientes mujeres en Dog's Head Harbor, junto a su líder asesinada.

—Quería que su cadáver fuera entregado a la Facultad de Medicina —dijo Garp—. ¿Roberta?

—Te oigo. Eso es horrible.

—Es lo que ella quería.

—Lo sé. Tienes que regresar.

—De inmediato —aseguró Garp.

—No sabemos *qué hacer*.

—¿*Qué hay* que hacer? No hay nada que hacer.

—Tendríamos que hacer *algo*, pero ella siempre decía que no quería un funeral.

—Indudablemente. Quería que entregaran su cadáver a la Facultad de Medicina. Ocúpate de eso, Roberta: eso es lo que mamá quería.

—Pero tenemos que hacer *algo* —protestó Roberta—. Quizá no un servicio *religioso*, pero algo.

—No te comprometas en nada hasta que yo esté ahí —le advirtió Garp.

—Se habla mucho —dijo Roberta—. La gente quiere un mitin, o algo.

—Yo soy su único deudo —le recordó Garp—. Diles eso, Roberta.

—Tú sabes que ella significaba mucho para *muchas* de nosotras —sollozó Roberta con tono agrio.

¡Sí, y eso la mató!, pensó Garp, pero no dijo nada.

—¡Intenté protegerla! —gritó Roberta—. ¡Le dije que no fuera a ese aparcamiento!

—Nadie es culpable, Roberta —dijo Garp tiernamente.

406

—*Tú* piensas que alguien es culpable, Garp. Siempre lo piensas.

—Por favor, Roberta, eres mi mejor amiga.

—*Yo* te diré quién tiene la culpa. Los *hombres*, Garp. ¡Tu asesino y asqueroso sexo! ¡Si no podéis *follarnos* como deseáis, nos matáis de cien maneras distintas!

—*Yo* no, Roberta, por favor...

—Sí, tu también —susurró Roberta—. No hay ningún hombre amigo de las mujeres.

—Yo soy amigo *tuyo*, Roberta.

Roberta lloró un rato, con un ruido tan agradable para Garp como el de la lluvia sobre un lago profundo.

—Estoy tan preocupada... —musitó Roberta—. Si hubiera visto al hombre con el rifle un segundo antes... me habría interpuesto. Lo habría hecho, tú lo sabes.

—Sé que lo habrías hecho, Roberta.

Garp se preguntó si *él* lo habría hecho. Amaba a su madre, naturalmente, y ahora sentía una dolorosa pérdida. Pero, ¿había sentido alguna vez tanta *devoción* por Jenny Fields como la que sentían sus seguidoras del mismo sexo?

Pidió disculpas a la patrona de la pensión por la llamada tardía. Cuando le comunicó que su madre había muerto, la anciana se persignó, sus mejillas hundidas y sus encías vacías eran mudas pero evidentes señales de las muertes familiares a las que ella había sobrevivido.

Helen lloró inconsolablemente; no separó a la tocaya de Jenny —la pequeña Jenny Garp— de sus brazos. Duncan y Garp revisaron los periódicos, pero la noticia tardaría un día en llegar a Austria, salvo en la moderna maravilla de la televisión.

Garp vio el asesinato de su madre en el televisor de la dueña de la pensión.

Se celebraba algún desatino electoral en una plaza de tiendas de New Hampshire. El paisaje presentaba un matiz vagamente costero y Garp lo reconoció como un sitio que se encontraba a unos kilómetros de Dog's Head Harbor.

El gobernador en ejercicio seguía a favor de las mismas estúpidas canalladas de costumbre. La candidata de la oposición parecía culta, idealista y bondadosa; también parecía dominar apenas su ira por las mismas estúpidas canalladas que representaba el gobernador.

El aparcamiento de la plaza de tiendas estaba rodeado de camionetas llenas de hombres con abrigos y gorras de caza; aparentemente representaban los intereses locales de New Hampshire en oposición a los intereses de New Hampshire representados por las divorciadas neoyorquinas.

La bonita candidata de la oposición también era una especie de divorciada de Nueva York. El hecho de que hubiera vivido quince años en New Hampshire y de que sus hijos se hubiera educado allí lo ignoraban más o menos el gobernador en ejercicio y sus partidarios, que daban vueltas al aparcamiento en sus camionetas.

Se veían innumerables pancartas y se oía un abucheo uniforme.

También estaba allí el equipo de fútbol de una escuela secundaria, todos los jugadores con su uniforme, haciendo restallar sus clavos contra el cemento del aparcamiento. Uno de los hijos de la candidata pertenecía al equipo y había reunido a todos sus compañeros en el aparcamiento, con la esperanza de demostrar a New Hampshire que era perfectamente viril votar a su madre.

Los cazadores de las camionetas opinaban que votar por esa mujer era votar por la prostitución, el lesbianismo y el socialismo, por las demandas judiciales de alimentos, y por Nueva York. Y así sucesivamente. Mientras miraba la televisión, Garp tuvo la sensación de que en New Hampshire no se toleraban tales cosas.

Garp, Helen y Duncan —y Bebé Jenny— estaban sentados en la pensión vienesa, siguiendo por televisión el asesinato de Jenny Fields. La estupefacta patrona les sirvió café y pastas; sólo Duncan comió algo.

Después le tocó a Jenny Fields dirigirse a la multitud reunida en el aparcamiento. Habló desde la caja de una camioneta; Roberta Muldoon la alzó por encima de la valla trasera y adaptó el micrófono a su altura. La madre de Garp parecía muy menuda en la camioneta, especialmente al lado de Roberta, pero su uniforme era tan blanco que Jenny sobresalía, alba y brillante.

—Soy Jenny Fields —dijo entre vítores, silbidos y algunos abucheos.

Se produjo un estruendo de bocinazos entre las camionetas que rodeaban el aparcamiento. La policía ordenó a los conductores que circularan; las camionetas avanzaban, daban la vuelta y seguían avanzando.

—La mayoría de vosotros sabe quién soy —más abucheos, más vítores, más bocinazos... y un único disparo de rifle, definitivo como una ola que rompe en la playa.

Nadie vio de dónde provenía. Roberta Muldoon sujetó a la madre de Garp por las axilas. El uniforme blanco de Jenny parecía alcanzado por una pequeña salpicadura oscura. Entonces Roberta saltó hacia la puerta de la camioneta con Jenny en sus brazos y se abrió paso a través de la multitud que le cedía lugar como si fuera un lateral que corre a colocar la pelota en el suelo antes de la rebatiña. La multitud se abrió; el uniforme blanco de Jenny quedaba casi oculto por los brazos de Roberta. Avanzó un coche-patrulla en dirección a ésta; cuando el vehículo estuvo cerca, Roberta entregó el cadáver de Jenny Fields, desde lo alto, a los policías. Durante un breve instante, Garp divisó el inmóvil uniforme blanco de su madre mientras pasaba por encima de la multitud y era depositado en brazos de los policías, que ayudaron a Roberta a subir al coche patrulla.

Como suele decirse, el vehículo partió como un rayo. La cámara cambió de posición a causa de un tumulto provocado por un disparo entre las camionetas que rodeaban el aparcamiento y otros coche-patrulla. Luego mostraron el cuerpo estático de un hombre con chaqueta de caza, tendido en un charco oscuro de algo que parecía aceite. A continuación se vio un primer plano de lo que los periodistas sólo identificaron como «un rifle para cazar ciervos».

Se destacó el hecho de que la temporada de caza de ciervos no estaba oficialmente abierta.

Salvo por el hecho de que no habían aparecido desnudos en la transmisión televisiva, el acontecimiento era un folletín melodramático, inconveniente para menores desde el principio hasta el fin.

Garp agradeció a la patrona de la pensión que les hubiera permitido ver el telediario. Dos horas más tarde estaban en Frankfurt, donde cambiaron de avión con destino a Nueva York. El Sapo Sumergido no viajó con ellos, ni siquiera con Helen, que tenía tanto miedo a los aviones. Sabían que durante un tiempo el Sapo Sumnergido estaría en otro sitio.

Todo lo que Garp pudo pensar, en algún punto por encima del océano Atlántico, era que su madre había pronunciado unas adecuadas «últimas palabras». Jenny Fields había concluido su vida diciendo: «La mayoría de vosotros sabe quién soy». Garp intentó ensayar la frase en el avión.

—La mayoría de vosotros sabe quién soy —susurró.

Duncan dormía, pero Helen le oyó; se estiró a través del pasillo y le cogió la mano.

A miles de metros por encima del nivel del mar, T.S. Garp lloró en el avión que le devolvía al hogar, a la fama, en su violento país.

El primer funeral feminista
y otros funerales

«Desde la muerte de Walt», escribió T. S. Garp, «he sentido mi vida como si fuera un epílogo».

Cuando murió Jenny Fields, Garp debió de sentir aumentar su aturdimiento, la sensación de que el tiempo pasaba sin un proyecto. Pero, ¿cuál era el proyecto?

Garp estaba en el despacho de John Wolf, en Nueva York, tratando de asimilar la plétora de planes que rodeaban la muerte de su madre

—Yo no autoricé ningún funeral —dijo Garp—. ¿Cómo es posible que se celebre? ¿Dónde está el cadáver, Roberta?

Roberta Muldoon explicó pacientemente que el cuerpo se encontraba donde Jenny había decidido. No era su cuerpo lo que importaba, afirmó Roberta. Se celebraría, sencillamente, una especie de homenaje: era mejor no pensar en ese acto como en un «funeral».

Los periódicos habían anunciado que se trataba del primer funeral feminista que se celebraría en Nueva York.

La policía había anunciado que se esperaban actos de violencia.

—¿El primer funeral feminista? —preguntó Garp.

—Ella significaba mucho para muchas mujeres —dijo Roberta—. No te enfades. Como sabes, ella no era de tu *propiedad*.

John Wolf puso los ojos en blanco.

Duncan Garp miraba a través de la ventana del despacho de John Wolf, piso cuarenta Manhattan arriba. Probablemente, Duncan tenía la impresión de seguir en el avión que acababa de abandonar.

Helen telefoneaba desde otra oficina. Intentaba encontrar a su padre en la vieja y pacífica ciudad de Steering; quería que Ernie fuera a buscarlos cuando el avión de Nueva York aterrizara en Boston.

—Está bien —aceptó Garp, lentamente; sostenía a la pequeña Garp sobre sus rodillas—. Está bien. Sabes que no estoy de acuerdo, Roberta, pero asistiré.

—¿Dices que *irás*? —preguntó John Wolf.

—¡No! —exclamó Roberta—. Quiero decir que no *tienes* que ir.

—Lo sé. Pero tienes razón. Probablemente le habría gustado algo así, de modo que iré. ¿En qué consiste?

—Habrá muchos discursos. No es necesario que vayas —insistió Roberta.

—Leerán un fragmento de su libro —agregó John Wolf—. Hemos donado algunos ejemplares.

—Pero no es necesario que *tú* asistas, Garp —volvió a decir Roberta, nerviosa—. Te ruego que no vayas.

—Quiero ir. Te prometo que no diré ni pío... al margen de lo que digan sobre ella esas pobres imbéciles. Conservo algo de ella que podría leer yo mismo, si a alguien le interesa —ofreció Garp—. ¿Habéis visto lo que escribió acerca de que la llamaran feminista? —Roberta y John Wolf intercambiaron una mirada: se los veía pálidos y compungidos—. Dijo: «Detesto que me llamen feminista, porque es una etiqueta que yo no escogí para describir mis sentimientos con respecto a los hombres ni a la forma en que escribo».

—No quiero discutir contigo, Garp —aseguró Roberta—. No en este momento. Sabes perfectamente que también dijo otras cosas. *Era* una feminista, le complaciera o disgustara la etiqueta. Era sencillamente fabulosa para señalar las injusticias que se cometen con las mujeres; era sencillamente fabulosa para dejar que las mujeres vivieran su propia vida y tomaran sus propias decisiones.

—¿Sí? —dijo Garp—. ¿Y creía que *todo* lo que les ocurre a las mujeres es *a causa* de su sexo?

—Tienes que ser muy estúpido si crees eso, Garp —opinó Roberta—. Tú haces que todas parezcamos ellenjamesianas.

—Por favor, basta, los dos —rogó John Wolf.

Jenny Garp lanzó una breve protesta y palmeó la rodilla de Garp; éste la miró, sorprendido, como si hubiera olvidado que tenía un ser vivo en su regazo.

—¿Qué te ocurre? —le preguntó.

Pero Bebé Jenny permaneció silenciosa, mientras observaba un detalle del paisaje del despacho de John Wolf que era invisible para los demás.

—¿A qué hora es la fantochada? —preguntó Garp a Roberta.

—A las cinco en punto de la tarde.

—Creo que eligieron esa hora —intervino John Wolf— para que la mitad de las secretarias de Nueva York abandonen sus trabajos una hora antes.

—No todas las trabajadoras de Nueva York son secretarias —apuntó Roberta.

—Las secretarias —dijo John Wolf— son las únicas que se echarán de menos entre las cuatro y las cinco.

—¡Caray! —fue todo el comentario de Garp.

Helen entró y anunció que no había podido encontrar a su padre.

—Está practicando lucha libre —observó Garp.

—La temporada de lucha todavía no empezó —le recordó Helen.

Garp miró el calendario de su reloj, que estaba varias horas atrasado con respecto a los Estados Unidos; lo había puesto en hora por última vez en Viena. Pero Garp sabía que, en la Steering, la temporada de lucha no se iniciaba oficialmente hasta después del Día de Acción de Gracias. Helen tenía razón.

—Cuando llamé a su despacho del gimnasio, me dijeron que estaba en casa —explicó Helen a Garp—. Cuando llamé a casa, nadie contestó.

—Alquilaremos un coche en el aeropuerto —la tranquilizó Garp—. De todos modos, no podremos irnos esta noche. Tengo que asistir a ese maldito funeral.

—No, no *tienes que ir* —insistió Roberta.

—De hecho, no *puedes* —aclaró Helen.

Roberta y John Wolf volvieron a mostrarse pálidos y compungidos; Garp se mostró, sencillamente, mal informado.

—¿Qué quieres decir con eso de que *no puedo*? —inquirió.

—Se trata de un funeral feminista —dijo Helen—. ¿Has leído el periódico o te has conformado con los titulares?

Garp miró acusadoramente a Roberta Muldoon, pero ésta miró a Duncan, que miraba por la ventana. Duncan usaba su telescopio para espiar Manhattan.

—No puedes ir, Garp —reconoció Roberta—. Es verdad. No te lo dije porque creí, sinceramente, que desistirías. Pensé que no *querrías* asistir.

—¿O sea que no *se me permite* estar presente? —quiso saber Garp.

—Es un funeral para *mujeres* —explicó Roberta—. Las mujeres la adoraban, las mujeres la llorarán. Queremos que sea así.

Garp clavó la mirada en Roberta Muldoon.

—*Yo* la adoraba —dijo—. Soy su único hijo. ¿Quieres decir que no podré asistir a esa fantochada porque soy *hombre*?

—Te ruego que dejes de llamarlo fantochada —dijo Roberta.

—¿Qué es una fantochada? —preguntó Duncan.

Jenny Garp volvió a protestar, pero Garp no le prestó atención. Helen la alzó en sus brazos.

—¿Quieres decir que no se permite la entrada de hombres al funeral de mi madre? —preguntó Garp a Roberta.

—Como ya te dije, no se trata exactamente de un funeral —replicó Roberta—. Es más bien una especie de concentración, de reverente demostración.

—Asistiré, Roberta —afirmó Garp—. No me interesa el nombre que le asignes.

—¿Será posible? —Helen salió del despacho con Bebé Jenny—. Trataré de encontrar a mi padre. Insistiré.

—Veo a un manco —comentó Duncan.

—Por favor, no vayas, Garp —imploró Roberta suavemente.

—Roberta tiene razón —intervino John Wolf—. Yo también quería asistir. Al fin y al cabo, era su editor. Pero deja que lo hagan a su manera, Garp. Creo que a Jenny le habría gustado la idea.

—No me importa un bledo lo que a ella le habría gustado —dijo Garp.

—Probablemente lo que dices es verdad —redobló Roberta—. Esa es otra de las razones por las que no debes asistir.

—Tú ignoras, Garp, cómo han reaccionado algunos miembros del movimiento feminista ante tu *libro* —le advirtió John Wolf.

Roberta Muldoon puso los ojos en blanco. Tiempo atrás se había planteado la acusación de que Garp cabalgaba sobre la reputación de su madre y el movimiento feminista. Roberta había visto la publicidad de *El mundo según Bensenhaver,* que John Wolf había autorizado inmediatamente después del asesinato de Jenny. El libro de Garp parecía aprovecharse también de esa tragedia, y el anuncio transmitía la enfermiza sensación de un pobre autor que había perdido a un hijo «y ahora también a su madre».

Fue una suerte que Garp nunca viera ese anuncio; hasta John Wolf se arrepintió de haberlo publicado.

El mundo según Bensenhaver se vendió, se vendió y siguió vendiéndose. Durante años sería discutido; se utilizó como texto en varias universidades. Afortunadamente, también otros libros de Garp eran textos universitarios, aunque esporádicamente. Un curso tenía en el programa la autobiografía de Jenny, junto con las tres novelas de Garp y con *Historia de la Academia de Everett Steering,* de Stewart Percy. El propósito del curso, aparentemente, consistía en averiguar todo lo de la *vida* de Garp, rastreando en los libros aquello que parecía *verdadero.*

Fue una suerte que Garp jamás supiera nada acerca de ese curso.

—Veo a un hombre con una sola pierna —anunció Duncan Garp, que buscaba en las calles y ventanas de Manhattan a todos los tullidos y mutilados de la ciudad... tarea que le llevaría años.

—Basta, Duncan, por favor —le dijo Garp.

—Si de verdad quieres asistir, Garp —le musitó Roberta Muldoon—, tendrás que hacerlo disfrazado.

—Si es tan difícil que le permitan la entrada a un hombre —Garp escupió las palabras dirigidas a Roberta—, será mejor para ti que no hagan un control de cromosomas en la puerta —lamentó instantáneamente lo que había dicho; vio que Roberta parpadeaba como si la hubiera abofeteado. Cogió sus dos enormes manazas entre las suyas y las retuvo hasta que sintió que debía retroceder—. Lo siento —murmuró—. Si he de ir disfrazado, me alegro de que estés aquí para ayudarme a vestirme. En eso eres veterana, ¿no?

—De acuerdo —aceptó Roberta.

—Esto es ridículo —observó John Wolf.

—Si alguna de esas mujeres te reconoce —dijo Roberta—, te descuartizarán miembro a miembro. En el mejor de los casos, no te permitirán entrar.

Helen volvió al despacho, con Jenny Garp protestando, apoyada en su cadena.

—Llamé al decano Bodger —informó Garp—. Le pedí que tratara de localizar a papá. No suele no estar en ningún sitio —Garp meneó la cabeza—. Tendríamos que salir ahora hacia el aeropuerto. Alquilaremos un coche en Boston e iremos a la Steering. Así los chicos podrán descansar. Luego, si tú quieres volver corriendo a Nueva York para participar en alguna cruzada, eres libre de hacerlo.

—Ve tú —le aconsejó Garp—. Yo cogeré otro avión y alquilaré otro coche más tarde.

—Eso es una tontería —dijo Roberta.

—Ahora tengo mucho dinero —dijo sonriente Garp, pero John Wolf no respondió a su irónica sonrisa.

John Wolf se ofreció espontáneamente a llevar a Helen y a los niños al aeropuerto.

—Uno con un solo brazo, otro con una sola pierna, dos personas que cojean —inventarió Duncan—, y alguien sin nariz.

—Tendrías que esperar un poco y luego echarle un vistazo a tu padre —aconsejó Roberta Muldoon.

Garp pensó: un lamentable ex luchador, que se disfraza para asistir al funeral de su madre. Besó a Helen y a los niños, e incluso a John Wolf.

—No te preocupes por tu padre —dijo a Helen.

—Y no te preocupes por Garp —dijo Roberta a Helen—. Le disfrazaré de tal manerta que nadie se meterá con él.

—Ojalá *tú* no te metieras con nadie —dijo Helen a su marido.

De repente apareció otra mujer en el despacho de John Wolf; nadie había notado su presencia, pero ella había intentado llamar la atención del editor. Cuando habló, lo hizo en un único y evidente momento de silencio.

—Señó Wolf... —dijo la mujer.

Era vieja, de color pardo-negro-gris y sus pies parecían atormentarla; llevaba un cable de prolongación arrollado dos veces alrededor de su gruesa cintura.

—¿Sí, Jillsy? —inquirió John Wolf.

Garp contempló a la mujer. Era Jillsy Sloper, por supuesto. El editor tendría que haber sabido que los escritores recuerdan los nombres.

—Pensé... —dijo Jillsy—, si podría salir más temprano... si usted puede hablar por mí, porque quiero asistir a ese funeral.

Jillsy habló con la barbilla hendida, en un rígido murmullo de palabras mordidas... con gran economía de ellas. No le gustaba abrir la boca delante de extraños; además, reconoció a Garp y no quería que se lo presentaran nunca...

—Sí, claro —respondió John Wolf inmediatamente: él no tenía más deseos que ella de presentarle a Garp.

—Espere un minuto —dijo Garp. Jillsy Sloper y John Wolf se quedaron atónitos—. ¿Usted es Jillsy Sloper?

—¡No! —estalló John Wolf. Garp le miró fijamente.

—¿Cómo está? —dijo Jillsy a Garp, sin mirarle.

—¿Cómo esta *usted*? —de una sola mirada Garp comprendió que a esa doliente mujer no le había «encantado» su libro, como le había asegurado John Wolf.

—Lamento lo que le ocurrió a su madre —dijo Jillsy.

—Gracias.

Garp vio —*todos* vieron— que Jillsy Sloper estaba indignada por algo.

—¡Valía por dos o tres como *usted*! —gritó repentinamente Jillsy a Garp; sus ojos de color amarillo y barro estaban llenos de lágrimas—. ¡Valía por cuatro o cinco de sus terribles libros! —graznó—. ¡Señó! —murmuró mientras abandonaba el despacho del editor—. ¡Señó, Senó!

Otro cojo, pensó Duncan Garp, pero comprendió que su padre no quería saber nada más de aquella contabilidad.

En el primer funeral feminista celebrado en la ciudad de Nueva York, las asistentes no parecían seguras de cómo debían actuar. Quizás era el resultado de que la reunión no se celebraba en una iglesia, sino en uno de esos enigmáticos edificios del conjunto universitario urbano... un auditorio, cargado del eco de discursos a los que nadie había prestado atención. El gigantesco espacio se encontraba levemente sembrado de la sensación de aplausos pasados, dedicados a orquestas de *rock* y algún poeta famoso. Pero el espacio también contenía la gravedad del certero conocimiento de que allí se habían celebrado importantes conferencias, de que centenares de personas habían tomado notas en esa sala.

Aquel conjunto se conocía como Colegio Mayor de Enfermería, lo cual lo volvía curiosamente apropiado para rendir tributo a Jenny Fields. Era difícil distinguir la diferencia entre las asistentes que vestían un Jenny Fields Original —con los pequeños corazones rojos cosidos por el pecho— y las auténticas enfermeras, siempre de blanco y fuera de moda, que tenían otras razones para encontrarse en las inmediaciones de la Escuela de Enfermería y habían hecho una pausa para asomarse a la ceremonia, curiosa o genuinamente compadecidas, o ambas cosas.

Había muchos uniformes blancos entre las afligidas mujeres que circulaban en masa y se apiñaban para murmurar, y Garp maldijo inmediatamente a Roberta.

—Te dije que podía haberme vestido de enfermera —murmuró Garp—. Llamaría menos la atención.

—Pensé que serías demasiado llamativa como enfermera —contestó Roberta—. No sabía que habría tantas.

—Esta será una condenada marcha nacional —susurró Garp—. Espera y verás.

Pero Garp dejó de protestar; se acurrucó tratando de parecer pequeño aunque igualmente llamativo junto a Roberta, sintiendo que todas le miraban y percibiendo de algún modo su masculinidad, o al menos, como le había advertido Roberta, su propia hostilidad.

Estaban sentados a tres filas del escenario y de la plataforma de las oradoras; un mar de mujeres habían entrado al imponente auditorio y se habían sentado a sus espaldas —filas y filas llenas de mujeres—; mucho más atrás, en la parte abierta de la sala (donde no había asientos), se encontraban las que estaban menos interesadas en permanecer allí durante todo el ritual, pero que querían presentar su homenaje y entraban lentamente por una puerta para salir con la misma lentitud por otra. Daba la impresión de que el público sentado, más amplio, fuera el ataúd abierto de Jenny Fields, el que las mujeres que pasaban lentamente habían ido a observar.

Naturalmente, Garp sentía que *él* era un ataúd abierto y que todas las mujeres le observaban: su palidez, su alarma, su ridículo disfraz.

Quizá Roberta le había acicalado de ese modo como desquite por su insistencia en asistir, o por su cruel exabrupto a propósito de sus cromosomas. Roberta había vestido a Garp con un cursi traje estilo mono de mecánico color turquesa, del color de la furgoneta de Oren Rath. El mono tenía un cierre de cremallera dorado que iba desde la ingle de Garp hasta el cuello. Garp no llenaba adecuadamente las caderas del mono, pero sus pechos —mejor dicho, las tetas falsas que Roberta había pergeñado— chocaban contra los pliegues de los bolsillos y ladeaban la vulnerable cremallera, retorciéndola.

—¡Qué par de limones! —se había admirado Roberta.

—Roberta, eres una bestia.

Los tirantes del enorme y horrible sujetador se le hundían en los hombros. Pero cada vez que Garp percibía que una mujer le observaba —tal vez dudando de su sexo—, se volvía de costado para destacar sus pechos. Así disipaba cualquier duda, o eso esperaba.

La peluca le daba menos aplomo. Una cabeza despeinada de prostituta, de color miel, bajo la cual le picaba su propio cuero cabelludo.

Llevaba un hermoso pañuelo de seda verde anudado al cuello. Su rostro moreno estaba empolvado de un color gris enfermizo, pero eso ocultaba —había insistido Roberta— la sombra de la barba. Sus delgados labios eran del color de una cereza, pero de tanto lamérselos se le había corrido en las comisuras.

—Parece como si acabaran de besarte —le tranquilizó Roberta.

Aunque Garp tenía frío, Roberta no le había permitido ponerse la chaqueta de esquí, porque engrosaba demasiado sus hombros. Garp iba calzado con un par de botas que le llegaban a las rodillas, de tacón elevadísimo, de una especie de vinilo color cereza que hacía juego, había observado Roberta, con el lápiz labial. Garp había visto reflejada su imagen en un escaparate y le había comentado a Roberta que tenía la impresión de parecer una puta adolescente.

—Una puta adolescente *envejecida* —lo había corregido Roberta.

—Una marica advenediza —había dicho Garp.

—No, pareces una mujer, Garp —le había serenado Roberta—. No de muy buen gusto, pero mujer al fin.

Así, Garp ocupó su asiento en el Colegio Mayor de Enfermería. Jugaba con las punzantes trenzas de soga de su ridículo bolso, escuálido objeto de cáñamo de diseño oriental, en que apenas cabía su billetero. Roberta Muldoon había escondido la ropa de Garp —su otra identidad— en su enorme bolso colgante.

—Esa es Manda Horton-Jones —susurró Roberta, mientras señalaba a una mujer delgada de nariz de gavilán, que hablaba con voz nasal y llevaba su cabeza de roedora apuntada hacia abajo; leyó un inflexible discurso previamente preparado.

Garp ignoraba quién era Manda Horton-Jones; se encogió de hombros y la aguantó. Los discursos habían pasado de estridentes apelaciones políticas a la unidad, a perturbadas y dolorosas reminiscencias personales de Jenny Fields. La audiencia no sabía si aplaudir... si vocear su aprobación o asentir tristemente. La atmósfera era al mismo tiempo de duelo y de urgente convocatoria con un perentorio sentido de solidaridad. Bien pensado, Garp supuso que era natural y correcto, tanto respecto a su madre como a su propia y confusa percepción de lo que *era* el movimiento feminista.

—Aquélla es Sally Devlin —susurró Roberta.

A Garp, la mujer que en ese momento subía al estrado de las oradoras le pareció agradable, sensata y vagamente conocida. Inmediatamente sintió la necesidad de defenderse de ella. Aunque no era cierto, dijo para provocar a Roberta:

—Sus piernas son hermosas.

—Más que las tuyas.

Roberta le pellizcó el muslo entre su fuerte pulgar y el largo dedo índice, uno de los dedos que, suponía Garp, se había roto muchas veces durante su época de lanzador de los Eagles de Filadelfia.

Sally Devlin los miró con sus delicados ojos tristes, como si regañara en silencio a dos niños de un aula que no prestaban atención, y ni siquiera se quedaban quietos.

—Ese insensato crimen no merece realmente todo esto —dijo serenamente la oradora—. Pero Jenny Fields ayudó de manera personal a tantas mujeres, fue tan paciente y generosa con las que atravesaban un mal momento. Cualquiera que haya recibido alguna vez ayuda de cualquier persona tiene que sentirse terriblemente mal por lo que le ocurrió a ella.

Garp se sintió terriblemente mal en ese momento: oyó una combinación de suspiros y sollozos de cientos de mujeres. A su lado se sacudieron los anchos hombros de Roberta. Sintió que una mano, quizá de la mujer sentada directamente detrás de él, le agarraba el hombro, se agarrotaba en el mono turquesa. Se preguntó si no estaría a punto de ser abofeteado por su ofensivo e inadecuado atuendo, pero la mano se limitó a seguir apoyada en su hombro. Tal vez la mujer necesita apoyo. Garp sabía que en ese momento todas se sentían hermanadas, ¿no?

Levantó la vista para mirar a Sally Devlin, pero también sus ojos estaban llenos de lágrimas y no logró verla claramente. Sin embargo, la *oyó*: sollozaba ¡Efusivos y agitados sollozos! Trataba de volver a su discurso, pero su mirada no lograba centrarse en la página escrita que crujía contra el micrófono. Una mujer de aspecto fornido, a quien Garp creyó reconocer —una de las guardaespaldas que a menudo veía con su madre—, intentó ayudar a Sally Devlin a bajar del estrado, pero la señorita Devlin no quería marcharse.

—No quería que me ocurriera esto —se refería a sus sollozos, a la pérdida de control—. Tenía que decir algo más —protestó, pero no pudo dominar la voz en medio del llanto—. ¡Maldición! —gritó con una dignidad que conmovió a Garp.

La mujer fornida se encontró sola ante el micrófono. El público esperó serenamente. Garp sintió un temblor, o quizás un tirón, de la mano que se apoyaba en su hombro. Cuando miró las enormes manos de Roberta cruzadas sobre su regazo, comprendió que la que buscaba su hombro tenía que ser muy pequeña.

La mujerona de aspecto duro quería decir algo y el público aguardó. Pero tendrían que aguardar eternamente para oírle pronunciar una palabra. Roberta la conocía. Se puso de pie y empezó a aplaudir el silencio de aquella robusta mujer, su exasperante mudez frente al micrófono. Otras mujeres se unieron al aplauso de Roberta... Hasta que Garp lo hizo, aunque no tenía la menor idea de por qué aplaudía.

—Es una ellenjamesiana —le susurró Roberta—. No *puede* decir nada.

Pero la mujer derritió al público con su penosa expresión. Abrió la boca como si cantara, pero no salió ningún sonido. Garp imaginó que veía el muñón de su lengua. Recordó cuánto había apoyado su madre a esas locas de atar; Jenny era maravillosa para quienquiera se acercara a ella. Pero finalmente Jenny había admitido su desaprobación de lo que habían hecho, aunque quizá sólo delante de Garp. «Se están volviendo víctimas de sí mismas», había dicho Jenny, «y sin embargo, por esa razón están furiosas con los hombres. ¿Por qué no se limitan a hacer votos de silencio o a no hablar nunca en presencia de un hombre? No es lógico mutilarse para destacar una opinión».

Pero Garp, ahora conmovido por la demente que tenía delante, percibió toda la historia de la automutilación del mundo: aunque violenta e ilógica, expresaba, quizá como ninguna otra cosa, un terrible dolor. «Estoy realmente *dolorida*», decía el rostro de aquella mujer, que se disolvió ante los ojos de Garp inundados de lágrimas.

Entonces la pequeña mano apoyada en su nombro le produjo *dolor;* se recordó a sí mismo —un hombre en un ritual para mujeres— y se volvió para ver a la joven de aspecto fatigado que estaba detrás de él. El rostro le resultó familiar pero no la reconoció.

—Te conozco —susurró la joven: no parecía *dichosa* por el encuentro.

Roberta le había advertido que no abriera la boca, que ni siquiera intentara hablar. Pero estaba preparado para manejar ese problema. Meneó la cabeza. Sacó un bloc del bolsillo —aplastado contra su pecho postizo— y cogió un lápiz de su absurdo bolso. Los agudos dedos de la mujer, puntiagudos como garras, se hundieron en su hombro, como si quisieran evitar que Garp escapara.

«¡Hola! Soy una ellenjamesiana»,

garabateó Garp en el bloc; arrancó la hoja y se la extendió a la joven. Ella no la cogió.

—Tú eres T. S. Garp —dijo.

La palabra *Garp* rebotó como el eructo de un animal desconocido en el silencio del sufriente auditorio, aún atento a la muda ellenjamesiana del escenario. Roberta Muldoon se volvió y pareció sobrecogida por el pánico; nunca en su vida había visto a esa jovencita.

—Ignoro quién es tu compañera de juegos —dijo la joven a Garp—, pero tú eres T. S. Garp. No sé de dónde sacaste esa absurda peluca ni esas grandes tetas, pero te conocería en cualquier parte. No has cambiado un ápice desde que te follabas a mi hermana… y te la follaste *a muerte.*

Garp supo quién era su enemiga: la más pequeña de la Horda Percy. ¡Brainbridge! La pequeña Pooh Percy, que de púber llevaba pañales y, por lo que sabía Garp, todavía podía llevarlos.

Garp la miró: sus tetas eran más grandes que las de ella. Pooh iba vestida en un estilo asexuado, su corte de pelo era unisex y sus rasgos no eran delicados ni groseros. Llevaba una camisa del ejército con galones de sargento y un botón de la campaña electoral de la mujer que esperaba ser gobernadora del Estado de New Hampshire. Sorprendido, Garp comprendió que la candidata a la gobernación era Sally Dewlin. Se preguntó si ganaría.

—Hola, Pooh —dijo Garp y la vio pestañear… obviamente ante su odiado apodo, que ya había olvidado—. Bainbridge —se corrigió Garp, pero era demasiado tarde para que tuviera acento amistoso.

Eran *años* demasiado tarde. Era demasiado tarde desde la noche en que Garp le había arrancado de un mordisco la oreja a *Bonkers*, desde la noche en que había violado a Cushie en la enfermería de la Sttering School —en realidad nunca la había amado: no había asistido a su boda ni a su funeral.

Fuera por manía personal contra Garp, o por odio a los hombres en general, Pooh Percy tenía a *su* enemigo a su merced… por fin.

Roberta apoyó su cálida manaza en la espalda de Garp y le ordenó con voz perentoria:

—Sal de aquí, muévete rápido, no digas una sola palabra.

—¡Aquí hay un hombre! —gritó Bainbridge en el doloroso silencio del Colegio Mayor de Enfermería. Sus palabras produjeron un ínfimo sonido, quizás un gruñido, de la inquieta ellenjamesiana que ocupaba el escenario—. ¡Aquí hay un hombre! Y es T. S. Garp. ¡*Garp* está entre nosotras! —chilló.

Roberta trató de conducir a Garp al pasillo. Un lateral es, principalmente, un buen bloqueador y, en segundo lugar, un receptor de pases, pero ni siquiera el ex Robert Muldoon podía eludir a todas esas mujeres.

—Por favor —rogaba Roberta—. Permiso, por favor. Era su *madre*... ustedes lo saben. El era su único hijo.

¡Ella era mi única *madre*!, pensó Garp, apoyado en la espalda de Roberta; sintió que las garras de aguja de Pooh Percy le rastrillaban la cara. Pooh le arrancó la peluca; él se la arrebató y la apretó contra su enorme pecho, como si le importara.

—¡Se folló a mi hermana *a muerte*! —gimió Pooh Percy.

Garp jamás sabría cómo se había convencido de eso Bainbridge, pero evidentemente estaba convencida. Se subió en el asiento que Garp había abandonado y avanzó detrás de él y de Roberta... que finalmente logró llegar al pasillo.

—Era mi madre —dijo Garp a una mujer que era una madre en potencia. Estaba embarazada. En su despectivo rostro Garp vio racionalidad y bondad, también vio control y desdén.

—Déjenle pasar —murmuró la embarazada, aunque sin mucho entusiasmo.

Otras se mostraron más compasivas; algunas gritaron que tenía derecho a estar allí, pero también se gritaron otras cosas carentes de compasión.

Pasillo arriba, Garp sintió que le golpeaban los pechos postizos; estiró la mano en busca de Roberta y se dio cuenta de que la habían eliminado del juego (como se dice en el fútbol). Estaba en el suelo. Varias jóvenes que llevaban abrigos de color verde mar parecían estar sentadas encima de ella. A Garp se le ocurrió que podían pensar que Roberta *también* era un hombre disfrazado; su descubrimiento de que era una mujer real podía ser doloroso.

—¡Huye, Garp! —gritó Roberta.

—¡Sí, *corre,* maldito follador! —chilló una mujer de abrigo verde.

Corrió.

Casi había llegado al fondo de la sala, cuando el golpe de una de las mujeres aterrizó exactamente donde aquélla había apuntado. No le habían golpeado en los cojones desde una práctica de lucha en la Steering, tantos años atrás que había olvidado la total incapacidad que producía. Se cubrió la zona afectada y cayó de costado. Siguieron intentando quitarle la peluca de las manos. Y el bolso. Lo agarró como si se tratara de un asalto. Sintió unas patadas, unos manotazos, y luego el aliento mentolado de una anciana que respiraba cerca de su cara.

—Trata de levantarte —dijo la mujer afablemente.

Garp comprendió que era una enfermera. Una enfermera auténtica. No llevaba un moderno corazón cosido encima del pecho; sólo usaba el pequeño broche de latón azul con su nombre, donde constaba que era diplomada.

—Me llamo Dotty —tenía como mínimo sesenta años.

—Hola. Gracias, Dotty —dijo Garp.

La enfermera le cogió del brazo y le condujo a buen ritmo a través de la multitud restante. Nadie intentó hacerle daño mientras estuvo con ella. Le dejaron pasar.

—¿Tienes dinero para un taxi? —le preguntó Dotty cuando se encontraron en el exterior del Colegio Mayor de Enfermería.

—Sí, creo que sí.

Garp tocó su horrible bolso y comprobó que el billetero seguía allí. Y la peluca —aún más despeinada— apretada entre su torso y el brazo. Roberta tenía su ropa y Garp buscó en vano alguna señal de que emergiera del primer funeral feminista.

—Ponte esa peluca —le aconsejó Dotty—, para que no te confundan con un travesti —luchó por ponérsela ella y le ayudó—. La gente es muy dura con los travestis —agregó Dotty.

La anciana enfermera se quitó unas horquillas de sus canas y acomodó la peluca a Garp. El rasguño que tenía en la mejilla, le dijo, pronto dejaría de sangrar.

En los peldaños de la Escuela de Enfermería, una negra alta, de la complexión de Roberta, blandió un puño ante Garp pero no abrió la boca. Tal vez se trataba de otra ellenjamesiana. Otras mujeres se reunieron allí y Garp temió que pensaran en lo oportuno de un ataque abierto. Extrañamente, en un extremo del grupo —aunque aparentemente sin ninguna relación con ellas—, había una fantasmal muchacha, o una niña apenas adulta; era una rubia de penetrantes ojos del color de un platillo manchado de café, ojos de toxicómana, o de alguien que hubiera llorado mucho. Garp sintió que se anonadaba por esa mirada y le tuvo miedo, como si estuviera *realmente* loca, una especie de adolescente que formara parte de un grupo de choque del movimiento feminista, con una pistola en su descomunal bolso. Garp apretó su propia bolsa deshilachada y recordó que al menos su billetero estaba lleno de tarjetas de crédito; tenía efectivo suficiente para pagar un taxi hasta el aeropuerto y las tarjetas de crédito le permitirían coger el avión hasta Boston, al seno —por así decirlo— de su familia. Lamentó no poder quitarse las ostentosas tetas, pero allí seguían, como si hubieran nacido con él... y con su mono, alternativamente ceñido y holgado. Era todo lo que tenía y así tendría que arreglarse. En su estrepitosa escapada de la Escuela de Enfermería, Garp vio que Roberta estaba inmersa en las agonías del debate, si no del combate. Retiraron del interior a alguien que se había desmayado, o que había sido maltratada; entró la policía.

—Tu madre fue una enfermera de primera y una mujer que enorgullece a todas las mujeres —dijo Dotty a Garp—. Estoy segura de que también fue una buena madre.

—Sí, lo fue —respondió Garp.

La enfermera llamó a un taxi; luego Garp la vio apartarse del bordillo en dirección a la Escuela de Enfermería. Las mujeres que parecían tan amenazadoras en los peldaños exteriores del edificio, no mostraron interés en molestarla. Llegaron más policías; Garp buscó con la mirada a la extraña niña de ojos como platillos, pero no la vio entre las demás mujeres.

Garp preguntó al taxista quién era el nuevo gobernador de New Hampshire. Intentó ocultar la profundidad de su voz, pero el conductor, familiarizado con las excentricidades de su trabajo, no pareció sorprenderse por su voz ni por su aspecto.

—Estuve fuera del país —explicó Garp.

—No te perdiste nada, encanto —respondió el taxista—. Esa fulana fracasó.

—¿Sally Devlin?

—Se derrumbó delante de las cámaras de televisión. Estaba tan reventada por el asesinato que no pudo dominarse. Empezó a pronunciar un discurso pero no pudo terminarlo. A mí me pareció una verdadera idiota —prosiguió el taxista—. No puede ocupar el puesto de gobernador si no sabe controlarse.

Garp vio emerger la costumbre del fracaso de la mujer. Quizás el gobernador actual había señalado que la incapacidad de la señorita Devlin para controlar sus emociones era «muy femenina». Desacreditada por la demostración de sus sentimientos hacia Jenny Fields, se juzgaba que Sally Devlin no era competente para cualquiera de las dudosas tareas que imponía el hecho de ser gobernador.

Garp sintió vergüenza. Vergüenza de los demás.

—En mi opinión —continuó el taxista—, era necesario que ocurriera algo como esa muerte para demostrarle a la gente que esa mujer era incapaz para el puesto, ¿comprendes?

—Cierra el pico y conduce —ordenó Garp.

—Oye, encanto, no tengo por qué aguantar ningún *abuso*.

—Eres un cretino imbécil. Si no me llevas al aeropuerto con la boca cerrada, le diré a un policía que intentaste manosearme.

424

El taxista apretó el acelerador a fondo y condujo un rato en silencio, esperando que la velocidad asustara a su pasajera.

—Si no disminuyes la velocidad —amenazó Garp—, le diré a un policía que intentaste violarme.

—¡Qué raras son las mujeres! —musitó el taxista, pero disminuyó la velocidad y fue hasta el aeropuerto sin abrir la boca.

Garp puso la propina sobre el capó y algunas monedas rodaron por la abertura existente entre el capó y el guardabarros.

—¡Jodidas *mujeres*! —musitó el taxista.

—¡Malditos *hombres*! —exclamó Garp mientras sentía, aunque en una mezcla de sentimientos, que había cumplido con su deber al contribuir a que continuara la guerra de los sexos.

En el aeropuerto pusieron objeciones a la tarjeta del American Express y solicitaron a Garp otra identificación. Inevitablemente, le preguntaron por el significado de las iniciales T. S. Evidentemente, la expendedora de billetes no tenía ningún contacto con el mundo literario, pues ignoraba quién era T. S. Garp.

Garp informó a la empleada que T. significaba Tillie y S. correspondía a Sarah.

—¿Tillie Sarah Garp? —la joven expendedora de billetes desaprobaba, claramente, el aspecto sumamente atractivo pero de ramera de Garp—. ¿Nada que declarar y no lleva equipaje?

—No, nada.

—¿Tiene abrigo? —le preguntó la azafata al tiempo que le echaba una mirada apreciativa.

—No llevo abrigo —la azafata pegó un brinco ante la profundidad de su voz—. Ninguna maleta ni nada que cuelgue —Garp sonrió.

Sentía que todo lo que llevaba eran *pechos* —esos terribles parachoques que Roberta le había hecho—, y caminó encorvado y con los hombros hundidos con la intención de ocultarlos. Pero no había modo de disimularlos.

En cuanto encontró asiento, un hombre decidió sentarse a su lado. Garp se dedicó a mirar por la ventanilla. Algunos pasajeros todavía se apresuraban a fin de coger el avión. Entre ellos, vio a una chiquilla fantasmal de pelo rubio. Tampoco llevaba abrigo ni equipaje. Sólo aquel enorme bolso, lo bastante grande como para contener una bomba. Garp percibió claramente la presencia del Sapo Sumergido: un culebreo en su cadera. Dirigió la mirada al pasillo con el propósito de ver dónde se había sentado la jovencita, pero vio la expresión impúdica del hombre que se había sentado a su lado.

—Cuando estemos en el aire —dijo su acompañante en tono malicioso—, ¿me permitirás que te invite a un trago? —sus pequeños ojos, muy juntos, se clavaron en la cremallera del ceñido mono turquesa de Garp.

Garp sintió que le embargaba un tipo peculiar de suciedad. No había elegido nacer con semejante anatomía. Lamentó no poder pasar un rato tranquilo, conversando con la sensata y bonita Sally Devlin, la fracasada candidata a la gobernación de New Hamphire. Le habría dicho que era demasiado buena para ocupar un puesto tan podrido.

—¡Qué traje llevas! —observó el impúdico compañero de asiento de Garp.

—¡Métete el pito en el culo! —dijo Garp.

Al fin y al cabo, era el hijo de la mujer que había herido a un fastidioso seductor en un cine de Boston... años atrás, mucho tiempo atrás.

El conquistador luchó por levantarse pero no pudo: el cinturón de seguridad no quería soltarle. Miró impotente a Garp. Este se inclinó sobre el regazo del hombre atrapado —mientras olía su propio perfume, escanciado generosamente por Roberta—, pulsó correctamente el cierre y le liberó con un agudo chasquido. Luego susurró amenazante en la roja oreja del seductor:

—Cuando estemos en el aire, encanto, ve a hacerte una paja en el lavabo.

Pero cuando el hombre se marchó, el asiento del lado del pasillo quedó vacío, como una invitación. Garp contempló desafiante el asiento vacante, retando a cualquier hombre a que se atreviera a ocuparlo. La persona que se acercó a Garp hizo flaquear su confianza momentánea. Era muy delgada, tenía infantiles manos huesudas y apretaba su exagerado bolso. No pidió permiso; se sentó. Hoy el Sapo Sumergido es una muchacha muy joven, pensó Garp. Cuando la chica metió la mano en el bolso, Garp le apretó la muñeca, quitó su mano del bolso y la apoyó sobre su regazo. La muchacha no era fuerte y en su mano no había ninguna pistola, ni siquiera un cuchillo. Garp sólo vio un bloc de papel y un lápiz con la goma de borrar mordisqueada.

—Disculpa —susurró Garp.

Si no era una asesina, Garp creyó adivinar quién o qué era. «¿Por qué mi vida está tan llena de gente con problemas de dicción?», escribió en cierta ocasión. «¿O será que como soy escritor percibo todas las voces defectuosas que me rodean?»

La niña desamparada y no violenta que iba sentada a su lado, escribió de prisa y le entregó una nota.

—Sí, sí —dijo Garp hastiado—. Eres una ellenjamesiana.

Pero la muchacha se mordió el labio y sacudió violentamente la cabeza. Lo obligó a coger la nota.

«Me llamo Ellen James»,

426

informó la nota a Garp.

«No soy una ellenjamesiana.»

—¿Eres *la* Ellen James?

La pregunta era innecesaria y él lo sabía; con sólo mirarla tendría que haberlo sabido. Tenía la edad correspondiente; no mucho tiempo atrás había sido la niña violada de once años a la que habían cortado la lengua. De cerca, los ojos como platillos manchados no se veían sucios, sino sencillamente inyectados de sangre, quizás insomnes. Tenía el labio inferior mellado y semejante a la extremidad de un lápiz mordisqueado.

Ellen James siguió escribiendo.

«Vengo de Illinois. Mis padres murieron hace poco en un accidente automovilístico. Vine al Este para conocer a tu madre. ¡Le escribí una carta y me contestó! Su respuesta fue maravillosa. Me invitó a vivir con ella. También me aconsejó que leyera todos tus libros».

Garp volvió las minúsculas páginas del bloc sin dejar de sonreír.

«¡Pero mataron a tu madre!»

Ellen James sacó de su enorme bolso un pañuelo marrón con el que se sonó la nariz.

«Estuve con un grupo de mujeres en Nueva York. Pero ya conocía a demasiadas ellenjamesianas. De hecho, son todo lo que conozco; recibo centenares de tarjetas de Navidad»,

escribió. Hizo una pausa para que Garp leyera la última línea.

—Sí, sí, no me cabe la menor duda —la estimuló.

«Asistí al funeral, naturalmente. Fue porque sabía que tú estarías allí. Sabía que vendrías»,

escribió; interrumpió para sonreírle. Luego ocultó el rostro en el sucio pañuelo marrón.

—¿Querías *verme*? —preguntó Garp.

Ella movió la cabeza afirmativamente, con entusiasmo. Sacó de su bolso un ajado ejemplar de *El mundo según Bensenhaver*.

«El mejor relato sobre una violación que he leído en mi vida», escribió Ellen James. Garp parpadeó.

«¿Sabes cuántas veces he leído este libro?»,

escribió. El observó sus ojos llenos de lágrimas, que le miraban con admiración. Garp meneó la cabeza, tan mudo como una ellenjamesiana. Ella le tocó la cara; sus manos eran torpemente infantiles. Levantó los dedos para que él contara. Todos los de una mano y la mayoría de la otra. Ellen James había leído su terrible libro ocho veces.

—Ocho veces —murmuró Garp.

Ella asintió y le sonrió. Se apoyó en el respaldo del asiento del avión como si su vida estuviera cumplida, ahora que estaba sentada a su lado, volando hacia Boston, ya que no con la mujer a la que admiraba desde Illinois, al menos con el único hijo de esa mujer, que tendría que bastarle.

—¿Has ido a la universidad? —preguntó Garp.

Ellen James levantó un sucio dedo y puso expresión de desdicha.

—¿Un año? —tradujo Garp—. Pero no te gustó. ¿No marcharon bien las cosas?

Ella movió afirmativamente la cabeza.

—¿Y qué quieres ser? —le preguntó, conteniéndose apenas de agregar: *cuando seas mayor*.

Ellen James le señaló y se ruborizó. Al señalarlo le tocó las enormes tetas.

—¿Escritora? —dedujo Garp.

Ellen se relajó y sonrió: él la comprendía tan bien, parecía decir su expresión. Garp sintió que se le hacía un nudo en la garganta. Aquella chica le impresionaba como uno de esos niños condenados sobre los que había leído algo: los que carecen de anticuerpos y no poseen defensas naturales contra las enfermedades. Si no pasan toda su vida en sacos de plástico, mueren de su primer catarro corriente. Y allí estaba Ellen James, de Illinois, fuera de su burbuja.

—¿De modo que has perdido a tus padres? —ella asintió y volvió a morderse el labio—. ¿Y no tienes más parientes? —ella meneó la cabeza.

Garp sabía lo que habría hecho su madre. Sabía que a Helen no le importaría y Roberta, por supuesto, siempre sería una ayuda. Además de todas aquellas mujeres que habían sido ultrajadas y ahora estaban curadas, a su manera.

—Bien, *ahora* ya tienes una familia —dijo Garp a Ellen James.

Le tomó la mano y parpadeó al oír sus propia voz invitándola. Oyó el eco de la voz de su madre en su viejo papel melodramático: Las aventuras de la buena enfermera.

Ellen James cerró los ojos como si se hubiera desmayado de alegría. Cuando la azafata le pidió que se ajustara el cinturón de seguridad, Ellen James no la oyó; Garp lo hizo por ella. Durante el breve vuelo a Boston, la muchacha expresó todos sus sentimientos.

«Detesto *a las ellenjamesianas*»,

escribió.

«Jamás me haría eso a mí misma.»

Abrió la boca y señaló su carencia. Garp se encogió.

«Yo quiero hablar; quiero decirlo todo»,

escribió Ellen James. Garp observó que los deformados pulgar e índice de la mano con que escribía tenían como mínimo el doble del tamaño de los útiles no usados de su otra mano; tenía un músculo escritor que él nunca había visto. El calambre del escritor no existe para Ellen James, pensó Garp.

«Las palabras brotan y brotan»,

escribió. Aguardaba la aprobación de Garp línea por línea. El asentía y ella proseguía. Escribió para él toda su vida: la profesora de literatura de la escuela secundaria, la única que contaba; el eccema de su madre; el Ford Mustang que su padre conducía a demasiada velocidad.

«He leído de todo»,

escribió. Garp le dijo que Helen también era una gran lectora; pensó que a Ellen le gustaría Helen. La muchacha pareció muy ilusionada.

«¿Cuál era tu escritor favorito cuando eras chico?»

—Joseph Conrad —dijo Garp y ella mostró su aprobación.

«Mi autora favorita era Jane Austen.»

—Me parece muy bien —coincidió Garp.

En el aeropuerto de Logan ella avanzó casi dormida; Garp la condujo a través de los corredores y la apoyó en el mostrador donde llenó los formularios necesarios para alquilar un coche.

—¿T. S.? —preguntó el encargado.

Uno de los pechos postizos de Garp se deslizó de costado y el hombre pareció angustiarse al pensar que todo su cuerpo turquesa podía desmembrarse.

En el coche que avanzaba hacia el norte por el oscuro camino que llevaba a Steering, Ellen James durmió como una gatita ovillada en el asiento trasero. Por el espejo retrovisor, Garp observó que tenía la rodilla despellejada y que se chupaba el pulgar mientras dormía. Al fin y al cabo, el funeral de Jenny Fields había sido positivo; un mensaje esencial había pasado de madre a hijo. Allí estaba él, jugando a la enfermera con alguien. Más importante aún, Garp finalmente comprendió cuál había sido el genio de su madre: un instinto correcto. *¡Jenny Fields siempre había hecho lo que estaba bien!* Garp abrigó la esperanza de ver algún día la relación existente entre esa lección y su obra, pero ésta era una meta personal —al igual que otras, le llevaría poco tiempo. Y más importante aún, en el coche que lo acercaba a Steering —con la auténtica Ellen James dormida y a su cuidado—, T. S. Garp decidió que intentaría *ser* más semejante a su madre, Jenny Fields.

Idea, pensó ahora, que habría complacido sumamente a su madre si se le hubiera ocurrido a él cuando ella estaba viva.

«Parece que a la muerte», escribió Garp, «no le gusta aguardar a que estemos preparados para recibirla. La muerte es complaciente y disfruta, cuando puede, de cierta inclinación por lo dramático.»

Así Garp, con las defensas bajas y la sensación de que el Sapo Sumergido huía de él —al menos desde su llegada a Boston—, entró en casa de Ernie Holm, su suegro, con la durmiente Ellen James en brazos. Podía tener diecinueve años, pero costaba menos llevarla en volandas que a Duncan.

Garp no estaba preparado para ver el rostro gris del decano Bodger, solo en el salón a oscuras, viendo la televisión. El anciano decano, que pronto se jubilaría, pareció aceptar que Garp fuera vestido como una prostituta, pero contempló con horror a la dormida Ellen James.

—¿Está…?

—Está dormida —respondió Garp—. ¿Dónde está todo el mundo?

Al pronunciar la pregunta, Garp oyó el frío brinco del Sapo Sumergido que golpeaba los suelos también fríos de la casa en silencio.

—He intentado encontrarte antes —dijo el decano Bodger—. Se trata de Ernie.

—El corazón —adivinó Garp.

—Sí —confirmó Bodger—. Dieron algo a Helen para ayudarla a dormir. Está arriba. Me pareció mejor quedarme hasta que llegaras... para que, si los chicos se despertaban y necesitaban algo, no molestaran a Helen. Lo siento, Garp. A veces estas cosas ocurren juntas, o eso parece.

Garp sabía que a Bodger también le gustaba su madre. Dejó a la dormida Ellen James en el sofá del salón y apagó el nocivo televisor, que azulaba el rostro de la muchacha

—¿Mientras dormía? —preguntó Garp a Bodger y se quitó la peluca—. ¿Encontró a Ernie aquí?

El pobre decano pareció nervioso.

—Estaba arriba, en la cama. Le llamé desde aquí, pero me di cuenta de que tenía que subir para encontrarle. Le arreglé un poco antes de llamar a nadie.

—¿Le arregló? —inquirió Garp.

Abrió la cremallera del horrible mono turquesa y se arrancó los pechos. Tal vez el viejo decano pensó que era un disfraz de viaje del ahora famoso escritor.

—Te ruego que nunca se lo digas a Helen —pidió Bodger.

—¿Que no le diga qué?

Sacó la revista... de debajo de su abultado chaleco. Era el ejemplar de «Instantáneas del chumino» donde se había publicado el primer capítulo de *El mundo según Bensenhaver*. La revista estaba muy ajada.

—Ernie la miraba... cuando su corazón se detuvo —explicó Bodger.

Garp cogió la revista e imaginó la mortífera escena. Ernie Holm se masturbaba mirando las fotografías de castores húmedos cuando su corazón dejó de latir. Según un chiste de los tiempos de Garp en la Steering, aquélla era la forma preferida de «irse». Entonces así se había ido Ernie, y el bondadoso Bodger le había subido los pantalones y había ocultado la revista de la mirada de la hija del entrenador.

—Tuve que decírselo al médico, ¿comprendes?

Una desagradable metáfora del pasado de su madre acometió a Garp como una náusea, pero no le dijo nada al viejo decano. ¡La lujuria degrada al hombre! La solitaria vida de Ernie deprimió a Garp.

—Y tu madre... —suspiró Bodger y meneó la cabeza bajo la fría luz del vestíbulo reflejada en el oscuro campus de la Steering—. Tu madre era alguien especial —musitó el anciano—. Una auténtica luchadora —comentó con orgullo el pobre Bodger—. Todavía guardo copia de las notas que le escribía a Stewart Percy.

—Usted siempre fue muy bueno con ella —le recordó Garp.

—Valía más que cien Stewart Percy juntos, lo sabes, Garp.

—Lo sé.

—¿Sabes que también *él* se ha ido? —preguntó Bodger.

—¿Fat Stew?

—Ayer. Después de una prolongada dolencia... ya sabes lo que esta expresión significa, ¿verdad?

—No —Garp ni siquiera lo había pensado nunca.

—Por lo general, cáncer —dijo Bodger con gravedad—. Lo padeció largo tiempo.

—Bien, lo lamento —dijo Garp.

Pensaba en Pooh y en Cushie, naturalmente. Y en su antiguo enemigo Bonkers, cuya oreja todavía saboreaba en sueños.

—Habrá cierta confusión respecto a la capilla de Steering. Helen te lo explicará. El servicio de Stewart se celebrará por la mañana y el de Ernie a última hora de la tarde. Y estarás enterado, naturalmente, de lo de Jenny.

—¿De qué?

—El homenaje.

—¡Caray, no! —exclamó Garp—. ¿Un homenaje *aquí*?

—Ahora hay chicas aquí —dijo Bodger—. Tendría que decir *mujeres* —agregó, meneando la cabeza—. No sé, son terriblemente jóvenes... Para mí son niñas.

—¿Alumnas?

—Sí, estudiantes. Las alumnas hicieron una votación y decidieron dar su nombre a la enfermería.

—¿A la enfermería?

—Bueno, tú sabes que nunca tuvo nombre y la mayoría de nuestros edificios lo tienen.

—Enfermería Jenny Fields —dijo Garp, casi entumecido.

—Suena bien, ¿no? —Bodger ignoraba si Garp pensaba lo mismo, aunque en realidad a éste no le importaba.

Durante aquella larga noche, Bebé Jenny se despertó una vez; cuando Garp logró separarse del cuerpo cálido y profundamente dormido de Helen, descubrió que Ellen James había encontrado ya a la cría y estaba calentando un biberón. Extraños arrullos y gruñidos adecuados para bebés surgían suavemente de la boca sin lengua de Ellen James. Había trabajado en una guardería de Illinois, le había escrito a Garp en el avión. Sabía todo lo que hay que saber acerca de los bebés, e incluso sabía reproducir sus sonidos.

Garp le sonrió y volvió a la cama.

Por la mañana le contó a Helen todo lo referente a Ellen James y hablaron de Ernie.

—Me alegro de que haya muerto mientras dormía —comentó Helen—. Cuando pienso en tu madre...

—Sí, sí —la interrumpió Garp.

Presentaron a Ellen James a Duncan. Tuerta y deslenguada, pensó Garp, mi familia obrará de común acuerdo.

Cuando Roberta llamó para narrar su detención, Duncan —que era el humano parlante menos cansado de toda la casa— le informó que Ernie había muerto de un síncope.

Helen encontró el mono turquesa y el enorme sostén en el cubo de la basura de la cocina; pareció alegrarse. De hecho, las botas de vinilo color cereza le quedaban mejor que a Garp, pero también las devolvió a la basura. Ellen James quiso guardar el pañuelo verde (Helen la llevó a comprar más ropa). Duncan pidió y obtuvo la peluca que —con gran irritación de Garp— se dejó puesta casi toda la mañana.

El decano Bodger telefoneó para preguntar si podía ser útil en algo.

Un hombre, el nuevo director de Instalaciones de la Steering School, entró en la casa para hablar confidencialmente con Garp. El director de Instalaciones le explicó que Ernie había vivido en una casa de la facultad y que, en cuanto a Helen le resultara conveniente, debía llevarse las pertenencias de su padre. Garp tenía entendido que la vivienda original de Steering —la casa de Midge Steering Percy —había sido devuelta a la escuela unos años atrás: un regalo de Midge y Fat Stew, en cuya ocasión se había celebrado una ceremonia. Garp respondió al director de Instalaciones que esperaba que a Helen le dieran tanto tiempo como le habían dado a Midge para retirar las cosas.

—*Venderemos* ese mamotreto —confió el director a Garp—. Es un revulsivo.

La vivienda de la familia Steering, en el recuerdo de Garp, no era ningún revulsivo.

—Tiene historia —dijo Garp—. Pensé que la querrían... y fue un donativo...

—Las cañerías son espantosas —el hombre insinuaba que, en su senilidad avanzada, Midge y Fat Stew habían dejado el lugar hecho una ruina—. Puede ser una encantadora casa vieja y todo lo demás... —prosiguió el joven director de Instalaciones—, pero la escuela tiene que mirar hacia el futuro. Tenemos suficiente *historia* en los alrededores. No podemos hundir nuestros fondos para la vivienda en la historia. Necesitamos edificios que la escuela pueda *usar*. Hagamos lo que hagamos con esa vieja mansión, sólo es una casa de familia.

Cuando Garp informó a Helen que venderían la casa de los Percy en la Steering, ella se derrumbó. En realidad, lloraba por su padre, naturalmente, y por todo lo demás, pero la idea de que la Steering School ni siquiera *quería* conservar la casa más importante de su infancia les deprimió a ambos.

Luego Garp salió a hablar con el organista de la capilla de la Steering para que en el funeral de Ernie no se tocara la misma música que se tocaría por la mañana para Fat Stew. Esto interesaba especialmente a Helen; estaba tan alterada que Garp no discutió la evidente futilidad del recado.

La capilla de la Steering era un achaparrado intento de edificio Tudor; la iglesia estaba tan envuelta en hiedra que parecía brotar de la tierra y esforzarse por atravesar las enmarañadas enredaderas. Las perneras de los oscuros pantalones de John Wolf —sujetas con alfileres— arrastraban bajo los talones de Garp cuando se asomó a la mohosa capilla (no había enviado el traje a un sastre; él mismo había acortado los bajos). Los primeros acordes de la música del órgano cubrieron a Garp como si se tratara de humo. Creía llegar temprano, pero con pavor comprendió que ya había comenzado el funeral de Fat Stew. El público estaba compuesto por ancianos y era apenas reconocible: los ancianos de la comunidad de la Steering que asistían a *cualquier* muerte, como si con doble compasión pudieran anticipar la propia. A *esta* muerte, pensó Garp, asistían principalmente porque Midge estaba en Steering; Stewart Percy se había granjeado muy pocos amigos. Los bancos estaban salpicados de viudas; sus pequeños sombreros negros con velos parecían oscuras telarañas que habían caído sobre sus cabezas.

—Me alegro de que hayas venido, Jack —dijo un hombre de negro a Garp. Este se había deslizado casi sin ser notado en un asiento del fondo; tenía la intención de esperar a que pasara la penosa ceremonia para después hablar con el organista—. Nos faltan músculos para levantar el ataúd.

Garp reconoció a su interlocutor: el conductor del coche fúnebre de la funeraria.

—No soy un portaféretros —susurró Garp.

—Tendrás que serlo, de lo contrario no lograremos sacarlo de aquí. Es muy pesado.

El conductor del coche fúnebre olía a cigarros. Garp sólo tuvo que echar un vistazo alrededor de los asientos moteados de sol de la capilla de la Steering para comprobar que el hombre tenía razón. Sólo canas y calvos le contemplaron desde las pocas cabezas masculinas; había como mínimo trece o catorce bastones apoyados en los asientos. Además de dos sillas de ruedas.

Garp dejó que el conductor le cogiera el brazo.

—Me aseguraron que habría más *hombres* —se quejó el conductor—, pero no apareció ninguno saludable.

Garp fue conducido a primera fila, al otro lado del asiento correspondiente a la familia. Con horror vio a un hombre tendido en el asiento en que se suponía debía sentarse, por lo que lo llevaron a la fila de los Percy, donde se encontró sentado junto a Midge. Garp se preguntó por un instante si el anciano extendido en el asiento del otro lado sería otro cadáver que aguardaba su turno.

—Aquél es el tío Harris Stanfull —susurró Midge a Garp, señalando con la cabeza al durmiente, que parecía un muerto.

—Es el tío *Horace Salter,* madre —dijo el hombre sentado al otro lado de Midge.

Garp reconoció a Stewie Two, corpulento y coloradote: el mayor de los Percy y único hijo superviviente. Tenía algo que ver con el aluminio de Pittsburgh. Stewie Two no había visto a Garp desde que éste tenía cinco años, y no dio muestras de reconocerle. Tampoco Midge daba la sensación de conocer a nadie. Marchita y pálida, con manchas marrones en el rostro, del tamaño y la complejidad de cacahuetes sin cáscara, Midge tenía un tic en la cabeza, que la hacía oscilar en el asiento como si fuera una gallina que trata de decidir qué ha de picotear.

De una sola mirada Garp comprendió que el féretro tendría que ser alzado por Stewie Two, el conductor del coche fúnebre y él. Dudó de que lo lograran. ¡Qué extraño ser tan poco querido!, pensó Garp, mientras observaba la enorme nube gris que era el ataúd de Stewart Percy... afortunadamente cerrado.

—Lo siento, joven —susurró Midge a Garp; su mano enguantada se apoyó tan levemente sobre su brazo como si fuera uno de los periquitos de la familia Percy—. No recuerdo su *nombre* —dijo, afable en su senilidad.

—Ah —dijo Garp. Entre «Smith» y «Jones», Garp tropezó con una palabra que se le escapó—: Smoans.

El apellido le sorprendió tanto a él como a Midge. Stewie Two no parecía oírle.

—¿Usted es el señor Smoans? —preguntó Midge.

—Sí, Smoans —confirmó Garp—. Smoans, de la clase del 61. El señor Percy fue profesor mío de historia. «Mi participación en el Pacífico.»

—¡Claro, señor Smoans! Ha sido muy considerado al venir —dijo Midge.

—Fue una noticia muy dolorosa para mí —dijo el señor Smoans.

—Sí, para *todos* —Midge paseó cautelosamente la mirada por la capilla semivacía. Una convulsión hizo que todo su rostro temblara, y la piel floja de sus mejillas produjo un suave sonido de bofetada.

—Madre... —le advirtió Stewie Two.

—Sí, sí, Stewart —se volvió al señor Smoans—. Es una pena que no puedan estar aquí todos nuestros hijos.

Naturalmente, Garp sabía que el esforzado corazón de Dopey había dejado de latir, que William se había perdido en una guerra, que Cushie había sido víctima de un parto. Garp creyó saber, vagamente, dónde se encontraba Pooh. Con gran alivio notó que Bainbridge Percy no estaba en el banco de la familia.

Fue allí, en el banco de los Percy sobrevivientes, donde Garp recordó otro día.

«¿Adónde vamos después de morir?», preguntó una vez Cushie Percy a su madre. Fat Stew eructó y salió de la cocina. Estaban todos los niños Percy: William, a quien aguardaba una guerra; Dopey, cuyo corazón juntaba grasa; Cushie, que no pudo reproducir y cuyas trompas vitales se enredarían; Stewie Two, que se dedicó al aluminio. Y sólo Dios sabe lo que le ocurrió a Pooh. También estaba presente el pequeño Garp, en la suntuosa cocina campestre de la vasta casa de la familia Steering.

—Bueno, después de la muerte... —respondió Midge Steering Percy a todos sus hijos y también al pequeño Garp—, todos vamos a una gran *casa*, parecida a ésta.

—Pero *más grande* —dijo seriamente Stewie Two.

—Eso espero —dijo William con tono preocupado.

Dopey no entendió el significado de la conversación. Pooh todavía no hablaba. Cushie afirmó que no lo creía —sólo Dios sabe dónde fue *ella*.

Garp pensó en la vasta casa de familia de la Steering... ahora en venta. Comprendió que quería comprarla.

—¿Señor Smoans? —Midge le dio un codazo.

—Hummm —fue la respuesta de Garp.

—El ataúd, Jack —musitó el conductor del coche fúnebre.

Stewie Two, corpulento junto al conductor, miró seriamente en dirección al enorme ataúd que ahora albergaba los restos de su padre.

—Se necesitan a cuatro —dijo el conductor—. Como mínimo.

—No, yo solo puedo ocuparme de uno de los costados —afirmó Garp.

—El señor Smoans parece muy fuerte —observó Midge—. No muy *grande*, pero fuerte.

—¡Madre! —exclamó Stewie Two.

—Sí, sí, Stewart.

—Se necesitan a cuatro. Eso es todo —insistió el conductor.

Garp no opinaba lo mismo. El solo podría levantar el ataúd.

—Vosotros dos del otro lado y... ¡arriba!

Un frágil murmullo llegó a Garp, proveniente de los asistentes al funeral de Fat Stew, horrorizados ante el aparentemente inamovible ataúd. Pero Garp creía en sí mismo. Allí sólo había muerte; naturalmente, sería pesado el peso de su madre Jenny Fields, el peso de Ernie Holm y del pequeño Walt (que era el más pesado de todos). Dios sabe cuánto pesaban todos juntos, pero Garp se plantó a un costado del gris féretro de Fat Stew. Estaba preparado.

Fue el decano Bodger quien se ofreció como voluntario para completar el cuarteto.

—Jamás pensé que estarías aquí —susurró Bodger a Garp.

—¿Conoce al señor Smoans? —preguntó Midge al decano.

—Smoans, del 61 —dijo Garp.

—Ah, sí, *Smoans*, por supuesto —aceptó Bodger.

El cazador de palomas, el zanquituerto sheriff de la Steering School, levantó su parte del ataúd con Garp y los demás. Así lanzaron a Fat Stew a otra vida. O, con optimismo, a otra casa más amplia.

Bodger y Garp caminaron penosamente detrás de los regazados que cojeaban con paso vacilante en dirección a los automóviles que los transportarían al cementerio de Steering. Cuando el anciano público desapareció, Bodger llevó a Garp al bar de Buster, donde se sentaron a tomar café. Evidentemente, Bodger aceptó el hecho de que Garp tuviera la costumbre de cambiar de sexo por la noche y de nombre durante el día:

—Ah, Smoans, quizás ahora tu vida se asiente y seas feliz y próspero.

—Al menos próspero —dijo Garp.

Garp había olvidado absolutamente pedir al organista que no repitiera la música de Fat Stew en el funeral de Ernie Holm. De cualquier manera, ni siquiera la había escuchado: no la reconocería si la repetían. Y Helen no había asistido al funeral de Fat Stew, de modo que no notaría nada. Garp sabía que a Ernie tampoco le afectaría.

—¿Por qué no te quedas una temporada con nosotros? —preguntó Bodger a Garp; con su mano fuerte y gordinflona rozó las legañosas ventanas del bar de Buster y abarcó el campus de la Steering School—. No somos un *mal* lugar, en realidad...

—Vosotros sois el único lugar que conozco —dijo Garp en tono neutro.

Garp sabía que su madre había escogido una vez la Steering, al menos como lugar para criar a su hijo. Y Jenny Fields, sabía Garp, tenía buen olfato. Terminó su café y estrechó afectuosamente la mano del decano Bodger. Todavía tenía que asistir a otro funeral. Luego consideraría con Helen el futuro.

Costumbres del Sapo Sumergido

Aunque recibió una cordial invitación del Departamento de Literatura Inglesa, Helen no estaba segura de si quería dar clases en la Steering School.

—Creí que querías volver a enseñar —dijo Garp.

Pero Helen aguardaría un tiempo antes de aceptar un puesto en la escuela en que no se permitía el ingreso de niñas cuando ella lo era.

—Quizá cuando Jenny esté en edad de ingresar. Entretanto, soy feliz leyendo, sólo leyendo.

Como escritor, Garp envidiaba y al mismo tiempo desconfiaba de la gente que leía tanto como Helen.

Y ambos estaban desarrollando una aprensión que los preocupaba: pensaban con tanta cautela acerca de sus vidas como si fueran ancianos. Por supuesto, Garp siempre había tenido esa obsesión con respecto a la protección de sus hijos; ahora, por fin, comprendía que el antiguo deseo de Jenny Fields de querer continuar viviendo con su hijo no era tan anormal.

Los Garp se quedaron en Steering. Tenían tanto dinero como pudieran necesitar el resto de su vida; Helen no *tenía* que hacer nada, si no deseaba hacerlo. Pero Garp sentía la necesidad de hacer algo.

—Escribirás —dijo Helen, hastiada.

—No durante un tiempo —afirmó Garp—. Quizá nunca. Al menos estoy seguro de que no lo haré pronto.

Sus palabras chocaron a Helen como una señal de senilidad prematura, pero había llegado a compartir la ansiedad con Garp —su deseo de conservar lo que tenía, incluida la cordura— y sabía que él compartía con ella la vulnerabilidad del amor conyugal.

Helen no hizo ningún comentario cuando Garp se presentó en el Departamento de Atletismo de la Steering y se ofreció como sustituto de Ernie Holm.

—No tienen que pagarme —les dijo—. El dinero no me interesa; sólo quiero ser entrenador de lucha.

Tuvieron que reconocer que Garp haría un trabajo eficaz. El que había sido un programa intenso comenzaría a desmoronarse si no reemplazaban a Ernie.

—¿No quiere un sueldo? —le preguntó el presidente del Departamento de Atletismo.

—No *necesito* dinero. Lo que necesito es *hacer* algo que *no* sea escribir.

Excepto Helen, nadie sabía que en este mundo, T. S. Garp sólo había aprendido a hacer dos cosas: escribir y luchar.

Probablemente Helen era la única que sabía por qué no podía (momentáneamente) escribir. Más tarde, la certeza de Helen la expresaría el crítico A. J. Harms, que afirmó que la obra de Garp se veía progresivamente debilitada por su paralelismo cada vez más estrecho con su historia personal. «A medida que se vuelve autobiográfico, su obra es de miras más estrechas; además, se le percibe menos a gusto en su quehacer. Es como si no sólo supiera que su trabajo resulta *personalmente* más doloroso para él —el dragado de la memoria—, sino que es más débil y menos imaginativo en todo sentido», escribió Harms. Garp había perdido la libertad de *imaginar* auténticamente la vida, tarea que se había prometido a sí mismo —y a todos nosotros— a temprana edad, con la brillantez de «La Pensión Grillparzer». Según Harms, ahora Garp sólo podía ser verídico *recordando*, y ese método —tan distinto de la imaginación—, no sólo era psicológicamente dañino para él, sino mucho menos fructífero.

Pero la tardía percepción de Harms es fácil; Helen supo que ése era el problema de Garp el día en que solicitó el puesto de entrenador de lucha libre en la Steering School. Ambos sabían que no sería ni remotamente tan bueno como Ernie, pero que seguiría un programa juicioso y sus alumnos siempre ganarían más de lo que perderían.

—Intenta escribir cuentos de hadas —sugirió Helen; pensaba en la obra de Garp más que él mismo—. Trata de inventar algo, todo... algo totalmente inventado —no dijo como «La Pensión Grillparzer».

Helen nunca mencionaba «La Pensión Grillparzer», aunque sabía que ahora él coincidía con ella: era lo mejor que había escrito. Lamentablemente, era lo primero.

Siempre que Garp trataba de escribir, sólo veía los hechos opacos y sin desarrollo de su vida personal: el gris aparcamiento de New Hampshire, la inmovilidad del pequeño cuerpo de Walt, los abrigos lustrosos de los cazadores y sus gorras rojas... y el asexuado fanatismo farisaico de Pooh Percy. Esas imágenes no conducían a ningún lado. Garp pasaba mucho tiempo ajetreado en su nueva casa.

Midge Steering Percy jamás se enteró de quién compró la mansión de su familia, su regalo a la Steering School. Si Stewie Two lo supo, tuvo como mínimo la suficiente delicadeza de no decírselo a su madre, cuyo recuerdo de Garp estaba enturbiado por la presencia más reciente del amable señor Smoans. Midge Steering Percy murió en una clínica de reposo de Pittsburgh; debido a lo que Stewie Two tenía que ver con el aluminio, había trasladado a su madre a un clínica cercana al lugar donde se producía el metal.

Dios sabe qué le ocurrió a Pooh.

Helen y Garp arreglaron la vieja Mansión Steering, como llamaban a la casa muchos de los miembros de la comunidad universitaria. El apellido Percy cayó pronto en el olvido; en la mayoría de los recuerdos, ahora siempre se pensaba en Midge como Midge *Steering*. El nuevo hogar de Garp era el más elegante del campus de la Steering —o próximo a él—, y cuando los alumnos llevaban a sus padres y a otros futuros alumnos en visitas dirigidas, rara vez decían «aquí vive T. S. Garp, el escritor. Fue la vivienda original de la familia Steering, desde 1781». Los alumnos eran más alegres y generalmente decían: «Aquí vive nuestro entrenador de lucha libre». Los padres se miraban entre sí amablemente, y el futuro alumno preguntaba: «¿Es un deporte *importante* en la Steering la lucha libre?».

Muy pronto, pensaba Garp, Duncan sería alumno de la Steering; Garp anticipaba aquel placer que no presentaba dificultades. Echaba de menos la presencia de Duncan en la sala de lucha libre, pero era dichoso porque el chico había encontrado su lugar: la piscina, donde su naturaleza, o su visión, o ambas cosas, le hacían sentir absolutamente a gusto. A veces, Duncan visitaba la sala de lucha, envuelto en toallas y temblando; se sentaba sobre las blandas colchonetas, bajo una de las estufas de aire a chorro, en busca de calor.

—¿Cómo estás? —solía preguntarle Garp—. No estarás húmedo, ¿verdad? No chorrees sobre la colchoneta, ¿de acuerdo?

—De acuerdo —respondía Duncan—. Estoy muy bien.

Helen visitaba con más frecuencia la sala de lucha. Estaba dedicada de lleno a la lectura e iba a leer a la sala de lucha —«es como leer en la sauna», decía a menudo—, y sólo en algunas ocasiones levantaba la vista de lo que estaba leyendo, cuando oía un golpe desusadamente fuerte o un grito de dolor. Lo único que alguna vez había sido difícil para Helen en su lectura en la sala de lucha era que sus gafas se empañaban.

—¿Hemos llegado ya a la edad madura? —preguntó Helen a Garp en su hermosa casa.

Se encontraban en la sala de recibir de la parte delantera, desde la cual en las noches claras veían los cuadrados de luz de las ventanas de la Enfermería Jenny Fields y, mirando por encima del césped verdinegro en dirección a la solitaria luz nocturna de la puerta del pabellón de la enfermería —a la distancia—, divisaban el lugar donde Garp había vivido de niño.

—¡Caray! —saltó Garp—. ¿Edad madura? Ya somos *jubilados*... eso es lo que somos. Nos hemos saltado la edad madura y pasamos directamente al mundo de la *ancianidad*.

—¿Te deprime eso? —preguntó Helen prudentemente.

—Todavía no —dijo Garp—. Cuando empiece a deprimirme, haré otra cosa. Quizá la haga en cualquier caso. Supongo, Helen, que nosotros dos salimos adelantados en la carrera de la vida. Podemos permitirnos el lujo de tomarnos un tiempo de descanso.

Helen llegó a hartarse de la terminología de la lucha libre con que siempre se expresaba Garp, pero al fin y al cabo había crecido con esa terminología: a Helen Holm no le producía ningún efecto. Y aunque Garp no escribía, a Helen le parecía que era feliz. Todas las noches Helen leía y Garp miraba la televisión.

La obra de Garp había provocado una curiosa reputación, no del todo diferente de la que él mismo había deseado, y más extraña aún de la que John Wolf había imaginado. Aunque a Garp y a su editor les molestaba ver que en gran medida *El mundo según Bensenhaver* era admirado y despreciado políticamente, la reputación del libro había logrado que los lectores —aunque por razones equívocas— retornaran a la obra anterior de Garp. Este rechazó amablemente invitaciones a hablar en universidades, donde querían que representara un polo u otro de las así llamadas cuestiones femeninas; además, pretendían que hablara de su relación con su madre y con la obra de ésta, y de los «papeles sexuales» que atribuía a los diversos personajes de sus libros. «La destrucción del arte por la sociología y el psicoanálisis», decía Garp. Pero había un número casi igual de invitaciones para que leyera, sencillamente, sus novelas; aceptó una o dos de estas últimas, especialmente si Helen mostraba su deseo de asistir.

Garp era feliz con Helen. Nunca volvió a serle infiel, y ni siquiera se le cruzó por la imaginación. Fue quizá su contacto con Ellen James el que finalmente le curó de mirar en ese sentido a las jovencitas. En cuanto al resto de las mujeres —de la edad de Helen y mayores—, Garp ejerció una fuerza de voluntad que no le resultó especialmente difícil. Una buena parte de su vida había estado influida por la lujuria.

Ellen James —que tenía once años cuando la violaron y le cortaron la lengua— había cumplido los diecinueve cuando se trasladó a la casa de los Garp. De inmediato se convirtió en la hermana mayor de Duncan y en compañera de la sociedad de mutilados a la que éste tímidamente pertenecía. Eran muy amigos. Ellen ayudaba a Duncan con los deberes, porque era excelente en lectura y escritura. Duncan la interesó en la natación y en la fotografía. Garp les construyó un cuarto oscuro en la Mansión Steering y allí pasaban horas, revelando y revelando; sólo se oía el incesante parloteo de Duncan con respecto a apertura de lentes y luz, y los mudos *uf* y *ag* de Ellen James.

Helen les compró una cámara de cine; Ellen y Duncan escribieron un guión y actuaron en su propia película: la historia de un príncipe ciego, que recupera parcialmente la visión al besar a una joven mujer de la limpieza. Uno solo de los ojos del príncipe recupera la vista porque la muchacha de la limpieza sólo le permite besarla en la mejilla. A ella le fastidia que alguien la bese en los labios porque ha perdido la lengua. A pesar de sus limitaciones, y de las concesiones recíprocas, la joven pareja se casa. El relato se transmite a través de pantomimas y subtítulos, estos últimos escritos por Ellen. Más adelante, Duncan diría que lo mejor de la película consistía en que sólo duraba siete minutos.

Ellen James fue también una gran ayuda para Helen con Bebé Jenny. Ellen y Duncan eran expertas niñeras con la cría, a quien Garp llevaba a la sala de lucha libre los domingos por la tarde; afirmaba que allí aprendería a caminar, a correr y a caerse sin hacerse daño, aunque Helen sostenía que las colchonetas ofrecerían a la niña la idea errónea de que el mundo que tenía bajo los pies era una esponja inestable.

—Pero ésa es la sensación que da el mundo —decía Garp.

Desde que había dejado de escribir, la única fricción continua en la vida de Garp se refería a su relación con su mejor amiga, Roberta Muldoon. Pero ésta no era la *fuente* de la fricción. Cuando Jenny Fields murió, Garp descubrió que su fortuna era enorme y que Jenny —como si hubiera tenido la intención de fastidiar a su hijo— le había designado albacea testamentario de sus últimos deseos con respecto a su fabuloso legado y a la mansión para mujeres maltratadas de Dog's Head Harbor.

—¿Por qué *yo*? —había aullado Garp—. ¿Por qué no *tú*? —le gritó a Roberta.

Pero Roberta Muldoon se sentía herida de que no la hubiera designado a ella.

—Me es imposible comprenderlo. ¿Por qué razón tú, realmente? —reconoció Roberta—. Precisamente tú.

—Mamá quiso mortificarme —decidió Garp.

—O quiso hacerte *pensar* —sugirió Roberta—. ¡Fue una madre excelente!

—¡Oh!

Durante semanas enteras se devanó los sesos pensando en la única oración que establecía las intenciones de Jenny en cuanto al destino del dinero y de su enorme caserón costero.

«Dejo un lugar en que las mujeres que valen puedan reponerse *y ser ellas mismas, por sí mismas*».

—¡Caray! —exclamó Garp.
—Una especie de fundación —conjeturó Roberta.
—La Fundación Fields —sugirió Garp.
—¡Fantástico! Sí, *becas* para mujeres... y un lugar adonde ir.
—¿Ir a hacer *qué*? —preguntó Garp—. Y becas, *¿para qué*?
—Para reponerse, si lo necesitan, o para ser ellas mismas, si eso es lo que necesitan —explicó Roberta—. Y para escribir, si es eso lo que quieren... o para pintar.
—¿O un hogar para madres solteras? —dijo con ironía Garp—. ¿Una *beca* para «ponerse bien»? ¡Caray!
—Sé serio —dijo Roberta—. Esto es importante. ¿No lo comprendes? Ella quería que *tú* entendieras a las necesitadas, quería que te ocuparas de sus problemas.
—¿Y quién decide si una mujer «vale»? —quiso saber Garp—. ¡Caray, mamá! —gritó—. ¡Te retorcería el cuello por esta mierda!
—Lo decides *tú* —insinuó Roberta—. *Eso* es lo que te obligará a pensar.
—¿Y qué me dices de *ti*? Este es el tipo de empresa que te va como un guante, Roberta.
Roberta estaba evidentemente violenta. Compartía con Jenny Fields el deseo de educar a Garp y a otros hombres respecto a la legitimidad y la complejidad de las necesidades femeninas. También pensaba que Garp sería terrible y sabía que ella podría hacerlo muy bien.
—Lo haremos juntos —propuso Roberta—. O sea que tú estarás a cargo, pero yo te asesoraré y te aconsejaré. Te avisaré cuando crea que estás cometiendo un error.
—Roberta, en su estilo más coquetón, le besó en los labios y le apretó el hombro; en ambos casos con tanta fuerza que Garp hizo una mueca.
—¡Caray! —exclamó.
—La Fundación Fields —gritó Roberta—. ¡Será maravilloso!
Así se mantuvo la *fricción* en la vida de T. S. Garp, quien sin fricción alguna de ningún tipo probablemente habría perdido su sentido crítico del mundo y su conexión con él. Era una fricción que le mantenía vivo cuando no escribía; Roberta Muldoon y la Fundación Fields le proporcionarían, como mínimo, esa fricción.

Roberta se convirtió en la administradora residente de la Fundación Fields de Dog's Head Harbor; de pronto, la casa se transformó en una colonia de escritoras, un centro de recuperación y un consultorio clínico para embarazadas, y las pocas buhardillas bien iluminadas proveyeron de luz y soledad a las pintoras. En cuanto las mujeres se enteraron de que *existía* una Fundación Fields, muchas se preguntaron cómo se elegiría a las que habían de recibir ayuda. Garp se preguntaba lo mismo. Todas las solicitantes escribieron a Roberta, quien reunió a un reducido equipo de mujeres que alternativamente querían y rechazaban a Garp pero siempre discutían con él. Dos veces al mes, Roberta y su junta ejecutiva se reunían con el malhumorado Garp y escogían entre las candidatas.

Cuando hacía buen tiempo, se sentaban en la fragante habitación que daba al pórtico lateral de la casa solariega de Dog's Head Harbord, aunque Garp se negaba cada vez con más vehemencia a hacerlo allí.

—Esas estrafalarias residentes... —dijo a Roberta—. Me recuerdan otros tiempos.

Entonces se reunieron en Steering, en la mansión de la familia Steering, el hogar del entrenador de lucha, donde éste se sentía algo más cómodo en compañía de esas feroces mujeres.

Sin duda se habría sentido *más* cómodo aún si las reuniones se hubieran celebrado en la sala de lucha. Aunque incluso allí, Garp sabía perfectamente bien que la ex Robert Muldoon le habría criticado tenazmente.

La solicitante n.º 1.048 se llamaba Charlie Pulaski.

—Creí que tenían que ser *mujeres* —dijo Garp—. Creí que había al menos *un* criterio definido.

—Charlie Pulaski *es* una mujer —informó Roberta a Garp—. Siempre se llamó Charlie.

—Yo diría que eso es suficiente para descalificarla —dijo alguien.

La que había hablado era Marcia Fox, delgada poeta desocupada con quien Garp cruzaba frecuentemente espadas, aunque admiraba sus poemas. El jamás habría podido ser tan parco.

—¿Qué *quiere* Charlie Pulaski? —preguntó Garp cansinamente.

Algunas de las solicitantes sólo querían dinero, otras querían vivir una temporada en Dog's Head Harbor. Algunas querían montones de dinero *y* una habitación en Dog's Head Harbor para el resto de sus días.

—Sólo quiere dinero —informó Roberta.

—¿Para cambiar de nombre? —preguntó Marcia Fox.

—Quiere dejar su trabajo y escribir un libro —explicó Roberta.

¡Caray! —dijo Garp.

—Aconséjale que cuide su trabajo —propuso Marcia Fox.

Era una de esas escritoras que detestaban a sus colegas y a los escritores en potencia.

—Marcia detesta incluso a los escritores *muertos* —dijo Garp a Roberta.

Pero Marcia y Garp leyeron un manuscrito sometido por la señorita Charlie Pulaski y coincidieron en que la candidata debía agarrarse a cualquier trabajo que consiguiera.

La solicitante n.º 1.073, una profesora adjunta de microbiología, quería disponer de tiempo libre, también para escribir un libro.

—¿Una novela? —quiso saber Garp.

—Estudios sobre virología molecular —dijo la doctora Joan Axe.

La doctora Axe gozaba de excedencia en el Centro Médico de la Duke University para realizar unas investigaciones personales. Cuando Garp le preguntó de qué se trataba, la mujer respondió, misteriosamente, que estaba interesada en «las afecciones ocultas en el torrente sanguíneo».

El marido de la solicitante n.º 1.081 no tenía seguro y había muerto en un accidente aéreo. Tenía tres hijos menores de cinco años y necesitaba quince horas semestrales más para concluir su licenciatura en literatura francesa. Quería volver a estudiar, obtener el diploma y conseguir un trabajo decente; para poder hacerlo, necesitaba dinero y habitaciones suficientes para sus hijos y una niñera por horas en Dog's Head Harbor.

La junta ejecutiva decidió, por unanimidad, concederle dinero suficiente para concluir sus estudios y pagar una niñera interna, pero los hijos, la niñera y ella tendrían que vivir donde se le ocurriera completar sus estudios. Dog's Head Harbor *no era* un lugar para niños y niñeras. Había allí dos mujeres que podían enloquecer con sólo ver u oír a un solo niño. Había allí mujeres cuyas vidas habían sido destruidas por las niñeras.

La decisión fue fácil.

La n.º 1.088 originó dificultades. Era la ex esposa —divorciada— del hombre que había matado a Jenny Fields. Tenía tres hijos, uno de los cuales se encontraba en un reformatorio para preadolescentes; los pagos para la manutención de sus hijos habían cesado cuando su marido, el asesino de Jenny Fields, fue abatido por una descarga de fuego de la Policía Estatal de New Hampshire y de otros cazadores con armas que en aquel momento rodeaban el aparcamiento.

El difunto, Kenny Truckenmiller, llevaba menos de un año divorciado. Decía a sus amigos que la manutención de sus hijos le obligaba a romperse el culo, que la liberación femenina había podrido tanto a su mujer que ésta había decidido divorciarse de él. La abogada defensora de la señora Truckenmiller era una divorciada de Nueva York. Kenny Truckenmiller pegó a su mujer, como mínimo dos veces semanales, durante casi trece años, y había abusado física y mentalmente de sus tres hijos en diversas ocasiones. Pero la señora Truckenmiller no sabía lo suficiente sobre sí misma ni sobre sus derechos hasta que leyó *Sexualmente sospechosa*, la autobiografía de Jenny Fields. Ese libro la llevó a pensar que quizás el sufrimiento de sus dos palizas semanales y el abuso sobre sus hijos era, de hecho, culpa de Kenny Truckenmiller; durante trece años había creído que era un problema *de ella* y de su «destino en la vida».

Kenny Truckenmiller había culpado al movimiento feminista de la autoeducación de su mujer. La señora Truckenmiller siempre había trabajado por cuenta propia, como peluquera en la población de North Mountain, New Hampshire. Siguió dedicada a su oficio cuando el tribunal obligó a Kenny a abandonar la casa. Pero ahora que Kenny ya no conducía un camión municipal, a la señora Truckenmiller le resultaba difícil seguir sustentando a su familia sólo con los ingresos de la peluquería. En su casi ilegible solicitud decía que se había visto obligada a transigir «para que el dinero alcanzara» y que no le molestaba repetir el acto de transigir en el futuro.

La señora Truckenmiller, que en ningún momento se refería a sí misma como si tuviera nombre propio, decía que comprendía que el odio hacia su marido era tan grande como para inclinar a la junta en contra suya. Decía que entendería que decidieran ignorarla.

John Wolf, que era (contra su voluntad) miembro honorario de la junta —y muy apreciado por su astuta mentalidad financiera—, dijo inmediatamente que nada sería mejor ni más publicitario para la Fundación Fields que conceder a «esta desdichada parienta del asesino de Jenny» lo que pedía. Sería noticia y revelaría la naturaleza apolítica de las intenciones de la Fundación; se pagaría sola, afirmó John Wolf, en el sentido de que proporcionaría a la Fundación sumas incalculables de dinero en donativos.

—Ya nos estamos arreglando bien con los donativos que tenemos —opinó Garp.

—¿Y si sólo fuera una furcia? —insinuó Roberta.

Todas las miradas se dirigieron a ella. Roberta jugaba con ventaja: era capaz de pensar como una mujer y como un Eagle de Filadelfia.

—Pensadlo un minuto —prosiguió Roberta—. Supongamos que sólo sea una mujerzuela, alguien que siempre *transige* y siempre lo ha hecho... y considera que no tiene importancia. En ese caso nos expondríamos a ser el hazmerreír del público.

—En ese caso necesitamos ampliar la información —dijo Marcia Fox.

—Alguien tiene que verla, hablar con ella —sugirió Garp—. Descubrir si es honorable, si realmente *trata* de vivir de manera independiente.

Ahora todas las miradas se clavaron en él.

—Bien —dijo Roberta—, *yo* no puedo descubrir si se trata o no de una fulana.

—¡Oh, no! —exclamó Garp—. *Yo* no.

—¿Dónde queda North Mountain? —quiso saber Marcia Fox.

—*Yo* no —se apresuró a decir John Wolf—. Ya paso demasiado tiempo fuera de Nueva York.

—¡Caray! —se quejó Garp—. ¿Y si me reconoce? La gente me reconoce, como sabéis.

—Dudo que ella te reconozca —intervino Hilma Bloch, asistente social de psiquiatría a quien Garp odiaba—. Las personas más motivadas para leer autobiografías, como la de tu madre, rara vez se sienten atraídas por la novela... o sólo tangencialmente. De modo que, si leyó *El mundo según Bensenhaver*, sólo lo habrá hecho por ser quien eres, y ésta no habría sido razón suficiente para que terminara el libro; con toda probabilidad, y dado el hecho de que, al fin y al cabo, es una peluquera, se habría empantanado y *no* habría terminado su lectura. Tampoco recordaría tu fotografía de la cubierta; sólo tu cara, y sólo vagamente (*fuiste* una cara en las noticias, por supuesto, pero en realidad sólo durante los días del asesinato de Jenny). Indudablemente, en aquella época el rostro que quedaba grabado era el de Jenny. Una mujer como ésta ve mucha televisión, no pertenece al mundo de los libros. Dudo sinceramente de que semejante mujer haya guardado una imagen tuya en su mente.

John Wolf puso los ojos en blanco para apartar la vista de Hilma Bloch. Hasta Roberta hizo lo mismo.

—Gracias, Hilma —dijo Garp en tono indiferente.

Se decidió que Garp visitara a la señora Truckenmiller «para saber algo más concreto acerca de su personalidad».

—Al menos entérate de cuál es su nombre de pila —dijo Marcia Fox.

448

—Apuesto a que se llama Charlie —bromeó Roberta.

Siguieron con los informes: quiénes vivían en ese momento en Dog's Head Harbor; a quiénes les expiraba el plazo de permanencia, quiénes se instalarían allí. ¿Y qué problemas había, si los había?

Había dos pintoras: una en la buhardilla sur y otra en la buhardilla norte. La pintora de la buhardilla sur codiciaba la *luz* de la pintora de la buhardilla norte y durante dos semanas se llevaron mal; no se dirigían la palabra durante el desayuno y se hacían mutuas acusaciones con referencia a alguna correspondencia perdida. Y así sucesivamente. Parece que repentinamente se hicieron amantes. Ahora sólo pintaba la pintora de la buhardilla norte: estudios de la pintora de la buhardilla sur, que todo el día hacía de modelo con buena luz. Su desnudez en la planta superior de la casa molestaba como mínimo a una de las escritoras, una dramaturga antilesbiana de Cleveland que no tenía pelos en la lengua y pasaba dificultades para dormir, decía, a causa del sonido de las olas. Probablemente lo que le molestaba eran las pintoras haciendo el amor; de todos modos era considerada una «exagerada», pero sus quejas cesaron en cuanto la otra escritora residente sugirió que todas las huéspedes de Dog's Head Harbor leyeran en voz alta los fragmentos de la obra que iba fraguando. Las prácticas de lectura resultaron satisfactorias para todas y los pisos superiores de la casa eran ahora felices.

«La otra escritora», una buena cuentista a quien Garp había recomendado con entusiasmo un año atrás, estaba a punto de trasladarse: expiraba su término de residencia. ¿Quién ocuparía su habitación?

¿La mujer cuya suegra acababa de ganar la custodia de sus hijos después del suicidio del marido?

—Os *dije* que no las aceptarais —dijo Garp.

¿Las dos ellenjamesianas que se presentaron allí un día?

—Un momento —dijo Garp—. ¿Qué significa esto? ¿Ellenjamesianas? ¿Que se presentan por su cuenta? Eso no está permitido.

—Jenny siempre las aceptaba —le recordó Roberta.

—Pero ahora es *ahora*, Roberta —sentenció Garp.

Los demás miembros de la junta estaban más o menos de acuerdo con él; las ellenjamesianas no eran muy admiradas. Nunca lo habían sido, y su extremismo (ahora) parecía cada vez más anticuado y patético.

—No obstante, es casi una tradición —sostuvo Roberta.

Describió a dos «antiguas» ellenjamesianas, que habían vuelto después de pasar un mal momento en California. Años atrás habían vivido en Dog's Head Harbor; volver, argumentó Roberta, significaba una especie de recuperación sentimental para ellas.

—¡Caray, Roberta! —se indignó Garp—. Líbrate de ellas.

—Eran personas de las que tu madre siempre se ocupaba —insistió Roberta.

—Al menos estarán *calladas* —intervino Marcia Fox, cuya parquedad Garp admiraba, pero sólo él rió.

—Me parece que tendrías que lograr que se marchen, Roberta —dijo la doctora Joan Axe.

—En realidad ofenden a toda la *sociedad* —opinó Hilma Bloch—. Eso puede ser contagioso. Por otro lado, son casi la esencia del *espíritu* de este lugar.

John Wolf puso los ojos en blanco.

—Está la doctora que investiga la relación abortos-cáncer —dijo la doctora Joan Axe—. ¿Qué pasa con ella?

—Sí, pongámosla a ella en el primer piso —sugirió Garp—. La he conocido. Echará a patadas a cualquiera que intente subir.

Roberta frunció el ceño. El piso bajo de la mansión de Dog's Head Harbor era la estancia más grande. Contenía dos cocinas y cuatro baños completos; allí podían dormir doce personas conservando su intimidad y además estaban las salas de conferencias, como las llamaba Roberta. En los tiempos de Jenny Fiels eran salas de recibir e inmensos gabinetes. También había allí un vasto comedor donde se podía comer, buscar la correspondencia y encontrar compañía durante el día y la noche.

Era el piso más sociable de Dog's Head Harbor y, en un sentido general, el menos adecuado para escritoras y pintores. Era el mejor para las suicidas en potencia, había informado Garp a la junta, «porque allí se ven obligadas a ahogarse en el océano en lugar de saltar por las ventanas».

Pero Roberta dirigía el lugar con un estilo enérgico, maternal y, al mismo tiempo, de ex lateral de los Eagles de Filadelfia. Prácticamente podía disuadir a cualquiera de cualquier cosa y, si no lo lograba, nadie la superaba en fuerza bruta. Había tenido mucho más éxito que Jenny en lograr el apoyo de la policía local. Algunas desdichadas eran recogidas por la policía playa abajo, o sollozando en el malecón de la villa; se las devolvían amablemente a Roberta. Todos los policías de Dog's Head Harbor eran fanáticos del fútbol americano que respetaban el salvaje juego de línea y el bloqueo mal intencionado del ex Robert Muldoon.

—Quiero presentar una moción en el sentido de que *ninguna* ellenjamesiana sea elegible para recibir ayuda y consuelo de la Fundación Fields —propuso Garp.

—Apoyo la moción —dijo Marcia Fox.

—Eso está abierto a discusión —dijo Roberta—. No veo la necesidad de imponer semejante regla. Lo nuestro no es apoyar lo que ya sabemos es una forma estúpida de expresión política, pero eso no significa que una de esas mujeres sin lengua no esté auténticamente necesitada de ayuda... Yo diría que, de hecho, han demostrado ya una clara necesidad de establecerse allí y debemos esperar que sigan apareciendo. Son personas auténticamente necesitadas.

—Son chaladas —dijo Garp.

—Eso es demasiado general —opinó Hilma Bloch.

—Hay mujeres emprendedoras —dijo Fox— que *no* han renunciado a su voz, que en realidad luchan por *usarla*... y yo no estoy a favor de recompensar la estupidez y el silencio autoimpuesto.

—Hay virtudes en el silencio —afirmó Roberta.

—¡Caray, Roberta!

Luego Garp percibió un punto luminoso en el oscuro tema. Por alguna razón, las ellenjamesianas le enfurecían más que la imagen de las Kenny Truckenmiller de este mundo; aunque comprendía que las ellenjamesianas estaban pasando de moda, no lo hacían tan rápido como él deseaba. Garp quería que desaparecieran; quería que cayeran en desgracia. Helen ya le había advertido que su odio por ellas era desproporcionado en relación a lo que realmente eran.

—Lo que han hecho sólo significa demencia y simpleza... —había dicho Helen—. ¿Por qué no las ignoras y las dejas en paz?

Pero en la reunión Garp dijo:

—Preguntémosle a Ellen James. Es justo, ¿no? Pidámosle a Ellen James *su* opinión de las ellenjamesianas. ¡Caray, me gustaría *publicar* la opinión que tiene de ellas! ¿Saben cómo le han hecho sentirse?

—Esta cuestión es demasiado personal —dijo Hilma Bloch.

Todos conocían a Ellen; todos sabían que Ellen James *odiaba* no tener lengua y que odiaba a las ellenjamesianas.

—Dejemos esto por ahora —dijo John Wolf—. Propongo que pospongamos la discusión.

—Maldición —gruñó Garp.

—Está bien, Garp —dijo Roberta—. Entonces votémosla ahora mismo.

Todos sabían que rechazarían la votación, librándose así de la cuestión.

—Retiro la moción —dijo Garp con tono desagrable—. ¡Arriba las ellenjamesianas!

Pero *él* no se retiró.

Fue un arrebato de locura lo que mató a Jenny Fields, su madre. Fue extremismo. Fue una autocompasión santurrona, fanática y monstruosa. Kenny Truckenmiller sólo era un tipo especial de imbécil: un auténtico creyente que también era criminal. Era un hombre que se autocompadecía tan ciegamente que hacía enemigos acérrimos de las personas que ayudaban a su perdición sólo con ideas.

Y, ¿en qué sentido era diferente una ellenjamesiana? ¿No era su gesto tan desesperado e igualmente vacío de comprensión real de la complejidad humana?

—Vamos... —dijo John Wolf—. Ellas no han *asesinado* a nadie..

—Todavía no —dijo Garp—. Pero tienen aptitudes. Son capaces de adoptar decisiones insensatas y creer que tienen razón.

—Es necesario algo más que eso para matar a alguien —opinó Roberta.

Dejaron a Garp ardiente como una caldera. ¿Qué más podían hacer? Aquél no era uno de los puntos fuertes de Garp: la tolerancia de la intolerancia. La gente loca le volvía loco. Era como si se ofendiera personalmente por su entrega a la locura... en parte debido a que con mucha frecuencia él se esforzaba por comportarse equilibradamente. Cuando alguien renunciaba al trabajo de la cordura, o fracasaba en él, Garp sospechaba que no lo había intentado a fondo.

—La tolerancia de la intolerancia es una tarea difícil que nos exige la época —decía Helen.

Aunque Garp sabía que Helen era inteligente y a menudo mucho más clarividente que él, estaba ciego con las ellenjamesianas.

Naturalmente, ellas estaban ciegas con respecto a él.

La críticas más radicales referentes a Garp —a su relación con su madre y a sus propias obras— provenían de diversas ellenjamesianas. Provocado por ellas, Garp las provocaba. Resultaba difícil saber por qué había empezado aquello o *si* tendría que haber empezado, pero Garp se había convertido en un caso de controversia entre las feministas, principalmente a través del acoso de las ellenjamesianas... y de las provocaciones de Garp en represalia. Por las *mismísimas* razones, Garp gustaba a muchas feministas y disgustaba a otras tantas.

En cuanto a las ellenjamesianas, su simbología no era más complicada que sus sentimientos hacia Garp: sus lenguas mutiladas mutilaban la lengua mutilada de Ellen James.

Paradójicamente, fue Ellen James quien intensificó la prolongada guerra fría.

Constantemente mostraba a Garp sus escritos, sus cuentos, los recuerdos de sus padres en Illinois, sus poemas, sus dolorosas analogías con la mudez, su aprecio por las artes visuales y la natación. Escribía sensata y hábilmente, y con penetrante energía.

—Es auténtica —decía Garp a Hellen—. Tiene capacidad y también pasión. Y creo que tendrá fuerza vital.

«Fuerza vital» era una expresión que Helen dejaba pasar, porque temía que Garp hubiera renunciado a la suya. Indudablemente tenía capacidad y pasión, pero Helen sentía que había tomado un camino estrecho —que se había desviado— y que sólo la fuerza vital le permitiría volver a encontrar los otros caminos.

Eso la entristecía. Por el momento, pensaba Helen, se contentaría con cualquier cosa por la que Garp se apasionara: la lucha libre, incluso las ellenjamesianas. Porque Helen estaba convencida de que la energía engendra energía, y tarde o temprano, pensaba, Garp volvería a escribir.

En consecuencia, Helen no reaccionó con demasiada vehemencia cuando Garp se exaltó con el ensayo que le mostró Ellen James: «Por qué no soy una ellenjamesiana», de Ellen James. Era convincente y conmovedor, y emocionó a Garp hasta hacerle saltar las lágrimas. Narraba su violación, sus dificultades y las de sus padres; hacía que lo que habían realizado las ellenjamesianas pareciera una superficial imitación, enteramente política, de un trauma muy personal. Ellen James afirmaba que las ellenjamesianas sólo habían logrado prolongar su propia angustia, convirtiéndola en una víctima pública. Naturalmente, Garp era susceptible de conmoverse por las víctimas públicas.

Y naturalmente, para ser justos, lo mejor de las ellenjamesianas había consistido en dar a conocer el pavor general que tan brutalmente amenazaba a mujeres y niñas. Para muchas de las ellenjamesianas, la imitación del horrible deslenguamiento no había sido «enteramente político». Había sido una identificación muy personal. Por supuesto, en algunos casos las ellenjamesianas eran mujeres que también habían sido violadas y lo que querían decir era que se *sentían* como si les faltara la lengua. En un mundo de hombres, sentían que las habían reducido al silencio para siempre.

Nadie negaba el hecho de que la organización estaba llena de chifladas. Ni siquiera lo negaban algunas ellenjamesianas. En un sentido amplio, era cierto que se trataba de un inflamador grupo político formado por feministas extremistas que a menudo desvirtuaban la profunda seriedad de otras mujeres y de otras feministas que había a su alrededor. Pero el ataque de Ellen James era tan desconsiderado con los casos individuales entre las ellenjamesianas, como desconsiderada con Ellen James había sido la acción de ellas, sin pensar realmente que una niña de once años habría preferido superar su horror más en secreto.

Todos los norteamericanos sabían cómo había perdido su lengua Ellen James, excepto la generación más joven, la que ahora estaba creciendo, que a menudo confundía a Ellen James con las ellenjamesianas; esta confusión era muy dolorosa para Ellen, porque significaba que era sospechosa de haberse mutilado ella misma.

—Era una catarsis necesaria para ella —dijo Helen a Garp con respecto al ensayo de Ellen—. Estoy segura de que necesitaba escribirlo y de que le ha hecho un gran bien poder expresar todo esto. Ya se lo he dicho.

—*Yo* le he dicho que debe publicarlo —dijo Garp.

—No, yo no pienso lo mismo —disintió Helen—. ¿Qué bien puede hacer?

—¿Qué *bien*? —preguntó Garp—. Bueno, es la *verdad*. Y será bueno para Ellen.

—¿Y para *ti*? —preguntó Helen, sabiendo que Garp quería una especie de humillación pública de las ellenjamesianas.

—Está bien, está bien, está bien. Pero ella tiene *razón*. Esas chifladas tendrían que beber de la fuente original.

—¿Por qué? ¿Por el bien de quién?

—Bueno, bueno... —murmuró Garp.

Pero en el fondo de su corazón debía de saber que Helen tenía razón. Garp aconsejó a Ellen que archivara su ensayo. Ellen no se comunicó con Garp ni con Helen durante una semana.

Sólo cuando John Wolf telefoneó a Garp, éste y Helen comprendieron que Ellen había enviado el ensayo al editor.

—¿Qué se supone que debo hacer con esto? —preguntó.

—Devuélvelo —dijo Helen.

—¡No, caray! —dijo Garp—. Pregúntale a *Ellen* qué quiere hacer con eso.

—El viejo Poncio Pilato se lava las manos —regañó Helen a Garp.

—¿Qué quieres hacer *tú*? —preguntó Garp a John Wolf.

—¿*Yo*? Para mí no significa nada. Pero estoy seguro de que es publicable. Quiero decir que está muy bien escrito.

—No es publicable por esa razón y tú lo sabes —respondió Garp.

—Bueno, no... —reconoció John Wolf—. Pero también es *bonito* que esté bien dicho.

Ellen informó a John Wolf que quería publicarlo. Helen intentó disuadirla. Garp se negó a mezclarse en la cuestión.

—Ya *estás* mezclado —le dijo Helen—, y al no decir nada, sabes muy bien que obtendrás lo que quieres: ver publicado ese doloroso ataque. Eso es lo que quieres.

Entonces Garp habló con Ellen James. Trató de ser entusiasta en su razonamiento con ella: por qué no debía decir públicamente esas cosas. Aquellas mujeres estaban enfermas, tristes, confundidas, torturadas, habían abusado de ellas y ellas habían abusado de sí mismas, pero ¿qué sentido tenía criticarlas? Cinco años más, y todo el mundo las olvidaría. Mostrarían sus notas y la gente diría: «¿Qué es una ellenjamesiana? ¿Quieres decir que no puedes hablar? ¿No tienes lengua?».

Ellen se mostró taciturna y decidida.

«¡Yo no las olvidaré!»,

escribió a Garp.

«No las olvidaré en cinco años, ni en cincuenta; las recordaré tanto como a mi lengua.»

Garp admiraba la forma en que la muchacha usaba el viejo y querido punto y coma. Dijo delicadamente:

—Me parece mejor no publicar esto, Ellen.

«¿Te enfadarás conmigo si lo publico?»,

preguntó. Garp reconoció que no se enfadaría.

«¿Y Helen?»

—Helen sólo se enfadará *conmigo* —dijo Garp.
—Tú enfureces demasiado a la gente —dijo Helen a Garp en la cama—. Le das cuerda. La *inflamas*. Tendrías que dejar que las cosas sigan su curso. Tendrías que dedicarte a tu trabajo, Garp. Sólo a tu obra. Tú solías decir que la política era estúpida y que no significaba nada para ti. Tenías razón. Es estúpida y no significa nada. Haces esto porque es *más fácil* que sentarte a crear algo de la nada. Y lo sabes. Estás colgando estanterías por toda la casa, y cambiando los suelos, y alborotando el jardín... ¿Acaso me casé con un factótum? ¿Abrigué alguna vez la esperanza de que fueras un cruzado? Tendrías que escribir libros y dejar que los demás hagan estantes. Y sabes que tengo razón, Garp.
—Tienes razón.
Garp trató de recordar qué le había permitido imaginar aquella primera frase de «La Pensión Grillparzer»: «Mi padre trabajaba para el Departamento Austríaco de Turismo».

¿De dónde había salido? Trató de pensar en frases semejantes. Todo lo que logró fue: «El niño tenía cinco años: su catarro parecía más profundo que su pequeño y huesudo pecho». Lo que tenía era memoria, y eso producía basura. Había perdido la imaginación pura.

En la sala de lucha, trabajó tres días seguidos con los pesos pesados. ¿Para castigarse?

—Más alboroto en el jardín, por así decirlo —dijo Helen.

Entonces Garp anunció que tenía una misión, que debía hacer un viaje para la Fundación Fields, a North Mountain, New Hampshire, para decidir si se acordaría un subsidio de la Fundación Fields a una mujer llamada Truckenmiller.

—Más alboroto en el jardín —repitió Helen—. Más estanterías. Más política. Más cruzadas. Ese es el tipo de cosas que hace la gente que *no* sabe escribir.

Pero él había desaparecido; estaba fuera de casa cuando John Wolf llamó para anunciar que una revista de mucha difusión publicaría «Por qué no soy una ellenjamesiana», de Ellen James.

La voz de John Wolf tenía el frío, soterrado y veloz chasquido de la lengua del viejo ya-sabes-quién —el Sapo Sumergido, pensó Helen. Pero no sabía por qué, todavía no.

Le contó la novedad a Ellen James. Helen perdonó inmediatamente a Ellen e incluso le permitió exaltarse con ella. Fueron a la playa con Duncan y la pequeña Jenny. Compraron langostas —el fruto de mar favorito de Ellen— y suficientes veneras para Garp, a quien no entusiasmaba la langosta.

«¡Champán!»,

escribió Ellen en el coche.

«¿Va bien el champán con las langostas y las veneras?»

—Claro que sí. Puede ir.

Compraron champán. Hicieron un alto en Dog's Head Harbor e invitaron a Roberta a cenar.

—¿Cuándo regresará papá? —preguntó Duncan.

—No sé dónde está North Mountain —replicó Helen—, pero me dijo que volvería a tiempo para comer con nosotros.

«A mí me dijo lo mismo»,

escribió Ellen James.

El Salón de Belleza Nanette, de North Mountain, New Hampshire, era en realidad la cocina de la casa de la señora de Kenny Truckenmiller, cuyo nombre de pila era Harriet.

—¿Usted es Nanette? —le preguntó Garp tímidamente, desde los peldaños exteriores, helados a pesar de la sal y crujientes por la nieve a medio derretir.

—Aquí no hay ninguna Nanette —respondió la mujer—. Yo soy Harriet Truckenmiller.

A espaldas de Harriet, en la oscura cocina, un perrazo se estiró y gruñó; la señora Truckenmiller evitó que el perro se acercara a Garp golpeando con una de sus caderas a la arremetedora bestia. Con un pálido tobillo marcado por una cicatriz, abrió la puerta de la cocina. Llevaba chinelas azules y su figura se perdía en el interior de la larga bata, pero Garp se dio cuenta de que era alta... y que se estaba bañando.

—Bueno... ¿corta el pelo a los *hombres*? —preguntó Garp.

—No.

—Pero ¿tendría inconveniente en hacerlo? No confío en los barberos.

Harriet Truckenmiller observó con suspicacia el gorro de lana negra que llevaba Garp por encima de las orejas y que ocultaba toda su cabellera salvo los gruesos mechones que le tocaban los hombros desde la nuca.

—No veo su pelo —contestó la mujer.

Garp se quitó el gorro y dejó al descubierto su pelo revuelto, cargado de electricidad estática y enredado por el viento.

—No quiero sólo un corte —dijo Garp con tono neutro mientras estudiaba el rostro triste y cansado, y las suaves arrugas próximas a los ojos de Harriet, cuyo propio pelo, de color rubio desteñido, estaba sujeto con bigudíes.

—No tiene hora —dijo Harriet Truckenmiller.

Garp comprendió de inmediato que no era una prostituta. Estaba cansada y le tenía miedo.

—¿Qué es exactamente lo que quiere hacerse en el pelo, de todos modos? —preguntó.

—Sólo recortarlo —murmuró Garp—, pero me gustaría un leve rizado.

—¿Un rizado? —Harriet Truckenmiller trató de imaginar un rizado en el pelo lacio de la coronilla de Garp—. ¿Una especie de permanente, quiere decir?

—Bueno... —Garp se pasó tímidamente la mano por su mata de pelo—. Lo que usted pueda hacer con esto...

Harriet Truckenmiller se encogió de hombros.

—Tengo que vestirme —dijo.

El perro, taimado y fuerte, arrojó casi todo su robusto cuerpo entre las piernas de la mujer y asomó su ancho hocico hostil por la abertura existente entre la contrapuerta y la puerta. Garp se preparó para el ataque, pero Harriet Truckenmiller levantó rápidamente la rodilla y golpeó al animal. Le retorció la piel suelta del cuello; el perro gimió y se esfumó en la cocina, detrás de ella.

El patio helado era un mosaico de los enormes excrementos del perro envueltos en hielo. También había tres coches, aunque Garp dudó de que alguno de ellos funcionara. Observó un montón de leña que nadie había apilado. También vio una antena de televisión, que en algún momento podía haber estado en el tejado; ahora se apoyaba contra el amarillento aluminio del costado de la casa y sus cables corrían como una telaraña que asoma por una ventana rota.

La señora Truckenmiller retrocedió y abrió la puerta a Garp. En la cocina, Garp sintió que se le secaban los ojos por el calor que despedía el hornillo de leña; todo olía a galletas tostadas y a champú; de hecho, la cocina parecía dividida entre las funciones propias de una cocina y los utensilios del oficio de Harriet. Un fregadero rosa, con una manguera; latas de tomate frito; un espejo de tres caras enmarcado por luces de escenario; un estante de madera con especias y ablandador de carne; hileras de ungüentos, lociones y sustancias viscosas. Un sillón de acero encima del cual colgaba un secador de pelo suspendido de una varilla del mismo material, semejante a una original variante de silla eléctrica.

El perro había desaparecido al igual que Harriet Truckenmiller; ella había ido a vestirse y su hosco compañero parecía haberla seguido. Garp se peinó y se contempló en el espejo como si tratara de grabar su propia imagen. Pensaba que estaban a punto de alterarle y volverle irreconocible para el mundo.

En ese momento se abrió la puerta que daba al exterior y entró un hombre fornido, con abrigo y gorra roja de cazador; llevaba una enorme carga de leña entre los brazos, que llevó a la caja de madera que se encontraba al lado del horno. El perro, que todo el tiempo había estado acurrucado debajo del fregadero —a pocos centímetros de las temblorosas rodillas de Garp—, salió rápidamente al encuentro del recién llegado. El animal avanzó cabizbajo, sin siquiera gruñir: el hombre era conocido en esa casa.

—Al suelo, estúpido —dijo el hombre y el perro obedeció.

—¿Eres tú, Dickie? —gritó Harriet Truckenmiller desde algún lugar de la casa.

—¿A quién más esperabas? —chilló el hombre que, al volverse, vio a Garp frente al espejo.

—Hola —le saludó Garp.

El hombre fornido que se llamaba Dickie le clavó la mirada. Quizá tenía cincuenta años; su enorme rostro rojizo pareció rasguñado por el hielo y Garp comprendió inmediatamente —por su familiaridad con las expresiones de Duncan— que el hombre tenía un ojo de cristal.

—Hola —dijo Dickie.

—¡Tengo un cliente! —gritó Harriet.

—Ya lo veo —dijo Dickie.

Garp se tocó nerviosamente el pelo, como sugiriéndole a Dickie que la cabellera era muy importante para él; tanto como para haber llegado a North Mountain y al Salón de Belleza Nanette para lo que debía de parecer a Dickie la sencilla necesidad de un corte de pelo.

—¡Quiere un *rizado*! —gritó Harriet.

Dickie se dejó puesta la gorra roja, pero Garp vio perfectamente que era calvo.

—Ignoro lo que *realmente* quieres, amigo —susurró Dickie a Garp—, pero un rizado es todo lo que obtendrás. ¿Entendido?

—No confío en los barberos —dijo Garp.

—Yo no confío en *ti* —dijo Dickie.

—Dickie, no ha hecho nada —dijo Harriet Truckenmiller.

Se había puesto unos pantalones ceñidos de color turquesa que recordaron a Garp su mono, y una blusa estampada, llena de flores que no crecían en New Hampshire. Llevaba el pelo atado a la nuca, con un pañuelo de hierbas que no coincidían con las de la blusa y se había maquillado, aunque sin exagerar; se le veía «guapa», como una madre que se toma la molestia de cuidarse. Garp calculó que era unos años más joven que Dickie, aunque no muchos.

—No quiere ningún *rizado*, Harriet —afirmó Dickie—. Lo que quiere es que juegues con su pelo, ¿no?

—No confía en los barberos —se apresuró a decir Harriet Truckenmiller.

Por un breve instante, Garp se preguntó si Dickie no sería barbero, pero no lo creyó.

—No he querido molestar —Garp había visto todo lo que necesitaba ver; quería volver a decirle a la Fundación Fields que diera a Harriet Truckenmiller todo el dinero que necesitara—. Si esto significa una molestia, lo olvidaré —buscó la chaqueta, que había apoyado en una silla vacía, pero ahora el perro la tenía aplastada en el suelo.

—Por favor, puede quedarse... —dijo la señora Truckenmiller—. Dickie sólo intenta protegerme.

Dickie parecía avergonzado de sí mismo y permaneció de pie, con una poderosa bota pisando la otra.

—Te traje un poco de madera seca —dijo a Harriet—. Supongo que tendría que haber *llamado* —hizo un puchero.

—No, Dickie —Harriet besó cariñosamente la enorme y sonrosada mejilla.

Dickie salió de la cocina echando una última mirada a Garp:

—Espero que salga con un buen corte de pelo.

—Gracias —dijo Garp.

Al oír a Garp, el perro sacudió su chaqueta.

—Eh, deja eso —dijo Harriet al perro; levantó la chaqueta de Garp y volvió a dejarla en la silla—. Si quiere puede irse, pero Dickie no le molestará. Sólo intenta protegerme.

—¿Es su marido? —preguntó Garp, aunque lo dudaba.

—Mi marido era Kenny Truckenmiller. Todo el mundo lo sabe y sea quien sea usted, sabe quién era él.

—Sí.

—Dickie es mi hermano. Se preocupa por mí. Algunos tipos han andado por aquí desde que no está Kenny —se sentó ante el brillante mostrador de espejos, al lado de Garp, y apoyó sus largas y venosas manos sobre sus muslos turquesa. Suspiró. No miró a Garp mientras hablaba—. Ignoro qué ha oído decir y no me importa. Me ocupo del *pelo*... *sólo* del pelo. Si usted realmente quiere que le haga algo a su pelo, se lo haré. Pero eso es todo lo que hago. Al margen de lo que cualquiera pueda haber dicho, no me meto en líos. Sólo el pelo.

—Sólo el pelo. Sólo quiero que me atienda el pelo, eso es todo.

—Me parece bien —dijo la mujer, todavía sin mirarle.

Debajo de las molduras y enmarcadas contra los espejos, había pequeñas fotografías. Una correspondía a la joven Harriet Truckenmiller y a su flamante y sonriente marido Kenny. Mutilaban torpemente un pastel.

Otra de las fotografías mostraba a Harriet Truckenmiller embarazada, con un bebé en brazos; también se veía a otro niño, probablemente de la edad de Walt, con la mejilla apoyada en la cadera de la mujer. Harriet parecía cansada pero no desalentada. También había una fotografía de Dickie; de pie, al lado de Kenny Truckenmiller, y junto a ambos un ciervo destripado, colgaba cabeza abajo de la rama de un árbol. El árbol estaba en el patio delantero del Salón de Belleza Nanette. Garp reconoció instantáneamente la fotografía: la había visto en una revista de difusión nacional después del asesinato de Jenny. Evidentemente la fotografía intentaba demostrar a las almas candorosas que Kenny Truckenmiller era un asesino hecho y derecho: además de matar a Jenny Fields, en una ocasión había matado a un ciervo.

—¿Por qué *Nanette*? —preguntó Garp a Harriet más tarde, cuando se atrevió a mirar sólo sus pacientes dedos y no su desdichado rostro... y tampoco su propia cabellera.

—Me pareció que sonaba a francés —dijo Harriet, pero sabía que él pertenecía a otro sitio del mundo exterior, exterior a North Mountain, New Hampshire, y se rió de sí misma.

—Bueno, *suena* a francés —Garp rió con ella—. O algo así —agregó y ambos compartieron amistosamente la gracia del momento.

Cuando estuvo listo para irse, Harriet secó con una esponja la saliva del perro adherida a la chaqueta de Garp.

—¿Nunca va a mirarse? —le preguntó.

Se refería al peinado. Garp cobró aliento y se enfrentó consigo mismo en el espejo de tres caras. ¡El pelo, pensó, está hermoso! Era su mismo y viejo pelo, del mismo color, incluso del mismo largo, pero parecía adaptado a su cabeza por primera vez en la vida. Ahora estaba pegado al cráneo y sin embargo era suave y vaporoso; un leve ondulado hacía que su nariz quebrada y su corto cuello parecieran menos severos. Le parecía que encajaba tan bien con su expresión como jamás había creído que fuera posible. Naturalmente, era el primer salón de belleza que había pisado en su vida. De hecho, Jenny le había cortado el pelo hasta su boda con Helen. Después siempre se lo había cortado ésta; nunca había entrado en una barbería.

—Es encantador —observó que la oreja que le faltaba seguía ingeniosamente oculta.

—Vamos, vamos... —dijo Harriet mientras le daba un agradable empujoncillo... pero, diría él más tarde a la Fundación Fields, *no* un empujoncillo insinuante, nada de eso.

Sintió deseos de decirle que era el hijo de Jenny Fields, pero sabía que, en caso de hacerlo, sus razones serían puramente egoístas —las de hacerse personalmente responsable de beneficiar a alguien.

«Es injusto aprovecharse de la vulnerabilidad emocional de alguien», había escrito la polémica Jenny Fields, de donde derivaba el nuevo credo de Garp: no apropiarse en beneficio propio de las emociones de los demás.

—Gracias y adiós —dijo a la señora Truckenmiller.

Afuera, junto a la pila de leña, Dickie empuñaba un hacha. Lo hacía con pericia. Dejó de cortar madera cuando apareció Garp.

—Adiós —le gritó Garp, pero Dickie se acercó a él, sin dejar de empuñar el hacha.

—Echemos un vistazo a ese peinado —dijo Dickie.

Garp permaneció inmóvil mientras Dickie le examinaba.

—¿Era usted amigo de Kenny Truckenmiller? —le preguntó Garp.

—Sí —afirmó Dickie—. Era su *único* amigo. Yo le presenté a Harriet.

Garp movió la cabeza afirmativamente. Dickie siguió observando el nuevo peinado.

—Es trágico —dijo Garp: se refería a todo lo que había ocurrido.

—No está mal —dijo Dickie: se refería al pelo de Garp.

—Jenny Fields era mi madre —dijo Garp porque necesitaba que alguien lo supiera y tenía la certeza de no estar aprovechándose de las emociones de Dickie.

—No le dijo eso a *ella*, ¿verdad? —Dickie señaló hacia la casa y a Harriet con su larga hacha.

—No, no.

—Está bien. Ella no tiene por qué oír nada de eso.

—Lo mismo pensé —confesó Garp y Dickie asintió aprobadoramente—. Su hermana es una buena mujer.

—Lo es, lo es —repitió Dickie con fervor.

—Bueno, adiós.

Pero Dickie le tocó ligeramente con el mango del hacha.

—Yo fui uno de los que dispararon contra él. ¿Lo sabía?

—¿Usted disparó contra Kenny? —se asombró Garp.

—Yo fui *uno* de los que lo hicieron. Kenny estaba loco. Alguien tenía que matarle.

—Lo siento —dijo Garp y Dickie se encogió de hombros.

—Me gustaba el tipo —dijo Dickie—. Pero se volvió loco con Harriet y se volvió loco con su madre. Nunca se habría curado. Enfermó a causa de las mujeres. Enfermó para siempre. Estaba claro que nunca podría superarlo.

—Qué terrible... —dijo Garp.

—Adiós —Dickie se volvió a su pila de leña. Garp avanzó hacia el coche, a través de los excrementos congelados que moteaban el patio—. ¡Lleva un magnífico peinado! —gritó Dickie.

La observación parecía sincera. Dickie estaba cortando leña cuando Garp le saludó con la mano desde el coche. Desde la ventana del Salón de Belleza Nanette, Harriet Truckenmiller también saludó a Garp con la mano: no era un gesto de estímulo ni nada parecido, Garp estaba seguro de ello. Atravesó la aldea de North Mountain, bebió una taza de café en un bar, repostó gasolina en una estación de servicio. Todos miraban su hermoso pelo. En cada espejo, el propio Garp contemplaba su hermoso pelo. Luego se dirigió a su casa y llegó a tiempo para la celebración: la primera publicación de Ellen.

Si la noticia le causó tanta inquietud como a Helen, no lo demostró. Soportó la langosta, las veneras y el champán aguardando a que Helen o Duncan hicieran algún comentario sobre su peinado. Sólo cuando estaba fregando los platos, Ellen James le alcanzó una húmeda nota.

«¿Te hiciste peinar?»

Asintió irritado.

—No me gusta —le dijo Helen en la cama.

—A mí me parece fantástico.

—No pareces tú —Helen hizo todo lo posible por despeinarle—. Parece el pelo de un cadáver —dijo en la oscuridad.

—¡Un cadáver! ¡Caray!

—Un cuerpo preparado por un embalsamador —dijo Helen mientras pasaba sus dedos casi frenéticamente por el pelo de Garp—. Cada cabello en su lugar. Es demasiado perfecto. ¡No pareces vivo!

Helen lloró, lloró y lloró... Garp la abrazó y le habló al oído, tratando de descubrir qué le ocurría.

Garp no compartía su sensación del Sapo Sumergido —aquella vez no— y le habló incansablemente, y le hizo el amor. Finalmente, Helen se durmió.

El ensayo de Ellen James «Por qué no soy una ellenjamesiana», no pareció provocar una reacción inmediata: lleva cierto tiempo publicar las cartas al director.

Aparecieron las previsibles cartas personales a Ellen James: condolencias de idiotas, proposiciones de hombres enfermos —esos horribles tiranos antifeministas y provocadores de mujeres que, como había advertido Garp a Ellen, se consideraban de *su* lado.

—La gente siempre toma partido, en todo —dijo Garp.

No apareció una sola palabra escrita por alguna ellenjamesiana.

El primer equipo de lucha de Garp en la Steering llevaba una ventaja de 8 a 2 cuando se acercaba a su doble encuentro final con el gran rival, los malos muchachos de Bath. Naturalmente, la fuerza del equipo reposaba en algunos luchadores muy bien entrenados por Ernie Holm durante los últimos dos o tres años, pero Garp había sabido mantenerlos en forma. Estaba tratando de calcular los triunfos y derrotas, categoría por categoría, del inminente encuentro con Bath —sentado ante la mesa de la cocina de la vasta casa, hoy «en memoria» de la primera familia Steering— cuando Ellen James cayó sobre él hecha un mar de lágrimas, con el nuevo número de la revista que había publicado su ensayo hacía un mes.

Garp pensó que también tendría que haber advertido a Ellen sobre la prensa periódica. Naturalmente, habían publicado un largo ensayo epistolar escrito por una serie de ellenjamesianas en respuesta a la sincera exposición de Ellen en el sentido de que se sentía utilizada por ellas y de que no gozaban de su simpatía. Era el tipo de controversia que desean las revistas. Ellen se sentía especialmente traicionada por el director de la revista, que evidentemente había revelado a las ellenjamesianas que ahora Ellen James vivía con el célebre T. S. Garp.

Así, las ellenjamesianas tenían *eso* para hincarle el diente: el malvado macho Garp había lavado el cerebro de la pobrecilla Ellen James hasta llevarla a adoptar su postura antifeminista. ¡Garp, el traidor de su madre! ¡El que se había aprovechado de la política del movimiento feminista! En diversas cartas se referían a la relación de Garp con Ellen James como «seductora», «zalamera» y «turbia».

«¡Lo siento en el alma!»,

escribió Ellen.

—No es nada, no es nada. Tú no tienes la culpa —le aseguró Garp.

«¡Yo no soy antifeminista!»

—Claro que no lo eres.

«Hacen que todo sea blanco o negro.»

—Así es.

«Por eso las odio. Te obligan a ser como ellas... o eres su enemiga.»

—Sí, sí.

«¡Me gustaría tanto poder hablar!»

Entonces lloró sobre el hombro de Garp, y sus mudos y furiosos sollozos a lágrima viva hicieron levantar a Helen de la lejana sala de lectura de la gran casa, sacaron a Duncan del cuarto oscuro y despertaron a Bebé Jenny de su siesta.

Así, tontamente, Garp decidió aceptar el reto de esas chifladas adultas, de esas devotas fanáticas que —aún cuando el símbolo escogido las rechazaba— insistían en que sabían más acerca de Ellen James que la propia Ellen James.

«Ellen James *no* es un símbolo», escribió Garp. «Es una víctima de la violación, que fue violada y desmembrada antes de tener edad suficiente como para decidir por sí misma cuál era su posición ante el sexo y los hombres». Así empezó, y siguió, y siguió, y siguió. Por supuesto lo publicaron, ya que les interesaba agregar leña al fuego. Además era lo primero que se publicaba sobre *cualquier cosa*, escrito por T. S. Garp después de la famosa novela *El mundo según Bensenhaver*.

De hecho, era lo segundo. En una revista de poca difusión, poco después de la muerte de Jenny, Garp había publicado su primero y único poema. Era un poema extraño y hablaba de condones.

Garp sentía que su vida estaba plagada de condones; el artilugio del hombre para ahorrarse a sí mismo y a otros las consecuencias de su lujuria. Nuestra vida —sentía Garp— está acosada por condones... condones en los aparcamientos a primeras horas de la mañana, condones descubiertos por niños que juegan en la arena de la playa, condones usados a modo de mensaje (uno a su madre, en el pomo de la puerta de su minúsculo apartamento del pabellón de enfermería). Condones que no arrastró el agua de los inodoros en los dormitorios de la Steering School. Condones estirados y pegajosos en los urinarios públicos. En cierta ocasión un condón recibido con el diario del domingo. Otra vez un condón en el buzón del extremo de la calzada. Y otra vez aún un condón en el eje de la palanca de cambios del viejo Volvo; alguien había utilizado el coche durante la noche, y no para pasear.

Los condones encontraban a Garp del mismo modo que las hormigas descubren el azúcar. Viajaba kilómetros, cambiaba de continentes y allí, en el bidé de los cuartos de hotel desconocidos, pero en todo otro sentido impecables; allí, en el asiento trasero del taxi, como el ojo de un enorme pez; allí, observándolo desde la suela de su zapato, donde se le había pegado, en algún sitio. De todas partes los condones iban a él y le sorprendían vilmente.

Los condones y Garp se remontaban en el tiempo. De algún modo estaban unidos desde el principio. Con cuánta frecuencia recordaba su primera impresión: ¡los condones en la boca del cañón!

Era un poema hermoso, pero casi nadie lo leyó porque era grosero. Un número mucho más amplio de personas leyeron su ensayo referente a Ellen James contra las ellenjamesianas. Eso era noticia, ése era un acontecimiento contemporáneo. Garp sabía, tristemente, que era más interesante que el arte.

Helen le rogó que no mordiera el anzuelo, que no se embarcara en eso. Hasta Ellen James le recordó que aquélla era *su* batalla, que no le había pedido ayuda.

—Más alboroto en el jardín —le advirtió Helen—. Más estanterías.

Pero Garp escribió airado y bien; repitió con más firmeza lo que Ellen James había querido decir. Habló con elocuencia para las mujeres serias que sufrían, por asociación, «la radical autolesión» de las ellenjamesianas, «el tipo de basura que da un mal nombre al feminismo». No pudo resistir la tentación de degradarlas y, aunque lo hizo bien, Helen le preguntó acertadamente:

—¿Para *quién*? ¿Quién que sea seria no *sabe* ya que las ellenjamesianas están locas? No, Garp, no hiciste esto para *ellas*, ni tampoco para Ellen! ¡Lo has hecho para las malditas ellenjamesianas! Lo has hecho para humillarlas. ¿Por qué? Dentro de un año nadie las habría recordado, ni habría sabido por qué hicieron lo que hicieron. Fueron una *moda*, una estúpida moda, pero tú no podías dejarla pasar. *¿Por qué?*

Pero Garp se mostró hostil, con la previsible actitud de alguien que ha tenido *razón* —a toda costa— que se pregunta, en consecuencia, si no estaba equivocado. Era un sentimiento que le aislaba de todos, incluso de Ellen. Ella estaba dispuesta a dejarlas en paz, a acabar con eso y lamentaba haberlo iniciado.

—Pero *ellas* empezaron —insistió Garp.

«En realidad, no. El primer hombre que violó a una mujer y trató de dañarla para que no pudiera contarlo... él fue quien empezó»,

expresó Ellen James.

—Está bien, está bien, está bien —dijo Garp.

La triste verdad de la muchacha le hirió. ¿Acaso lo único que él había querido no había sido defenderla?

El equipo de lucha de la Steering abatió a la Academia Bath en el doble encuentro final de la temporada y terminó por 9-2 con un trofeo de equipo en el segundo puesto del torneo de Nueva Inglaterra y un campeón individual, un chico de 80 kilos con quien Garp había hecho personalmente la mayor parte del trabajo. Pero la temporada había concluido; Garp, el escritor retirado, tuvo una vez más mucho tiempo a su disposición.

Veía mucho a Roberta. Jugaban infinitas partidas de frontón; entre los dos rompieron cuatro raquetas en tres meses y el dedo meñique de la mano izquierda de Garp. Este dio a Roberta un revés inintencionado que significó nueve puntos en el puente de la nariz de su amiga; a Roberta no le habían hecho una sola sutura desde sus tiempos con los Eagles y se quejó amargamente. En una carga violenta, la larga rodilla de Roberta produjo a Garp una lesión en la ingle, que lo dejó cojo una semana.

—Francamente, vosotros dos... —les dijo Helen—. ¿Por qué no os vais a vivir una tórrida aventura? Sería *menos* peligroso.

Pero sólo eran buenos amigos y si alguna vez se les ocurrió semejante deseo —a Garp o a Roberta—, se apresuraron a convertirlo en broma. Además, por último, la vida amorosa de Roberta se había organizado fríamente; como una mujer nata, sabía valorar su intimidad. Disfrutaba de la dirección de la Fundación Fields en Dog's Head Harbor. Roberta reservaba su vida sexual para algunas escapadas no poco frecuentes, pero nunca excesivas, a la ciudad de Nueva York, donde tenía con los nervios de punta a una serie de amantes por sus visitas repentinas.

—Es la única forma en que puedo hacer las cosas bien —comentó a Garp.

—Y eficaz, Roberta —dijo Garp—. No todos son tan afortunados... no todos pueden separar tan nítidamente uno y otro poder.

Entonces seguían jugando al frontón y, cuando empezó a hacer calor, corrían por los sinuosos caminos que se extendían desde Steering hasta el mar. Por uno de esos caminos, Dog's Head Harbor se encontraba a diez kilómetros de Steering; a menudo corrían de una mansión a la otra.

Cuando Roberta hacía lo suyo en Nueva York, Garp corría solo.

Estaba solo, casi a mitad de camino de Dog's Head Harbor —donde daría la vuelta y volvería a Steering a paso de carrera— cuando el Saab color blanco sucio le adelantó, pareció disminuir la velocidad y luego aceleró y desapareció de la vista. Eso fue lo único que le llamó la atención. Garp corría por el lado izquierdo del camino, para poder ver los coches que se aproximaban; el Saab había adelantado por la derecha, por la banda correspondiente, nada que tuviera que inquietarle.

Garp estaba pensando en una lectura que había prometido hacer en Dog's Head Harbor. Roberta le había pedido que leyera a las residentes de la Fundación Fields y a sus invitadas; a fin de cuentas, él era el administrador principal —y con frecuencia Roberta organizaba conciertos, lecturas de poesía, etcétera—, pero Garp despreciaba todo eso. Le disgustaban las lecturas y especialmente ahora las dedicadas a mujeres; su desprecio por las ellenjamesianas había herido a muchas mujeres. Naturalmente, la mayoría de las serias coincidían con él, pero la mayoría de ellas era todavía lo bastante inteligente como para reconocer una especie de venganza personal en sus críticas de las ellenjamesianas, algo que era más fuerte que la lógica. Sentían en él una especie de instinto criminal, básicamente masculino y básicamente intolerante. Garp era, como decía Helen, demasiado intolerante de la intolerancia. Sin duda, la mayoría de las mujeres consideraban que Garp había escrito la verdad acerca de las ellenjamesianas, pero, ¿era necesario ser tan cruel? Según su propia terminología de la lucha libre, tal vez Garp era responsable de una brutalidad innecesaria. Precisamente de esa brutalidad sospechaban muchas mujeres y, cuando Garp leía, ahora —incluso ante públicos mixtos, principalmente en universidades, donde la brutalidad parecía estar de moda—, se daba cuenta de un tácito disgusto. Era un hombre que había perdido la paciencia públicamente, que había demostrado que podía ser cruel.

Roberta le había aconsejado que no leyera una escena sexual, no porque las mujeres de la Fundación Fields fueran esencialmente hostiles a ello, sino porque *estaban* recelosas, había explicado Roberta. «Tienes muchas otras escenas para leer», le había dicho Roberta, «además de las sexuales.» Ninguno de los dos mencionó la posibilidad de que pudiera tener algo *nuevo* para leer. Y principalmente por esta razón —la de que no tenía nada nuevo para leer— a Garp le disgustaba cada vez más tener que leer su obra.

Garp llegó a la cima de una pequeña cuesta, junto a una granja de vacas Angus color negro —la única colina entre Steering y el mar—, y superó los tres kilómetros y medio de su recorrido. Vio los hocicos negriazules de las bestias apuntados hacia él, como escopetas de doble cañón, por encima de un muro de piedra bajo. Garp siempre hablaba con las vacas y les mugía.

Ahora el Saab color blanco sucio se acercaba, y Garp se desvió a la tierra del blando andén. Una de las Angus negras le devolvió el mugido; dos se alejaron del muro de piedra, asustadas. Garp tenía la vista fija en los animales. El Saab no iba demasiado rápido, no parecía imprudente. No parecía existir ninguna razón para fijar la vista en el camión.

Sólo le salvó su memoria. Los escritores tienen una memoria muy selectiva y, afortunadamente para Garp, la suya había elegido recordar la forma en que el Saab color blanco sucio había disminuido la velocidad —al pasar por primera vez a su lado en sentido opuesto—, momento en que le pareció que la cabeza del conductor le observaba por el espejo retrovisor.

Garp apartó la vista de las Angus y vio al silencioso Saab, con el motor apagado, deslizándose en punto muerto hacia él, por el blando andén, dejando una estela de polvo detrás de su serena forma blanca y encima de la resuelta cabeza baja del camionero. El conductor —apuntando el Saab a Garp— fue la imagen visual más cercana que jamás tendría Garp del *aspecto* de un artillero de torreta oval.

Garp dio dos zancadas hasta el muro de piedra y lo saltó, sin ver siquiera la valla electrificada. Sintió un cosquilleo en el muslo, pero saltó la valla y el muro, y aterrizó en el húmedo y verde campo de rastrojos, mordido y pisoteado por la manada de Angus.

Se abrazó a la húmeda tierra, oyó el croar del Sapo Sumergido en su garganta seca... y la estampida de cascos cuando las Angus huyeron en tromba. Oyó el encuentro de roca y metal del Saab blanco sucio contra el muro de piedra. Dos cantos rodados del tamaño de su cabeza rebotaron ociosamente a su lado. Un toro de mirada salvaje se mantuvo firme, pero la bocina del Saab se atascó; quizá su sonido uniforme evitara que el toro embistiera.

Garp sabía que estaba vivo; la sangre de su boca sólo se debía a que se había mordido el labio. Avanzó junto al muro hasta el punto del impacto, donde se había encajado el Saab hecho trizas. Quien lo conducía había perdido algo más que la lengua.

Estaba en las últimas. El motor del Saab le había aplastado las rodillas contra la columna de dirección. No llevaba anillos en las manos de dedos cortos y enrojecidos por el rudo invierno, o los rudos inviernos, que había conocido. El montante de la portezuela del lado del conductor, o el marco del parabrisas, le había hundido la cara y destrozado una sien y una mejilla, dejando su rostro desequilibrado. Su pelo castaño y húmedo de sangre se había encrespado por el viento estival que soplaba por el agujero donde antes había un parabrisas.

Garp supo que estaba muerta porque le miró los ojos. Supo que era una ellenjamesiana porque le miró la boca. También revisó su bolso. Sólo encontró el previsible bloc y un lápiz. Además de gran cantidad de notas nuevas y usadas. Una de ellas decía:

«¡Hola! Me llamo...»,

y así sucesivamente. Otra de las notas decía:

«Tú te lo buscaste».

Garp supuso que aquélla era la nota que la mujer tenía la intención de sujetar a la cintura ensangrentada de sus pantalones de carreras cuando le dejara muerto al costado del camino.

Otra de las notas era casi lírica; se trataba de una de las que a los periódicos les encantaba reproducir una y otra vez.

«Nunca he sido violada y nunca quise serlo.
Nunca estuve con un hombre y nunca quise estar con ninguno. El sentido de toda mi vida ha consistido en compartir el sufrimiento de Ellen James.»

¡Caray!, pensó Garp, pero dejó la nota para que fuera descubierta junto a las demás pertenencias de la conductora. No era el tipo de escritor, ni el tipo de hombre, que oculta mensajes importantes, aunque esos mensajes sean delirantes.

Al saltar el muro de piedra y la valla electrificada, se había resentido de la lesión de la ingle, pero logró hacer algunos progresos en dirección a Steering, hasta que le recogió un camión de transporte de yogur; Garp y el conductor fueron juntos a informar a la policía.

Cuando el conductor del camión de yogur pasó junto a la escena del accidente, antes de descubrir a Garp, las Angus negras habían atravesado ya el boquete del muro de piedra y circulaban alrededor del Saab blanco sucio a la manera de bestiales deudos que rodearan aquel frágil ángel muerto en un vehículo extraño.

Quizás *ése* era el Sapo Sumergido que sentía, pensó Helen, despierta junto al profundamente dormido Garp. Le abrazó, se embebió en el aroma de su propio sexo que cubría el cuerpo de él. Tal vez la ellenjamesiana muerta era el Sapo Sumergido y ahora se ha ido, pensó Helen; abrazó a Garp con tanta fuerza que le despertó.

—¿Qué ocurre? —preguntó Garp.

Pero Helen le abrazó las caderas, muda como una ellenjamesiana; sus dientes castañetearon contra el pecho de Garp, y él la abrazó hasta que dejó de temblar.

Un «portazo» de las ellenjamesianas informó que se trataba de un acto de violencia aislado, no aprobado por la sociedad de ellenjamesianas pero obviamente provocado por la «personalidad típicamente masculina, agresiva y violadora de T. S. Garp». No asumía la responsabilidad de aquel «acto aislado», declaraban las ellenjamesianas, pero no les sorprendía y tampoco lo lamentaban especialmente.

Roberta dijo a Garp que, dadas las circunstancias, si no quería leerle a un grupo de mujeres, ella le comprendería. Pero Garp leyó para las residentes de la Fundación Fields y sus invitadas en Dog's Head Harbor: un grupo de menos de cien personas, holgadamente cómodas en la soleada sala de la casa de Jenny. Leyó «La Pensión Grillparzer», que presentó diciendo:

—Esto es lo primero y lo mejor que he escrito y ni siquiera sé cómo logré crearlo. Me parece que trata de la muerte, sobre la que no sabía mucho cuando lo escribí. Ahora sé mucho más sobre la muerte y no estoy escribiendo una sola palabra. En el relato hay once personajes importantes y siete de ellos mueren, uno se vuelve loco y otro se escapa con una mujer. No revelaré lo que les ocurre a los otros dos, pero ya veis que las posibilidades de sobrevivir no son muchas.

Después leyó. Algunas rieron, cuatro lloraron; hubo muchos estornudos y toses, quizá por la cercanía de la humedad del mar;

nadie se fue y todas aplaudieron. Una anciana de la fila del fondo, junto al piano, durmió profundamente durante toda la lectura, pero incluso ella aplaudió al final; la despertaron los aplausos y se unió a ellos con entusiasmo.

El acontecimiento pareció pesar en Garp. Duncan había asistido a la lectura: aquélla era su predilecta entre las obras del padre (de hecho, una de las pocas cosas escritas por él que Duncan estaba autorizado a leer). Duncan era un joven artista de talento y había hecho más de cincuenta dibujos de los personajes y situaciones del relato de su padre, que mostró a éste cuando regresaron juntos a casa. Algunos de los dibujos eran ingenuos y poco pretenciosos; todos ellos estremecieron a Garp. Los marchitos flancos del viejo oso hundidos en el absurdo vehículo de una sola rueda; los delgados tobillos de la abuela, frágiles y expuestos bajo la puerta del W.C. ¡La malevolencia de los exaltados ojos del hombre de los sueños! La chillona belleza de la hermana de *Herr* Theobald («... como si su vida y la de sus compañeros nunca hubiera sido exótica *para ella*...como si siempre hubieran estado representando una obra absurda y condenada a la reclasificación»). Y el valiente optimismo del hombre que sólo podía caminar con las manos.

—¿Cuánto tiempo te llevó hacer esto? —preguntó Garp a Duncan.

Podría haber llorado de orgullo. Aquello pesó mucho en Garp. Propuso a John Wolf una edición especial, un *libro* de «La Pensión Grillparzer», ilustrado por Duncan. «El cuento es lo suficientemente bueno como para ser un libro por sí mismo», escribió Garp a su editor. «E indudablemente soy lo bastante conocido como para que se venda. Con la salvedad de alguna revista y una o dos antologías, en realidad nunca se ha publicado. Además, ¡los dibujos son encantadores! Y el relato sigue siendo bueno.

»Odio el caso del escritor que se aprovecha de su propia reputación, publicando toda la mierda que tiene guardada en los cajones y volviendo a publicar toda la *vieja* mierda que merecía perderse. Pero éste no es el caso, John y tú lo sabes.»

John Wolff lo sabía. Pensó que los dibujos de Duncan *eran* ingenuos y poco pretenciosos, aunque no demasiado buenos; el muchacho todavía no tenía trece años, por talento que tuviera. Pero John Wolf también sabía reconocer una buena idea. Por supuesto, para asegurarse sometió el libro al «test» secreto de Jillsy Sloper; el cuento de Garp y especialmente los dibujos de Duncan pasaron el escrutinio de Jillsy con los mayores elogios. Su única reserva fue que Garp utilizaba demasiadas palabras que ella no conocía.

El libro de un padre y un hijo, pensó Wolf, sería un hermoso regalo de Navidad. Y la triste cadencia del relato, toda su piedad y su tierna violencia quizá disminuirían la tensión bélica entre Garp y las ellenjamesianas.

La ingle curó y Garp corrió desde la Steering hasta el mar todo el verano, inclinándose, reconocido, todos los días ante las Angus: ahora tenían en común la seguridad de aquel oportuno muro de piedras y Garp se sentía por siempre identificado con esos enormes y dichosos animales. Dichosamente criados y dichosamente apacentados. Y sacrificados, un día, rápidamente. Garp no pensaba en la matanza de los animales. Ni en la propia. Se cuidaba de los vehículos, aunque no con nerviosismo.

—Un acto aislado —dijo a Helen, a Roberta y a Ellen James.

Ellas asintieron pero Roberta corría a su lado siempre que podía. Helen consideraba que se sentiría mejor cuando volviera el tiempo frío y Garp corriera en el sendero cubierto de la Casa de Campo Miles Seabrook. O cuando reanudara las prácticas de lucha, época en que prácticamente no salía al aire libre. Aquellas tibias colchonetas y aquella sala almohadillada eran un símbolo de seguridad para Helen Holm, que se había criado allí como en una incubadora.

También Garp esperaba la próxima temporada de lucha. Y la publicación padre-hijo de *La Pensión Grillparzer,* cuento de T. S. Garp, ¡ilustrado por Duncan Garp! ¡Por fin, una obra de Garp para niños y adultos! También era, naturalmente, como empezar de nuevo. Como volver al principio y otra vez partir. Todo un mundo de ilusiones florece con la idea de «empezar de nuevo».

Repentinamente, Garp volvió a escribir.

Empezó escribiendo una carta a la revista que había publicado su ataque a las ellenjamesianas. En ella se disculpaba por la vehemencia y la autosuficiencia de sus observaciones. «Aunque considero que Ellen James fue utilizada por estas mujeres, a quienes interesaba muy poco la vida real de aquélla, comprendo que *la necesidad* de utilizar a Ellen James en cierto sentido fue auténtica y grandiosa. Naturalmente, me siento, al menos en parte, responsable de la muerte de aquella violenta mujer que se sintió lo bastante provocada como para tratar de matarme. Lo lamento.»

Por lo general, pocas veces los auténticos creyentes —ni cualquiera que crea en el bien *puro* o en el mal puro— aceptan las disculpas. Las ellenjamesianas, que respondieron por intermedio de la prensa, afirmaron, sin excepción, que evidentemente Garp temía por su propia vida; afirmaron que evidentemente tenía miedo a una infinita serie de agresores (o «personas agresoras»), a quienes las ellenjamesianas enviarían tras él hasta acabar con él. Dijeron que además de ser un cochino macho y un fanfarrón con las mujeres, T. S. Garp era, claramente, «un cobarde cagón sin cojones».

Si Garp leyó esas respuestas, no dio muestras de que le importaran, aunque es probable que nunca las leyera. Escribió para disculparse, principalmente, por sus *escritos*; era un acto destinado a limpiar su escritorio, no su conciencia; tenía la intención de liberar su mente del alboroto del jardín, de las triviales estanterías que habían ocupado su tiempo mientras esperaba volver a escribir seriamente. Pensó que haría las paces con las ellenjamesianas y luego las olvidaría, aunque Helen no pudo olvidarlas. Evidentemente, Ellen James tampoco podía olvidarlas, y hasta Roberta estaba alerta y con los nervios a flor de piel siempre que salía con Garp.

Aproximadamente un kilómetro y medio más allá de los pastos de las Angus, un claro día en que corría en dirección al mar, Roberta tuvo la súbita convicción de que el Volkswagen que se aproximaba albergaba a otro asesino en potencia; dio un fuerte empellón a Garp, que arrojó a éste fuera del camino y le hizo rodar por un terraplén de dos metros, hasta una zanja embarrada. Garp se torció un tobillo y le gritó a Roberta desde su maltrecha posición. Roberta levantó una enorme piedra con la que amenazó al Volkswagen, lleno de asustados adolescentes que volvían de una excursión a la playa; Roberta les pidió que dejaran subir a Garp, a quien llevaron a la Enfermería Jenny Fields.

—¡Tú eres una *amenaza*! —dijo Garp a Roberta.

Pero Helen estaba encantada por la presencia de Roberta —por sus instintos de lateral para los costados ciegos y los golpes bajos.

El tobillo dislocado de Garp le alejó del camino durante dos semanas y le acercó a la escritura. Trabajaba en lo que llamaba el «libro de mi padre», o el «libro de los padres». Era el primero de los tres proyectos que había descrito con optimismo a John Wolf la noche anterior a su partida a Europa, la novela que se titularía *Las ilusiones de mi padre*. Dado que estaba inventado a un padre, Garp se sentía más en contacto con el espíritu de la imaginación pura que cuando había escrito *La Pensión Grillparzer*. Un largo camino del que había sido falsamente desviado. Se había dejado impresionar demasiado por los que ahora denominaba «meros accidentes y pérdidas de la vida cotidiana, y el comprensible trauma resultante». Se sentía otra vez como si pudiera inventar algo.

«Mi padre quería que todos tuviéramos una vida mejor», empezó Garp, «pero no sabía mejor que *qué*. No creo que supiera de qué vida hablaba, salvo que quería que fuera *mejor*.»

Como había hecho en *La Pensión Grillparzer, inventó* a una familia; se dio hermanos, hermanas y tías —también un tío excéntrico y malo—, y sintió que volvía a ser un novelista. Con gran deleite, descubrió que empezaba a configurarse un argumento.

Por la noche Garp leía en voz alta para Ellen James y Helen; a veces Duncan se quedaba levantado y escuchaba; a veces Roberta cenaba allí y también le leía a ella. De repente se volvió generoso en todas las cuestiones referentes a la Fundación Fields. De hecho, logró que los demás miembros de la junta se irritaran con él: Garp quería dar algo a *todas* las solicitantes. «Parece sincera», decía. «Oye, ha tenido una vida muy dura», decía.

—¿Acaso no hay dinero suficiente? —preguntó en cierta ocasión.

—No, si lo gastamos así —dijo Marcia Fox.

—Si no discriminamos entre estas solicitantes más de lo que tú sugieres, estamos perdidos —opinó Hilma Block.

—¿Perdidos? ¿Cómo es posible que nos perdamos? —preguntó Garp.

De la noche a la mañana, pareció a todos (excepto a Roberta) que Garp se había convertido en el más débil de los liberales: no valoraba las condiciones de nadie. Pero él estaba pletórico de imágenes de las tristes historias de su familia de ficción y, por tanto, pletórico de compasión y rebosante de bondad en el mundo real.

El aniversario de la muerte de Jenny —y de los inesperados funerales de Ernie Holm y Stewart Percy— pasó velozmente para Garp en medio de su renovada energía creadora. Luego volvió a caer sobre él la temporada de lucha; Helen nunca le había visto tan dedicado, tan completamente centrado y resuelto. Volvía a ser el joven decidido del que se había enamorado y se sentía tan atraída por él que a menudo lloraba cuando estaba sola... sin saber por qué. Estaba sola muchas veces; ahora que Garp volvía a estar ocupado, Helen comprendió que se había mantenido inactiva demasiado tiempo. Aceptó el puesto ofrecido por la Steering School, con el propósito de poder dar clases y volver a utilizar su mente para sus propias ideas.

También enseñó a conducir a Ellen James, quien dos veces por semana iba en el coche a la universidad estatal, donde seguía un curso de Creación Literaria.

—Esta familia no es lo bastante grande como para dos escritores, Ellen —bromeaba Garp.

¡Todos adoraban el buen humor actual de Garp! Y ahora que Helen trabajaba, estaba mucho menos ansiosa.

En el mundo según Garp, una noche podía ser regocijante y la mañana siguiente, fatal.

Más adelante, con frecuencia observarían (también Roberta) que Garp tuvo la suerte de llegar a ver la primera edición de *La Pensión Grillparzer*, ilustrada por Duncan Garp, en los escaparates navideños —antes de ver el rostro del Sapo Sumergido.

La vida después de Garp

A Garp le encantaban los epílogos, como demostró en *La Pensión Grillparzer.*

«Un epílogo», escribió Garp, «es más que un recuento de cadáveres. Un epílogo, bajo el disfraz de envoltura del pasado es, en realidad, una forma de advertirnos acerca del futuro.»

Aquel día de febrero, Helen le oyó contar chistes a Ellen James y a Duncan durante el desayuno; indudablemente, parecía sentirse a gusto con respecto al futuro. Helen dio un baño a la pequeña Jenny Garp, la empolvó con talco, le friccionó el cuero cabelludo con aceite, cortó sus minúsculas uñas y la vistió con un traje amarillo que en otros tiempos había llevado Walt. Llegó a Helen el aroma del café que Garp había preparado y su voz pidiéndole a Duncan que se diera prisa para ir al colegio.

—*Ese* gorro no, Duncan —dijo Garp—. Ese gorro no puede proteger del frío ni siquiera a un pájaro. Tenemos una temperatura de cinco grados bajo cero.

—Cinco *sobre* cero, papá —respondió Duncan.

—Eso es puramente académico. Hace mucho frío.

Ellen James debió de atravesar entonces la puerta del garaje y escribir una nota, porque Helen oyó a Garp decirle que la ayudaría en seguida; obviamente, Ellen no podía poner el coche en marcha.

Después hubo durante un rato un silencio en la casona; a lo lejos, Helen sólo oyó el rechinar de botas en la nieve y el lento tableteo del motor frío del coche. «¡Que pases un buen día!», oyó que Garp gritaba a Duncan, que debía de estar bajando la larga calzada para ir a la escuela.

—¡Sí! —gritó Duncan—. ¡Tú también!

El coche arrancó; Ellen James se iba a la universidad.

—¡Conduce con cuidado! —le dijo a voces Garp.

Helen bebió a solas su café. En algunas ocasiones, la forma inarticulada en que Bebé Jenny hablaba consigo misma recordaba a Helen a las ellenjamesianas —o a Ellen, cuando estaba ofuscada—, pero no aquella mañana. La cría jugaba en silencio con unos objetos de plástico. Helen oía la máquina de escribir de Garp... eso era todo.

Garp escribió durante tres horas. La máquina de escribir tecleteó tres o cuatro páginas y luego guardó silencio durante tanto tiempo que Helen imaginó que Garp había dejado de respirar; luego, cuando ya había olvidado la cuestión y estaba perdida en su lectura, o en alguna tarea con Jenny, la máquina de escribir volvió a sonar.

A las once y media de la mañana, Helen le oyó telefonear a Roberta Muldoon. Garp quería jugar un partido de frontón antes de la práctica de lucha libre, si Roberta podía separarse de sus «chicas», como Garp llamaba ahora a las residentes de la Fundación Fields.

—¿Cómo están hoy las chicas, Roberta? —preguntó Garp.

Pero Roberta le explicó que no podía aceptar su invitación. Helen percibió la decepción en la voz de Garp.

Más tarde, la pobre Roberta repetiría al infinito que *tendría* que haber ido; si hubiera jugado con él, decía, tal vez lo habría presentido, quizás habría estado en los alrededores, alerta y con los nervios de punta, reconociendo el rastro del mundo real, las huellas que Garp siempre había pasado por alto o ignorado. Pero aquel día Roberta Muldoon no pudo ir a jugar al frontón.

Garp escribió media hora más. Helen sabía que estaba escribiendo una carta; de algún modo reconocía la diferencia en el sonido de la máquina. Garp escribió a John Wolf acerca de *Las ilusiones de mi padre;* estaba contento con la forma en que se presentaba el libro. Se quejó de que Roberta se tomaba demasiado en serio su trabajo y empezaba a perder la forma; *ninguna* tarea administrativa merecía tanto tiempo como el que Roberta dedicaba a la Fundación Fields. Garp dijo que las cifras bajas de venta de *La Pensión Grillparzer* eran aproximadamente las que esperaba; lo principal era que se trataba de un «libro encantador», que le gustaba mirar y regalar, que su renacimiento había sido un renacimiento para él mismo. Afirmó que esperaba una temporada de lucha mejor que la del año anterior, aunque había perdido a su prometedor peso pesado en una operación de rodilla, y su único campeón de Nueva Inglaterra se había graduado. Dijo que vivir con alguien que leía tanto como Helen era al mismo tiempo irritante e inspirador; quería darle a leer algo que le obligara a cerrar el resto de sus libros.

A mediodía bajó, besó a Helen y le acarició el pecho; besó a Bebé Jenny repetidas veces, mientras la vestía con un traje para la nieve que también había llevado Walt y, antes de Walt, Duncan. Garp llevó a Jenny a la guardería en cuanto Ellen James volvió con el coche. Luego entró en el bar de Buster a beber su acostumbrada taza de té con miel, su mandarina y su plátano. Ese era todo el almuerzo con el que corría o luchaba, y explicó la razón a un nuevo profesor del Departamento de Literatura Inglesa, un joven recién graduado que adoraba la obra de Garp. Se llamaba Donald Whitcomb y su nervioso tartamudeo recordó a Garp —afectuosamente— al difunto señor Tinch y al ritmo de su propio pulso cuando todavía pensaba en Alice Fletcher.

Aquel día concreto, Garp estaba ansioso por hablar de su obra con alguien, y el joven Whitcomb estaba ansioso por escucharle. Don Whitcomb recordaría que Garp le había contado qué se sentía en el acto de dar principio a una novela.

—Es lo mismo que tratar de dar vida a los muertos —dijo—. No, no, no es así... es como tratar de mantener vivos a todos para siempre. Incluso a los que al final deben morir. Estos son los que más importa mantener vivos —finalmente Garp lo expresó en una forma que pareció satisfacerle—: Un novelista es un médico que sólo atiende casos perdidos.

El joven Whitcomb sintió tal respeto y reverencia que tomó nota de las palabras de Garp.

Años más tarde, los biógrafos en ciernes de Garp envidiarían y despreciarían la biografía de Whitcomb. Según éste, aquel período de renacimiento (como lo designaba Whitcomb) en la obra de Garp se debía, realmente, al sentido de la muerte que poseía éste. El atentado contra la vida de Garp llevado a cabo por las ellenjamesianas en el Saab blanco sucio, afirmaba Whitcomb, había infundido a Garp la urgencia necesaria para volver a escribir. Helen estaría de acuerdo con esta tesis.

La idea no era mala, aunque sin duda alguna Garp se habría reído de ella. De hecho, había olvidado a las ellenjamesianas y ya no se cuidaba de ellas. Pero inconscientemente, quizá, pudo haber sentido esa urgencia de la que habla el joven Whitcomb.

En el bar de Buster, Garp mantuvo cautivado a Whitcomb hasta la hora de la práctica de lucha. Al salir (dejando alegremente que pagara Whitcomb, recordaría éste más tarde), Garp se encontró con el decano Bodger, que acababa de pasar tres días hospitalizado por una dolencia cardíaca.

—No me encontraron nada malo —se quejó Bodger.

—¿Pero le encontraron el corazón? —preguntó Garp.

El decano, el joven Whitcomb y Garp rieron al unísono. Bodger dijo que sólo se había llevado al hospital *La Pensión Grillparzer* y, dado que se trataba de un libro breve, había logrado leerlo tres veces de cabo a rabo. Era una historia triste para leer en un hospital, afirmó Bodger, aunque se alegraba de informarles que todavía no había tenido el sueño de la abuela, por lo que sabía que viviría mucho más. Bodger comentó que le había encantado el cuento.

Whitcomb recordaría que entonces Garp se había puesto incómodo, aunque obviamente complacido por las alabanzas del decano Bodger. Este y Whitcomb le hicieron un último saludo con la mano. Garp olvidó su gorro de lana, pero Bodger aseguró a Whitcomb que él se lo llevaría al gimnasio. El decano Bodger contó a Whitcomb que le gustaba, en algunas ocasiones, encontrarse con Garp en la sala de lucha libre.

—Allí está en su elemento —dijo Bodger.

Donald Whitcomb no era un admirador de la lucha, pero habló con entusiasmo de la obra de Garp. El joven y el viejo coincidieron: Garp era un hombre de notable energía.

Whitcomb recordaría que había vuelto a su pequeño apartamento de una de las viviendas del campus y que había intentado escribir todo lo que le había impresionado acerca de Garp; había tenido que interrumpir la tarea, inconclusa, a la hora de cenar. Cuando Whitcomb entró en el comedor, era una de las pocas personas de la Steering School que no estaba enterado de lo ocurrido. Fue el decano Bodger —con una aureola roja alrededor de los ojos y el rostro repentinamente envejecido— quien interceptó el paso del joven Whitcomb a su entrada al comedor. El decano, que había olvidado sus guantes en el gimnasio, retorcía el gorro de Garp entre sus frías manos. Cuando Whitcomb vio que el decano todavía tenía el gorro de Garp, supo —aun antes de mirarle a los ojos— que algo fallaba.

Garp echó de menos su gorro en cuanto empezó a correr por el sendero cubierto de nieve que llevaba desde el bar de Buster hasta el Gimnasio y Polideportivo Seabrook. Pero, en lugar de volver a buscarlo, aceleró el ritmo habitual y corrió hasta el gimnasio. Tenía la cabeza helada cuando llegó, menos de tres minutos después; también sintió frío en los dedos de los pies y se los calentó en la sala de entrenadores, llena de vapor, antes de ponerse las zapatillas de lucha.

Habló brevemente con su alumno de 65 kilos en la sala de entrenadores. El muchacho estaba atando su dedo meñique al anular para poder dar apoyo a lo que, según el preparador, sólo era una luxación. Garp le preguntó si le habían hecho una radiografía; el chico respondió que sí y que había dado resultado negativo. Garp dio unas palmadas al hombro de su alumno de 65 kilos, le preguntó cuánto pesaba exactamente en ese momento, frunció el ceño antes de la respuesta —que probablemente era mentira y probablemente exagerada en algunos kilos— y fue a vestirse.

Volvió a detenerse en la sala de entrenadores antes de entrar en la sala de lucha. «Sólo para ponerme vaselina en una oreja», recordó el entrenador. Garp sufría una deformación progresiva de la oreja debida a los golpes, y la vaselina volvía resbaladiza la oreja, lo cual suponía era una forma de protección. A Garp no le gustaba luchar con el protector; esas orejeras no formaban parte del uniforme obligatorio cuando él luchaba, y no veía razón para llevarlas ahora.

Hizo un kilómetro y medio al trote corto, por el sendero cubierto, con su alumno de 70 kilos antes de abrir la puerta de la sala de lucha. Garp desafió al muchacho a una carrera en el último tramo, pero éste tenía más resistencia que él y le derrotó por dos metros en la meta. Entonces Garp «jugó» con el alumno de 70 kilos —en lugar de hacer precalentamiento— en la sala de lucha. Le inmovilizó fácilmente, cinco o seis veces, y luego le hizo rodar sobre la colchoneta durante cinco minutos, o hasta que el chico dio muestras de cansancio. Entonces Garp le permitió invertir el orden; dejó que tratara de echarle de espaldas mientras él se defendía debajo. Pero Garp tenía un músculo tenso en la espalda, que no se extendía todo lo que él deseaba, de modo que pidió a su luchador de 70 kilos que se fuera a jugar con otro. Garp se sentó contra la acolchada pared, sudoroso y feliz, mientras observaba cómo se llenaba la sala con los muchachos de su equipo.

Los dejó que se calentaran por su cuenta —detestaba la calistenia organizada— antes de mostrar el primero de los ejercicios que quería que practicaran.

—Buscad compañero, buscad compañero —dijo maquinalmente. Agregó—: Eric, búscate a un compañero *más duro* o tendrás que trabajar conmigo.

Eric, su alumno de 60 kilos tenía la costumbre de entrenarse con un luchador de segunda fila de 55 kilos, que era su compañero de cuarto y su mejor amigo.

Cuando Helen entró en la sala de lucha, la temperatura llegaba casi a los treinta grados e iba en aumento. Las parejas que luchaban encima de las colchonetas ya respiraban con dificultad. Garp tenía la vista clavada en un reloj registrador.

—¡Queda un minuto! —gritó Garp.

Cuando Helen pasó a su lado, Garp tenía un silbato en la boca, de modo que no le besó.

Helen recordaría —toda su vida... que sería larga— aquel silbato y el hecho de no haberle besado.

Helen se dirigió a su rincón habitual de la sala de lucha, donde no podían caer fácilmente encima de ella. Abrió el libro. Sus gafas se empañaron y las secó. Tenía las gafas puestas cuando entró la enfermera, por el extremo opuesto de la sala. Pero Helen nunca levantaba la mirada del libro, a menos que oyera caer pesadamente un cuerpo sobre la colchoneta o un grito de dolor inusualmente agudo. La enfermera cerró la puerta de la sala de lucha a sus espaldas y avanzó rápidamente hasta más allá de los cuerpos que luchaban a brazo partido, en dirección a Garp, que seguía con el reloj registrador en la mano y el silbato en la boca. Garp se quitó el silbato de la boca y chilló:

—¡Quince segundos! —era también todo el tiempo que le quedaba *a él*. Volvió a meterse el silbato entre los labios y se dispuso a soplar.

Cuando vio a la enfermera, la confundió con la bondadosa enfermera que se llamaba Dotty y que le había ayudado a escapar del primer funeral feminista. Garp sólo la juzgó por su pelo, de color gris acerado y peinado en una trenza enroscada como una cuerda alrededor de la cabeza; y que era una peluca, por supuesto. La enfermera le sonrió. Probablemente Garp no se sentía tan cómodo con nadie como con una enfermera; le devolvió la sonrisa, miró el reloj registrador: diez segundos.

Cuando Garp levantó la vista para mirar otra vez a la enfermera, vio la pistola. Acababa de pensar en su madre, Jenny Fields, y en cuál sería su aspecto cuando había entrado en esa sala de lucha libre, menos de veinte años atrás. Jenny era más jóven que esta enfermera, estaba pensando Garp. Si Helen hubiese levantado la mirada y la hubiera visto, habría vuelto a engañarse creyendo que era su propia madre, que finalmente había decidido salir de su escondite.

Cuando Garp vio el arma, también notó que aquel uniforme no era el de una auténtica enfermera; era un Jenny Fields Original, con el característico corazón rojo cosido sobre el pecho. En ese momento Garp observó el pecho de la enfermera: pequeño pero demasiado firme y juvenilmente erguido para una mujer con pelo gris plomo; y sus caderas eran demasiado esbeltas, sus piernas demasiado jóvenes. Cuando Garp volvió a mirarle el rostro, percibió el parecido familiar: la mandíbula cuadrada que Midge Steering había dado a todos sus hijos, la frente inclinada, contribución de Fat Stew. La combinación daba a las cabezas de todos los Percy la forma de violentos buques de guerra.

El primer disparo hizo saltar el silbato de la boca de Garp con un agudo chasquido y le arrancó el reloj registrador de la mano. Le tumbó sentado. La colchoneta estaba tibia. La bala le había atravesado el estómago y se había alojado en la columna vertebral. Quedaban menos de cinco segundos en el reloj registrador cuando Bainbridge Percy disparó por segunda vez; la bala penetró en el pecho de Garp y le empujó, todavía sentado, contra la acolchada pared. Los atónitos luchadores, que sólo eran chicos, parecían incapaces de realizar un solo movimiento. Fue Helen quien lanzó a Pooh Percy a la colchoneta y evitó que disparara por tercera vez.

Los gritos de Helen despertaron a los luchadores. Uno de ellos, el peso pesado de segunda fila, inmovilizó a Pooh Percy boca abajo contra la colchoneta y le tiró de la mano que sostenía el arma; con el codo le rompió el labio a Helen, pero ésta apenas lo sintió. El principiante de 65 kilos, con el dedo meñique unido al anular, arrancó la pistola de la mano de Pooh y le rompió el pulgar.

En el momento que su hueso *chasqueó*, Pooh Percy chilló; hasta Garp vio lo que había sido de ella, la operación debía de ser reciente. En la boca abierta de Pooh Percy, cualquiera que estuviera cerca podía ver la negra serie de puntos de sutura, como hormigas apiñadas en el muñón de lo que había sido su lengua. El peso pesado de segunda fila se asustó tanto de Pooh que le apretó con demasiada fuerza y le rompió una costilla; la reciente locura de Bainbridge Percy —la de convertirse en una ellenjamesiana— fue indudablemente dolorosa para ella.

—¡Eos! —gritó—. ¡Ios eos!

Un «io eo» era un «jodido cerdo», pero era necesario ser una ellenjamesiana para comprender ahora a Pooh Percy.

El prometedor 65 kilos sostuvo el arma a la altura del brazo, apuntada hacia la colchoneta, en dirección al rincón vacío de la sala de lucha.

—¡Eo! —le gritó Pooh, pero el tembloroso muchacho siguió con la vista fija en su entrenador.

Helen sostuvo a Garp, que empezó a deslizarse contra la pared. Sabía que no podía hablar; no podía sentir, no podía tocar. Sólo contaba con una penetrante sensación olfativa, la mirada y su vívida memoria.

Por única vez, Garp se alegró de que a Duncan no le interesara la lucha libre. Gracias a su preferencia por la natación, su hijo no había presenciado aquello; Garp sabía que en aquel momento Duncan estaría saliendo de la escuela o nadando en la piscina.

Garp lo sintió por Helen —lamentó que estuviera allí—, pero se alegró de tener su aroma tan cerca. Lo paladeó, entre los demás olores íntimos de la sala de lucha de la Steering. Si hubiera podido hablar, le habría dicho a Helen que ya no debía asustarse del Sapo Sumergido. Le sorprendió comprender que el Sapo Sumergido no era un extraño, que ni siquiera era misterioso; el Sapo Sumergido era muy familiar... como si siempre lo hubiera conocido, como si hubiera crecido con él. Era tierno, como las tibias colchonetas de lucha; olía a sudor de chicos limpios, y a Helen, la primera y última mujer que Garp amó. El Sapo Sumergido —ahora Garp lo sabía— podía incluso parecer una enfermera: una persona familiarizada con la muerte y entrenada para dar respuestas prácticas al dolor.

Cuando el decano Bodger abrió la puerta de la sala de lucha con el gorro de Garp en la mano, éste no se hizo ilusiones de que el decano hubiera llegado, una vez más, para organizar la partida de rescate para detener el cuerpo que caía desde el anexo de la enfermería, cuatro pisos por encima de donde el mundo era seguro.

El mundo no era seguro. Garp sabía que el decano Bodger haría todo lo posible por ser útil; le sonrió agradecido. También sonrió a Helen... y a sus luchadores; algunos de ellos ahora lloraban. Garp miró amorosamente a su moqueante peso pesado de segunda fila, que seguía aplastanto a Pooh Percy contra la colchoneta; Garp sabía que le esperaba un mal trago al pobre y gordinflón muchacho.

Miró a Helen: lo único que podía mover eran los ojos. Vio que Helen intentaba devolver la sonrisa. Con la mirada, Garp trató de tranquilizarla: no te preocupes ¿y qué si no hay vida después de la muerte? Hay vida después de Garp, créeme. Aunque sólo haya muerte después de la muerte (después de la muerte), agradece los pequeños favores, a veces hay nacimiento después del sexo, por ejemplo. Y, si eres afortunada, a veces hay sexo después del nacimiento. Oh, zí, como habría dicho Alice Fletcher. Y si tienes vida, decía la mirada de Garp, hay esperanza de que tengas energías. Y nunca olvides que hay memoria, Helen, le dijo con la mirada.

«En el mundo según Garp», escribiría el joven Donald Whitcomb, «estamos obligados a recordarlo todo.»

Garp murió antes de que pudieran trasladarlo de la sala de lucha. Tenía treinta y tres años, la misma edad que Helen. Ellen James ingresaba en la veintena. Duncan tenía trece. La pequeña Jenny Garp no llegaba a los tres. Walt habría tenido ocho.

La noticia de la muerte de Garp promovió la impresión inmediata de la tercera y la cuarta edición del libro del padre y el hijo, *La Pensión Grillparzer*. Durante un largo fin de semana, John Wolf bebió demasiado y sopesó la idea de abandonar el negocio editorial; en algunas ocasiones le producía náuseas comprobar que una muerte violenta fuera tan lucrativa. Pero John Wolf se consoló pensando cómo habría recibido Garp la noticia. Ni siquiera Garp podía haber imaginado que su propia muerte sería *mejor* que un suicidio para consagrar *su* seriedad literaria y su fama. No estaba mal para alguien que, en treinta y tres años, había escrito un buen cuento y quizás una novela y media buena entre tres. La estrafalaria muerte de Garp fue, de hecho, tan perfecta, que John Wolf tuvo que sonreír al imaginar lo contento que se habría sentido Garp con ella. Era una muerte, pensó Wolf, que en su condición azarosa, estúpida e innecesaria —cómica, fea y caprichosa— ponía de relieve todo lo que Garp había escrito acerca de la forma en que funciona el mundo. Era una escena de muerte, explicó John Wolf a Jillsy Sloper, que sólo Garp podría haber escrito.

Helen observaría amargamente, aunque sólo una vez, que la muerte de Garp había sido, en realidad, una especie de suicidio. «En el sentido de que toda su *vida* fue un suicidio», dijo en tono misterioso. Más adelante explicó que lo que quería decir era: «Enfurecía demasiado a la gente».

Había enfurecido demasiado a Pooh Percy: al menos eso estaba claro.

Garp logró que otros le rindieran homenajes, pequeños y extraños. Al cementerio de la Steering School cupo el honor de tener su lápida, aunque no su cadáver. Al igual que su madre, Garp había donado su cuerpo a la Facultad de Medicina. La Steering School también decidió honrarle dando su nombre a uno de los edificios restantes aún sin nombre. Fue idea del decano Bodger. Si hay una Enfermería Jenny Fields, argumentó el bondadoso decano, tendría que haber un Pabellón Garp.

En años posteriores, cambiarían las funciones de esos edificios, aunque mantendrían el nombre de Enfermería Fields y Pabellón Garp. La Enfermería Fields se convertiría en el ala vieja del nuevo Laboratorio y Clínica Steering; el Pabellón Garp llegaría a ser un edificio destinado principalmente a almacenamiento, una especie de depósito de artículos para la enfermería, la cocina y las aulas; también se podía utilizar en casos de epidemia, claro que ya no había muchas epidemias. Probablemente a Garp le habría encantado la idea: un edificio de almacenamiento que llevaba su nombre. Una vez escribió que una novela «sólo es un almacén... de todas las cosas importantes que un novelista no es capaz de emplear en su vida».

También le habría gustado la idea de un epílogo, de modo que aquí va un epílogo «advirtiéndonos acerca del futuro», tal como T. S. Garp podría haberlo imaginado.

Alice y Harrison Fletcher siguieron incondicionalmente casados; en parte, su matrimonio duró a causa de la dificultad de Alice en terminar cualquier cosa. Su única hija tocaba el violoncelo —ese enorme e incómodo instrumento de voz sedosa— de una manera tan graciosa que su puro y profundo sonido agravaba el defecto de dicción de Alice durante horas enteras después de cada ejecución. Harrison, que después de un tiempo obtendría y mantendría su contrato, superó sus relaciones con las alumnas más guapas aproximadamente cuando su prometedora hija empezó a afirmarse seriamente como intérprete.

Alice, que nunca completó su segunda novela, ni la tercera ni la cuarta, tampoco tuvo nunca el segundo hijo. Siguió siendo fluida en la página y agonizante en la carne. Alice nunca se dedicó a «otros hombres» en la medida en que se había dedicado a Garp; incluso en su recuerdo, éste representaba una pasión lo bastante fuerte como para impedirle hacerse amiga íntima de Helen. El antiguo apego de Harry por Helen pareció desvanecerse con cada una de sus fugaces aventuras, hasta que los Fletcher prácticamente dejaron de tener contacto con los Garp sobrevivientes.

En cierta ocasión, Duncan Garp encontró a la hija de los Fletcher en Nueva York, después de un concierto de violoncelo en esa peligrosa ciudad; Duncan la llevó a cenar.

—¿Se parece a su madre? —preguntó Harrison a su hija.

—No la recuerdo muy bien —respondió la hija.

—¿Ze te inzinuó? —preguntó Alice.

—No lo creo —replicó la hija, cuyo primer elegido y amado compañero sería siempre el violoncelo.

Los Fletcher, Harris y Alice, murieron en edad madura, cuando el avión en que iban a Martinica se estrelló, durante las vacaciones de Navidad. Uno de los alumnos de Harrison los había llevado al aeropuerto.

—Zi vivez en Nueva Inglaterra —había confiado Alice al estudiante—, te debez unaz vacacionez en el zol. ¿Verdad, Harrizon?

Helen siempre había pensado que Alice era «un poco loca».

Helen Holm, más conocida la mayor parte de su vida como Helen Garp, vivió mucho, mucho tiempo. Delgada, morena, de rostro atractivo y lenguaje preciso, tuvo amantes, pero nunca volvió a casarse. Cada uno de sus amantes sufrió la presencia de Garp, no sólo en el implacable recuerdo de Helen, sino en todos los objetos de que Helen estaba rodeada en la Mansión Steering, que rara vez abandonaba: por ejemplo, los libros de Garp, todas las fotografías que Duncan había tomado a su padre, e incluso los trofeos de lucha libre.

Helen afirmaba que nunca le perdonaría a Garp haber muerto tan joven y haberle dejado tanto tiempo para vivir sola; también le había estropeado la posibilidad de considerar seriamente, aseguraba, la idea de vivir con otro hombre.

Helen se convirtió en una de las profesoras más respetadas de toda la historia de la Steering School, aunque nunca perdió su sarcasmo con respecto al lugar. Allí tenía a algunos amigos, aunque muy pocos: el viejo decano Bodger —hasta que éste murió— y el joven estudioso Donald Whitcomb, que llegaría a estar tan encantado con Helen como con la obra de Garp. También había una mujer, una escultora, una artista residente, alguien que Roberta le había presentado a Helen.

John Wolf sería su amigo toda la vida. Helen le perdonó algo pero no del todo su éxito en convertir a Garp en un éxito. Helen y Roberta siguieron siendo íntimas amigas, y a veces hacían escapadas juntas a Nueva York. Ambas, cada vez mayores y más excéntricas, fueron culpables del despótico dominio de la Fundación Fields durante años. De hecho, la agudeza de sus continuos comentarios sobre el mundo exterior llegó a ser casi una atracción turística en Dog's Head Harbor; de vez en cuando, cuando Helen se sentía sola o aburrida en la Steering —cuando sus hijos crecieron y vivieron su vida en otros sitios—, iba a pasar unos días con Roberta en la casa solariega de Jenny Fields. Allí siempre había vida. Cuando Roberta murió, Helen pareció envejecer veinte años.

A muy avanzada edad —y sólo después de haberse quejado a Duncan por haber sobrevivido a todos sus contemporáneos predilectos—, Helen Holm se vio repentinamente atacada por una dolencia que afecta a las membranas mucosas. Murió mientras dormía.

Sobrevivió con éxito a muchos biógrafos crueles que aguardaban su muerte para poder lanzarse sobre los restos de Garp. Ella había protegido sus cartas, el original inconcluso de *Las ilusiones de mi padre*, la mayoría de sus periódicos y de sus apuntes. Decía a los futuros biógrafos exactamente lo mismo que les habría dicho él: «Lee la obra. Olvida su vida».

Ella también escribió varios artículos, muy respetados en su especialidad. Uno se titulaba «El instinto aventurero en la narración». Era un estudio comparativo de las técnicas narrativas de Joseph Conrad y Virginia Woolf.

Helen siempre se consideró una viuda con *tres* hijos: Duncan, Bebé Jenny y Ellen James. Los tres sobrevivieron a ella y lloraron copiosamente su muerte. Habían sido demasiado jóvenes y habían quedado demasiado atónitos para llorar tanto por Garp

El decano Bodger que lloró casi tanto como Helen la muerte de Garp, siguió siendo tan fiel como un perro e igualmente tenaz. Mucho después de su jubilación, seguía recorriendo el campus de la Steering por la noche, sin poder dormir, capturando merodeadores y amantes que se deslizaban por las sendas y se abrazaban en el esponjoso suelo, bajo los suaves arbustos, junto a los hermosos edificios antiguos y así sucesivamente.

Bodger permaneció activo en la Steering tanto tiempo como a Duncan le llevó graduarse. «Vi crecer a tu padre, muchacho», decía el decano a Duncan. «También te veré crecer a ti. Y si me dejan, me quedaré para ver crecer a tu hermana.» Pero, finalmente, le obligaron a retirarse; citaron, entre otros problemas, su costumbre de hablar solo en la capilla y sus extrañas detenciones —a medianoche—, de los chicos y chicas que pescaba en el campus pasada la hora. También mencionaron la intermitente fantasía del decano: había atrapado a Garp en sus brazos —una noche, años atrás— y no a una paloma. Bodger se negó a abandonar el campus incluso después de retirarse, y a pesar —o quizás a causa— de su obstinación, se convirtió en el profesor emérito al que en la Steering rindieron más honores. Le arrastraban a todas las ceremonias escolares; le subían al escenario, se lo presentaban a personas que ignoraban quién era y se lo llevaban. Tal vez en razón de que podían exhibirlo en tan dignas ocasiones, toleraban su estrafalario comportamiento; en la setentena, por ejemplo, Bodger estaba convencido —a veces durante semanas seguidas— de que seguía siendo el decano.

—Usted *es* el decano, en realidad —bromeaba Helen.

—¡Claro que soy el decano! —gruñía Bodger.

Se veían a menudo y, a medida que Bodger ensordecía más y más, se le vio con más frecuencia del brazo de la hermosa Ellen James, que tenía su propio modo de hablar con la gente que no podía oír.

El decano Bodger permaneció leal incluso al equipo de lucha de la Steering, cuyos años gloriosos pronto se esfumaron de los recuerdos de la mayoría. Los luchadores jamás volvieron a tener un entrenador semejante a Ernie Holm o siquiera a Garp. Se convirtieron en un equipo perdedor, pese a que Bodger siempre lo apoyó, voceando en los combates hasta el último golpe del pobre muchacho de la Steering que caía de espaldas.

Bodger murió en un encuentro de lucha libre. En la categoría libre —un encuentro inusualmente igualado—, el peso pesado de la Steering jadeaba con su oponente igualmente exhausto y fuera de forma; como ballenatos arrastrados a la playa, ambos se esforzaban por el triunfo y los puntos de ventaja mientras el reloj seguía su cuenta descendente.

—¡Quince segundos! —rugió el anunciador.

Los muchachos siguieron luchando. Bodger se levantó pateando y vociferando.

—*Gott!* —aulló, sacando a relucir en los últimos momentos sus conocimientos de alemán.

Cuando el encuentro concluyó y las tribunas se vaciaron, allí quedó el decano jubilado, muerto en su asiento. Fue necesario mucho consuelo por parte de Helen para que el joven Whitcomb lograra vencer su dolor por la pérdida de Bodger.

Donald Whitcomb nunca se acostó con Helen, pese a los rumores de los envidiosos biógrafos fracasados que ambicionaban meter mano en la propiedad intelectual de Garp y en su viuda. Whitcomb fue un recluso monacal toda su vida, vida que pasó virtualmente oculto en la Steering School. Allí tuvo la suerte de descubrir a Garp momentos antes de su muerte, y también la suerte de que Helen le ofreciera su amistad y sus cuidados. Helen pensaba que adoraba a su marido quizás aún con menos sentido crítico que ella.

Al pobre Whitcomb siempre lo conocerían como «el joven Whitcomb», aunque no siempre sería joven. Su rostro nunca tuvo barba, sus mejillas fueron siempre sonrosadas bajo su pelo castaño, canoso y finalmente blanco como la nieve. Su voz siempre fue un tartamudeo, una especie de canto tirolés; siempre se retorció las manos. Pero a Whitcomb, Helen le confió el archivo familiar y literario.

Fue *el* biógrafo de Garp. Helen leyó toda la biografía salvo el último capítulo, que Whitcomb dejó pasar años antes de escribir: era el capítulo en que la elogiaba a ella. Witcomb fue *el* erudito en Garp, la autoridad en Garp. Poseía la mansedumbre propia de un biógrafo, según bromeaba siempre Duncan. Era un buen biógrafo desde el punto de vista de la familia Garp; Whitcomb creía todo lo que Helen le contaba, creía en todas las notas que Garp había dejado, o en todas las notas que Helen *decía* que Garp había dejado.

«Lamentablemente, la vida», escribió Garp, «no está estructurada como una buena novela anticuada. Sobreviene el fin cuando aquellos que están destinados a desaparecer desaparecen. Todo lo que queda es la memoria. Pero hasta un nihilista tiene memoria.»

Whitcomb adoraba incluso al Garp más caprichoso y más pretencioso.

Entre las cosas de Garp, Helen encontró la siguiente nota: «Al margen de cuáles hayan sido mis malditas últimas palabras, por favor digan que fueron: "Siempre he sabido que la búsqueda de la perfección es una costumbre mortal"».

Donald Whitcomb, que adoraba incondicionalmente a Garp —a la manera de los perros y los niños— afirmó que ésas fueron las últimas palabras de Garp.

—Si Whitcomb lo dice, ésas fueron sus últimas palabras —decía siempre Duncan.

Jenny Garp y Ellen James también coincidieron.

«Proteger a Garp de los biógrafos es cosa de la familia»,

escribió Ellen James.

—¿Por qué no? —preguntó Jenny Garp—. ¿Qué le debe al *público*? Siempre decía que sólo estaba agradecido a los demás artistas y a la gente que le *amaba*.

«¿Quién más merece tener ahora algún fragmento de él?»,

escribió Ellen James.

Donald Whitcomb fue incluso leal a la última voluntad de Helen. Aunque Helen era vieja, su enfermedad fatal fue repentina y correspondió a Whitcomb defender sus últimos deseos. Helen no quería que la enterraran en el cementerio de la Steering School, junto a Garp y Jenny, su padre y Fat Stew, y todos los demás. Dijo que el cementerio *municipal* sería un buen albergue. Tampoco quiso donar su cadáver a la Facultad de Medicina: dado que era tan vieja, estaba segura de que en su cuerpo quedaba poco que pudiera servir. Quería que la incineraran, dijo a Whitcomb, y que sus cenizas fueran propiedad de Duncan y Jenny Garp, y de Ellen James. Después de enterrar algunas de sus cenizas, podían hacer lo que quisieran con las restantes, pero *no* podían esparcirlas en lugar alguno que fuera propiedad de la Steering School. Sería una maldición, dijo Helen a Whitcomb, que la Steering School, que no permitía el ingreso a niñas cuando ella estaba en edad de estudiar, se quedara con algo de ella ahora.

La lápida sepulcral del cementerio municipal, dijo a Whitcomb, debía decir sencillamente que era Helen Holm, hija del entrenador de lucha Ernie Holm, y que no se le había permitido asistir a la Steering School por ser mujer; más aún, que era la amante esposa del novelista T. S. Garp, cuya lápida podía verse en el cementerio de la Steering School porque era varón.

Whitcomb fue fiel a su voluntad, voluntad que divirtió enormemente a Duncan.

—¡Cuánto le habría encantado *esto* a papá! —dijo Duncan—. Caray, si hasta puedo oírlo.

Cuánto habría aplaudido Jenny Fields la decisión de Helen era una cuestión a la que se referían con frecuencia Jenny Garp y Ellen James.

Ellen James llegó a ser escritora. Era «auténtica», como había afirmado Garp. Sus dos mentores —Garp y el fantasma de su madre Jenny Fields— resultaron ser de una influencia tan dominante para Ellen, que a causa de ambos no pudo escribir novelas ni ensayos. Se convirtió en una buena poeta, aunque, por supuesto, no perteneció al círculo de poetas lectores.

Su primer y hermoso libro de poemas, *Discursos a plantas y animales,* habría enorgullecido a Garp y a Jenny Fields; quien se sintió orgullosa de ella fue Helen: eran buenas amigas, además de madre e hija.

Naturalmente, Ellen James sobrevivió a las ellenjamesianas. El asesinato de Garp las hundió aún más profundamente y su ocasional aparición en la superficie, a través de los años, sería disimulada, incluso tímida.

«¡Hola! Soy muda»,

decían finalmente sus notas. O:

«He tenido un accidente... no puedo hablar. Pero como puedes ver, escribo bien».

—¿No serás una de esas ellenynosequé? —les preguntaban a veces.

«¿Una qué?»,

aprendieron a responder. Las más sinceras solían contestar:

«No. Ya no».

Ahora sólo eran mujeres que no podían hablar. Sin ostentaciones, la mayoría de ellas trabajó duramente para descubrir qué *podían hacer.* La mayor parte de ellas se dedicó, constructivamente, a ayudar a quienes también tenían algún defecto. Ayudaron a minusválidos y también a las personas que se compadecían demasiado de sí mismas. Dejaron de ser etiquetadas y, cada vez más, aparecieron bajo denominaciones ganadas por sí mismas.

Algunas de ellas llegaron incluso a obtener becas de la Fundación Fields para hacer aquello a lo que se dedicaban.

Naturalmente, algunas intentaron seguir siendo ellenjamesianas en un mundo que pronto olvidó lo que era una ellenjamesiana. Había quien creía que se trataba de una pandilla delictiva que había florecido, brevemente, a mediados de siglo. Otros las confundían, irónicamente, con las mismas personas contra quienes las ellenjamesianas habían lanzado originalmente sus protestas: profesionales de la violación. Una ellenjamesiana escribió a Ellen

James diciéndole que había dejado de ser ellenjamesiana cuando le había preguntado a una niña pequeña si sabía qué era una ellenjamesiana.

—¿Alguien que viola a niños pequeños? —había respondido la pequeña.

También se publicó una pésima y muy popular novela dos meses después de la muerte de Garp. Tardó tres semanas en escribirse y cinco en publicarse. Se titulaba *Confesiones de una ellenjamesiana* y contribuyó a volver aún más absurdas a las ellenjamesianas y a espantarlas. La había escrito un hombre, por supuesto. Su novela anterior se titulaba *Confesiones de un rey porno* y la anterior a ésta *Confesiones de un tratante en niños esclavos*. Y así sucesivamente. Se trataba de un hombre taimado y malicioso que se convertía en alguien diferente cada seis meses.

Una de sus bromas crueles, en *Confesiones de una ellenjamesiana,* consistía en haber concebido a su protagonista-narradora como a una lesbiana que no comprende, hasta *después* de cortarse la lengua, que también se ha hecho indeseable como *amante.*

La popularidad de esta vulgar basura fue suficiente para matar de fastidio a algunas ellenjamesianas. En realidad, eran suicidas. «*Siempre* hay suicidas», escribió Garp, «entre las personas incapaces de expresar lo que quieren decir.»

Pero, finalmente, Ellen James las buscó y les ofreció su amistad. Pensó que eso era lo que habría hecho Jenny Fields. Ellen se dedicó a organizar lecturas de poesía con Roberta Muldoon, que tenía una voz potente y de amplia resonancia. Roberta leía los poemas de Ellen, mientras ésta permanecía a su lado, con expresión frustrada por no poder leer sus propios poemas. Aquellas lecturas sacaron de su escondite a montones de ellenjamesianas que ahora también lamentaban no poder hablar. Algunas se hicieron amigas de Ellen.

Ellen James nunca se casó. Probablemente conoció a algún hombre, pero más por poeta que por hombre. Ella era una buena poeta y una ardiente feminista que creía que se debe vivir como Jenny Fields y escribir con la energía y la visión personal de T. S. Garp. En otras palabras, era lo bastante tozuda como para tener opiniones personales, pero también era bondadosa con los demás. Coqueteó toda su vida con Duncan Garp —su hermano menor.

La muerte de Ellen James significó una enorme pena para Duncan. A edad avanzada, Ellen pasó a ser una nadadora de larga distancia, aproximadamente en la época que sucedió a Roberta como directora de la Fundación Fields. Cruzaba varias veces a nado el ancho istmo de Dog's Head Harbor. Sus últimos y mejores poemas utilizaban la natación y «la fuerza del océano» como metáfora. Pero Ellen James fue siempre una chica del Medio

Oeste que nunca comprendió profundamente la corriente submarina; un día de otoño, cuando estaba demasiado cansada, se la llevó.

«Cuando nado», escribió a Duncan, «recuerdo lo arduo pero también lo sedante que era discutir con tu padre. También siento la vehemencia del mar por atraparme, por llegar a mi isla seca, a mi pequeño corazón cercado de tierra. A mi pequeño trasero cercado de tierra, diría tu padre. Pero siempre nos atormentaremos mutuamente, el mar y yo. Supongo que *tú* dirías que es aquello con lo que sustituyo al sexo.»

Florence Cochran Bowlsby —conocida por Garp como la señora Ralph— vivió una vida de tumultuosa juerga, sin tener que sustituir al sexo por imperio de las circunstancias o de la necesidad. Concluyó su doctorado en Literatura Comparada y fue contratada por un amplio y confuso Departamento de Literatura Inglesa cuyos miembros sólo estaban unidos por el terror que le tenían. En forma sucesiva sedujo y despachó a nueve de los trece miembros más antiguos, que fueron alternativamente aceptados y luego expulsados de su cama. Sus alumnos la definían como «una profesora sensacional», de modo que por fin demostró a otros, ya que no a sí misma, alguna seguridad en un terreno que no era el sexo.

Sus miedosos amantes no la definían de ninguna manera, y los movimientos de éstos con la cola entre las patas recordaban a la señora Ralph la forma en que una vez Garp había abandonado su casa.

Al enterarse de la muerte de Garp, la señora Ralph estuvo entre las primeras personas que escribieron a Helen. «La suya era una seducción», escribió la señora Ralph, «cuya inexistencia siempre he lamentado pero respetado.»

Helen llegó a simpatizar con la mujer y ocasionalmente intercambiaba cartas con ella.

También Roberta Muldoon tuvo la oportunidad de intercambiar correspondencia con la señora Ralph, cuya solicitud de una beca de la Fundación Fields fue rechazada. Roberta se sorprendió por la nota que envió a vuelta de correo la señora Ralph a la Fundación Fields.

«A tomar por el culo»,

decía la esquela. Evidentemente, la señora Ralph no supo apreciar el rechazo de su solicitud.

Bainbridge Percy —más conocida por Garp como Pooh— vivió mucho, mucho tiempo. El último de una larga cadena de psiquiatras afirmó que la había rehabilitado, pero es probable que Pooh Percy hubiera emergido del psicoanálisis —y de una serie de instituciones— demasiado *aburrida* de la rehabilitación para volver a ser violenta.

Al margen de cómo se hubiera logrado, después de mucho tiempo, Pooh se reinsertó pacíficamente en el intercambio social; reingresó en la vida pública como miembro en ejercicio —aunque no en ejercicio oral— de la sociedad, un miembro más o menos sano y (finalmente) útil. En la cincuentena empezó a interesarse por la infancia; trabajó eficaz y pacientemente con niños retrasados. En esta actividad se encontraba a menudo con otras ellenjamesianas, que a su manera también estaban rehabilitadas, o al menos sumamente cambiadas.

Durante casi veinte años, Pooh no mencionó a su hermana muerta, Cushie, pero su amor por los niños finalmente la aturdió. Quedó embarazada a los cincuenta y cuatro años (nadie sabe cómo) y fue devuelta a una institución de observación, convencida de que moriría en el parto. Pero no ocurrió así y Pooh se convirtió en una madre estupenda; al mismo tiempo continuó su labor con los retrasados. La hija de Pooh Percy —para quien la violenta historia de su madre significaría un grave choque en la vida— *no* era, afortunadamente, retrasada; de hecho, a Garp le habría recordado a Cushie.

Algunos decían que Pooh Percy fue un ejemplo positivo para quienes habrían de poner fin a la pena capital, tan impresionante había sido su rehabilitación. Pero no para Helen ni para Duncan Garp, que hasta la tumba lamentarían que Pooh Percy no hubiera muerto en el momento que gritó «¡Eo!» en la sala de lucha libre de la Steering School.

Un día Pooh Percy *moriría*, por supuesto; sucumbió a un síncope en Florida, mientras visitaba a su hija. Para Helen no significó ningún consuelo sobrevivir a ella.

El leal Whitcomb decidió presentar a Pooh Percy como la había descrito Garp en cierta ocasión, con posteridad a su huida del primer funeral feminista. «Una pobre andrógina», había dicho Garp al decano Bodger, «con cara de hurón y el cerebro saturado por haber pasado casi quince años en pañales.»

La biografía oficial de Garp, que Donald Whitcomb tituló *Demencia y dolor: la vida y el arte de T. S. Garp*, fue publicada por los socios de John Wolf, quien no vivió para ver el libro impreso. John Wolf había contribuido con sus esfuerzos a la cuidada confección del libro y había trabajado en su condición de editor con Whitcomb —en la mayor parte del original— antes de su inoportuno fallecimiento.

John Wolf murió de cáncer de pulmón en Nueva York, relativamente joven. La mayor parte de su vida había sido un hombre cuidadoso, concienzudo, atento e incluso elegante, pero su profundo descontento y su absoluto pesimismo sólo se habían endurecido y ocultado fumando tres paquetes diarios de cigarrillos sin filtro desde los dieciocho años. Como muchos hombres activos que mantienen un aire en todo otro sentido sereno y equilibrado, John Wolf fumó hasta su lecho de muerte.

El servicio que prestó a Garp y a su obra es inestimable. Aunque de vez en cuando puede haberse considerado responsable de la fama que en última instancia provocó la muerte de Garp, Wolf era un hombre demasiado completo para sustentar permanentemente tan estrecho punto de vista. En su opinión, el asesinato era «un deporte *amateur* de la época, cada vez más popular», y los «auténticos creyentes en la política» —como llamaba a casi todo el mundo—, eran siempre el enemigo implacable del artista, que insistía, aunque arrogantemente, en la superioridad de una visión *personal*. Además, John Wolf sabía que no sólo se trataba de que Pooh Percy se hubiera convertido en ellenjamesiana y hubiera respondido a la provocación de Garp; los motivos de agravio de Pooh se remontaban a la lejana infancia, posiblemente agravados por la política, pero básicamente tan profundos como su prolongada necesidad de llevar pañales. A Pooh se le había metido en la cabeza que el gusto de Garp y Cushie por follar había sido finalmente fatal para Cushie. Al menos, es verdad que fue fatal para Garp.

Profesional en un mundo que con excesiva frecuencia idolatraba lo efímero que había creado, John Wolf insistió hasta el fin de sus días en que la publicación que le producía más orgullo era la de padre-hijo de *La Pensión Grillparzer*. Naturalmente, estaba orgulloso de las novelas anteriores de Garp y llegó a referirse a *El mundo según Bensenhaver* como «inevitable... si se tiene en cuenta la violencia a que Garp estaba expuesto». Pero era *Grillparzer* la obra que exaltaba a Wolf... además del original inconcluso de *Las ilusiones de mi padre*, a la que John Wolf se refería amorosa y pesarosamente como «el camino de retorno de Garp a la forma correcta de escribir». Durante años, Wolf revisó el confuso primer borrador de la novela inconclusa; durante años discutió con Helen y con Donald Whitcomb sus defectos y sus virtudes.

—Sólo después de mi muerte —insistía Helen—. Garp no soltaría nada que considerara inacabado.

Wolf estaba de acuerdo, pero murió antes que Helen. A Whitcomb y a Duncan correspondería la tarea de publicar *Las ilusiones de mi padre*... a título muy póstumo.

Duncan acompañó casi todo el tiempo a John Wolf durante su tortuosa agonía de cáncer de pulmón. Wolf estaba internado en una clínica particular de Nueva York y a veces fumaba un cigarrillo a través de un tubo de plástico insertado en la garganta.

—¿Qué diría tu padre de esto? —preguntó Wolf a Duncan—. ¿No le iría de perilla para una de *sus* mortales escenas? ¿No es convenientemente grotesco? ¿Alguna vez te habló de la prostituta que murió en Viena, en el Rudolfinerhaus? ¿Cómo se llamaba?

—Charlotte —respondió Duncan.

Duncan y John Wolf eran íntimos amigos. A éste habían llegado incluso a gustarle los primeros dibujos que Duncan había hecho para *La Pensión Grillparzer*. Duncan se había trasladado a Nueva York; le contó a Wolf que el primer estímulo para saber que quería ser pintor y fotógrafo había sido su visión de Manhattan desde el despacho del editor, el día del primer funeral feminista celebrado en Nueva York.

En una carta que John Wolf dictó a Duncan desde su lecho de muerte, hizo saber a sus socios que Duncan Garp estaba autorizado a mirar Manhattan desde su despacho tanto tiempo como la editorial ocupara el edificio.

Durante muchos años, después de la muerte de John Wolf, Duncan aprovechó su legado. Un nuevo director ocupó el despacho de Wolf, pero la mención del apellido Garp hacía que todos los directores de la editorial se escabulleran de inmediato.

Durante años, las secretarias entraban en el despacho y decían:

—Disculpe, ha llegado el joven Garp. Quiere asomarse a la ventana.

Duncan y John Wolf pasaron las muchas horas que a John Wolf le llevó morir hablando de lo buen escritor que había sido Garp.

—Habría llegado a ser muy, muy especial —dijo John Wolf a Duncan.

—*Habría*... es posible. Claro, tú no puedes decir otra cosa...

—No, no, no estoy mintiendo, no es necesario. Poseía su visión de las cosas y siempre supo expresarla. Pero lo fundamental era su visión... siempre fue muy personal. Por un momento se desvió, pero volvió al buen camino con su último libro. Recuperó los buenos impulsos. *La Pensión Grillparzer* era su obra más encantadora, pero no la más original; todavía era muy joven. Hay otros autores que podrían haber escrito ese cuento. *Tardanza* es una idea original y una brillante primera novela. *El segundo pedo del cornudo* es muy divertida e indudablemente el mejor título que puso a una obra; también es muy original, pero es una novela de costumbres... y de miras bastante estrechas. Por supuesto, *El mundo según Bensenhaver* es su obra más original, aunque *sea* un folletín melodramático... que lo es. Pero es tan cruel... es comida cruda, buena comida, pero *muy* cruda. Quiero decir, ¿quién la necesitaba? ¿Quién necesita sufrir semejante ultraje? Tu padre era un hombre difícil; nunca cedió un centímetro... pero precisamente ésa es la cuestión: siempre se guió por el olfato; le llevara donde le llevara, siempre siguió *su* impulso. Y era ambicioso. Empezó atreviéndose a escribir acerca del *mundo*... Cuando sólo era un *chico*, ya emprendió esa tarea. Luego, durante un tiempo, como les ocurre a muchos escritores, sólo pudo escribir acerca de sí mismo; pero también escribía acerca del mundo, aunque no se notaba tan claramente. Empezó a hartarse de escribir sobre su propia vida y empezó a escribir otra vez acerca del mundo, tan sólo empezó... ¡Caray, Duncan, tienes que recordar que era *muy joven*! Tenía treinta y tres años.

—Y tenía energía —agregó Duncan.

—Habría escrito mucho, sin duda... —pero John Wolf empezó a toser y tuvo que dejar de hablar.

—Pero nunca supo relajarse. De modo que nada tenía sentido... ¿no se habría consumido de todos modos?

John Wolf movió la cabeza negativa, aunque delicadamente, para que no se le soltara el tubo inserto en la garganta. Sin dejar de toser, resolló:

—¡El no!

—¿Crees que habría podido seguir y seguir hasta el infinito? ¿Eso piensas?

Sin dejar de toser, John Wolf asintió. Murió tosiendo.

Roberta y Helen asistieron al funeral, naturalmente. Los amigos chismosos murmuraron, ya que en Nueva York se especulaba con que John Wolf había atendido a algo más que a los bienes *literarios* de Garp. Conociendo a Helen, parece poco probable que alguna vez hubiera mantenido ese tipo de relación con John Wolf. Siempre que se enteraba de que la vinculaban sexualmente con alguien, Helen se echaba a reír. Pero Roberta Muldoon era más vehemente.

—¿Con John Wolf? ¿Helen y Wolf? ¡No seas imbécil!

La certeza de Roberta estaba bien fundada. En algunas ocasiones, en sus escapadas a la ciudad de Nueva York, la propia Roberta Muldoon había disfrutado de algún encuentro con John Wolf.

—¡Y pensar que solía ir a verte jugar! —dijo una vez John Wolf a Roberta.

—*Todavía* puedes verme jugar —dijo Roberta.

—Me refiero al rugby.

—Hay cosas mejores que el rugby —apuntó Roberta.

—Pero tú haces bien muchas cosas.

—¡Ja!

—Es *verdad*, Roberta.

—Todos los hombres sois unos mentirosos —respondió Roberta Muldoon, que lo *sabía* porque en otros tiempos había sido hombre.

Roberta Muldoon —ex Roberto Muldoon, el n.º 90 de los Eagles de Filadelfia— sobrevivió a John Wolf, y a la mayoría de sus amantes. No sobrevivió a Helen, pero vivió el tiempo suficiente como para llegar a sentirse cómoda con su transexualidad. Cerca de los cincuenta, confesó a Helen que sufría la vanidad de un hombre de edad madura y las angustias de una mujer madura, pero, agregó, «esta situación tiene sus ventajas. Ahora siempre sé lo que van a decir los hombres antes de que lo digan».

—Pero *yo* también lo sé, Roberta —replicó Helen.

Roberta lanzó una de sus temibles y estruendosas carcajadas; tenía la costumbre de abrazar en llaves de oso a sus amistades, lo que ponía nerviosa a Helen. En cierta ocasión le había roto un par de gafas en una de sus muestras de afecto.

Roberta había logrado disminuir su gigantesca excentricidad volviéndose responsable especialmente ante la Fundación Fields, que dirigía con tanto vigor que Ellen James le puso un apodo: «Capitán Energía».

—¡Ja! —rió Roberta—. Garp era el Capitán Energía.

Roberta también era muy admirada en la pequeña comunidad de Dog's Head Harbor, dado que en los viejos tiempos la casa solariega de Jenny Fields nunca había sido tan respetable, y Roberta participaba en los asuntos ciudadanos mucho más activamente de lo que lo había hecho Jenny. Durante diez años ocupó la presidencia de la junta escolar local, aunque por supuesto nunca tuvo un hijo propio. Organizó, entrenó y preparó al Equipo Femenino de Béisbol de Rockingham County durante doce años, el mejor equipo del Estado de New Hampshire. En cierta ocasión, aquel cochino gobernador de New Hampshire que seguía en el cargo, sugirió que hicieran a Roberta un recuento de cromosomas antes de permitirle jugar en el campeonato; Roberta sugirió, a su vez, que el gobernador se encontrara con ella antes del comienzo del partido —en el montículo del lanzador— «y dilucidaremos si sabe pelear como un hombre». No ocurrió nada y —siendo lo que es la política— el gobernador hizo el saque inicial del encuentro. Roberta bateó el tanto del triunfo, a pesar de los cromosomas.

Corresponde al director deportivo de la Steering School el mérito de que ofrecieran a Roberta el puesto de entrenadora de la línea ofensiva del equipo de rugby de la Steering. Pero el ex lateral rechazó amablemente el puesto.

—Todos esos jóvenes... me pondrían en un aprieto —argumentó Roberta con picardía.

Mientras vivió, su joven favorito fue siempre Duncan Garp, a quien hizo de madre y de hermana, a quien cubrió con su perfume y su afecto. Duncan la adoraba; era uno de los pocos invitados masculinos a quien se permitía la entrada en Dog's Head Harbor, aunque Roberta se enfadó con él y dejó de invitarle durante un período de casi dos años, después de que Duncan sedujera a una joven poeta.

—¡Es hijo de su padre! Es encantador... —comentó Helen.

—Ese muchacho es *demasiado* encantador —opinó Roberta—. Y esa poeta no significa nada estable... era demasiado vieja para él.

—Pareces celosa, Roberta —dijo Helen.

—Fue un abuso de *confianza*.

En ese punto Helen estuvo de acuerdo. Duncan se disculpó. Hasta la poeta se disculpó.

—*Yo* le seduje a *él* —aseguró a Roberta.

—No, tú no lo hiciste, no *podías* hacerlo —sentenció Roberta.

Todo fue perdonado una primavera, en Nueva York, cuando Roberta sorprendió a Duncan invitándolo a cenar.

—Te llevaré a una chica despampanante —le dijo Roberta—, de modo que quítate la pintura de las manos, lávate el pelo y ponte guapo. Le dije que eras guapo y sé que *puedes* serlo. Me parece que te gustará.

Después de dejar a Duncan con una chica, una mujer elegida por *ella,* Roberta se sintió mejor. De hecho, Roberta *odiaba* a la poeta que se había acostado con Duncan desde hacía mucho tiempo, y en eso había consistido el problema.

Cuando Duncan chocó con la moto a poco más de un kilómetro de un hospital de Vermont, Roberta fue la primera en llegar; había estado esquiando en el norte y Helen se lo comunicó por teléfono. Roberta llegó antes que Helen al hospital.

—¡En moto con esta nieve! —rugió Roberta—. ¿Qué diría tu padre?

Duncan apenas podía susurrar. Todos sus músculos parecían contraídos; tuvo una complicación renal y, sin que Duncan y Roberta lo supieran —en aquel momento—, fue necesario amputarle un brazo.

Helen, Roberta y la hermana de Duncan —Jenny Garp— esperaron tres días hasta que Duncan estuviera fuera de peligro. Ellen James estaba demasiado angustiada para aguardar con ellas. Roberta protestó amargamente en todo momento.

—¿Para qué subió a una moto... con un solo ojo? ¿Qué clase de visión periférica es *ésa*? Un lado siempre queda ciego.

Eso era exactamente lo que había ocurrido. Un borracho había pasado por alto una señal de stop y Duncan vio el coche demasiado tarde; cuando intentó maniobrar para esquivar el coche, la nieve detuvo la moto y Duncan quedó prácticamente como un blanco inmóvil para el conductor borracho.

No tenía un hueso sano.

—Es demasiado parecido a su padre —lloró Helen.

Pero Capitán Energía sabía que en cierto sentido Duncan *no* era como su padre. En opinión de Roberta, carecía de *orientación*.

Cuando Duncan estuvo fuera de peligro, Roberta estalló:

—Si te haces matar antes de mi muerte, cabroncillo hijo de puta, eso me matará. Y probablemente a tu madre y posiblemente a Ellen, pero en mi caso puedes tener la certeza de que así será. ¡Eso me matará, Duncan, cabroncete!

Roberta lloró sin solución de continuidad y Duncan también lloró, porque sabía que era verdad: Roberta le adoraba y era terriblemente vulnerable a cualquier cosa que le ocurriera.

Jenny Garp, que sólo estaba en primer año de la facultad, abandonó los estudios para poder estar en Vermont con Duncan mientras éste se recuperaba. Jenny se había graduado en la Steering School con las más altas calificaciones y no le pondrían dificultades para reingresar en la facultad cuando Duncan mejorara. Se ofreció voluntariamente como ayudante de enfermería en el hospital y esto supuso una enorme fuente de optimismo para Duncan, a quien aguardaba una larga y dolorosa convalecencia. Claro que Duncan tenía experiencia con las convalecencias.

Helen iba a verlo desde Steering todos los fines de semana; Roberta fue a Nueva York a ocuparse del deplorable estado del estudio-vivienda de Duncan. Este tenía miedo de que le robaran todas sus pinturas y fotografías, además del equipo estereofónico.

Cuando Roberta entró en el estudio de Duncan descubrió a una chica alta, flaca y cimbreante, instalada allí, vestida con la ropa de Duncan salpicada de pintura; evidentemente, los platos sucios no le preocupaban demasiado.

—Lárgate, encanto —dijo Roberta mientras entraba en el estudio con la llave de Duncan—. Duncan vuelve al seno de su familia.

—¿Quién es usted? —preguntó la muchacha—. ¿Su madre?

—Su *esposa*, encanto. Siempre me gustaron los chicos más jóvenes que yo.

—¿Su *esposa*? —preguntó la chica boquiabierta—. No sabía que estaba *casado*.

—Sus hijos suben en el ascensor —dijo Roberta—, de modo que te aconsejo que utilices la escalera. Sus hijos son prácticamente tan altos como yo.

—¿Sus *hijos*? —la chica huyó.

Roberta hizo limpiar el estudio e invitó a una joven que conocía a trasladarse allí y cuidarlo; la mujer acababa de someterse a una transformación sexual y necesitaba iniciar su nueva identidad en un nuevo ámbito.

—Es perfecto para ti —dijo Roberta a la nueva mujer—. Su dueño es un muchacho libidinoso, pero estará fuera muchos meses. Puedes cuidar sus cosas y soñar con él, hasta que yo te avise que debes trasladarte.

En Vermont, Roberta dijo a Duncan:

—Espero que ordenes tu vida. Acaba con las motos y demás andanzas... y deja de liarte con chicas desconocidas. No vuelvas a acostarte con una extraña. Todavía no eres tu padre; nunca te has puesto a *trabajar*. Si realmente *fueras* un artista, Duncan, no tendrías *tiempo* para toda esa basura. Especialmente la basura de la autodestrucción.

Capitán Energía era la única persona que podía hablarle así a Duncan ahora que no estaba Garp. Helen era incapaz de criticarle: estaba demasiado contenta con que estuviera vivo. Jenny era diez años menor que él; todo lo que podía hacer era admirarle, quererle y estar a su lado hasta que se curara. Ellen James, que adoraba a Duncan violenta y posesivamente, se enfadó tanto con él que arrojó su bloc y su lápiz al aire y luego no pudo, naturalmente, decir una palabra más.

—¡Un pintor tuerto y manco! —se quejó Duncan—. ¡Caray!

—Y alégrate de que todavía te queda una cabeza y un corazón —dijo Roberta—. ¿Conoces a muchos pintores que sostengan el pincel con ambas manos? Se necesitan dos ojos para conducir una motocicleta, papanatas, pero sólo uno para pintar.

Jenny Garp, que adoraba a su hermano como si fuera su hermano y su padre —porque era demasiado pequeña cuando murió su padre—, escribió a Duncan un poema en el hospital. Fue el primero y único poema que Jenny Garp escribió en su vida: *no* tenía la inclinación artística de su padre y su hermano. Y sólo Dios sabe qué inclinación habría llegado a tener Walt.

> Aquí yace el primogénito, flaco y alto,
> con un brazo diestro y otro amputado,
> con un ojo iluminado y otro sacado,
> con recuerdos familiares, tortazo a tortazo,
> Este hijo de su madre debe mantener intactos
> los restos de la casa que construyó Garp.

Por supuesto era un poema pésimo, pero a Duncan le encantó.

—Me mantendré intacto —prometió a Jenny.

La joven transexual, a quien Roberta había instalado en el estudio-vivienda de Duncan, enviaba a éste desde Nueva York postales con deseos de pronta recuperación.

«Las plantas están muy bien, pero la gran pintura amarilla que hay junto a la chimenea se estaba deformando —creo que no había sido bien extendida—, de modo que la bajé y la dejé con las demás, en la despensa, donde hace más fresco. Estoy *enamorada* de la pintura azul y de los dibujos… ¡de *todos* los dibujos! Y el que Roberta me dijo es un autorretrato tuyo… ése lo adoro especialmente.»

—¡Caray! —gruñó Duncan.

Jenny le leyó todo Joseph Conrad, que había sido el autor favorito de Garp cuando era chico.

A Helen le fue muy bien tener que profesar sus clases para no estar constantemente pendiente de su preocupación por Duncan.

—El chico se enmendará —le aseguró Roberta.

—Es un *hombre*, Roberta —respondió Helen—. Ya no es un chico… aunque actúe como si lo fuera.

—Para mí todos son chicos. Garp era un chico. *Yo* era un chico antes de ser una chica. Duncan será siempre un chico para mí.

—¡Caray! —exclamó Helen.

—Tendrías que practicar algún deporte para relajarte —aconsejó Roberta a Helen.

—Por favor, Roberta…

—Trata de *correr* —sugirió Roberta.

—Corre *tú*, yo leo.

Roberta nunca dejó de correr. A finales de la cincuentena empezó a olvidar el estrógeno, que las transexuales no pueden dejar en toda su vida para mantener las formas femeninas de su cuerpo. Los olvidos de estrógeno y sus veloces carreras hicieron que el gran cuerpo de Roberta cambiara de forma varias veces ante la atónita mirada de Helen.

—A veces no sé qué te está *ocurriendo*, Roberta —comentó Helen.

—Es bastante excitante. Nunca sé qué voy a sentir; tampoco sé qué *aspecto* tendré.

Roberta participó en tres carreras maratónicas después de los cincuenta, pero tuvo trastornos por rotura de vasos sanguíneos y su médico le aconsejó que corriera distancias más cortas. Cuarenta kilómetros era demasiado para un ex lateral en la cincuentena. «Ese viejo Número Noventa», bromeaba a veces Duncan. Roberta era unos pocos años mayor que Garp y Helen y siempre había sido evidente. Volvió a correr la antigua ruta de diez kilómetros que ella y Garp solían hacer juntos, entre Steering y el mar; Helen nunca sabía cuándo aparecería Roberta en la Mansión Steering, sudada y jadeante, con ganas de ducharse. Roberta tenía una gran bata y una muda de ropa en la casa de Helen para esas ocasiones en que Helen levantaba la vista de su libro y la veía llegar con su equipo de carreras y, en sus grandes manazas de jugador, el cronómetro, como si fuera su corazón.

Roberta murió la primavera en que Duncan estuvo hospitalizado en Vermont. Había estado corriendo precipitadas carreras en la playa de Dog's Head Harbor, pero dejó de correr y se presentó en el vestíbulo, quejándose de unos chasquidos como «burbujas» en la nuca... o quizás en las sienes: no lograba localizarlos exactamente, dijo. Se sentó en la hamaca del pórtico, contempló el océano y pidió a Ellen James que le sirviera un vaso de té helado. Ellen entró en la casa y envió una nota a Roberta con una de las residentes de la Fundación Fields:

«¿Limón?»

—¡No, sólo azúcar! —gritó Roberta.

Cuando Ellen le alcanzó el té helado, Roberta vació el vaso en dos o tres tragos.

—Perfecto, Ellen —dijo Roberta. Ellen entró a prepararle otro—. Perfecto —repitió Roberta—. ¡Que sea exactamente igual al anterior! —gritó—. ¡Quiero *toda una vida* así!

Cuando Ellen volvió con el vaso de té helado, Roberta Muldoon estaba muerta en la hamaca. Algo se había «descorchado», algo había estallado en su interior.

Si bien la muerte de Roberta afectó a Helen y la deprimió, no pudo entregarse a la aflicción porque tenía que ocuparse de Duncan, preocupación que, por una vez, agradeció. Ellen James, a quien Roberta había ayudado tanto, se ahorró una dosis excesiva de pesar por sus inesperadas responsabilidades: tuvo que ocupar el puesto de Roberta en la Fundación Fields; tenía que llenar un pellejo muy grande, como suele decirse. La joven Jenny Garp nunca había sido tan amiga de Roberta como Duncan; fue Duncan, todavía escayolado, quien se lo tomó más a pecho. Jenny estaba con él y le hablaba ininterrumpidamente, en interminables charlas edificantes, pero Duncan recordaba a Roberta y todas las veces en que había ayudado a los Garp, especialmente a él mismo.

Lloró, lloró y lloró. Lloró tanto que tuvieron que cambiarle la escayola del pecho.

Su huésped transexual le envió un telegrama desde Nueva York.

AHORA ME IRE STOP AHORA QUE R NO ESTA SI TE MOLESTO ME IRE STOP NO SE SI ME PERMITES LLEVARME SU FOTOGRAFIA STOP LA QUE ESTAS R Y TU STOP SUPONGO QUE ERES TU STOP CON LA PELOTA STOP TIENES PUESTA LA CAMISETA QUE TE QUEDA DEMASIADO GRANDE Y LLEVA EL NUMERO 90 STOP

Duncan nunca había respondido a sus postales, a sus informes sobre el bienestar de las plantas y la localización exacta de sus pinturas. En el espíritu del viejo n.º 90 decidió responder al/la pobre chico/a —fuera quien fuese—, con quien Roberta había sido bondadosa.

«Por favor, quédate todo el tiempo que desees [le escribió]. Pero a mí también me gusta esa fotografía. Cuando me levante, haré una copia para ti.»

Roberta le había pedido que ordenara su vida y Duncan lamentó la imposibilidad de poder demostrarle que ya era capaz de hacerlo. Ahora se sentía responsable y pensó en su padre, que *había sido* escritor tan joven, que había tenido hijos, que había tenido a *Duncan,* cuando era joven. Duncan tomó muchas decisiones en el hospital de Vermont; cumpliría la mayoría de ellas.

Escribió a Ellen James, que todavía estaba demasiado angustiada por su accidente para visitarle escayolado y lleno de tornillos.

«Es hora de que nos pongamos a trabajar, aunque yo tengo que acelerar… para alcanzarte. Ahora que 90 se fue, la familia es más chica. Trabajemos para no perder a nadie más.»

Habría escrito a su madre que tenía la intención de hacer que se enorgulleciera de él, pero se habría sentido muy tonto expresándolo, y sabía lo fuerte que era su madre, lo poco que necesitaba de charlas edificantes. Volcó en la joven Jenny su nuevo entusiasmo.

—Maldición, debemos tener energía —dijo Duncan a su hermana, que estaba llena de energía—. Eso es lo que te perdiste al no conocer al viejo. ¡Energía! Tienes que cargarte de energía.

—*Yo* tengo energía —replicó Jenny—. ¿Qué crees que he estado *haciendo*? ¿Sólo cuida*rte*?

Era una tarde de domingo. Duncan y Jenny siempre veían el encuentro profesional de rugby en el televisor del hospital. Era otro buen augurio, pensó Duncan, que aquel domingo la emisora de Vermont transmitiera desde Filadelfia. Los Eagles estaban a punto de ser aplastados por los Cowboys. El partido, sin embargo, no era lo importante. Lo que Duncan apreció fue la ceremonia anterior al partido. La bandera estaba a media asta por el ex lateral Robert Muldoon. El marcador brillaba: ¡90! ¡90! ¡90! Duncan observó que los tiempos habían cambiado; por ejemplo, ahora había funerales feministas en todas partes; acababa de leer que se estaba celebrando uno multitudinario en Nebraska. Y en Filadelfia, el locutor deportivo logró decir —sin reír disimuladamente— que la bandera estaba a media asta por *Roberta* Muldoon.

«Era *una* estupenda deportista», musitó el locutor. «Unas manos de primera.»

«Una persona extraordinaria», coincidió el otro locutor.

Volvió a hablar el anterior: «Sí», dijo, «Roberta hizo mucho por...», y Duncan esperaba oír por *quien*... por los monstruos, por los raros, por los sexualmente desastrosos, por su padre y su madre, por él mismo y por Ellen James. «Hizo mucho por la gente con una vida *complicada*», dijo el locutor deportivo, sorprendiéndose a sí mismo y a Duncan Garp por su dignidad.

Se oyeron los primeros acordes de la banda. Los Cowboys de Dallas hicieron el saque inicial para los Eagles de Filadelfia; sería la primera de las muchas patadas que recibirían los Eagles. Y Duncan Garp imaginó a su padre apreciando el esfuerzo del locutor por ser diplomático y generoso. De hecho, Duncan imaginó a Garp vitoreándole con Roberta; de alguna manera, Duncan sentía que Roberta tendría que haber estado allí, escuchando los elogios. Ella y Garp se habrían desternillado de risa ante las dificultades verbales que suponía la noticia.

Garp habría imitado la voz del locutor para decir: «¡Hizo mucho por la restauración de la vagina!».

—¡Ja! —habría rugido Roberta.

—¡Caray! —habría aullado Garp—. ¡Caray!

Duncan recordaba que, cuando mataron a Garp, Roberta Muldoon había amenazado con *invertir* su inversión sexual. «Prefiero volver a ser jodido *hombre*», había gemido, «que pensar que en este mundo hay mujeres que se *jactan* de este asqueroso asesinato cometido por ese *coño* mugriento.»

«¡Basta! ¡Basta! ¡No digas nunca esa palabra!»,

garabateó Ellen James.

«El mundo se compone de los que le amamos y los que le conocieron... hombres y mujeres»,

escribió Ellen James.

Entonces Roberta Muldoon los había alzado a todos, uno por uno; les había hecho —formal, seria y generosamente— su famosa llave de oso.

Cuando Roberta murió, alguna de las *parlantes* que residían en la Fundación Fields, en Dog's Head Harbor, llamó a Helen por teléfono. Esta, emergiendo de su propio dolor —una vez más—, telefoneó al hospital. Helen aconsejó a la joven Jenny que fuera cuidadosa al transmitirle la noticia a Duncan. Jenny Garp había heredado de su famosa abuela, Jenny Fields, la sabiduría en el trato con los enfermos.

—Malas noticias, Duncan —susurró la joven Jenny y besó a su hermano en los labios—, el Número Noventa dejó caer la pelota.

Duncan Garp, que sobrevivió al accidente que le costó un ojo y al accidente que le costó un brazo, se convirtió en un buen pintor, además de serio; fue una especie de pionero en el campo artísticamente sospechoso de la fotografía en color, que enfocó con su ojo de pintor para el color y con la costumbre de su padre de una insistente visión *personal*. No reprodujo imágenes nimias y dio a su pintura un realismo misterioso, sensual, casi narrativo; sabiendo quién era, es fácil decir que aquél era más el oficio de un *literato* que un oficio de imágenes... y criticarlo, como fue criticado, por ser demasiado «literal».

—Signifique *eso* lo que signifique —decía siempre Duncan—, ¿qué esperan de un artista tuerto, manco... e hijo de Garp? ¿Ningún defecto?

Tenía el buen humor de su padre, a fin de cuentas, y Helen estaba muy orgullosa de él.

Debió de hacer un centenar de pinturas de una serie llamada *Album Familiar* —el período de su obra que más se destacó. Eran pinturas inspiradas en fotografías que había tomado de niño, después del accidente en que había perdido un ojo. Mostraban a Roberta, a su abuela Jenny Fields, a su madre nadando en Dog's Head Harbor, a su padre sonriendo junto a la playa con la mandíbula herida. Hizo una serie de una docena de pequeñas pinturas de un Saab de color blanco sucio; la serie se titulaba *Los colores del mundo*, porque, decía Duncan, todos los colores del mundo son visibles en las doce versiones del Saab blanco sucio.

También había imágenes de Bebé Jenny; en los grandes retratos de grupos— principalmente imaginados, no tomados de fotografías—, los críticos decían que el rostro en blanco o la figura repetida (muy pequeña) de espaldas a la cámara, era siempre Walt.

Duncan no quería tener hijos.

—Soy demasiado vulnerable —dijo a su madre—. No soportaría verlos crecer —lo que quería decir era que no soportaría verlos *no* crecer.

Puesto que sentía eso, Duncan tuvo la suerte de que no tener hijos no significara un problema en su vida, ni siquiera una preocupación. Volvió después de cuatro meses de hospital en Vermont y encontró a una transexual extremadamente solitaria viviendo en su estudio-apartamento de Nueva York. Ella había hecho que el lugar pareciera habitado por un verdadero artista, y mediante un curioso proceso —casi por una especie de ósmosis de las cosas de Duncan—, ya parecía saber mucho sobre él. También estaba enamorada de él por las fotografías. ¡Otro regalo de Roberta Muldoon a la vida de Duncan! Y había quienes decían —Jenny Garp, por ejemplo— que hasta era hermosa.

Se casaron, porque, si alguna vez hubo alguien que desde el fondo de su corazón no discriminara a los transexuales, ese alguien era Duncan Garp.

—Es un matrimonio consolidado en el cielo —dijo Jenny Garp a su madre, refiriéndose a Roberta, por supuesto: Roberta estaba en el cielo.

—Pero para Helen era natural preocuparse por Duncan; desde la muerte de Garp había asumido gran parte de sus preocupaciones, y desde la muerte de Roberta, Helen sentía que debía asumir *toda* la preocupación.

—No sé, no sé... —dudó Helen: el matrimonio de Duncan le provocaba angustia—. ¡Maldita Roberta! ¡Siempre se sale con la suya!

«Pero de esta forma no existe la menor posibilidad de un embarazo no deseado»,

escribió Ellen James.

—¡Basta! —exclamó Helen—. Yo *deseaba* nietos, ya lo sabéis. Uno o dos al menos.

—*Yo* te los daré —prometió Jenny.

—Si todavía estoy viva, hija.

Lamentablemente no lo estaría, aunque llegó a ver a Jenny embarazada y pudo *imaginar* que era abuela.

«Imaginar algo es mejor que recordar algo», escribió Garp.

E indudablemente Helen tenía que ser dichosa con la forma en que Duncan había enderezado su vida, tal como le había prometido a Roberta.

Después de la muerte de Helen, Duncan trabajó intensamente con el manso señor Whitcomb; hicieron una respetable presentación de la novela inconclusa de Garp, *Las ilusiones de mi padre*. Al igual que en la edición de padre e hijo de *La Pensión Grillparzer*, Duncan ilustró lo que había de *Las ilusiones de mi padre*: el retrato de un padre que trama de manera imposible y ambiciosa un mundo donde sus hijos estarán a salvo y serán felices. Las ilustraciones de Duncan correspondían, en su mayoría, a retratos de Garp.

Tiempo después de la publicación del libro, le visitó un anciano cuyo nombre Duncan no recordaba. El hombre afirmó que estaba trabajando en una «biografía crítica» de Garp, pero a Duncan le resultaron irritantes sus preguntas. El hombre insistió repetidas veces en los acontecimientos que habían conducido al terrible accidente en que había muerto Walt. Duncan no le dijo nada (Duncan no *sabía* nada), y el hombre se marchó con las manos vacías —biográficamente hablando. El hombre era Michael Milton, naturalmente. Duncan tuvo la impresión de que le faltaba algo, aunque no podía saber que lo que a Michael Milton le faltaba era el pene.

El libro que supuestamente estaba escribiendo no apareció y nadie sabe lo que fue de su autor.

Si el mundo de la crítica pareció contentarse, después de la publicación de *Las ilusiones de mi padre*, con decir que Garp era, meramente, un «autor excéntrico», un «escritor bueno pero no grandioso», a Duncan no le importó. Según sus propias palabras, Garp era «original» y «auténtico». Al fin y al cabo, Garp había sido el tipo de persona que impone una lealtad ciega.

—Una lealtad *tuerta* —decía Duncan.

Con su hermana Jenny y con Ellen James tenía Duncan un veterano código; los tres estaban unidos y eran tan cómplices como ladrones.

—¡A la salud de Capitán Energía! —decían cuando bebían juntos.

—¡No hay sexo como el transexo! —gritaban cuando estaban borrachos, lo que en ocasiones incomodaba a la mujer de Duncan, aunque por supuesto estaba de acuerdo.

«¿Cómo anda la energía?», se escribían, telefoneaban y telegrafiaban entre sí, cuando querían saber cómo andaban las cosas. Y cuando se sentían llenos de energía, se describían a sí mismos como «pletóricos de Garp».

Aunque Duncan vivió mucho, mucho tiempo, murió innecesariamente, e irónicamente, *a causa* de su buen humor. Murió riendo de uno de sus chistes, que era indudablemente una de las costumbres de la familia Garp: reír cada uno de sus propios chistes. En una especie de fiesta de presentación de una nueva transexual, amiga de la esposa de Duncan, éste aspiró una aceituna y murió ahogado en pocos segundos de violenta carcajada. Esta es una forma horrible y estúpida de morir, pero quienes le conocían dijeron que Duncan no habría puesto objeciones... a esa forma de muerte, ni a la vida que había vivido. Duncan Garp siempre había dicho que su padre había sufrido la muerte de Walt más de lo que ningún otro miembro de la familia sufrió ninguna otra cosa. Entre las formas escogidas de muerte, la muerte finalmente era la misma. «Entre los hombres y las mujeres», había dicho Jenny Fields una vez, «lo único que se comparte por igual es la muerte.»

Jenny Garp, que en el terreno de la muerte tenía una preparación mucho más específica que su famosa abuela, no habría coincidido. La joven Jenny sabía que entre los hombres y las mujeres, ni siquiera la muerte se comparte equitativamente. Los hombres también mueren más.

Jenny Garp sobrevivió a todos. Si hubiera asistido a la fiesta en que su hermano murió asfixiado, probablemente le habría salvado. Al menos habría sabido exactamente qué debía hacerse. Era médica. Siempre decía que había sido la temporada pasada en el hospital de Vermont, cuidando a Duncan, la que la había decidido a dedicarse a la medicina, y no la historia de enfermera de su famosa abuela, porque Jenny Garp sólo la conocía de segunda mano.

La joven Jenny fue una alumna brillante; a semejanza de su abuela, lo absorbía todo y era capaz de transmitir todo lo que aprendía. Como Jenny Fields, aprendió a querer a la gente en su deambular por los hospitales, descubriendo toda la bondad posible y despejando lo que no era bondad.

Durante su período de internado se casó con otro joven médico. Sin embargo, Jenny Garp no renunció a su apellido; siguió siendo una Garp y, en encarnizada guerra con su marido, se ocupó de que sus tres hijos llevaran el apellido Garp. Finalmente se divorció... y volvió a casarse, pero no en seguida. La segunda vez le fue mejor. El era un pintor mucho mayor que ella y, si cualquier miembro de su familia hubiera estado vivo para importunarla, sin duda le habría advertido que veía algo de Duncan en ese hombre.

«¿Y qué?», habría respondido. Al igual que su madre, tenía opiniones propias; al igual que Jenny Fields, conservó su nombre.

¿Y su padre? ¿En qué sentido era Jenny Garp siquiera levemente parecida a él, a quien en realidad no había conocido? Sólo era una criatura cuando él murió.

Bien, *era* excéntrica. Entraba en todas las librerías y pedía los libros de su padre. Si la librería se había quedado sin ellos, los encargaba. Poseía el sentido de la inmortalidad del escritor: si estás en letras de molde y en los estantes, estás vivo. Jenny Garp dejó nombres y domicilios falsos a todo lo largo y lo ancho de los Estados Unidos; *alguien* compraría los libros que ella encargaba, razonaba. T. S. Garp no se agotaría... al menos mientras viviera su hija.

También era vehemente en su defensa de la famosa feminista Jenny Fields, su abuela; pero, al igual que su padre, Jenny Garp no tenía una opinión muy elevada de la *obra literaria* de Jenny Fields. No fastidiaba a los libreros pidiéndoles que tuvieran *Sexualmente sospechosa* en las estanterías.

Sobre todo se parecía a su padre en el *tipo* de médica que llegó a ser. Jenny Garp entregó su mente científica a la investigación. Nunca se dedicó a la práctica privada. Sólo entraba en los hospitales cuando estaba enferma. Jenny pasó una serie de años íntimamente ligada al Archivo de Casos de Tumor de Connecticut; finalmente dirigió un departamento del Instituto Nacional del Cáncer. Al igual que un buen escritor —que debe amar cada detalle y preocuparse por él— Jenny Garp pasaba horas enteras observando las costumbres de una sola célula humana. Al igual que un buen escritor, era ambiciosa: abrigaba la esperanza de llegar hasta el fondo del cáncer. En cierto sentido, lo logró. Murió de cáncer.

Como todos los demás médicos, Jenny Garp hizo el sagrado juramento de Hipócrates, el así llamado padre de la Medicina, por el cual aceptó entregarse a algo semejante a la vida que Garp había descrito al joven Whitcomb, aunque a Garp le impulsaban las ambiciones de un *escritor* («... tratar de mantener vivos a todos para siempre. Incluso a los que al final deben morir. Estos son los que más importa mantener vivos»). Así, las investigaciones sobre el cáncer no deprimieron a Jenny Garp, a quien le gustaba describirse a sí misma como su padre había descrito a un novelista: «Un doctor que sólo atiende casos perdidos».

Jenny Garp sabía que en el mundo según su padre hemos de tener energía. Su famosa abuela, Jenny Fields, pensó una vez en nosotros como Epidérmicos, Organos Vitales, Ausentes y Sentenciados. Pero en el mundo según Garp, todos somos casos perdidos.

TUSQUETS
EDITORES